WSZYSTKIE MARZENIA ŚWIATA

Jorge Díaz

Przełożyła
Barbara Sławomirska

DOM WYDAWNICZY REBIS

Tytuł oryginału
Tengo en mí todos los sueños del mundo

Copyright © 2016, Jorge Díaz Cortés
© 2016, Penguin Random House Grupo Editorial, S. A. U.
Travessera de Gracia, 47-49. 08021 Barcelona
All rights reserved

Copyright © for the Polish edition by REBIS Publishing House Ltd.,
Poznań 2016

Redaktor
Elżbieta Bandel

Projekt i opracowanie graficzne okładki
Michał Pawłowski/www.kreskaikropka.pl

Fotografie na okładce
Kobieta, mapa © Getty Images Poland
Príncipe de Asturias – Wikimedia Commons/Domena publiczna
Mewy – fot. na licencji CC BY-SA 2.0 – Flickr.com/Chris Dodds

Wydanie I
Poznań 2017

ISBN 978-83-8062-174-9

Dom Wydawniczy REBIS Sp. z o.o.
ul. Żmigrodzka 41/49, 60-171 Poznań
tel. 61-867-47-08, 61-867-81-40; fax 61-867-37-74
e-mail: rebis@rebis.com.pl
www.rebis.com.pl

Nie jestem niczym.
Nigdy nie będę niczym.
Nie mogę pragnąć być niczym.
Mam ponadto w sobie wszystkie marzenia świata.

Fernando Pessoa
Sklep tytoniowy,
fragment w przekładzie Barbary Sławomirskiej

1

FOTEL ROZMYŚLAŃ

Autorstwa Gaspara Mediny dla „El Noticiero de Madrid"

HISZPANIE Z PÓŁNOCY I HISZPANIE Z POŁUDNIA

Przed zaledwie trzema laty obchodziliśmy stulecie pierwszej hiszpańskiej konstytucji, uchwalonej przez Kortezy w Kadyksie, znanej później jako La Pepa. Przy tej fortunnej okazji, zmarnotrawionej później przez okrutny absolutyzm Ferdynanda VII, głupiego władcy, starano się ustanowić powszechne prawo, ramy porozumienia dla Hiszpanów z obu półkul, północnej i południowej. Od tamtej pory zaczęliśmy tracić wszystkie kolonie stanowiące niegdyś część naszej ojczyzny, począwszy od krajów Ameryki Południowej po Kubę czy Filipiny. Owi mężczyźni i kobiety, urodzeni tysiące kilometrów od ziemi swych przodków, przestali być Hiszpanami, aby stać się Chilijczykami, Kolumbijczykami lub Meksykanami... Nasi przedstawiciele w Kadyksie chcieli pracować dla jednych i drugich, było już jednak za późno, a brak wizji tępego monarchy doprowadził nas do kresu wspaniałego imperium, będącego powodem do dumy dla połowy świata.

Pod wszystkimi jednak szerokościami geograficznymi pozostało wielu rodaków. Co roku wyruszają z Hiszpanii tysiące młodych ludzi, mężczyzn i kobiet, by szukać lepszej przyszłości. Począwszy od sklepów Hawany po plantacje kawy w brazylijskim stanie São Paulo, od upraw kakaowców w Gwinei Równikowej po rozległe pola Patagonii, w każdym z tych miejsc można usłyszeć naszą mowę. Cały kontynent amerykański, Azja i Afryka pozyskują najlepszych przedstawicieli naszej nacji: Andaluzyjczyków, Kastylijczyków, Basków, Katalończyków, Galisyjczyków... Hiszpańskie wsie i miasta mają zatem swych przedstawicieli nawet w najodleglejszych zakątkach planety.

Nie możemy ich porzucić, nie możemy ponownie pozostawić rodaków na pastwę losu i pozwolić, by równi nam hiszpańscy obywatele przemienili się w Kubańczyków, Argentyńczyków czy Peruwiańczyków. Hiszpania i jej król powinni trwać przy nich, a obowiązkiem hiszpańskiego rządu jest zapewnienie w budżecie środków, które pomogłyby utrzymać naszym emigrantom kontakt ze swoimi rodzinami i swoim miejscem pochodzenia.

Na północy ludzie tylko się zabijają. Lepiej udać się na południe, jak ptaki, kiedy nadciąga chłód.

Gdyby mogła, Gabriela rzuciłaby się do morza i popłynęła. Jak nauczył ją ojciec, kiedy była mała: pomagając sobie rękami i nogami, naśladując sposób poruszania się żab w stawie, na przemian to zanurzając głowę w wodzie, to wynurzając ją i wydmuchując powietrze. Tak całymi godzinami, dzień w dzień, tydzień w tydzień… aż dotrze do innego świata. Takiego, gdzie nie będzie musiała słuchać nakazów rodziny, gdzie sama będzie mogła decydować o tym, co pragnie zrobić ze swoim życiem, gdzie nie będzie musiała następnego dnia o siódmej rano poślubić narzeczonego, którego nigdy w życiu nie widziała. Może do świata, gdzie nawet nie byłaby kobietą, lecz mężczyzną, który nikomu nie musiałby ulegać, który mógłby walczyć, by narzucić swoją wolę.

– Podobno płynąc w linii prostej, dotrzesz do Barcelony.

– Wszystko mi jedno, dokąd dotrę. Najważniejsze, żeby uciec, wydostać się z tej wyspy.

Niemożliwa jest jednak taka ucieczka: woda w morzu jest zimna – lodowata o tej porze roku – a wpław nigdzie się nie dotrze. Ponadto w Europie mężczyźni zabijają się nawzajem w wojnie, która trwa już ponad rok i nie ma widoków na jej zakończenie. Ona nie jest nawet wolnym mężczyzną, jest kobietą i nie pozostaje jej nic innego, jak podporządkować się decyzjom, które inni za nią podjęli, i wyjść jutro za mąż, w wigilijny poranek Bożego Narodzenia 1915 roku.

– Chyba nie wymówisz się od ślubu? Wypędzą cię ze wsi, jeśli tak zrobisz.

– Nie jestem taka szalona!

Àngels martwi się o nią, lecz nie ma się czym przejmować. Gabriela zrobi, co musi zrobić, jak zwykle, spełni wolę matki. Zachowa się jak grzeczna dziewczynka, którą zawsze była.

Gdyby przynajmniej Enriq, ukochany mężczyzna, uczynił coś, by nie dopuścić do tego ślubu… On jednak z chwilą, gdy dowiedział się o zaręczynach, nie kiwnął palcem, tylko ją ignoruje i okazuje jej wzgardę. Owego wieczoru, kiedy mu to oznajmiła, wykazała mu, jak bardzo go kocha, oddając to, czego tyle razy mu odmawiała – chciała czekać z tym do ślubu – ale wtedy oddała mu się, żeby udowodnić, do czego gotowa jest się posunąć. Jednak nawet to niczego nie zmieniło, minął już niemal miesiąc od tego zdarzenia, a Enriq nie przybył na koniu, żeby przeszkodzić jej w ślubie z innym, nie zamienił też z nią słowa ani nie poprosił, żeby tego nie robiła. Nie zaproponował, by razem uciekli, wsiedli na statek zmierzający do Barcelony, Francji, obojętnie gdzie, i rozpoczęli nowe życie, tylko we dwoje. Podążyłaby za nim, dokądkolwiek by chciał. Gdyby chociaż ją zgwałcił i pozbawił czci w oczach wszystkich, żeby rodzina przyszłego męża ją odrzuciła i nie dopuściła do małżeństwa! Gdyby nawet zniknął, a tym samym skazał ją na życie w samotności, Gabriela wzięłaby to za dobrą monetę, za miłość. Ale nie, może to, że inny pojmie ją za żonę, jest dla niego wyzwoleniem, może snuje te same co ona marzenia o wolności, a ona jest łańcuchem, który go krępuje i przeszkadza w ich realizacji.

Potrzebowała Enriqa, by zmienić swój los, a on chyba postanowił nie pomagać jej w ucieczce. Musi żywić nadzieję aż do końca, nie poddawać się: zostaje jeszcze jedna noc i nadal musi trwać w przekonaniu, że on tylko gra na czas, nie może przestać marzyć, że pojawi się, gdy nadejdzie odpowiednia chwila.

– A jeśli dzisiejszej nocy przybędzie po ciebie?

– Enriq ma czas do ostatniej minuty, do chwili, gdy wejdę do kościoła, dopóki nie będę miała obrączki na palcu.

– A potem?

– Jeśli nie pojawi się do tego momentu, nie zrobi tego także później.

– Tak jest lepiej. Enriq to tchórz i nie zasługuje na ciebie.

Jeśli nie przybędzie, Gabriela zrobi to, co najbardziej logiczne, ruszy na południe, jak ptaki. Uda się do Buenos Aires. Czy ptaki dolatują tak daleko? Kto wie, czy będzie mogła wrócić na północ, kiedy tutaj zrobi się ciepło.

– Gdzie byłaś, Gabrielo?
– Na Cap de Sa Paret', z Àngels.
Kilka godzin przed zamążpójściem musi nadal być posłuszna matce. Począwszy od jutra, to męża będzie musiała słuchać.
– Wszystko masz przygotowane?
– Chyba tak.
– Idź spać, jutro będzie bardzo długi dzień i trzeba wcześnie wstać.

Gabriela kładzie się do łóżka, choć nie chce jej się spać. Zgodnie z obyczajem panującym w majorkańskich wioskach ślub odbywa się w dzień roboczy o siódmej rano, ażeby po ceremonii i śniadaniu wydanym przez rodziny nowożeńców goście mogli zająć się pracą w polu lub wypłynąć na połów. Nikt, z wyjątkiem najbogatszych, nie bierze ślubu w niedzielę: kościół jest przeznaczony na msze i inne nabożeństwa, nie udziela się w nim ślubów: zaślubiny nie są jakąś wielką uroczystością, lecz jeszcze jedną formalnością, jedną ze zwykłych rzeczy, jakie przydarzają się w życiu, takich jak choroba, narodziny dziecka czy śmierć.

Gabriela będzie musiała wstać przed piątą rano, żeby się ubrać i pójść, w towarzystwie rodziny i sąsiadów, do kościoła św. Bartłomieja. Jeśli nic temu nie przeszkodzi, za niecałe siedem godzin zostanie żoną Nicolau.

O Nicolau Estevem po raz pierwszy usłyszała zaledwie przed dwoma miesiącami. Jej przyszły mąż jest jednym z wielu mieszkańców Sóller, którzy wyemigrowali z wyspy. Gabriela wie, że wyjechali do Barcelony, Francji czy na Kubę, nie zna jednak nikogo, kto popłynąłby do Argentyny. Teraz odkryła, że owszem, paru mieszkańców Sóller osiedliło się w tym kraju, a Nicolau jest z nich najważniejszy, najbogatszy. Wyjechał przed niemal trzydziestoma laty, na długo przed jej przyjściem na świat.

Mieszkańcy Sóller są bardzo dumni ze zbożnego dzieła dokonywanego przez księdza Josepa Pastora, którego wszyscy nazywają Wikarym Fiquetem; to właśnie on zaaranżował to małżeństwo. Wiele par z górzystych zakątków Serra de Tramuntana połączyło się dzięki jego pośrednictwu. Powiadają, że skojarzył ich niemal tysiąc i że nigdy się nie myli, jeśli bowiem on wybierze narzeczonych, zawsze dochodzi do ślubu, a wszyscy są wdzięczni za zyskane szczęście. Mówi się, że Wikary Fiquet ma archiwum z kartoteką każdej panny na wydaniu z Sóller i okolicznych wiosek, z Valldemosy, z Buñoli, a nawet z Calvià. Na karcie odnotowuje jej najważniejsze cechy: ładna, wspaniała kucharka, dobry charakter, lubi czytać… ale także: nerwowa, popędliwa lub bezczelna. Jeśli według Wikarego u dziewczyny przeważają cechy pozytywne, ma ona szansę na dobrą partię i poślubienie jednego z emigrantów, którzy odnieśli sukces i kontaktują się z nim, żeby znaleźć żonę w dawnej ojczyźnie. W oczach Gabrieli nie różni się to zbytnio od tego, co robią swaci; nie wie, dlaczego ich się krytykuje, podczas gdy przed księdzem otwierają się wszystkie drzwi.

Wielebny nawet z nią nie rozmawiał. Przyszedł do jej domu, kiedy Gabrieli nie było, i przedstawił rodzicom propozycję. Potem matka oznajmiła:

– Był tu Wikary Fiquet. Pewien mężczyzna z naszego miasteczka, który wyjechał do Argentyny, szuka żony. Wielebny uważa, że ty doskonale byś się dla niego nadawała.

– Ale ja nie chcę wychodzić za mąż za kogoś, kogo nie znam.

– No i proszę, ależ to głuptaska, co ma pstro w głowie i zawodzi o miłości, jakby z niej można było wyżyć. Zrobisz to, co twój ojciec i ja postanowimy. My wiemy, co dla ciebie odpowiednie.

Gabrieli pochlebiła wiadomość, że o jej rękę stara się bogacz z Ameryki, właściciel hotelu Mallorquín i kawiarni Palmesano w Buenos Aires, mężczyzna, który kupił swojej rodzinie wielki dom w centrum miasteczka, a swojemu ojcu sady w rejonie najlepszych upraw. Wraz z propozycją małżeństwa nadeszła skrzynia z najsłodszymi pomarańczami, jakich kiedykolwiek posmakowano w domu Gabrieli Rosselló. Nawet Àngels poczuła zazdrość i żałowała, że to nie ją wybrał Wikary dla tego mężczyzny. Niemniej jednak Gabriela, jak wszystkie jej przyjaciółki, marzyła o wielkim uczuciu, takim jak to z powieścideł, które czytywała. Miała nadzieję zaznać miłości i innego życia.

Będzie inne, to pewne. Już za kilka tygodni jej towarzyszami przestaną być to morze oblewające wyspę od niepamiętnych czasów, te góry, sprawiające wrażenie, jakby chwilami odgradzały miasteczko, a chwilami je ochraniały – przemierzy cały świat, udając się na południe, ku nieznanemu przeznaczeniu. Wielekroć marzyła o tym, by zamieszkać w jednej z tych rezydencji wznoszących się w centrum Sóller, przy głównej ulicy, jako żona któregoś z ich bogatych właścicieli. Może zamieszka w podobnym domu, w innym mieście, w innym kraju. Powiadają, że Buenos Aires przypomina Paryż, ale to nie ma znaczenia, gdyż Gabriela nie wie, jaki jest Paryż, chociaż oba miasta napawają ją lękiem.

Nicolau powiodło się w Argentynie, a nie wszystkim, którzy opuścili swój kraj, udaje się ziścić marzenia. Dostatek pozwala mu starać się o żonę z rodzinnych stron: piękną, młodą dziewczynę, łagodną i zdrową, która mogłaby zostać matką jego dzieci, która by je wychowała, mówiła z nimi po majorkańsku, nauczyła języka przodków. Tego nie da mu żadna z być może poznanych tam kobiet, choćby nie wiedzieć jak wielkie, eleganckie i kosmopolityczne było Buenos Aires. Dlatego też zwrócił się do Wikarego Fiqueta, zaufawszy jego zręczności swata.

Niektórzy emigranci wracają na wyspę, gdy zarobią dość pieniędzy, żeby się tutaj urządzić i wieść luksusowe życie: budują piękne wielkopańskie domy – jak Can Prunera, wzniesiony przez mieszkańca, który wzbogacił się na handlu owocami we Francji; Can Massana, zbudowany przez innego, który wrócił z Portoryko, albo Ca s'Amèrica, jeszcze jedna z siedzib tych, którzy wrócili z dawnych hiszpańskich kolonii. Jedni zakładają firmy związane z rolnictwem lub tkactwem, jako że teraz pociąg do Palmy ułatwia transport, a port w Sóller jest w stanie przyjmować statki o sporym tonażu, inni z kolei luksusowe kawiarnie i sklepy. Sóller rozkwitło, odkąd wielu z nich wróciło, przywożąc swój majątek. Nie jest to przypadek Nicolau Estevego: on nigdy nie odwiedził swoich rodzinnych stron ani nie okazał zamiaru powrotu, by osiąść tu na starość. Gabriela sądzi, że chociaż Sóller jest dobrym miejscem do życia – gospodarka się rozwija i miasto cieszy się swoistym dobrobytem, przynajmniej w porównaniu z innymi miejscowościami na Majorce – to kiedy wsiądzie na statek, by wyruszyć na spotkanie z mężem, już tu nie wróci. Matka wpada we wściekłość, kiedy Gabriela mówi jej, że może nigdy więcej się nie zobaczą, a ona nie pozna swoich wnuków.

– I po co chcesz wracać? Lepiej być żoną bogacza w wielkim mieście niż żoną nędznego rybaka w małej mieścinie.

Niemniej jednak jej matka, urodzona w Kastylii, wyszła za mąż za zwykłego rybaka, biednego, chociaż nie nędzarza, i Gabriela nie przypomina sobie, żeby w ich domu kiedykolwiek czegoś brakowało.

Zamyka oczy i myśli o tym, jaki będzie pan Esteve, Nicolau. Nikt nie przysłał jej jego wizerunku. Kiedy poprosiła o to matkę, ta wzięła to za impertynencję, toteż jedynym odniesieniem, które pozwala jej go sobie wyobrazić, jest jej teść. Ma nadzieję, że syn pana Quimeta nie będzie miał takich samych jak ojciec plam na dłoniach, takich samych zmarszczek, tej samej nieufności wypisanej na twarzy. Nie rozumie również, dlaczego to impertynencja, jako że ona sama musiała pojechać z matką do Palmy, ażeby Nicolau mógł ją zobaczyć, nim wyrazi zgodę na zaręczyny. Początkowo to ją bawiło, wsiadły w pociąg do Palmy i poszły do zakładu fotograficznego przy plaça del Mercat. Fotograf zrobił jej kilka zdjęć, w kapeluszu i bez niego, ubranej na biało i na czarno, w pozycji siedzącej i na stojąco. Szybko zaczęło ją to męczyć i czuła się jak towar, podczas gdy matka wszystkim wydawała polecenia.

– Uśmiechnij się, dziewczyno, sprawiasz wrażenie, jakby cię zmuszano do zdjęć. Od tych fotografii zależy, czy zdobędziesz męża, pojedziesz do Argentyny i będziesz mogła przysyłać pieniądze swoim młodszym braciom, a któregoś dnia ich do siebie sprowadzić. A pan niech dobrze nastawi aparat, bo dziewczyna musi pięknie wyjść na zdjęciach.

Gabriela łudziła się, że fotografie nie spodobają się adresatowi i Nicolau odrzuci ją z jakiegoś powodu, dlatego że jest brzydka, niemiła, smagła, cokolwiek. Że Amerykanin powie jej matce to, czego ona nie ośmieliła się powiedzieć: że nie, nie będzie ślubu. Niemniej jednak kiedy odpisał, uzgodniono warunki i wyznaczono termin na ten dzień, dzień wigilii Bożego Narodzenia. Czas tak szybko minął…

Najdrobniejszy szmer pobudza jej zmysły: każdej chwili w środku tej zimnej grudniowej nocy ma nadzieję ujrzeć, jak zjawia się Enriq – zwlekający do ostatniego momentu, lecz gotów wziąć ją za żonę i zmusić Amerykanina, by poszukał innej. Nicolau zostanie ze swoimi pieniędzmi, a oni ze swoją biedą i swoją miłością, z marzeniami o wspólnym życiu. Jej przyjaciółka Àngels ma jednak rację i ośmiela się dosadniej wypowiedzieć to na głos, niż sama Gabriela pomyśleć: Enriq to tchórz, który nigdy się nie odważy wziąć w ręce własnego losu, jak więc miałby to zrobić z jej losem?

Chce czuwać przez całą noc, wykorzystać ostatnie panieńskie godziny, być przygotowaną na pomoc Enriqowi, gdyby zdecydował się ją uprowadzić, nad ranem sen ją jednak zmaga. We śnie płynie po otwartym morzu. Przemierza wielką odległość; wyspa jest tylko małą zielonkawą plamą na horyzoncie, mimo to Gabriela wcale nie jest zmęczona. Chce dalej płynąć i oddalić się od tego życia, które jej nie odpowiada. Nagle dostrzega ląd. Serce jej skacze z radości i podejmuje ostatni wysiłek, żeby do niego dotrzeć. Kiedy stawia stopę na stałym gruncie, odwraca się, żeby zobaczyć, jak daleko odpłynęła, i stwierdza, iż na morzu unoszą się zwłoki. Dziesiątki trupów tych, którzy nie nauczyli się pływać. Krzyczy bardzo głośno, a wtedy widzi przed sobą matkę, która nią potrząsa.

Tak zaczyna się dzień jej ślubu.

* * *

– Jutro po południu będziemy w Kadyksie, kapitanie.

Don José Lotina Abrisqueta jest dumny, że raz jeszcze to osiągnął, chlubi się faktem, że jest jednym z najpunktualniejszych kapitanów w całej marynarce handlowej, nie tylko hiszpańskiej, lecz także światowej. Ani Włochom, ani Anglikom, ani Francuzom czy Amerykanom, lecz właśnie kapitanowi Lotinie najczęściej udawało się przybić do portu zgodnie z przewidzianym harmonogramem.

I chociaż są tacy, którzy oskarżają go o narażanie statków na niebezpieczeństwo w celu poprawienia swoich statystyk, on wie, co robi. W ciągu wszystkich lat pływania po morzu tylko raz przeżył poważny wypadek, w 1901 roku, dowodził wtedy parowcem *Pilar*. Potężny sztorm na Morzu Kantabryjskim spowodował przesunięcie się ładunku, a statek omal nie zatonął. Z wielką zręcznością i zimną krwią kapitan zdołał sprowadzić go na mieliznę i ocalić życie wszystkim pasażerom. Kilka dni później uratował również cały ładunek. Dzięki takim czynom Lotina stał się najwyżej cenionym kapitanem Kompanii Żeglugowej Pinillos i właśnie dlatego powierzono mu najlepszy statek floty, wspaniały *Príncipe de Asturias*.

– Jakiś okręt wojenny na widoku?

– Na razie nie dostrzegliśmy żadnego. Angielskie okręty zwykle patrolują obszar Cieśniny Gibraltarskiej. Jeszcze mają czas, żeby nas zatrzymać.

Wojna sprawiła, że przepłynięcie Atlantyku stało się ryzykowne, Niemcy zmienili bowiem reguły, zatapiając *Lusitanię*, angielski statek, który w celu ominięcia blokady płynął pod banderą Stanów Zjednoczonych. Przesłanie było jasne: nikt nie jest bezpieczny bez względu na banderę, pod jaką płynie.

Jego statek przewozi także towary. W ładowniach *Príncipe de Asturias* spoczywa wiele ton argentyńskiej pszenicy, załadowanych w Buenos Aires. Kapitan Lotina nie ma bladego pojęcia o ostatecznym miejscu przeznaczenia ładunku, czy zostanie w Hiszpanii, gdzie, jak powiedziała mu żona, ceny artykułów spożywczych z każdym dniem idą w górę, a sklepy są marnie zaopatrzone mimo korzyści ekonomicznych, jakie przynosi neutralność, czy też zostanie sprzedany krajom prowadzącym wojnę, w których przestano produkować zboże, toteż muszą importować niemal wszystko, co konsumują.

– Kapitanie, jeśli nas zatrzymają, możemy mieć problemy z pszenicą.

– Jeśli nas zatrzymają, wysypiemy ją do morza. Moim zadaniem jest dostarczenie statku wraz z pasażerami i pocztą do portu przeznaczenia. Pszenica i wojna to nie moje sprawy.

Innych poczta nie obchodzi, lecz dla kapitana Lotiny ma pierwszorzędne znaczenie. Sporo przewożonych przez niego listów to korespondencja handlowa, część jednak to listy osobiste: dzieci, które wyjechały do Argentyny, piszą do rodziców; inne upraszają braci, by do nich dołączyli w Nowym Świecie; listy miłosne par rozdzielonych przez życie, może na pewien czas, może na zawsze… Kapitan woli stracić tonę zboża niż choćby jeden miłosny list.

Chociaż Lotina jest Baskiem z Plentzii, od tak wielu lat mieszka w Barcelonecie, że uważa się zarówno za Baska, jak za barcelończyka. Nie przybył na czas, by spędzić Wigilię i dzień Bożego Narodzenia z rodziną, lecz później będzie cieszył się niemal miesiącem wakacji, podczas gdy na *Príncipe de Asturias*, statku, którym z taką dumą dowodzi, będą przeprowadzane remonty. Nie są to poważne prace, które musiałby nadzorować, nic związanego z nawigacją. Chodzi o ulepszenia w luksusowych kajutach, w kuchniach i ładowniach. Inni oficerowie służący na statku, mieszkańcy Kadyksu, dopilnują, by wszystko wykonano zgodnie z instrukcjami kapitana. W andaluzyjskim mieście zatrzyma go tylko na jeden dzień obowiązkowa wizyta u don Antonia Martineza de Pinillos, armatora statku. Wie, że ten czyni starania, ażeby zapewnić bezpieczeństwo statkom należącym do jego kompanii, i ma nadzieję, że dla dobra wszystkich owe negocjacje zakończą się powodzeniem.

Kapitan pragnie już zobaczyć Kadyks, obok Hawany jedno z jego ulubionych miast. Oba są bardzo do siebie podobne. Lubi widzieć punkty widokowe umieszczone na głównych budynkach, z których obserwuje się przybijające statki, czuje, że ponownie witają go w Europie. Dowód, że raz jeszcze udało mu się bezpiecznie przebyć ocean.

– Kiedy uda się pan do Barcelony, kapitanie?

– Skoro tylko wyruszy tam jakiś statek naszej kompanii. Najchętniej taki, który płynąłby tam bezpośrednio, nie zatrzymując się w portach wybrzeża.

Félix Rondel, jego zaufany człowiek, pokieruje pracami na statku. Pochodzi z Kadyksu i będzie zadowolony, mogąc spędzić cały miesiąc z rodziną. Jemu Lotina powierzy dowództwo nad *Príncipe de Asturias*. Wie, że nie ma się czego obawiać.

Prócz radości i ekscytacji wynikających z przybycia do kraju, chwile przed wpłynięciem do portu przepojone są obawami. Czy w domu wszystko w porządku? Czy w ciągu tych tygodni wydarzyło się coś ważnego? Wszyscy marynarze doświadczają tego niepokoju, mimo że telegraf wiele uprościł. Pewne jest jedynie to, że każda podróż pociąga za sobą rezygnację z uczestniczenia w ważnych chwilach w życiu rodziny. Jego na przykład nie było przy narodzinach córki. Najbardziej wzruszający moment w życiu przeżył na nabrzeżu w dniu, gdy żona przyszła go powitać z niewielkim zawiniątkiem w ramionach, z jego małą córeczką Amayą. Nigdy nie zatrze mu się w pamięci wspomnienie tamtej chwili. Nie zawsze są to jednak szczęśliwe historie, wiele z nich jest smutnych, jak wówczas, kiedy rodziny przybywają na powitanie ukochanych krewnych w żałobnych strojach. Każdy marynarz ma do opowiedzenia własną historię.

Lotinie pozostaje jeszcze wypełnienie jednego kapitańskiego obowiązku: zwyczaj każe, by w ostatni wieczór przed wpłynięciem do portu zjadł on uroczystą kolację z pasażerami w jadalni pierwszej klasy. Zapamiętale unika tego przez cały rejs, wymawiając się wszelkiego rodzaju czynnościami związanymi z bezpieczeństwem statku, w ostatni jednak wieczór nie ma innego wyjścia, jak włożyć mundur galowy i usiąść przy stole z najznakomitszymi pasażerami. Pierwsza klasa wraca z Buenos Aires wypełniona, w przeciwieństwie do rejsów w drugą stronę, kiedy większość stanowią pasażerowie trzeciej klasy. Wielu ubogich ludzi pragnie dotrzeć do zamożnej Ameryki; niewielu zaś jest takich, którzy chcą wrócić do upadającej i wykrwawiającej się Europy, przynajmniej zanim się wzbogacą i będą mogli awansować do wyższej klasy społecznej niż ta, do której należeli, opuszczając ojczyznę. Pasażerowie trzeciej klasy udający się w powrotną podróż wracają nie tyle biedni, ile rozczarowani, gdyż nie powiodło im się na emigracji i nie mają już nadziei na rozpoczęcie wszystkiego od zera w nowym miejscu.

— Kogo tym razem zamierzają posadzić przy moim stoliku?

— Jeszcze nie przedstawiono nam listy, lecz na pewno będzie to don Mariano Cordel z małżonką.

– Nie ma mowy, nie trawię ich. Ona jest nie do zniesienia.

– Podróżują w luksusowej kajucie i uważają, iż mają prawo zjeść kolację z kapitanem, złożą skargę.

– Niech złożą. Przy odrobinie szczęścia zdegradują mnie i będę musiał pływać na mniej ważnych liniach. Zaczynam mieć już dość rejsów do Ameryki.

– Niech pan tak nie mówi, kapitanie. Ma pan jeszcze przed sobą wiele lat pływania po morzu. Poza tym co się stanie z *Prínci- pe de Asturias* bez pana?

– Ten statek jest tak dobry, że nawet dziecko mogłoby nim do- wodzić… Niech mi pan wyświadczy przysługę i posadzi przy moim stoliku piłkarzy z Montevideo, znacznie milej spędzę czas z nimi niż z podrzędnymi arystokratami w pretensjach… Paula z pewnością mnie zrozumie. Przy okazji, coś nowego o jej stanie? Chciałbym zobaczyć się z nią przed kolacją.

– Przed chwilą rozmawiała z lekarzem. Ma się dobrze i niedłu- go w pełni odzyska siły.

Galisyjka Paula Amaral pracuje jako stewardesa w pierwszej klasie i obsługuje słynne stoliki, których kapitan tak nie cierpi. Podczas rejsu, niedługo po wypłynięciu, zachorowała na zapalenie wyrostka robaczkowego, ale wszystko pomyślnie się skończyło. Na szczęście dla niej na statku Kompanii Żeglugowej Pinillos znajduje się w peł- ni wyposażony szpital, włącznie z salą operacyjną, oraz profesjonal- ny zespół medyczny, który bez problemów mógł się zmierzyć z jej dolegliwością. Gdyby coś takiego przydarzyło się Pauli na innym statku, najprawdopodobniej już by nie żyła.

Leżąc na koi w izbie chorych, powoli powraca do sił po prze- żytym strachu. Dni wloką się jej teraz monotonnie, a jedyną roz- rywkę stanowią odwiedziny kolegów. Oczywiście Paula wolałaby pracować, niż rozmyślać zamknięta w czterech ścianach. Przed wypłynięciem z Buenos Aires podjęła decyzję i nie ma ochoty jej zmieniać mimo wielu wątpliwości, jakie teraz jej się jawią. Nie chce być stewardesą, nigdy tego nie chciała, i w końcu nadeszła chwila, że może spróbować zarabiać na życie, robiąc to, co lubi.

Marzy o tym, by tworzyć stroje: projektować je, szyć, przymierzać na kobietach, które będą je nosić... Po powrocie do Buenos Aires opuści *Príncipe de Asturias* i nigdy więcej nie wejdzie na jego pokład.

Po tylu latach odwiedzania najbogatszych miast ziemskiego globu znużyło ją snucie marzeń przed witrynami na ich głównych ulicach, podziwianie eleganckich kobiet; zapragnęła stać się częścią tego świata. Owszem, bycie projektantką to nie to samo co bywanie w jednej z tych oszałamiających toalet w teatrze Colón, cukierni Las Violetas w Belgrano czy w La Perfección na ulicy Corrientes, lecz chce przynajmniej uczynić ważny krok i rozpocząć życie po tej stronie szyby wystawowej, którą woli: wewnątrz sklepu.

Do chwili, gdy popłynęła w piąty rejs do Buenos Aires, nie miała śmiałości przekroczyć progu żadnego z tych wytwornych miejsc. Uważała, że nie pasuje do tak wyrafinowanego otoczenia. Postawiła pierwszy krok ze strachem, zastanawiając się, ile sekund mieć będzie na wyjaśnienie celu swojej wizyty, zanim zostanie uprzejmie wyproszona. Umierając ze wstydu, weszła do najlepszego sklepu na ulicy Florida, miejsca spotkań śmietanki towarzyskiej, gdzie powitała ją kobieta mówiąca z silnym francuskim akcentem. Zamiast ją odprawić, poprosiła, by przeszła dalej, a wtedy Paula mogła wyjaśnić, co ją sprowadza. Opowiedziała kobiecie, że w jej galisyjskiej wiosce matki uczą córki szycia odzieży na własne potrzeby. Ona zawsze była zręczna, a zarówno matka, jak sąsiadki chwaliły jej prace. Dopiero podczas pierwszego pobytu w stolicy pojęła, ile możliwości kryje się za tak skromną pracą jak szycie: materiały gładkie, błyszczące, haftowane... Od owej chwili zaczęła marzyć o nieosiągalnych dla niej i jej przyjaciółek sukniach; rysowała je, wyobrażała sobie tkaniny, a później posłusznie naprawiała starą odzież, którą nosiły na co dzień. Na pokładzie *Príncipe de Asturias*, jako stewardesa w pierwszej klasie, miała okazję zobaczyć najelegantsze kobiety po obu stronach oceanu, odziane w najwytworniejsze toalety, i każdej nocy w swojej kajucie z całą pieczołowitością odtwarzała szczegóły śmiałych kreacji, modnych tkanin, modeli, które najlepiej podkreślały urodę każdej z dam. Jest pewna, że potrafi dobrze to robić, i prosi tylko o szansę...

– Sądzę, że na nią zasługujesz, dlatego ci ją dam. Nie zarobisz zbyt wiele, lecz obiecuję, iż nauczysz się tego, czego jeszcze nie umiesz. Wojna sprawiła, że Argentynki nie mogą już kupować sukien w Paryżu czy w Londynie, mam więc teraz dużo pracy. Poza tym emigruje teraz tak wielu Hiszpanów, że przydasz mi się tutaj.

Uzgodniła z kobietą, że zacznie pracę za kilka tygodni, kiedy ponownie przypłynie do Buenos Aires. Ma nadzieję, że szybko wróci do zdrowia po operacji i będzie mogła udać się w podróż.

– Słyszałem, że ma się pani lepiej, Paulo.

– Tak, bardzo mi przykro, panie kapitanie, że nie mogłam wypełniać swoich obowiązków.

– Niech się pani nie martwi, jesteśmy dumni, że mogliśmy zapewnić pani możliwie najlepszą opiekę.

Żal jej będzie opuścić statek i kolegów, z którymi pracowała przez ostatni rok, lecz następny rejs stanie się dla niej początkiem nowego życia. Zostawi za sobą Hiszpanię; tutaj nic już jej nie trzyma, a w Argentynie będzie mogła spełnić swoje marzenie.

* * *

– Och, jakie śliczne, jakie puszyste futerko ma kociaczek! Och, kotku, koteczku, jak mi miło, gdy mogę je przytulić.

Raquel jest całkiem naga na scenie, podczas gdy dwóch tancerzy przesuwa pluszowe koty od jej piersi do wzgórka łonowego i z powrotem. Szybko, lecz nie na tyle szybko, by widzowie siedzący na parterze nie mogli dostrzec każdego centymetra jej skóry. Im bliżej estrady, tym lepszy widok i tym droższy bilet. A Raquel, jakby mimochodem, przemieszcza się z jednej strony sceny na drugą, by podejmowane przez tancerzy próby zasłonięcia jej spełzły na niczym, a nawet najdalej stojący widz z najtańszym biletem dojrzał to, co przyszedł zobaczyć: kociaka o delikatnym futerku. Zadowolony klient wraca, a cały teatr trzeba wypełnić, miejsca drogie i tanie.

Aby nikt niczego nie stracił, nawet przez mimowolne mrugnięcie powieką, podczas końcowego aplauzu Raquel, opuszczając scenę, odwraca się i wystawia plecy – zadek, jak to nazywa jej kochanek, don Amando – na łaskę spojrzeń, jakby zapomniała o swojej nagości. Dopiero słysząc gwizdy, ponownie odwraca się twarzą do publiczności, pokazując swoje ciało w całej okazałości, niczym nieosłonięte. Po czym znowu się zakrywa, oczywiście niezdarnie, udając wstydliwą panienkę, która gniewa się na widzów za to, że wykorzystali jej nieuwagę, by zobaczyć ją od tyłu – jej *arrière garde* – jak mówi po francusku, w języku, którego nie zna – co tym samym staje się dla nich bardziej pikantne niż zwykłe zobaczenie jej tyłka.

– Jak wy się zachowujecie? Przecież każdy z nas go ma... Czy mój tyłek różni się od tyłka waszych żon?

Za każdym razem na widowni rozlegają się pomruki: „Owszem, różni się!" i „Nie ma drugiego takiego jak twój!". Zwykle oklaski są gromkie. Niektórzy zuchwalcy ośmielają się rzucać komplementy: „Ślicznotka!", „Pozwól mi się zaopiekować twoimi kotkami!", „Dam ci sardynkę dla twojego kocurka!".

Przychodzą również goście spoza Madrytu, podekscytowani myślą, że zobaczą jedno z tych przedstawień, jakie dają w stolicy, kiedy to najpiękniejsze kobiety świata – w niczym nieprzypominające tych, które zawiodły ich do ołtarza i starzeją się z dnia na dzień – wychodzą na scenę nagusieńkie jak je Pan Bóg stworzył – niektórzy z nich nigdy nie widzieli tak roznegliżowanych swoich ślubnych małżonek. Powiedziano im, że muszą się udać do Salón Japonés, najsłynniejszego miejsca rozpusty, na ulicy Alcalá, w pobliżu Puerta del Sol. Ci prowincjusze są najbardziej nieśmiali i rzadko kiedy krzyczą, chociaż Raquel przypomina sobie jednego, który gwizdnął przeraźliwie, podczas gdy jego towarzysz wrzeszczał: „Owieczkaaa!". Od tej pory Juan i Roberto – towarzyszący jej tancerze, don Amando – jej kochanek, pracownicy techniczni i najbliżsi z jej adoratorów tak ją nazywają: owieczką.

– Okryj się, owieczko, nie jesteś już na scenie.

To jej numer zamyka przedstawienie, jest najbardziej oczekiwany, to ona bowiem, najbardziej bezwstydna, jest ucieleśnieniem zepsucia wynoszącego Madryt na szczyt pośród najbardziej grzesznych stolic Europy. Raquel przyjmie któregoś z widzów w swojej garderobie, zanim wejdzie don Amando. On na szczęście rozumie, że to część jej pracy, Raquel ma jednak nadzieję, że admiratorzy znikną, zanim on się pojawi, by domagać się swoich praw. Najśmielsi z widzów przyniosą jej bukiety kwiatów, ofiarują butelki szampana, a jeśli będzie miała szczęście, nie częściej niż dwa lub trzy razy w ciągu sezonu, obdarują ją jakimś klejnocikiem. Raquel ma na sobie lekki szlafrok, niemal rozsunięty, by goście mieli taki sam widok, chociaż ze znacznie bliższej odległości, na to, co oglądali na scenie: na jej kotka, jak mówią najbardziej bezczelni.

– Nie wiem, jak to się dzieje, że się nie przeziębiasz, owieczko.

Skłamałaby, gdyby powiedziała, że nie lubi, kiedy ją tak widzą, że to nie celowo tak rozchyla szlafrok, żeby żaden z odwiedzających nie odszedł, nie nacieszywszy oczu widokiem. Ich podziw daje jej życie.

Dzisiaj jest szczególny dzień, panuje inna niż zwykle atmosfera: jest 23 grudnia 1915 roku, wigilia jednego z zaledwie dwóch dni w roku, kiedy nie ma przedstawienia – drugim jest Wielki Piątek – i dla całego personelu otwarto butelki szampana, nawet dla maszynistów. Jutro jest wigilia Bożego Narodzenia i w miejscu, gdzie nikt nie przywiązuje wielkiej wagi do tradycji i rodziny, niektórzy mówią o kolacji, jaką spożyją – indyki, wątłusze, brukselka, zupa migdałowa, słodycze, zbytek w każdym domu – o tym, gdzie i z kim będą świętować, jakich jeszcze mają żyjących krewnych i o tym, jak dawno ich nie odwiedzali. Nawet Raquel, która od lat nie była w rodzinnym domu, pomyślała o tym, żeby wcześnie wstać, złapać pociąg i pojechać do Chinchón, a tam wynająć samochód, który zawiózłby ją do Belmonte del Tajo, miasteczka, gdzie się urodziła i gdzie nadal mieszkają jej rodzice i trzy z jej sióstr.

Tego popołudnia przed wyjściem do pracy w Salón Japonés poszła do Casa Mira na Carrera de San Jerónimo i czekała w kolejce, która zawsze tam stoi, żeby kupić nugat, marcepan i kruche ciasteczka. Kupiła je bardziej dla siebie niż dla rodziców czy sióstr. Prosząc ekspedienta o pół funta miękkiego nugatu i pół funta twardego, fantazjowała o szczęśliwym Bożym Narodzeniu, kiedy to wszyscy jej bliscy będą dumni z niej i jej pracy. Wyobrażała sobie, że jest diwą, która dopiero co śpiewała w Teatrze Królewskim i którą odwiedził Jego Królewska Mość – kto wie, może nawet udałoby się jej go uwieść, jak to podobno zrobiło tak wiele innych kobiet – i zamiast pikantnej kuplecistki byłaby wielką śpiewaczką słynną na całym świecie.

– Będziesz mi towarzyszyć, owieczko, do Fornos, żeby kieliszkiem szampana uczcić narodziny naszego Zbawiciela?

– Niech pan nie bluźni, don Felipe. Panu chodzi tylko o to, żeby zabrać mnie do swojego pokoju w hotelu París. I nie spotka mnie tam z pana strony nic dobrego.

– Zadbaj o siebie, dziewczyno, bo widzę, że jesteś w nie najlepszym stanie. No, daj pomacać cycuszki, wiesz przecież, że jestem doktorem.

– Jest pan doktorem od bezczelności i świństw, szachraju.

Gdyby nie istniał don Amando, don Felipe byłby dobrym kandydatem na kochanka, myśli Raquel, podczas gdy wielbiciel obmacuje jej piersi, jak zawsze, gdy ją odwiedza w garderobie.

– Prawej nic nie dolega. Zobaczmy, pozwól mi dotknąć lewej. Potem zostawię ci pięć duro, żebyś sobie kupiła coś na gwiazdkę.

– Dziękuję, don Felipe. Niech je pan zostawi u mojego kolegi Roberta, widzi pan przecież, że nie mam kieszeni.

Raquel, Raquel Castro, jak widnieje na afiszach, chociaż w rzeczywistości nazywa się Chinchilla, nigdy nie bierze pieniędzy; jest przecież artystką, a nie byle kim. Pracuje jako śpiewaczka, a nie dziwka, chociaż za to, co zarabia występami, nie mogłaby kupić sobie strojów, jakie się jej podobają: potrzebuje dodatkowych dochodów. Jej problem polega na tym, że szasta pieniędzmi i nie udaje się jej zaoszczędzić wystarczająco dużo na przyszłość, niezależnie od tego, jak bardzo by się starała.

Wyjeżdżając z Belmonte, Raquel nie zamierzała co noc obnażać się na scenie. Chciała być śpiewaczką i miała talent. Bardzo dobrze śpiewa, ma słuch, wyczucie i piękny głos. Równie dobrze jak pół tuzina innych dziewcząt, które każdego tygodnia przybywają do Madrytu czy Barcelony ze wsi i miasteczek całej Hiszpanii – uciekają z domu, pragnąc odnieść sukces jako artystki. Nie ma miejsca dla wszystkich, ona także musiała nieźle się postarać, żeby jakoś się urządzić: oszczędzała każdy grosz na kostiumy do swoich numerów. Raquel, tak wstydliwa za młodu, jest kobietą, którą więcej mężczyzn w Madrycie widziało nagą niż *Maję* Goi.

– Jesteś gotowa?

– Muszę się ubrać, Amando, kochanie, nie chcesz chyba, żeby policja aresztowała nas za obrazę moralności. Dokąd mnie zabierzesz na kolację?

– Dzisiaj muszę wcześnie wrócić do domu. Rodzina żony przyjechała do Madrytu na święta i nie mogę dotrzymać ci towarzystwa. Przyszedłem tylko się z tobą zobaczyć, bo lubię słuchać, jak cię oklaskują.

– I widzieć, że wszyscy mnie pragną, ale być pewnym, że jestem twoja, żartownisiu. Nie dasz mi żadnego prezentu na gwiazdkę?

– Jutro o czwartej zajdę do mieszkania i trochę z tobą pobędę. Czekaj na mnie, wiesz jak, owieczko.

Do mieszkania, nie „do twojego mieszkania" ani „do naszego mieszkania". To jego sposób przypomnienia jej, że mieszkanie nie należy do niej, że to on za nie płaci i że nie powinna robić sobie złudzeń, że przepisze je na nią. Don Amando nie wymaga od niej wiele – poza szczególnym występem, jaki musi dla niego odegrać podczas każdych odwiedzin – Raquel jednak już zdała sobie sprawę, że on nie zabezpieczy jej finansowo. Nie jest mężczyzną, który traci głowę dla utrzymanki, choćby była kobietą tak bardzo pożądaną przez szacowną publikę Salón Japonés.

Kochanek przyjdzie o czwartej, a ona oczywiście będzie na niego czekać jak zwykle – kto by podejrzewał, że don Amando ma tak szczególne, chociaż niegroźne, upodobania – a to oznacza, że nie będzie miała czasu pojechać do Belmonte i zjeść z bliskimi uroczystej wigilijnej kolacji. Wcale jej to nie przeszkadza, wprost przeciwnie, Raquel czuje ulgę. To doskonały pretekst, żeby nie odwiedzić rodziny i przestać o niej myśleć, przynajmniej przez rok, do następnych świąt.

*

– Don Amando już poszedł, owieczko. Wypijesz coś z nami?

– Owszem, czemu nie?

Bawi ją wychodzenie z Juanem i Robertem, zwłaszcza z Robertem, który jest jej najlepszym przyjacielem. Dzięki nim poznała najweselsze lokale w Madrycie, miejsca, do których chodzą tancerze i takie dziewczyny jak ona, dziewczyny występujące w teatrzykach podobnych do Salón Japonés: w Trianón, Salón París, Ideal Room, Club Parisiana, Chantecler... Odwiedziła również kluby, do których bardzo niewiele kobiet ma wstęp, na przykład kabaret bez nazwy na ulicy Flor, gdzie trzeba wymienić imię świętego czczonego danego dnia, żeby otworzyły się drzwi, albo zaplecze baru na ulicy Fúcar, gdzie, jak jej powiedziano, kilka miesięcy wcześniej przez dwa wieczory występował pewien mężczyzna w numerze z kotami, w wersji równie rozpustnej jak jej własna z Salón Japonés.

– Z kotami?

– Żywymi. I z kociakiem, który cały czas rośnie, kiedy go pieszczą.

– Cudownie byłoby to zobaczyć. Jest tak bezwstydny, jak się wydaje?

– Chyba nie wykonuje tego numeru w obecności kobiet. Jeśli dowiemy się, że znowu przyjechał, zabierzemy cię. A dzisiaj pójdziemy do Café del Vapor.

Café del Vapor znajduje się trochę na uboczu, w miejscu, gdzie ulica Mesón de Paredes łączy się z placem Progreso, a mimo to należy do ulubionych miejsc nocnych marków. Można tam zjeść kolację do bardzo późnych godzin, pianista umila czas i nikt się do nikogo nie wtrąca, bez względu na to, co się dzieje. A można tam zobaczyć rzeczy, które w innych miejscach wywołałyby skandal. Madryt to trochę obłudne miasto, bardzo swobodne w ustronnych miejscach, lecz na zewnątrz stara się uchodzić za porządne: ci sami, którzy korzystają z zakazanych występków, rozkoszy nocnego życia, w gazetach protestują przeciwko rozwiązłości i chodzą na procesje z żonami w mantylkach i grzebieniami we włosach.

Florencio, pianista z Vapor, zna Raquel i zwykle prosi ją, by coś zaśpiewała z jego akompaniamentem. Goście bardzo dobrze przyjmują jej swobodną wersję *Walca ogrodniczki* – chociaż nie tak swobodną jak ta, którą wykonuje w teatrze.

– Mam w domu ogródeczek, jakże piękny, nikt mi go jednak nie podlewa i bardzo mi omdlewa…

Piękna Otero bardzo się wzbogaciła na tej pioseneczce Antonia Pasa i Vicentego Lleó. Jak daleko mogłaby zajść Raquel Castro, gdyby w swoim czasie miała kompozytorów, którzy pisaliby dla niej takie piosenki? Teraz nie ma już złudzeń, na wiosnę skończy trzydzieści lat. Nadal jest świeża i piękna, jednak dzień, kiedy mężczyźni przestaną płacić za oglądanie jej ciała, jest coraz bliżej. Myśli o tym w bezsenne noce, wie, że musi coś zrobić, by utrzymać swój poziom życia, ale nie wie, co by to mogło być. Potem o tym zapomina, decyduje, że pomyśli o tym później albo bierze na poważnie to, co mówi jej Roberto:

– Starzeją się ubrania, nie my, my będziemy zawsze młodzi i piękni.

Ktoś pośpiesznie zamawia kilka kieliszków szampana, niewiele żądając w zamian. Raquel przekomarza się z tancerzami, z którymi rozmawia o atrakcyjnych mężczyznach z większą swobodą niż z którąkolwiek przyjaciółką; wszyscy tańczą, śpiewają, sypią się komplementy. Podchodzi do niej jakiś mężczyzna i zostawia swoją wizytówkę.

– Niech mnie pani odwiedzi, jeśli postanowi pani pojechać do Ameryki, mam teatr w Buenos Aires i z przyjemnością bym w nim panią zaangażował.

Gubi wizytówkę, zanim noc dobiegnie końca. Kto wie, czy w Argentynie jej los by się odmienił? Powiadają, że największe artystki jadą tam na sezon. Że Argentyńczycy cenią teatr, lubią przedstawienia, a artystki traktują jak prawdziwe gwiazdy, i że teatr Colón, istniejący od blisko dziesięciu lat, jest jednym z najlepszych na świecie i występują w nim najsławniejsi. Wyobraża sobie swój występ w Colón, z widownią pełną dystyngowanych mężczyzn, i zaczyna się śmiać.

Niemal świta, kiedy dociera do mieszkania na ulicy Arenal, własności don Amanda, w którym mieszka w zamian za obdarzanie go osobliwą formą przyjemności, tak dziwną, katolicką i niegroźną.

* * *

27

– Nicolau, czy bierzesz za żonę tę kobietę, żeby żyć razem zgodnie z boskim prawem w świętym związku małżeńskim, kochać ją i opiekować się nią zarówno w chorobie, jak w zdrowiu?

– Tak, biorę.

– Gabrielo, bierzesz tego mężczyznę za męża, żeby żyć razem jak nakazuje Bóg, w świętym stanie małżeńskim?

– Tak, biorę…

Skończył się czas Enriqa, w życiu Gabrieli nie ma już dla niego miejsca. Ona opuści Sóller i wyspę i uda się na południe, jak ptaki. Enriq nie przyszedł ani w nocy, ani rano, nie pojawił się także w trakcie mszy, by nie dopuścić do ślubu. Gabriela jest rozczarowana, pozostali jednak uśmiechają się i radują z zaślubin, nieświadomi jej smutku. Tylko ona żywiła nadzieję, że Enriq przybędzie po nią i wpadnie do kościoła, żeby ją uratować; pozostali znają go i wiedzą, że to się nie zdarzy.

Ślub toczy się zwyczajowym trybem z wyjątkiem jednego szczegółu: Nicolau, pan młody, znajduje się w Buenos Aires, oddalony nieco ponad dziesięć tysięcy kilometrów od panny młodej, a zamiast niego na pytania księdza odpowiada jego ojciec, pan Quimet, mężczyzna po siedemdziesiątce.

Kiedy ten staruszek, jej teść, ujmował jej dłoń i może przytrzymywał ją zbyt długo, by wsunąć jej na palec obrączkę, ona nie mogła przestać myśleć o tym, że skończyły się marzenia, jakie snuła o przyszłym życiu, o tym, że właśnie poślubiła mężczyznę, którego nie zna i który jest o jakieś dziesięć lat starszy od jej ojca.

– *Ite missa est.* Idźcie w pokoju. Wesołych świąt Bożego Narodzenia. *Bon Nadal.*

Wikary Fiquet przeskakuje z łaciny na kastylijski, a z niego na majorkański, by ogłosić zakończenie ceremonii. Na wyjście panny młodej z kościoła nie czekają inne dzieci prócz jej zaspanych braci, nie ma gości w odświętnych strojach, a nawet sama panna młoda jest ubrana na czarno, w nową suknię, którą zapakuje do walizki, żeby zabrać ze sobą do Buenos Aires, i którą będzie nosić raz po raz, jak to robią w tym regionie wszystkie panny młode. Powiadają, że gdzie indziej, nawet w Palma de Mallorca, panny młode każą sobie szyć białe suknie specjalnie na dzień ślubu i nigdy więcej ich nie wkładają, gdyż biel symbolizuje czystość i dziewictwo. Chociaż nikt tego nie wie, Gabriela nie mogłaby już takiej sukni włożyć, bo przed kilkoma tygodniami przestała być dziewicą. Tak czy owak, nawet gdyby zachowała czystość, biedna dziewica, córka skromnego rybaka nie ma pieniędzy, by zlecić uszycie stroju, który włoży tylko raz. I nie sądzi także, żeby jej nowy mąż był gotów tak szastać pieniędzmi, nie zdołałby przecież zostać właścicielem kawiarni i hotelu, gdyby był rozrzutny.

– Chciałbym zaprosić księdza na śniadanie, ojcze Josepie. Zjemy w porcie *ensaïmada**. – mówi pan Quimet.

Gabriela nie odczuwa takiego bólu w piersi, jak się spodziewała, nie czuje, by ziemia miała rozstąpić jej się pod stopami, żeby ją pochłonąć, ani żeby miał się zerwać huragan, żeby ją porwać do jakiegoś miejsca, z którego nie będzie mogła wrócić: ma wrażenie, jakby oszołomiona unosiła się w powietrzu. Nie zwraca nawet uwagi na tych, którzy podchodzą, żeby jej pogratulować, na wymuszone pocałunki swoich małych braci, na uścisk ojca, na uśmiech Àngels, na ustawiczne pouczenia matki. Jest mężatką i ledwie dostrzega jakąś różnicę; może nieznośny ból, jakiego się spodziewa, nadejdzie dopiero wówczas, kiedy zostanie sama i pomyśli o Enriqu.

– Gabrielo, ty usiądź obok pana Quimeta.

Mogłaby teraz jechać do portu, gawędząc ze swoją przyjaciółką Àngels, jak robiły tyle razy, ale matka każe jej siedzieć obok tego staruszka, ojca jej męża.

Wsiadają do tramwaju, wielkiej dumy mieszkańców Sóller od chwili jego uruchomienia przed dwoma laty. Jadą nim jakieś trzy lub cztery kilometry dzielące miasteczko od portu, mijając po drodze pomarańczowe gaje, sady i żelazny most nad Torrent Major. Następnie, począwszy od Sa Torre – gdzie jej teść dostaje ataku kaszlu, który zatrważa Gabrielę i każe jej myśleć, że jej mąż jest synem tego mężczyzny i będzie tak samo kaszlał, może w łóżku, u jej boku – jadą razem nad morze, na znajomy Gabrieli i jej rodzinie teren, do miejsca, którego się boją, gdyż znają związane z nim

---

* Tradycyjne słodkie ciasto z mąki, jajek, cukru i smalcu (*saïm*), typowe dla Majorki (wszystkie przypisy pochodzą od tłumaczki).

niebezpieczeństwa, lecz które jednocześnie napełnia ich spokojem, bo od pokoleń ich żywi.

Podróż tramwajem zawsze sprawia Gabrieli radość. Kiedy jedzie w stronę miasteczka, ma wrażenie, że rusza w wielką podróż, może pełną odkryć i niespodzianek, a po to, by zanurzyć się w świecie, będzie musiała jedynie przebyć majestatyczne góry, które widzi przed sobą. Kiedy wraca do portu, ma nadzieję ujrzeć zatokę, miejsce tak piękne, że jego widok nigdy się jej nie nudzi. Ale chociaż całe życie pragnęła podróżować, teraz, gdy niedługo ma wsiąść na statek, by popłynąć na drugi koniec świata, strach niemal ją paraliżuje. Dzisiaj nie czuje radości, dzisiaj uważnie, ze strachem, słucha słów tego człowieka, który stał się członkiem jej rodziny, jej teściem.

– Spodziewam się listu od Nicolau. Napisze w nim, kiedy popłyniesz do Buenos Aires.

– Napisze do pana?

– Nie umiem czytać. Napisze do Wikarego, a on nam powie, co postanowił mój syn. Masz szczęście, że za niego wyszłaś.

Od tej pory już zawsze tak będzie, będzie czekać, aż mąż zakomunikuje jej, co ma zrobić, a ona posłusznie to wykona. Mimo że ona, owszem, nauczyła się czytać i potrafi nie tylko gotować i szyć, ale też prowadzić domowe rachunki lepiej niż niejeden mężczyzna. To nic zaskakującego, tę uległość widzi u wszystkich znanych sobie małżeństw. Może najmniej jest to zauważalne w jej własnym domu, tam to matka podejmuje decyzje.

Gospoda, gdzie podejmują uroczystym śniadaniem gości zaproszonych na ślub, znajduje się nieopodal przystanku tramwajowego w porcie Sóller. Przygotowano nie tylko ensaïmada, którą pan Quimet proponował ojcu Josepowi, jest także wiejski chleb z pomidorem, sos czosnkowy, oliwa, kiełbasa paprykowa, *camaiot**,

---

* Najpopularniejsza wędlina na Balearach, świńska noga faszerowana mielonym chudym wieprzowym mięsem i mięsem z tłuszczem, doprawiona pieprzem, papryką i anyżem, a następnie gotowana. Jada się ją na zimno i na ciepło.

butifarra*. Na stołach stoją karafki z młodymi winami z Majorki, których niewiele się produkuje, odkąd przed kilkoma laty filoksera zniszczyła winorośl na całej wyspie i wysłała wielu mieszkańców wyspy na emigrację, zmuszając do opuszczenia ukochanej ziemi. To prawdziwa uczta, chociaż Gabrieli z trudem udaje się coś przełknąć; dowodzi, że jej mąż jest człowiekiem zamożnym, i utwierdza jej matkę w tym, iż podjęła właściwą decyzję co do małżeństwa córki.

– Napełnij teściowi kieliszek i zadbaj o to, by był zadowolony i dobrze mówił o tobie mężowi. I nie wpychaj sobie jedzenia do ust, jakbyśmy wychowali cię o głodzie i bez żadnych manier.

Jest dużo jedzenia dla niewielu przybyłych gości. Gabriela ma nadzieję, że koledzy ojca, którzy jak każdego ranka wypłynęli na połów, nie powrócą na czas, żeby dołączyć do nich przy śniadaniu. Nie dlatego, że ich nie lubi, są przecież jak rodzina i niemal wszystkich zna od maleńkości, lecz dlatego, że nie wie, jak by zareagowała na obecność Enriqa, swojego mężczyzny, mężczyzny, z którym w słowach wyszeptanych na ucho obiecała się złączyć, nim w jej domu pojawił się Wikary, żeby pomówić z jej matką w imieniu bogatego emigranta zainteresowanego zdobyciem żony. Enriq był jedynym mężczyzną, który mógłby udaremnić ten ślub, i tego nie uczynił: tym samym udowodnił to, co wszyscy o nim myślą, że na nią nie zasługuje. Nawet Gabriela zaczyna być tego pewna.

* * *

– Przyszła do mnie szadchan. Muszę ją poprosić, żeby poszukała mi męża.

Sara nie może rozmawiać ze swoją przyjaciółką Judytą ani spędzić z nią tego chanukowego popołudnia: odwiedziła ją swatka i musi jej wysłuchać, zanim ta znuży się czekaniem. Choć jest tylko ubogą Żydówką, przyjmuje ją po raz drugi w życiu i powinna czuć się dumna. A w dodatku jest wdową. Dawno minęły czasy, kiedy to stara Batszeba prosiła, by ją wysłuchała, kiedy była panną, a tylu mężczyzn o nią zabiegało.

---

* Rodzaj kiełbasy, typowej dla Katalonii i Balearów.

– Idź, biegnij, nie każ jej czekać, bo sobie pójdzie.

Sara nadal jest młoda i piękna, i nadal ma długie rude włosy – w kolorze płomieni, jak zawsze mówił jej mąż, Eliasz – które sprawiały, że mężczyźni się za nią odwracali, nie jest już jednak kobietą, do której wzdychają mieszkańcy małego sztetla, żydowskiej wioski Nikolew na południu Ukrainy, położonej kilka kilometrów od Odessy.

Wtedy, przed zaledwie kilkoma miesiącami, kiedy skłonni do żeniaczki młodzi mężczyźni z wioski walczyli o jej względy, Sara wybrała Eliasza. Kto by powiedział, że wybuchnie wojna? Kto by powiedział, że jej wybranek zaledwie trzy miesiące po ślubie zostanie wcielony do wojska, żeby walczyć? Kto by powiedział, że polegnie kilka dni po przybyciu na front i uczyni ją wdową?

– Niełatwo ci będzie znaleźć drugiego męża. Wielu uważa, że sprowadzisz na nich pecha.

– Wiem to, Batszebo.

– Na szczęście nie masz dzieci, wtedy byłoby to niemożliwe.

Eliasz nie zostawił jej dzieci, pieniędzy, ziemi ani środków utrzymania. Nawet rodziny: jej mąż nie miał braci, a jego rodzice byli staruszkami, którzy zmarli z bólu kilka tygodni po utracie syna. Sara potrzebuje męża, by nie być samotna, by długie ukraińskie zimy nie były tak ciężkie, by mieć się na kim wesprzeć.

– Może znajdę ci męża w Argentynie. Nie spodziewaj się niczego innego.

Sara nie kochała Eliasza, chociaż odczuła ból po jego śmierci, jak po śmierci każdego z mężczyzn z wioski, którzy musieli iść walczyć na wojnie za cara. Może z czasem miłość by przyszła, jak mawiała jej matka. Wie, że za kilka lat, może miesięcy, zapomni o Eliaszu. Czuje się oszukana, zmarnowała część życia, niewiele z niego miała; ciekawe, co teraz przyniesie jej los.

Gdyby mogła, poczekałaby w spokoju i zakochała się w jakimś młodym Żydzie, może przybyszu, który odwiedziłby Nikolew. Może byłby to Żyd z Odessy studiujący na uniwersytecie, który ubierałby się jak goj i golił twarz, który wyrwałby ją z nędznego, pełnego strachu życia w małej wiosce. Nie może jednak czekać. Z czego będzie się utrzymywać taka kobieta jak ona? Rodzice nie mogą jej dalej żywić, to nie jest już ich obowiązek, każdy talerz jedzenia, jaki dają Sarze, odbierają jej małym siostrom. Dlatego też zgodzi się na wszystko, co zaproponuje swatka.

– Rozmawiałaś już ze swatką?

– Powiedziała, że nie mogę wybrzydzać i muszę się zgodzić na to, co dla mnie znajdzie. Uważa, że uda się jej poszukać mi męża w Argentynie.

– Nie wiesz, co się mówi o kobietach, które wysyłają do Buenos Aires?

Wszystkie dziewczęta wiedzą, co się mówi. A mianowicie, że propozycje zamążpójścia nadchodzące z Argentyny, Chile i Urugwaju, nawet z Brazylii są fałszywe. Że tam młode dziewczęta sprzedaje się i zmusza do pracy jako prostytutki aż do śmierci albo do chwili, kiedy są tak stare, że nikt nie chce iść z nimi do łóżka.

– Nie sądzę, by to była prawda. Siostra Zimrana wyjechała do Argentyny, żeby wyjść za mąż, a potem przyjechała odwiedzić rodzinę, a nawet zabrała młodsze siostry, a nie sądzę, by to zrobiła, żeby je tam sprzedać. Przypominasz sobie tę zieloną sukienkę, którą miała na sobie?

– Kto by jej nie pamiętał! To była cudowna suknia. Ja także nie wierzę, że tam się sprzedaje Żydówki. Bardzo bym chciała wyjechać do Buenos Aires i opuścić tę nędzną wioskę.

Sara jest przekonana, że Argentyna oznacza lepszą przyszłość niż chłód, samotność, głód, kiedy zbiory są słabe, brak przyszłości czy konieczność ukrywania się, kiedy chrześcijanie postanawiają prześladować Żydów.

– Chodź, mój brat Ejtan kazał nam biec do domu i nie wychodzić. Ty nie masz mężczyzny, który by cię obronił.

Dzisiaj, po zapadnięciu nocy, zapali się szóstą świecę w dziewięcioramiennym świeczniku rozpalanym podczas Chanuki, najważniejsze jest jednak to, że tego roku to święto zbiega się z dniem, gdy niektórzy chrześcijanie obchodzą wigilię Bożego Narodzenia –

inni będą ją obchodzić dopiero za dwa tygodnie, zgodnie z obowiązującym ich kalendarzem: gregoriańskim lub juliańskim. Oznacza to, że tak jak każdego roku dojdzie do pogromu. Niewielkiego, nie takiego jak w 1905 roku, a tylko do drobnych niedogodności dla żydowskich mieszkańców. Ludzie z pobliskich wiosek, tak nędznych jak jej własna, jednak wyznający odmienną religię, podejdą pod sztetl po to, żeby sprowokować zamieszki, spalić jakąś stodołę, obrażać Żydów, na których się natkną, może któregoś pobić. A potem, zadowoleni i dumni z siebie, wrócą do swoich domów i będą obchodzić swoje święta, spożywać wieczerzę, jeść słodką kutię, potrawę na bazie pszenicy, maku, bakalii i miodu.

– Młodzi chrześcijanie są na froncie, jak mój poległy mąż, dzisiaj nikt nie przyjdzie nas prześladować.

– Nie przyjdą młodzi, przyjdą dzieci i starcy. Ale przyjdą. Na pewno. Dla nich to tradycja, jak rzucanie garści ziarna na stół, przy którym spożywają wieczerzę.

Z ulicy zaczyna dobiegać hałas. Ejtan, brat Judyty, miał rację: chrześcijanie nie zrezygnują z rozrywki kosztem sąsiadów.

– Poszli w stronę synagogi.

– Mam nadzieję, że nie zamierzają jej spalić.

Przed dziesięcioma laty, kiedy obie były jeszcze dziećmi, po nieudanej rewolucji w 1905 roku grupa mężczyzn próbowała spalić synagogę w Nikolewie. Chłopcy z miasteczka – między innymi Eliasz – którzy zwykle, z trudem hamując wściekłość, przyglądali się atakom, nie próbując im przeszkodzić, doszli do wniosku, że sprawy posunęły się za daleko, i zastąpili im drogę. Doszło do bójek, byli ranni i dwaj zabici, jeden po każdej ze stron. Zarówno Judyta, jak Sara pamiętają potworność owej nocy, strach malujący się na twarzach rodziców i entuzjazm chłopców, tych samych, którzy teraz są na wojnie. Raz stawili czoło antysemitom i będą to robić zawsze. Następnego dnia nadciągnął tłum rozwścieczonych, żądnych zemsty chrześcijan: mieszkańcy sztetla uszli z życiem tylko dzięki interwencji wojska, które z jakiegoś powodu, jeszcze dla nikogo niejasnego, postanowiło pomóc Żydom.

Dzisiaj nie zamierzali spalić synagogi – napotkaliby niewielki opór, tylko Ejtana i innych piętnastoletnich chłopców – zatrzymali się koło domu Samojlenków i rzucali kamieniami w dziadka, który wychylił się przez okno. Rozbili kilka szyb i zadowolili się widokiem staruszka krwawiącego po ciosie kamieniem. Wtedy odeszli z wioski, rozradowani, obchodzić swoje Boże Narodzenie, narodziny tego, którego Żydzi rzekomo zabili, za co płacą od niemal dwóch tysięcy lat.

– Nie wracasz do domu? Nie przekażesz rodzicom, co ci powiedziała szadchan?

– Muszę z nimi porozmawiać, ale równocześnie się boję, wiem, że moja przyszłość jest w Buenos Aires. Zostanę tutaj z tobą do chwili zapalania chanukowej lampki.

* * *

– Dostałem jeszcze jeden list.

Gaspar Medina nie jest bohaterem, jest zwykłym dziennikarzem. Od kilku lat wykonuje ten zawód i uważa, że nabrał rozumu. Dlatego właśnie za każdym razem, kiedy siada, by coś napisać, robi to z silnym postanowieniem, by nie nadepnąć możnym na odcisk i poświęcić się wyłącznie sprawom, które nikogo nie mogą obrazić: nieszkodliwe komentarze na mało kontrowersyjne tematy, niezbyt głębokie analizy kwestii społecznych, które nie wywołują polemiki, frywolne notatki o życiu towarzyskim… Niemniej jednak w pewnym punkcie zbacza i jakby opętał go szatan, poświęca drugą połowę swojego felietonu krytyce króla, Kościoła, generałów – jednego ze swoich ulubionych celów – lub ministrów.

– Co ci tym razem piszą?

– Że mnie wykastrują i wsadzą mi narządy do ust.

– Piszą „wykastrują”?

– Nie, piszą „utną jaja”.

– Takie miałem wrażenie. To byłby dobry trop, za którym można by podążać. Z pewnością w całej hiszpańskiej armii nie ma nawet trzech generałów, którzy znaliby słowo „wykastrować”.

Wszyscy jego koledzy, tak nawykli do otrzymywania gróźb, śmieją się, Gasparowi jednak pogróżki zatruwają życie, unika odludnych uliczek, stara się nie chodzić sam po mieście i odwraca się zawsze, kiedy słyszy kroki za plecami... Bardzo się niepokoi, odkąd otrzymuje te groźby.

– O czym jest felieton w tym tygodniu?

– O hiszpańskich emigrantach. Nic polemicznego.

– Z pewnością jak zwykle nazwałeś głupcem Ferdynanda Siódmego.

– Bo nim był. Ale umarł już wiele lat temu, nie sądzę, bym kogoś obraził.

– A o czym napiszesz w przyszłym tygodniu?

– Nie wiem, nigdy tego nie planuję, nim siądę do pisania.

– Napisz coś spokojnego, nie mąć wody i tyle. Ci, którzy cię nienawidzą, poczują się rozczarowani i znienawidzą kogoś innego. Znasz przecież to przysłowie: pies, który dużo szczeka, nie gryzie.

Felieton Mediny, *Fotel rozmyślań*, ukazuje się raz na tydzień w „El Noticiero de Madrid" i jest jednym z cieszących się największym powodzeniem działów gazety, gdyż choćby autor nie wiedzieć jak się starał, nikogo nie pozostawia obojętnym. Dzięki tym felietonom Medina porzucił pracę reportera i siedzi w redakcji, pełniąc funkcję zastępcy dyrektora, chociaż nie pobiera za to wynagrodzenia. Nie musi już redagować notek, teraz może wybierać informacje lub reportaże, przy których chce pracować. Wiele osób zarzuca mu, że znalazł sobie ciepłą posadkę, wszystko jednak sprowadza się do tego, że zazdroszczą mu pozycji. Gaspar wolałby nadal pracować na ulicy, żywi silne przekonanie, że bez wychodzenia z redakcji nie da się odkryć naprawdę ważnego tematu, jednego z tych, które wstrząsną fundamentami tronu i zmuszą króla do udania się na wygnanie... Pracując w gabinecie, znajduje jedynie niezliczone anonimy, których autorzy poprzysięgają mu wszelkiego rodzaju straszną śmierć.

Gaspar Medina mieszka w pensjonacie na ulicy del Pozo, niedaleko redakcji „El Noticiero de Madrid", która mieści się kilka kroków od ulicy del Turco, miejsca, gdzie już niemal pięćdziesiąt lat wcześniej zastrzelono generała Prima, ówczesnego premiera hiszpańskiego rządu. Medina pociesza się myślą, że aby dotrzeć do domu, nie musi chodzić po ustronnych ulicach, z wyjątkiem własnej.

– Wypijesz coś z kolegami?

– Nie, robi się późno i gospodyni mnie nie wpuści.

– Gasparze, nie możesz dalej tak żyć. Ta gospodyni jest gorsza niż zazdrosna żona. Raz na zawsze się od niej uwolnij.

Łatwo tak mówić jego kolegom, którzy mają gdzieś czyjąś opinię, a po zamknięciu wydania zwykle piją do świtu, poruszają się po najpodlejszych miejscach i kończą noce w burdelach. Gaspar nie jest nieustraszonym mężczyzną, jak można by sądzić po jego artykułach; jest uległy, nieśmiały i wszystkiego się boi. Gospodyni oczywiście nie miałaby do niego pretensji… To on wykorzystuje ją jako zasłonę dymną.

Kiedy wczoraj wrócił do domu, doña Mercedes wręczyła mu kopertę, co napełniło go niepokojem. To dziwne, całą swoją korespondencję Gaspar otrzymuje do redakcji gazety. Nie otworzył koperty, dopóki nie znalazł się w bezpiecznym miejscu, w zaciszu swojego pokoju. W środku była karteczka z rysunkiem przedstawiającym trumnę. Na wieku widniało jego nazwisko: Gaspar Medina.

– Nie możesz przykładać takiej wagi do gróźb jakiegoś szaleńca. Zmęczy się tobą i zabierze się do któregoś z nas…

– Wysłano to do mojego pensjonatu. To znaczy, że zadali sobie trud, żeby się dowiedzieć, gdzie mieszkam.

– Chcesz, żebym ci pokazał, ile listów z pogróżkami dostałem w ubiegłym roku? Nawet jakiś mieszkaniec Béjar wyzwał mnie na pojedynek, twierdząc, że obraziłem jego miasto, pisząc, że źle tam zjadłem.

– I co zrobiłeś?

– Nie odpowiedziałem.

Dyrektor się śmieje, redaktor naczelny również, lecz Gaspar ma trudności z zasypianiem, a to napięcie zaczyna dawać mu się we znaki.

– Jeśli gazeta nie da mi ochrony, będę zmuszony odejść.

– Nie mów głupot, Medina. Co według ciebie mamy zrobić?

– Poczułbym się swobodniej poza Madrytem.

– Nie możemy cię wysłać jako korespondenta, to bez sensu.

To redaktor naczelny, ze śmiechem, proponuje rozwiązanie.

– Chciałbyś spędzić kilka miesięcy w Buenos Aires? Chociaż nie wiem, czy tchórzom dają wizy.

Nie obchodzi go, że nazywają go tchórzem; myśli tylko o ratowaniu życia, a Buenos Aires jest bardzo daleko, a więc od wrogów będą go dzielić tysiące kilometrów.

– Tak, Buenos Aires mi się podoba.

– Słyszałeś o posągach na Pomnik Hiszpanów? Zabierają je w lutym, a nas poproszono o wysłanie korespondenta, który opisałby ich przekazanie. Będziesz musiał przeprowadzić wywiad z królem i z człowiekiem, którego wyśle jako swojego przedstawiciela. Poza tym w Argentynie odbywają się wybory, będziesz mógł przysyłać stamtąd relacje.

Popłynie do Buenos Aires, a swój następny felieton napisze na temat osławionych posągów. Co może się stać? Te kamienne bloki wydają mu się niegroźne i nie wyobraża sobie, żeby miały stać się przyczyną anonimów z pogróżkami.

– W takim razie pójdziesz jutro na przyjęcie. Wybierałem się tam, lecz skoro to ty masz jechać do Argentyny, to na ciebie wypada. A ja zjem kolację z połowicą i dziećmi.

Na przyjęcie w Pałacu Królewskim należy się odświętnie ubrać. Gaspar Medina nie ma odpowiedniego stroju na taką uroczystość. Nie umie się również zachować; wyobraża sobie, że się potknie, potrąci tacę z kanapkami, która wyląduje na Jego Wysokości, albo spowoduje, iż pestka z oliwki trafi za dekolt którejś z dam.

– Wypożycz frak na koszt gazety. Na ulicy Alcalá jest zakład krawiecki, który je wypożycza i robi konieczne poprawki.

– A jeśli król będzie chciał ze mną rozmawiać?

– No to co? Zwracasz się do niego Wasza Królewska Mość i stoisz wyprostowany, jakby ci kij wepchnęli, wiesz gdzie. Wszyscy tak mówią do króla.

– Przynajmniej będę mógł napisać felieton na temat tej uroczystości.

– Nawet o tym nie myśl, to naprawdę byłoby w złym guście

i postawiłoby gazetę w niezręcznym położeniu. Idź i zachowuj się powściągliwie, jakbyś był jeszcze jednym zaproszonym arystokratą.

Mówi się, że dziennikarstwo jest zawodem dla szubrawców, nie dla dżentelmenów. Gaspar nie jest szubrawcem, brakuje mu jednak sporo, by można go uznać za dżentelmena: nie pochodzi z dobrej rodziny ani nie otrzymał wysokiego wykształcenia. Nie jest nawet z Madrytu, a w kręgach zbliżonych do władzy porusza się dopiero od trzech lat, kiedy przybył do stolicy. Gdyby w jego maleńkiej wiosce, Fuentes de Oñoro, w prowincji Salamanka, oddalonej od Portugalii o zaledwie kilka metrów, wiedzieli, że ten rosły chłopak, syn Juany, zostanie zaproszony na przyjęcie do Pałacu Królewskiego, powitaliby go z orkiestrą, nadali honorowe obywatelstwo i oddali hołd.

* * *

– Kiedy kończysz wartę, Giulio?

Nie martwcie się o mnie, nic mi nie grozi. Mam nadzieję, że niedługo dostanę urlop i będę mógł przyjechać do domu chociażby na kilka dni.

Giulio Bovenzi kłamie w liście do rodziców. Tak jest znacznie lepiej, niż powiedzieć im prawdę: że pisze do nich w maleńkim bunkrze w okopach, że kryje się pod betonową konstrukcją tak nędznej jakości, że ledwie osłania przed deszczem, chociaż miała go chronić przed bombami, że nie jest ordynansem żadnego generała, tylko jeszcze jednym z tysięcy włoskich chłopców, cierpiących chłód, źle wyposażonych i jeszcze gorzej uzbrojonych, czekających, aż jakaś austriacka kula wykreśli ich imię z rejestru żywych.

Nie może również napisać rodzicom, narzeczonej czy przyjaciołom na tyłach – tym nielicznym, których nie zmobilizowano – że stąd dokładnie widać, iż niemożliwością jest, by Włochy odzyskały swoje tereny: Trydent, Istrię, Dalmację czy Triest. Wszystko pozostanie w rękach Austriaków mimo wielkiej propagandy, jaką prowadzi się we włoskich miastach, by rodzice z dumą uczestniczyli w wymarszu swoich synów na front. Nawet wiedząc, że zginą i że chociaż w czasie pokoju to dzieci grzebią rodziców, w czasie wojny dzieje się na odwrót, jak to już zauważył pewien grecki historyk, którego imienia nie pomni, chyba był to Herodot. Giulio bardzo chciałby studiować Greków i Rzymian, a nie tkwić tutaj, gdzie jego życie wisi na włosku, choćby Italia nigdy nie miała odzyskać dawnego splendoru.

Giulio od niewielu miesięcy przebywa na froncie. Wcielono go do wojska latem po zbyt krótkim szkoleniu: nauczono go defilować i polerować guziki munduru, lecz nie strzelać. Tego miał się nauczyć, gdy kule nieprzyjaciela świstały mu już nad głową, grożąc pozbawieniem życia. Do jednostki, w której służy, przybył tuż przed zdobyciem i utratą Olavii, niewielkiej wioski w pobliżu Gorycji. Na własnej skórze doświadczył absurdu, jakim był rozkaz wysłania na śmierć tysięcy ludzi w celu zaatakowania niczemu niesłużącej pozycji, a następnie opuszczenia jej kilka godzin później. Teraz znajduje się nieopodal rzeki Isonzo, nie wiedząc, czy atakuje, czy się broni. Może generał Cadorna, pod którego rozkazami znajduje się włoska armia, także tego nie wie. Niewykluczone, że jedyne, co budzi dumę generałów, to podtrzymywanie działania owej fabryki bohaterów i awansów, jaką staje się wojna. Także patrzenie, jak maszerują z marsową miną, oddając im honory, jakby miało to osłabić lub przestraszyć wroga; jakby miał go oślepić blask ich ocynkowanych guzików.

Bezużyteczne jest męstwo, które tyle razy widział u swoich towarzyszy; przydatna jest jedynie wiedza, jak zachować życie, przynajmniej przez jeszcze jeden dzień. Nie napisze tego jednak w listach do rodziny, nie ma w sobie żadnego krytycznego ducha. Nie byłby też zły, gdyby jakaś bomba spadła tuż obok miejsca, gdzie się znajduje, i rozrzuciła jego szczątki na wszystkie strony, jak to stało się przed kilkoma godzinami z Lucą, żołnierzem, którego dopiero co poznał. Nie powiedziano mu, że tak może się stać; owszem, powiedziano, że może umrzeć, ale nie w taki sposób: Luca stał tam, paląc papierosa, rozległ się huk i Luki już nie było. Nie było nawet kawałków, które mogliby pozbierać, rozszarpało go na strzępy, no, może prawie: kilka metrów dalej dało się rozpoznać coś, co mogło być dłonią. Giulio nie pomyślał o tym, żeby pójść po nią, wystawiając się na ryzyko strzału, nie dostał też takiego rozkazu. Pochować dłoń i niczego nie pochować, wychodzi na to samo.

Tylko jednego nikt nie może mu zabrać, ani armia, ani generałowie, ani nawet bagnety austro-węgierskich żołnierzy: kiedy zamyka oczy, nadal wspomina Francescę, a gdy się skupia, nadal może poczuć jej delikatne dłonie i poczuć słodycz jej pocałunków.

– Wycofasz się na tyły, kiedy przyjdzie twoja zmiana.

Wreszcie dobra wiadomość: spędzi na tyłach wigilię Bożego Narodzenia, *la vigilia di Natale*. Szkoda biedaka, który będzie musiał go tutaj zastąpić, w wątłym betonowym bunkrze. Nie wygląda na to, by Austriacy mieli zaprzestać ostrzału. Czy ci ludzie nie świętują narodzin Boga?

Po raz pierwszy martwi się tym, co przyniesie dzień. Myśl, że mogą cię zabić w każdej chwili i jest ci to obojętne, to nie to samo co ewentualność, że stanie się to wtedy, gdy dzielą cię minuty, najwyżej godzina, od chwili, gdy będziesz bezpieczny. Gdy przygotowujesz się na spędzenie nocy w cieple, przy ogniu, żeby zjeść kolację, która chociaż nie będzie wieczerzą wigilijną, *cenone*, będzie wyjątkowa, i przespać się w mniej więcej suchym miejscu.

Jego zmiennik jest świeżym rekrutem, *marmittone*. Giulio nawet nie pyta go o imię. Życzy mu, żeby go nie zabili i żeby spędził pozostałą część dnia i noc w spokoju, lecz niczego więcej. Nie jest gotów się z nim zamienić. Są na wojnie, przykro mu, że to na niego wypadło, i udaje, że nie widzi strachu na jego twarzy. Żegnaj i *buon Natale*.

– Masz list, Bovenzi.

Na froncie otrzymanie listu to jedna z największych radości. Tym większa, jeśli jest to wigilia Bożego Narodzenia. Giulio Bovenzi pożądliwie chwyta list, mając nadzieję znaleźć w nim krągłe pismo Franceski, narzeczonej, którą zostawił w rodzinnym Viareggio, niewielkim toskańskim miasteczku. Niemniej jednak na kopercie dostrzega staranne, ostre pismo ojca, nauczyciela, który nauczył pisać kilka pokoleń chłopców. Gdyby był to list od Franceski, Giulio otworzyłby go natychmiast, ale skoro to list od ojca, może poczekać i przeczytać go później.

– Giulio, mógłbyś przygotować gnocchi.

Giulio jest dobrym kucharzem, chociaż nigdy się do tego nie przykładał. Lubi gotować i zawsze się przyglądał, jak przygotowują potrawy kobiety z jego rodziny; teraz daje się namówić i postanawia coś ugotować i sprawić towarzyszom przyjemność.

– Mamy mąkę, ziemniaki, jajka i kurczaka, którego ukradł Marco. Także oliwę.

Marco jest wspaniałym zaopatrzeniowcem, potrafi zdobyć dosłownie wszystko, jest nawet w stanie kraść w okopach Austriaków. Zawsze roześmiany opowiada wszystkim, że kiedy skończy się wojna, wyjedzie z Włoch, gdyż czeka na niego narzeczona, którą rodzice zabrali do Buenos Aires. Najlepiej, żeby wszyscy z nim wyjechali. Giulio od wczesnej młodości uczy się hiszpańskiego, coś go w tym języku pociąga, być może los rzuci go kiedyś gdzieś, gdzie ten język mu się przyda.

– Zrobimy sobie prawdziwą ucztę. Przydałoby się jeszcze trochę warzyw: cebula, pomidory… co tylko się znajdzie.

Kiedy pozostali udają się na poszukiwanie warzyw do kuchni i folwarków dostarczających żywność dla dowódców, Giulio otwiera list. Podobnie jak wszystkie inne, opowiada o sprawach miasteczka, o siostrzyczce, o babce, której bardziej dolega noga… Dopiero w ostatnim akapicie, na trzeciej karteczce, nadchodzi wiadomość, która zwala go z nóg: odwiedziła ich Francesca, żeby powiedzieć, iż w styczniu wychodzi za mąż za Salvatore Mariniego.

Początkowo jest tak oszołomiony, że nie jest w stanie zareagować. Dopiero po kilku minutach dociera do niego sens tych słów. Ponownie czyta akapit, przekonany, że się pomylił, że źle zrozumiał. Ojciec jednak wyraża się całkiem jasno: *W zeszłym tygodniu odwiedziła nas Twoja przyjaciółka* – nie pisze narzeczona, tylko przyjaciółka – *Francesca, prosiła, żebyśmy Ci przekazali wiadomość, iż wychodzi za mąż za pana Mariniego, sprzedawcę ryb. Chciałaby, żebyś był tutaj, mógł przyjść na jej ślub, przesyła Ci pozdrowienia i ma nadzieję, że dobrze się miewasz.*

Czy wszyscy poszaleli? Ojciec i matka wiedzieli, że Francesca jest jego narzeczoną, że nim wstąpił w szeregi armii, rozmawiali o ślubie, który wezmą po jego powrocie, że obiecała mu, iż na niego poczeka, i dała mu medalik, który on nosi teraz na szyi, żeby zapewnił mu szczęście i pozwolił wrócić żywym. Muszą wiedzieć, co wywołują tymi słowami: „Twoja przyjaciółka Francesca...".

– Udało się nam zdobyć kilka suszonych pomidorów. Przydadzą ci się do czegoś?

Giulio jest tak pochłonięty swoimi myślami, że nawet nie zauważył śniegu, który zaczął sypać. Ku swojemu zdziwieniu myśli o żołnierzu, który zastąpił go w okopach, o tym nowicjuszu: będzie miał podłą noc. Po czym uświadamia sobie, że jego własna, po wiadomości o ślubie Franceski – na dodatek z tym kulasem Marinim, handlarzem ryb – będzie znacznie gorsza, że spadające na froncie bomby przynajmniej odwróciłyby jego uwagę i choć na chwilę pozwoliły o tym zapomnieć.

Przygotowując kolację, nie rozmawia z towarzyszami. Myśli tylko o Francesce i jej przyszłym mężu. Wyobraża sobie, jak się całują i kochają; to budzi jego odrazę. Francesca jest śliczna, młoda, szykowna; Marini jest właściwie stary, kulawy i śmierdzi rybami. Dlaczego z nim jest? Przypuszcza, że tylko dlatego, że ma pieniądze, i dlatego, że żyje. Włoski żołnierz nad Isonzo nie jest żywy, jest o krok od śmierci.

* * *

– Idą towarzysze twojego ojca. Zachowuj się, jak przystoi kobiecie zamężnej.

Matka nie ma się czym martwić, Gabriela już spojrzała na zbliżających się mężczyzn i upewniła się, że nie ma wśród nich Enriqa.

Mają na sobie robocze ubrania i przychodzą w chwili, kiedy śniadanie niemal się kończy. Gabriela spogląda na swojego teścia, pana Quimeta. Za dużo wypił, chociaż nie ma jeszcze dziesiątej rano, mile wita się z nowo przybyłymi, poklepuje ich po plecach i zaprasza, by się częstowali. Niektórzy go znają i uśmiechają się do niego przyjaźnie. Ci mężczyźni dzień w dzień pracują z Enriqem i jej ojcem, znają ją od dziecka, witali się z nią serdecznie i obdarowywali słodyczami, a dzisiaj podchodzą prawie jak nieznajomi, okazując jej szacunek, na który nie wie, czy zasługuje. Pere, szyper, szef jej ojca, podchodzi jako pierwszy, żeby jej pogratulować.

– *Moltes felicitats*, Gabrielo. Kiedy wypływasz do Buenos Aires?

– Za kilka tygodni, kiedy mój… kiedy Nicolau przyśle mi bilet.

Nadal ma trudności z powiedzeniem „mój mąż". Jak może nazywać mężem kogoś, kogo nigdy nie widziała, kogoś, kogo by nie poznała, spotkawszy go przypadkowo? Jest wysoki, niski, smagły? Nie wie; jest jej mężem, lecz także kimś całkowicie obcym, z kim nic jej nie łączy.

– Znał pan Nicolau?

– Tak, jest mniej więcej w moim wieku, a w tamtych czasach niewielu nas było w miasteczku. Znaliśmy się wszyscy, przynajmniej z widzenia.

– Jaki był?

– Zwyczajny, niezbyt dobrze go pamiętam. Wyjechał przed wieloma laty. Bardzo dobrze pływał, jak ty.

Zazwyczaj rybacy nie umieją pływać. Wielu wierzy, że to bezużyteczne, że gdy łódź zatonie lub wpadną do morza, pływanie jedynie przedłuży mękę. Ojciec Gabrieli nie należy do nich, świetnie pływa i nauczył tego córkę. W letnie popołudnia zabierał na plażę dzieci, które chciały nauczyć się pływać, i tam pokazywał im, jak poruszać rękami, unosić się na wodzie, oddychać tak, by się nie zmęczyć. Gabriela chodziła z nim cały czas i teraz potrafi przepłynąć wielką odległość, co oburza jej matkę.

– Pływać? Po co? Jakbyś miała kiedykolwiek wsiąść na łódź. A bielizna, którą masz na sobie? Kiedy jest mokra, wyglądasz, jakbyś była naga.

Zawsze tak jej mówiła, a teraz to właśnie ona sprawia, że Gabriela ma wsiąść na łódź. I to nie na łódź rybacką, na której zawsze ma brzeg w zasięgu wzroku; spędzi wiele dni otoczona jedynie przez wodę, co u każdego, kto zna morze, wywołuje zimny dreszcz. Ze strachem wyobraża sobie, że płynie i płynie, mając wokół tylko bezkresny ocean.

– Przypominam sobie, że miał narzeczoną, córkę jednego z dokerów portowych, bardzo piękną kobietę. Potem ona poślubiła pewnego bogacza.

Nicolau miał narzeczoną, to pierwszy fakt, jaki poznaje Gabriela, pozwalający jej pomyśleć o nim jak o człowieku. Zadaje sobie pytanie, kim mogła być ta kobieta i czy nadal mieszka w Sóller.

Onofre trzyma w ręku *porrón**, pije wino z Migjorn. To najlepszy przyjaciel Enriqa; Gabriela musi do niego podejść i zapytać, jak on się ma. Jednak od chwili, gdy przyszli rybacy, matka nie spuszcza jej z oka. Bez wątpienia nie pozwoli, żeby została z Onofrem sam na sam. Gabriela prosi Àngels, by przekazała mu wiadomość, że chce z nim porozmawiać. Może będzie mieć szczęście i matka straci czujność.

– Lepiej zapomnij o Enriqu, kiedy już jesteś mężatką. Wczoraj powiedziałaś, że ma czas, dopóki na twoim palcu nie zabłyśnie obrączka. I masz ją, i to złotą, nie pakuj się w kłopoty i zapomnij o tym, pomyśl o przyszłości.

Àngels ma rację, zawsze ją ma. Nawet najlepsza przyjaciółka nie jest gotowa jej pomóc teraz, kiedy już ma męża.

Enriq jest dwa lata starszy od Gabrieli, znają się, odkąd byli dziećmi, od tamtej pory wierzyli, że się pobiorą, kiedy nadejdzie czas. Ich plany zniweczyło pojawienie się Nicolau Estevego i Wikarego Fiqueta.

– *Felicitats.*

– *Gracis*, Onofre.

Jak podejrzewała Gabriela, kiedy Onofre do niej podchodzi, matka natychmiast zjawia się przy niej, niemal roztrącając ludzi, którzy znajdowali się między nimi.

– Przepraszam, że wam przeszkadzam, Onofre. Gabrielo, musisz się zająć teściem. Zapytaj go, czy zechce dzisiaj wieczór zjeść z nami kolację.

---

* *Porrón* – pękata szklana karafka o długim, wąskim dzióbku, z którego pijący wlewa sobie wino bezpośrednio do gardła, co wymaga sporej wprawy.

– On będzie miał gdzie zjeść kolację, *mare*, to szczególny dzień.

– Idź go zapytać, to twój obowiązek.

Pan Quimet przyjmuje zaproszenie na wigilijną wieczerzę; uśmiecha się zadowolony i patrzy na nią tym spojrzeniem, które Gabriela niedawno odkryła i które ją niepokoi, to nie jest spojrzenie i uśmiech, jakich można by się spodziewać po mężczyźnie, który jest dla niej kimś w rodzaju ojca. Tak się kończy weselne śniadanie Gabrieli. Inni jeszcze zostaną, by dokończyć potrawy, lecz ona musi iść z matką, trzeba zacząć przygotowywać wieczerzę *nit de Nadal*.

2

FOTEL ROZMYŚLAŃ

Autorstwa Gaspara Mediny dla „El Noticiero de Madrid"

PRZEKLĘTE POSĄGI

Jak tylu rodaków, z zapałem śledziłem historię posągów, które już przed kilkoma laty powinny uhonorować Republikę Argentyny na Pomniku Hiszpanów w Buenos Aires. Nawet obdarzony największą wyobraźnią pisarz nie wymyśliłby takich przeciwności, jakie przeszkodziły w jego odsłonięciu: zgony, wojny, strajki, chaos na całym kontynencie, wypadki... Wiele nieszczęść, by nie dopuścić do powstania pomnika, który w ostateczności posłuży jedynie temu, żeby ruch kołowy musiał go omijać.

Teraz mówi się nam, że wszystko jest gotowe i niebawem posągi popłyną do Buenos Aires. Mimo to jedni bardziej, inni mniej spodziewają się ostatniego piruetu losu w tej powieści w odcinkach.

Bądźmy jednak szczerzy, klątwy nie istnieją, to tylko brak organizacji, niedbalstwo i jakże hiszpański zwyczaj zostawiania wszystkiego na ostatnią chwilę. Niemniej jednak wiemy, że i tak nie braknie tych, którzy będą przypisywać wszystkie problemy fatum, losowi czy nadprzyrodzonym interwencjom. Wątpię, by znalazł się ktoś odpowiedzialny — są tacy, pozostał jeszcze ktoś odpowiedzialny w tym kraju? - i powiedział nam, że owszem, wybrano rzeźbiarza w zaawansowanym wieku i ten umarł, że w Hiszpanii nikt nie był odpowiedzialny za ten projekt, a wiadomość dotarła do Argentyny dopiero po kilku tygodniach, że potrzeba było miesięcy, żeby powołać nową komisję, dalszych miesięcy, żeby przygotować podróż w celu wybrania nowego rzeźbiarza. Po co? Żeby wybrać innego w tym samym wieku co poprzedni, który także zmarł, a cały projekt trzeba było znowu rozpoczynać od nowa. Strajk marmurników w Carrarze, wypadek z ramieniem jednej rzeźby i inne nieszczęścia – to tylko problemy. Zapominamy, że zadaniem osób odpowiedzialnych jest rozwiązywanie problemów, a nie wznoszenie toastów szampanem po zakończeniu projektu.

Sześć lat później: pomnik mający upamiętnić stulecie Republiki Argentyńskiej w 1910 roku zostanie odsłonięty, z boską pomocą, w roku 1916. Nie przychodzi mi do głowy lepsza reklama, modne obecnie słowo, żeby opiewać dobrodziejstwa hiszpańskiego przemysłu i jego nowoczesność.

I znajdą się tacy, którzy będą mówić o klątwach, mój Boże!

N iech żyją państwo młodzi!
    Nicolau Esteve nie wie, czy już jest żonaty; nie ma pewności, jaka jest różnica czasu między Hiszpanią a Argentyną, wyjaśniano mu to wielokrotnie, lecz on nigdy nie pamięta, czy godziny należy dodać czy odjąć. Kiedy tyle lat temu przypłynął tu statkiem, nie zauważył, by była jakaś różnica, czy traciło się, czy też zyskiwało godziny, dni następowały po nocach, jak zawsze. W tamtych czasach musiał myśleć o znacznie ważniejszych sprawach, na przykład o tym, jak zarobi na życie i czy uda mu się sprawić, żeby narzeczona, którą zostawił na Majorce, mogła mu rychło towarzyszyć w tej przygodzie – biedna Neus, już tak dawno o niej zapomniał, ale przynajmniej wyszła potem za mąż w Sóller za bardzo dobrze sytuowanego mężczyznę.

Nicolau pozostał wierny miasteczku i wyspie, w swoich firmach, Café Palmesano i hotelu Mallorquín, daje pracę wszystkim przybyszom z Majorki, którzy o nią poproszą. W rzeczy samej dwaj pełnomocnicy, Joan w kawiarni i Andreu w hotelu, stamtąd pochodzą – z Palmy i Son Servery. Kiedy doszedł do wniosku, że nadszedł czas, by się ożenić, poprosił ojca oraz Wikarego Fiqueta, by znaleźli mu w Sóller żonę, która będzie umiała nauczyć ich dzieci jego ojczystego języka. Przed kilkoma godzinami, a może za kilka godzin, nie jest pewien, ta dziewczyna, Gabriela, zostanie jego żoną.

Tej nocy, co do której nie jest pewny, czy jest jego nocą poślubną czy przedślubną, nie spędza jednak z ludźmi ze swoich stron. Zaprosił go jego najlepszy przyjaciel, Żyd Mosze Benjamin.

– Dzisiaj nie płacisz, jesteś moim przyjacielem i dzisiaj nie chcę twoich pieniędzy. To ważny dla ciebie dzień, dzień twojego ślubu.

Mosze jest właścicielem wielu lokali, w których pracują dziewczęta. W ten wigilijny wieczór zjedli kolację w restauracji z grillem w rejonie San Telmo, potem poszli posłuchać tanga w Boedo, aż wreszcie zakończyli wieczór w jednym z domów przyjaciela w pobliżu placu Miserere, w Once, dzielnicy Buenos Aires zamieszkanej głównie przez Żydów.

Nicolau lubi te „lalunie", jak się tutaj mówi o prostytutkach, jasnowłose lub ciemnowłose, lecz o bardzo białej skórze i niebieskich oczach, zatrudniane przez jego żydowskich przyjaciół. Podobają mu się także Francuzki madame Rosy, przyjmujące klientów w pałacyku na ulicy Liberdad; prawdę mówiąc, poszedłby tam, gdyby nie spędzał tego wieczoru z Moszem. Są droższe – pięć peso w porównaniu z dwoma, jakie biorą Żydóweczki – lecz dzisiaj jest wyjątkowy dzień, dzisiaj świętuje swój ślub z Gabrielą Roselló. Nie lubi jednak tutejszych prostytutek: nie przestają paplać, opowiadać smutnych historii i wciąż próbują oszukać klientów, biorąc ich na litość… Wszyscy mają problemy, Poleczki Moszego również, wykonują jednak swoją pracę w milczeniu, wiele z nich nawet nie zna hiszpańskiego. Nie muszą nic mówić: Nicolau wie, co przeszły te kobiety, żeby dotrzeć do Buenos Aires, wie o licytacjach, jakie odbywają się w Café Parisien, kilka razy rozmawiał nawet z Noem Traumanem, szefem żydowskich stręczycieli. Nie do niego należy krytykowanie go, to nie jego sprawa, czym kto zarabia na życie.

– Przedstawisz mi żonę, kiedy przypłynie?

– Jasne. Poproszę ją, żeby przyrządziła potrawy z moich stron, byś mógł ich skosztować. Mam nadzieję, że umie gotować.

Ojciec i Wikary Fiquet, który wybrał mu żonę, napisali mu, że Gabriela, jego żona, jest bardzo piękna. Wyglądała na taką na zdjęciu, lecz tego nie można być pewnym, dopóki nie zobaczy się kobiety na własne oczy. Absurdem jest opierać się na opinii staruszka i księdza, przekona się sam, dopiero kiedy ona zejdzie ze statku.

Uroda żony nie ma zresztą aż takiego znaczenia, ważne jest, by dała mu dzieci. Jeśli bowiem mu się nie spodoba, nadal będzie kilka razy w miesiącu odwiedzał Polki – tak je nazywa, chociaż dziewczyny mogą pochodzić skądkolwiek: z Rosji, Litwy, Polski czy Ukrainy, niemniej jednak zawsze są to Żydówki.

Dom, do którego się udają, jest dyskretny: na zewnątrz nic go nie odróżnia od pozostałych, jedynie zamknięte okiennice sprawiają, że wygląda na całkiem pusty, chociaż nie opustoszały. Jest idealnie czysty, świeżo pomalowany, otoczony niewielkim, zadbanym ogrodem. Pracuje w nim sześć kobiet, pięć młodych i atrakcyjnych dziewcząt, jasnowłosych i szczupłych, szósta, starsza, sprawuje nad nimi pieczę. Kiedyś, przed laty, była jak one, pracowała za mosiężne żetony, którymi płacili jej mężczyźni, lecz teraz ma za zadanie witać klientów, pobierać od nich zapłatę i pilnować, by wszystko działało bez zarzutu. To ona rozmawia z miejscowymi policjantami, co piątek dostającymi swoją kopertę, rozlicza się z Moszem, odpowiada za to, by nie było kłopotów, a odwiedzający wychodzili zadowoleni. Ma także baczenie na to, żeby dziewczęta przestrzegały zasad higieny, myły się nadmanganianem potasu w celu zapobieżenia zakażeniom: jedna chora dziewczyna oznacza duże straty, trzeba więc dbać o nie, żeby nie pracowały tylko w te dni w miesiącu, kiedy naprawdę nie mogą tego robić. Wizyta trwa piętnaście minut i kosztuje dwa peso, a dziewczęta bez przerwy przyjmują mężczyzn przez dwanaście godzin dziennie, ponad dwustu na tydzień. Mosze i organizacja, do której należy, „Warszawa"*, zarabiają w ten sposób ogromne pieniądze.

Dziewczyna, z którą idzie na górę do pokoju – przez chwilę myślał, żeby wziąć dwie, lecz żadna inna mu się nie podobała – nie przypomina pozostałych, jest smagła, z krótkimi włosami, szczupła, bardzo ładna.

– Mówisz po hiszpańsku?

– Jestem w Buenos Aires od siedmiu lat. Mosze powiedział mi, że się dzisiaj ożeniłeś. Gratulacje. A twoja żona?

---

* Warszawskie Towarzystwo Wzajemnej Pomocy, zwane potocznie „Warszawą", było organizacją przestępczą, założoną w Buenos Aires w latach 90. XIX w. przez stręczycieli i właścicieli domów publicznych pochodzenia żydowskiego, zajmującą się przemytem kobiet, przeważnie Żydówek, z Europy Wschodniej, głównie z Galicji i Kongresówki. Urosła w taką siłę i cieszyła się tak złą sławą, że jej działalność wywołała protesty zarówno ortodoksyjnych Żydów, jak i osób polskiego pochodzenia. Po odzyskaniu przez Polskę niepodległości na żądanie polskiego ambasadora zmieniła nazwę na Towarzystwo Wzajemnej Pomocy Cwi Migdal. Nieskuteczna walka z organizacją trwała wiele lat, a słowo *polaca* stało się synonimem prostytutki.

– W moim kraju, przybędzie dopiero za kilka miesięcy.

– Podroż jest bardzo długa.

– Wiem, sam ją także odbyłem przed wieloma laty. Jak masz na imię?

– Miriam, jestem z Polski.

Miriam wie, że Nicolau jest przyjacielem Moszego i że musi się wysilić, by nie miał powodu się skarżyć. Jest najbardziej cenioną dziewczyną w tym burdelu, pracuje dzień i noc, niemal jedynie z przerwą na sen. Zawsze ma kolejkę mężczyzn gotowych zapłacić jej wyższą cenę. Tego wieczoru Mosze kazał burdelmamie odprawiać klientów Miriam z kwitkiem. Miała pozostać wyłącznie do dyspozycji jego przyjaciela Nicolau.

– Mosze straci dzisiaj sporo pieniędzy. Musi pan być jego wielkim przyjacielem. Poza tym dzisiaj było wielu klientów, wielu chrześcijan, którzy przyszli świętować ten ważny dzień, jaki przypada dla was jutro.

Nim pójdzie z Polką do łóżka, wchodzi pod prysznic, ma dużo czasu, nie musi się spieszyć. W Sóller nie było w domach pryszniców ani ciepłej wody. Prawda, że wyjechał przed niemal trzydziestoma laty, może przez ten czas je zainstalowano. W listach piszą mu, że Sóller to już spore miasto, że powstały tam prawdziwe pałace, że pod pewnymi względami rywalizuje nawet z Palmą. Czasami myślał o powrocie, lecz w końcu dawał sobie spokój. Jest niemal przekonany, że nigdy nie wróci na wyspę, gdzie się urodził.

– Chodź, weź ze mną prysznic.

Dziewczyna jest mu posłuszna, stara się mu przypodobać. Namydla go, a potem wyciera delikatnie i uważnie. Czy jego żona zrobi to kiedyś? Na pewno nie, z pewnością ksiądz naraił mu jakąś świętoszkę. Być może powinien poszukać sobie żony tutaj, takiej, która traktowałaby go jak droga dziwka, i zapomnieć o Sóller.

– Chciałabyś wrócić do Polski?

– Do Polski? Nie, jeszcze nie zwariowałam, tutaj mi lepiej. Nie chcę nigdy więcej słyszeć o swoim kraju.

To ostatnia wigilia Bożego Narodzenia, którą Nicolau spędza bez rodziny. Wkrótce przybędzie jego żona. Kto wie, może będzie miał szczęście i w przyszłym roku urodzi mu się dziecko, któremu będzie kupował prezenty i dla którego zbuduje w salonie szopkę. Szkoda, że nikt nie mógł go zapewnić, iż Gabriela jest płodna. Jeśli nie da mu dzieci, odeśle ją z powrotem do Sóller.

* * *

– Oto jest, przypłynął o czasie. Ani trochę mu nie przeszkodził sztorm panujący przez ostatnie kilka dni.

Parowiec *Príncipe de Asturias*, obok bliźniaczej *Infanty Isabel* wielka duma hiszpańskiej marynarki handlowej, 24 grudnia 1915 roku wpływa do portu w Kadyksie po swoim piątym rejsie do Ameryki. Tym razem nie będzie kontynuować podróży do Barcelony, jak to się zwykle dzieje, lecz rozpoczną się na nim prace remontowe: odnowione zostaną kajuty pierwszej klasy i wymieniony jeden z pięciu kotłów typu Scotch. Będzie stał w suchym doku w porcie aż do początków lutego. Wtedy, owszem, popłynie do portu w Barcelonie, żeby stamtąd rozpocząć kolejny, ostatni już rejs w kierunku La Platy. Po powrocie będzie pokonywał trasę pomiędzy Półwyspem Iberyjskim a Hawaną.

– Pojadę do portu, żeby sprawdzić, czy wszystko jest w porządku.

– Zaproś kapitana na kolację, jeśli nie ma innych zobowiązań.

Don Antonio Martínez de Pinillos e Izquierdo, prezes Kompanii Żeglugowej Pinillos, syn don Miguela Martineza de Pinillos y Sáenz de Velasco, człowieka, który założył firmę w roku 1840, miał zwyczaj wchodzić na wieżę widokową w swoim pałacu, znanym mieszkańcom Kadyksu jako Casa Pinillos. Ta wspaniała, niemal stuletnia rezydencja mieści się przy placu de la Mina pod numerem 6. Don Antonio czyni tak tylko wówczas, gdy wpływają ostatnie wielkie parowce zakupione przez jego kompanię: *Príncipe de Asturias*, *Infanta Isabel* i *Valbanera*. Odkąd je posiada, odzyskał zainteresowanie pracą i morzem. Długi czas postrzegał statki jako zwykłe pojemniki, które przemierzają ocean, przewożąc towary i pasażerów; dzięki tym trzem liniowcom ponownie poczuł przyjemność, jaką daje moment, gdy dostrzega je w dali przez lunetę, tę samą, przez którą jego ojciec wypatrywał przybijających statków, żeby się dowiedzieć, jakie towary przybywają do Kadyksu i co należy kupić oraz sprzedać. Na tej wieży i dzięki tej lunecie powstało imperium rodziny Martínez de Pinillos.

Odwiedził również statki w porcie, wysłuchał wyjaśnień kapitanów oraz docenił wartość pięknych mebli w kajutach i serwowane w jadalni smaczne potrawy. Walczył z projektantami, starając się sprawić, żeby nawet trzecia klasa i klasa emigrantów były wygodne i przyzwoite, aby wszyscy pasażerowie wielkich statków transoceanicznych kompanii Pinillos podróżowali komfortowo. Nigdy jednak nie zgodził się i nigdy nie zgodzi popłynąć jednym z nich. Don Antonio Martínez de Pinillos nie ma powodu, by opuszczać Kadyks, a w tych nielicznych przypadkach, kiedy był zmuszony to uczynić, zrobił to drogą lądową.

Príncipe de Asturias, statek, który właśnie wpłynął do portu, jest wspaniałym parowcem długości stu czterdziestu metrów i nośności ponad szesnastu tysięcy ton. Jego dziewiczy rejs rozpoczął się 14 sierpnia 1914 roku, tuż po wybuchu wojny, która wyniszcza Europę. Zbudowano go w stoczni w Kingston w Wielkiej Brytanii, jest wyposażony w najnowsze osiągnięcia inżynierii morskiej, tak w celu zwiększenia swojej sprawności i szybkości, jak poprawy bezpieczeństwa pasażerów. Zastosowano wszystko, czego nauczono się po zatonięciu *Titanica* w 1912 roku, żeby parowiec *Príncipe de Asturias* był jedną z najbezpieczniejszych jednostek przemierzających morza całego świata.

Na niczym nie oszczędzano: statek może wziąć na pokład stu pięćdziesięciu pasażerów pierwszej klasy, stu dwudziestu drugiej i tysiąc pięciuset trzeciej klasy i klasy emigrantów. Ma luksusowe jadalnie, salony muzyczne, wspaniałą bibliotekę w stylu Ludwika XVI, z mahoniowymi półkami, wyposażoną w najlepsze meble, fotele obite skórą i perskie dywany. W niemal wszystkich pomieszczeniach pierwszej klasy zastosowano cenne drewno, a boazerię i ramy okienne wykonano z japońskiego dębu i orzecha… Jest szpital z izolatkami dla czterdziestu chorych, sala operacyjna i kompetentny zespół medyczny. Statek ma osobną kuchnię dla każdej z trzech klas, łazienki, miejsca rozrywki, maszyny do produkcji lodu w celu przechowywania żywności, ekipę telegrafistów… W pięciu ładowniach mieści się ponad dziesięć tysięcy metrów sześciennych ładunku. I wszystko to płynie z prędkością sięgającą osiemnastu węzłów. Cena biletu waha się od sześciu tysięcy pięciuset peset za luksusowe kajuty do dwustu pięćdziesięciu za miejsca na dolnym pokładzie dla emigrantów; dzieci płacą połowę ceny. Wszyscy pasażerowie otrzymują gwarancję, że statkiem żadnego innego armatora nie popłyną w lepszych warunkach niż na pokładzie Kompanii Żeglugowej Pinillos. Prezes kompanii czuje się ogromnie dumny z faktu, że jest w stanie nawet najbiedniejszym pasażerom zapewnić wygodę.

Nikt nie śmie czynić porównań do *Titanica* po jego zgubnym końcu, niemniej jednak don Antonio Martínez de Pinillos jest przekonany, że jego statek jest lepszy i bezpieczniejszy niż brytyjski parowiec.

– Kapitanie Lotina, to dla mnie wielki zaszczyt, że zgodził się pan zjeść z nami wieczerzę wigilijną.

Kapitan José Lotina Abrisqueta, Bask, który niedawno przekroczył czterdziestkę, jest jednym z najbardziej doświadczonych kapitanów w firmie i jednym z najbardziej cenionych przez don Antonia. Jemu właśnie zlecono nadzór nad budową *Príncipe de Asturias* i on dowodził statkiem podczas wszystkich jego rejsów.

– To ja czuję się zaszczycony, panie Pinillos, chociaż będę musiał wcześnie państwa opuścić. Muszę się spotkać z członkami mojej załogi, którzy spędzają tę szczególną noc z dala od rodzin.

Na czas remontu statku wszyscy otrzymają kilka tygodni urlopu i rozjadą się do swoich rodzinnych miejscowości. W najbliższych dniach kapitan Lotina ma nadzieję wyjechać do Barcelony, gdzie mieszka z żoną i córką. Nie mógł zjeść z nimi wigilii, lecz ma nadzieję, że spędzą razem sylwestra i powitają 1916 rok.

– Chciałbym złożyć wizytę na statku, zanim wyjedzie pan do domu. Czy może być dwudziestego szóstego?

– Będę zaszczycony, mogąc panu towarzyszyć.

Jak każdego roku i jak we wszystkich arystokratycznych domach całej Hiszpanii, wieczerza wigilijna rozpocznie się punktualnie o dziesiątej wieczór. Będzie się spożywać wszelkiego rodzaju potrawy i pić wyborne wina pochodzące z najróżniejszych stron, potem na stole pojawi się indyk, danie główne, na koniec zaś tradycyjny *pan de Cádiz* i inne bożonarodzeniowe słodycze. Do chwili zakończenia wieczerzy, kiedy to mężczyźni przechodzą do palarni, z koniakiem lub sherry oraz wspaniałym cygarem prosto z Kuby, nie można rozmawiać o interesach, statkach, niebezpieczeństwach ani o wojnie. Kobiety nie angażują się w te sprawy, jakby ich znajomość mogła zatruć im życie.

– Jak minęła podróż? Widzieliście okręty wojenne?

Okręty nie stanowiły problemu, dotychczas nie naruszały prawa morskiego; na razie zostawiały w spokoju statki przewożące pasażerów między Ameryką a Europą, zbliżając się do nich tylko wtedy, gdy podejrzewały, że mogą być wykorzystywane do transportu żołnierzy lub materiałów wojskowych dla któregoś z walczących krajów. Wielki problem stanowiły natomiast niemieckie okręty podwodne. Zatapiając *Lusitanię*, pokazały, że nie zawahają się przed posyłaniem na dno statków pasażerskich, nie przejmując się liczbą ewentualnych ofiar.

– Żadnego nie zauważyliśmy, lecz to tylko kwestia szczęścia. Któregoś dnia ono się od nas odwróci i możemy mieć problemy.

– Pływamy pod banderą Hiszpanii, kraju neutralnego, Niemcy muszą to uszanować.

– Angielscy kapitanowie wywieszają hiszpańskie bądź amerykańskie bandery, próbując zwieść niemieckie okręty podwodne. *Lusitania* także płynęła pod amerykańską banderą, kiedy została zaatakowana. Niemcy nas zatopią, jeśli dojdą do wniosku, że przewozimy sprzęt wojenny lub pomagamy walczącym sojusznikom. Mogą nam pomóc jedynie pańskie zabiegi u niemieckich władz, panie Pinillos.

Antonio Martínez de Pinillos czyni nieustanne starania u niemieckiego konsula w celu zapewnienia bezpieczeństwa swoim jednostkom i jest o krok od zawarcia stosownej umowy, może nawet stanie się to już jutro, w dzień Bożego Narodzenia. Prosił również o interwencję króla Alfonsa XIII u cesarza Wilhelma. Wie jednak, że ostateczna decyzja należy do dowódcy każdego okrętu podwodnego. Jeśli postanowi wystrzelić torpedę, setki ludzi stracą życie, a on rodzinną fortunę.

– Wydarzyło się coś jeszcze?

– Jak zwykle w czasie rejsu: jedna ze stewardes miała atak wyrostka robaczkowego i przeszła operację na statku, a teraz szczęśliwie dochodzi do zdrowia, pierwszą klasą płynęło natomiast pewne nieznośne małżeństwo, które zapewne wkrótce złoży na mnie skargę.

– Niech mi podadzą adres stewardesy, prześlemy jej bukiet kwiatów.

Don Antonio zna charakter i słabe strony kapitana, a także jego wartość dla firmy. Zamierza puścić mimo uszu pewne sprawy – na przykład fakt, że naraził się parze nieznośnych pasażerów – doceniając natomiast inne – punktualność i to, że bardzo dobrze traktuje całą załogę. Od ojca nauczył się, że najważniejsi w jego przedsiębiorstwach są kierujący nimi ludzie. Ma nadzieję, że uda mu się również wpoić te zasady synowi, który niedługo zastąpi go na czele firmy.

* * *

– Co mi przyniosłeś, kochaneczku?

Don Amando przyszedł do mieszkania na ulicy Arenal o czwartej po południu. Raquel prawie nie miała czasu, żeby się przygotować, poszła do łóżka dopiero o szóstej rano, a jako że potrzebuje ośmiu godzin snu, obudziła się o drugiej po południu. Na szczęście don Amando chce, żeby w domu przyjmowała go prawie naga, ma mieć na sobie tylko naszyjnik z pereł i ozdobny jedwabny szal: dwa prezenty, którymi ją obdarował na początku ich związku, kiedy Raquel jeszcze żywiła nadzieję, że okaże się szczodry i zabezpieczy ją na przyszłość.

– Nie możesz się doczekać podarunku, co, owieczko? Jakbyś tylko tego ode mnie chciała.

Oboje wiedzą, że tak jest, że Raquel została kochanką don Amanda jedynie dla prezentów i tego opłacanego przez niego mieszkania.

– Oczywiście, że nie, oczywiście, że nie tylko tego chcę od ciebie, lecz jest wigilia Bożego Narodzenia i chciałabym mieć pewność, że o mnie myślałeś, a wtedy będę dla ciebie bardzo miła.

Złota bransoletka jest niezgorszym prezentem, ale też nie tak okazałym, jak się spodziewała. Złoto jest dobre, bo można je bez problemów sprzedać. Waży ją w dłoni i przelicza w głowie, że mogłaby za nią dostać sto albo sto dwadzieścia peset. Brylanty również są wygodne, a poza tym wszędzie można je schować. Najgorzej, gdy robi jej prezenty z odzieży lub przedmiotów domowych, kto wie, czy będzie mogła je zabrać, kiedy zakończy ten związek.

– Powiedz Aurelii, żeby podała szampana.

– Nie ma Aurelii. Spędzi dzisiejszy wieczór z rodziną.

– Odkąd to służące mają wolne w Wigilię? Jesteś dla niej zbyt pobłażliwa, Raquel. Później nikt jej nie weźmie w karby.

– Później?

– Tak się tylko mówi.

Nie, tak się nie mówi, to sposób dania jej do zrozumienia, że będzie jakieś później, i to niedługo, gdyż już o nim myśli. Dzień, kiedy Aurelia nadal tutaj będzie, a Raquel nie. To sposób przypomnienia jej, że jej czas się kończy, że jest warta jedynie złotej bransoletki za sto peset. Nie ma już naszyjników z pereł, pierścionków z brylantami ani futer. Dni Raquel jako utrzymanki na ulicy Arenal dobiegają końca; będzie miała innych kochanków, lecz pewnego dnia jej uroda nie wystarczy, żeby jakiś mężczyzna chciał płacić za to, by mieć ją na wyłączność. A może to paranoja, jaka ją ostatnio dopada nocami, kiedy samotnie kładzie się spać, i ściska jej pierś tak, że niemal nie może oddychać.

– Ty mi podaj szampana.

– Oczywiście, ukochany.

Don Amanda – lubi, kiedy tak o nim mówią – poznała przed trzema laty. Dla niego zostawiła don Marciala, który opłacał jej wynajęte mieszkanie na ulicy Cedaceros, bardzo blisko Salón Japonés. Don Marcial także nie był pierwszy, wcześniej była z don Carlosem – mieszkanie na ulicy Humilladero – a przed nim z don Wenceslao – maleńkie mieszkanko na ulicy Victoria. Odkąd przyjechała do Madrytu i stwierdziła, że jej marzenie o zostaniu wybitną śpiewaczką doprowadzi jedynie do tego, że będzie przymierać głodem, utrzymywało ją czterech mężczyzn. Wielu innych płaciło jej rachunki w zamian za jedną tylko noc. Nigdy jednak się nie zakochała, nigdy nie zrobiła tego z miłości – może z wyjątkiem Manuela Colmenilli, chociaż nawet tego nie była pewna. Nie czuła tego wzburzenia, o jakim rozmawiała z przyjaciółkami, które, jak widziała, ogarniało czasem jej koleżanki z teatru, że aż wpadały w obłęd. A sądząc po innych, nie ma czego żałować. Lepiej trzymać się z dala od miłości.

– Wystąpisz dla mnie?

– Oczywiście. Wiem, że lubisz, kiedy występuję tylko dla ciebie, a tym bardziej w takim dniu jak dzisiaj. Chociaż będziesz musiał coś mi zostawić, żebym mogła wrzucić do puszki w kościele, bo jestem pewna, że to, co robimy, to grzech śmiertelny.

– Najwyżej powszedni. A nawet jeśli jest śmiertelny, wystarczy go tylko dodać do innych, które już popełniliśmy.

Don Amando siada na jednym z foteli w salonie, przed podium, które kazał skonstruować specjalnie na takie okazje. Raquel radykalnie zmienia styl, nie wykonuje kuplecików, tang ani walców z teatrzyku: śpiewa po łacinie, muzykę i pieśni kościelne. Raquel śpiewa mszę odwrócona tyłem do wiernych – jedynego wiernego – odziana tylko w krótki, szyty na miarę ornat, który sięga jej zaledwie do pasa i właściwie niczego nie zakrywa. Jej tyłeczek, który on tak chwali, a wszyscy jej adoratorzy podziwiają, jej *arrière garde*, zadek, jak mawia Roberto, jest całkiem odsłonięty. Dekoracja, która już znajdowała się w mieszkaniu, kiedy Raquel się tam wprowadziła, a której później będzie używać jakaś inna dziewczyna, jest dziełem stolarzy i malarzy pracujących w Salón Japonés i przedstawia ołtarz; to kopia jednego z ołtarzy znajdujących się w bocznej kaplicy którejś z katedr, nie wie, może w Sewilli, oczywiście w pomniejszeniu.

– *In nomine Patris et Filii et Spiritus Sancti. Amen. Introibo ad altare Dei.*

– *Ad Deum qui laetificat iuventutem meam.*

Raquel śpiewa całą mszę, bezbłędnie, wcześniej robiła to już tyle razy. Don Amando klęka, wstaje, siada, odpowiada… Z pewnością nie okazuje takiej pobożności w prawdziwym kościele.

Po mszy, która ciągnie się przez ponad pół godziny, don Amando osiąga szczyt podniecenia – jakże osobliwi są mężczyźni – i spieszy się, żeby przejść do sypialni. Raquel nie jest zachwycona, lecz nie uważa tego także za najbardziej niemiłą rzecz, jaką musi robić, żeby zdobyć pieniądze na życie. W końcu zawsze sprawia jej to przyjemność. Kładzie się, pozwala, żeby don Amando położył się na niej, kilkakrotnie zmienia pozycję i znosi jego pchnięcia – nie tak silne jak na przykład don Wenceslaa – aż kochanek ma wytrysk, zawsze poza nią. Gorsze były upodobania don Marciala, który, podobnie jak don Carlos, uwielbiał seks oralny, specjalność Francuzek z ulicy Madera, do której to praktyki Raquel zdaje się mieć szczególne uzdolnienia.

– Muszę iść, robi się późno. Moja żona szaleje z powodu wigilijnej wieczerzy. Jej rodzina jest w Madrycie.

– Wszyscy twoi mają się dobrze?

Zawsze o to pyta, ponieważ odkryła, że to uspokaja jej kochanków i podoba im się: czują, że ona nie sprawi im kłopotów, szanuje rodzinę.

– Dzięki Bogu, wszyscy zdrowi.

– Życzę wam zatem miłego wieczoru.

Raquel zostaje sama, don Amando nie zadał sobie trudu, żeby zapytać, co będzie robić tego wieczoru, czy spędzi go sama czy z kimś. Chowa złotą bransoletkę i sto peset, które don Amando zostawił na komodzie. Musi zmienić swoje życie, w ten sposób nie zaoszczędzi dość pieniędzy na złe czasy. Nie chce skończyć, sprzedając się pod murami zakładów tytoniowych, jak tyle kobiet, które w młodości robiły to co ona.

* * *

– Pochwalony bądź Adonai, Panie nasz, Królu wszechświata, który uświęciłeś nas swoimi nakazami i poleciłeś nam zapalać chanukową świecę.

Dzisiaj zapala się szóstą świecę, chrześcijanie odeszli ze sztetla, prawie nie wyrządzając szkód, nie ma się więc czego obawiać. Można ustawić pod oknem dziewięcioramienny świecznik, aby mogli go zobaczyć przechodzący ulicą i przypomnieć sobie cud, który sprawił, że świece płonęły przez osiem dni, umożliwiając Machabeuszom oczyszczenie Świątyni Jerozolimskiej. To wesołe święto, dzieci będą się bawić drejdlami, bączkami, grając o słodycze. W ostatnim dniu, kiedy zapali się ósmą ze świec, wszyscy będą się obdarowywać drobnymi upominkami. Bardzo skromnymi w domu Sary; droższymi w domu jej przyjaciółki Judyty czy innych miejscowych bogaczy.

Kiedy Sara wraca do domu, wszystko jest już przygotowane: latki, placki ziemniaczane typowe dla tego święta, a także sufganioty, rodzaj pączków nadziewanych konfiturą. Dzisiaj przyszli dziadkowie i przynieśli jej małym siostrom cukierki. To świąteczny dzień dla wszystkich, tylko nie dla niej, która nie odważa się opowiedzieć o swojej rozmowie ze swatką.

– *Mame*, była dzisiaj u mnie szadchan, stara Batszeba.

– Wiem.

– Powiedziała mi, że może znaleźć mi męża w Argentynie.

– Zamierzasz sprzedać się nieczystym?

– Wyjdę za mąż obojętnie za kogo.

Matka wymierza Sarze policzek. Ojciec jest oburzony.

– Powiedz matce, że odmówisz szadchan.

Od wielu już lat, odkąd Sara była mała, matka nie karała jej w ten sposób. Może ona również, podobnie jak Sara, wie, co naprawdę może się kryć za tą małżeńską propozycją.

– Jeśli jakiś mężczyzna zechce zabrać mnie do Buenos Aires, nie mogę odmówić. Tutaj w sztetlu nikt mnie nie zechce.

– Nie wyjedziesz, jeśli nie ożeni się z tobą przed wyjazdem.

Tak, jej *tate* ma rację, jeśli się ożeni, nie będzie musiała się martwić, a jedynie pragnąć, by był dobrym człowiekiem. Jeśli się ożeni przed rabinem tutaj, w Nikolewie, nie będzie mógł zrobić z niej prostytutki. Czy jakiś mężczyzna byłby zdolny zrobić to żonie? Rodzice trafili w sedno, niech się z nią ożeni. Sara jest bardzo młoda, wie o życiu mniej niż oni. Jej rodzice wiedzą, co się mówi o dziewczętach, które wyjeżdżają do Argentyny, i będą potrafili poznać, z jakimi zamiarami mąż zabiera ją do tego kraju. Jej *tate* jest poważnym człowiekiem, mężczyzną odpowiedzialnym i mądrym, zawsze wypełniającym nakazy wiary. Ponadto porozmawia z rabinem. Nie powinna się niczego obawiać, podjęta przez niego decyzja będzie dla niej najlepsza. I jak powiedział, nie wyjedzie z Nikolewa, jeśli nie będzie mężatką.

Nie, nie powinna się martwić, powinna być posłuszna. Może będzie mieć w Buenos Aires męża, który pozwoli jej się uczyć, czego zawsze chciała. Czyż nie mówi się, że tam Żydzi są wolni, że mogą oddawać się temu, co chcą, że nawet mogą posiadać ziemię i mają takie same prawa co goje? Może to dotyczy też kobiet?

W ostatnich czasach wielu Żydów opuściło sztetl, sporo z nich pojechało do Niemiec, lecz także do Stanów Zjednoczonych, powiada się, że tam są dobrze przyjmowani. Do Argentyny wyjechały tylko kobiety. Sześć, jeśli się nie myli. O trzech z nich nigdy więcej nie słyszano, lecz inne przyjechały w odwiedziny i sprawiały wrażenie, że życie bardzo dobrze je potraktowało. Jedna z nich, siostra Zimrana, jak Sara wspominała tego popołudnia z Judytą, wróciła, żeby zabrać młodsze siostry do Buenos Aires, co oznacza, że ona również tam mieszka, a to, co się o nich opowiada, to tylko historie, bajanie starych, wystraszonych Żydówek.

Sara, już spokojniejsza, zaczyna myśleć o mężczyźnie, którego przyprowadzi jej swatka. Ma nadzieję, że będzie przystojny, elegancki i bogaty.

* * *

– Musisz nauczyć się przygotowywać *escudella de Nadal**. Twój mąż zechce, żebyś mu ją przyrządziła, kiedy będziesz w Buenos Aires.

Dzień ślubu nie jest dla panny młodej dniem świątecznym. Zwłaszcza kiedy przypada w Wigilię, a teść przychodzi do jej domu

---

* Tradycyjna potrawa wigilijna w Katalonii i na Balearach, gęsta zupa z czterech gatunków mięs oraz siedmiu rodzajów warzyw (siedem sakramentów): grochu, ziemniaków, rzepy, marchewki, kapusty, cieciorki i cebuli.

na wieczerzę. Tego wieczoru w domu rodziny Roselló, chociaż tak skromnej, rybackiej, na jego cześć będzie się spożywać tradycyjne dania z Majorki: *escudella de Nadal* i *porcella rostida* – pieczonego prosiaka. Potem zwyczajowe słodycze z migdałów i miodu. To wystawna kolacja, kosztowna, rodzina Rosselló nigdy nie wydała tylu pieniędzy na wigilijną wieczerzę.

– *Mare*, czy pan Quimet zapłacił, żeby jego syn się ze mną ożenił?

– Dlaczego o to pytasz?

– W zeszłym roku jedliśmy *carn d'olla**.

– Pan Quimet nie zapłacił za ciebie, lecz pomógł nam kupić wszystko, co dzisiaj znajdzie się na stole.

Przez cały dzień Gabriela miała tylko jedną wolną chwilę, kiedy po śniadaniu przyszła ją odwiedzić jej przyjaciółka Àngels. Matka zostawiła ją w spokoju jedynie na kwadrans, gdy zdejmowała suknię, którą włożyła do kościoła… Za nią także zapłacił pan Quimet?

– Udało ci się porozmawiać z Onofrem? Powiedział ci coś o Enriqu?

– Nie, nikt mi niczego o nim nie powiedział. Wypłynął na połów, jak co dzień, a potem poszedł do domu. Powiedzieli mu, żeby przyszedł na twoje weselne śniadanie, ale odmówił. Poszedł do domu spać.

– Unika mnie, odkąd ogłoszono wiadomość o moim ślubie.

– To normalne. Jesteś żoną innego, wyjeżdżasz do Buenos Aires.

Nawet jej przyjaciółka nie wie, co się wydarzyło między nią a Enriqem. Nikt nie wie, że dziewicza Gabriela nie była już dziewicą, kiedy stawała przed ołtarzem w swojej czarnej sukni. I lepiej, żeby nikt nie wiedział, żeby pozostało to tajemnicą, którą zabierze ze sobą, wsiadając na statek.

– Wikary Fiquet przyszedł porozmawiać ze mną podczas twojego weselnego śniadania.

_____

* Skromniejsza wersja *escudella*.

– Żeby ciebie także wydać za mąż?

– Nie, żeby mnie poznać, jak powiedział. Żeby się dowiedzieć, jaka jestem, na wypadek gdyby znalazł mi męża. Oby znalazł mi go także w Argentynie. Wyobrażasz sobie, my obie tam?

Może tak, może los, któremu tak się opiera, w rzeczywistości jest marzeniem i pragnieniem każdej dziewczyny, więc Gabriela powinna czuć wdzięczność. Może pewnego dnia jej przyjaciółka Àngels dołączy do niej na drugim końcu świata.

– Widzimy się na pasterce podczas *Cant de la Sibil·la**?

– Tak, może przyjdzie Enriq.

– Zapomnij o Enriqu, jesteś mężatką.

Przyjaciółka ma rację, Gabriela powinna zapomnieć o Enriqu. Pójść z matką do kuchni, nauczyć się przygotowywać tradycyjną wieczerzę, żeby ugościć teścia i żeby jej mąż w czasie przyszłych Bożych Narodzeń mógł wspominać swoje miasteczko, podczas gdy ona o nim zapomni.

– A jeśli ty za niego wyjdziesz?

– Za Enriqa? Nie mów głupstw, on mi się nie podoba. Nie chcę rybaka, chcę kogoś lepszego.

– Powiedziano mi, że Nicolau miał w miasteczku narzeczoną. Muszę się dowiedzieć, kto to jest.

– I co zrobisz? Staniesz przed nią i powiesz jej, że wyszłaś za jej narzeczonego?

– Nie wiem, zapytam ją, jaki był, czy można mu ufać.

W bożonarodzeniowej *escudella* jest znacznie więcej składników niż w zwyczajnej, którą je się przez pozostałe dni roku: cztery rodzaje mięsa – cielęcina, wieprzowina, jagnięcina i kurczak – dla upamiętnienia czterech ewangelistów, oraz siedem warzyw i jarzyn – groch, ziemniaki, rzepa, marchew, kapusta, cieciorka i cebula – dla uczczenia siedmiu sakramentów. Przygotowanie jej

---

* *Pieśń Sybilli*, łaciński chorał gregoriański, od wczesnego średniowiecza wykonywany na Majorce podczas pasterki, tradycyjnie przez chłopców, dzisiaj również przez dziewczynki, śpiewany *a capella*, organy rozbrzmiewają tylko podczas przerw między wersami pieśni.

zabiera wiele godzin. Gabriela z matką spędzają na tym całe po-
popołudnie. Mają czas, żeby porozmawiać, po raz pierwszy jak mężatka z mężatką.

– Skoro mój mąż jest tak bogaty, mógł przyjechać na Majorkę, żeby wziąć ze mną ślub, a nie kazać ojcu stać przy ołtarzu zamiast niego.

– Twój mąż jest twoim mężem i z pewnością wie, co ma robić.
A bogaci są bogaci, bo nie szastają pieniędzmi.

– Jeśli nie przyjechał nawet po to, żeby wziąć ślub, to znaczy,
że nigdy nie będziemy podróżować. Nigdy nie wrócę do domu.

– Nie wiadomo, co się wydarzy jutro, a co dopiero planować
resztę życia. Twój dom jest tam, gdzie twój mąż, ja także nigdy nie
wróciłam do swojej wsi, odkąd przybyłam na tę wyspę.

W domu rodziny Roselló do wieczerzy zasiądą ojciec i matka
Gabrieli, ona, jej dwóch młodszych braci, pan Quimet i owdowiały
brat jej ojca, Pau. Potem, w porze deseru, do drzwi zastukają Llullo-
wie, najbliżsi sąsiedzi, ze swoimi dwoma synkami. Przyniosą nugat,
dzieci zaśpiewają *El desembre congelat* i inne kolędy, te same, które
i ona śpiewała, kiedy była mała, i których nauczyła braci. I będzie
musiała nauczyć swoje dzieci, które będzie miała z Nicolau.

– Panie Quimet, jeśli ma pan ochotę, Gabriela poda panu jeszcze
trochę pieczeni.

– Tak, proszę.

Do tej pory wieczerza przebiegała spokojnie, teraz jednak, kiedy Gabriela staje u boku teścia, pieczołowicie starając się wybrać
dla niego najlepsze kawałki prosiaka, czuje, że jego ręka przesuwa
się z tyłu jej nóg i dociera aż do pupy. Udaje, że nic się nie stało, by
nikt się nie zorientował, co się dzieje, jednak pan Quimet nie cofa
ręki, lecz wsuwa ją między jej nogi, na tyle, na ile pozwala spódni-
ca, równocześnie rozmawiając z jej matką.

– Wy, Kastylijczycy, macie dobrą rękę do pieczeni. Nie wiem,
jak to robicie, lecz wychodzą wyborne. My z kolei mamy większą
różnorodność.

– Znacznie większą, panie Quimet.

Mężczyzna nie przestaje jej dotykać, aż Gabriela odchodzi z tacą. Siada obok niego, na swoim miejscu przy stole, lecz odsuwa się od niego jak najdalej. Nie unosi wzroku znad talerza, nie wie, co robić. Nie mija wiele czasu, gdy czuje dłoń teścia na swoim udzie. A jeśli ją sprawdza? A jeśli robi to, żeby opowiedzieć synowi, że jego nowa żona jest ladaco, które pozwala się macać pod stołem? Nie, zrobiłby to przed ślubem, nie teraz, kiedy nic już na to nie poradzi. Pan Quimet jest po prostu świnią i wszystko mu jedno, że ona jest jego synową. Gabriela wstaje gwałtownie i robi coś niesłychanego, podchodzi do ojca, obejmuje go od tyłu i całuje.

— Ojcze, to moje ostatnie Boże Narodzenie w domu. Jak to będzie w Buenos Aires? Czy tam się jada to samo co tutaj?

Matka uświadamia sobie, że coś się stało, i prosi córkę, żeby poszła z nią do kuchni.

— Gabrielo, chodź ze mną, musimy przygotować słodycze.

Kiedy znajdują się w kuchni, dziewczyna mówi:

— Dotykał mnie, kiedy podawałam mu pieczeń. Ten staruch mnie obmacywał!

Nawet matce, która zrobiłaby wszystko, żeby nie doszło do żadnego konfliktu z rodziną Esteve, rzednie mina.

— Co mam zrobić, *mare*?

— Nie wiem, lecz najważniejsze, żeby ojciec o niczym się nie dowiedział. Kiedy tam wrócimy, powiemy, że zjemy deser przy ogniu, w ten sposób będziesz mogła usiąść dalej od niego.

Biesiadnicy wstają od stołu. Gabriela siada jak najdalej od pana Quimeta. Potem przychodzą sąsiedzi z nugatem, dzieci śpiewają kolędy, a Gabriela przygotowuje się, by pójść do kościoła, może po to, żeby po raz ostatni wysłuchać *Pieśni Sybilli*, a może po to, żeby spotkać się z Enriqem.

* * *

— Dostałeś list z domu, Giulio? Co za szczęście!

— Tak, co za szczęście.

Przeklęte szczęście dostać list tuż przed wigilią, myśleć o tym, jak Francesca swawoli z Marinim. Gdzie? U niego czy u niej? W sklepie rybnym, otoczeni przez wątłusze, dorady, sardynki, cierniki? Przynajmniej właściciel nie będzie pierwszym, który będzie cieszył się względami swojej nowo poślubionej żony, tego nikt Giuliowi nie odbierze, nigdy. To on jako pierwszy spał z Francescą, przynajmniej tak sądzi, a nie może być dwóch pierwszych.

– Patrzcie.

Jeden z żołnierzy przyszedł z butelką czegoś, co wygląda na grappę.

– Czy to grappa? Gdzie to zdobyłeś?

– *In bocca chiusa non entrano le mosche.*

Do zamkniętych ust nie wpadają muchy, ma rację jego towarzysz, co go obchodzi, skąd wziął tę grappę? Ważne jest tylko to, że pomoże mu przetrwać noc i zapomnieć, a może właśnie jeszcze bardziej przypomnieć sobie Francescę.

Ziemniaki już się ugotowały i teraz Giulio musi obrać je ze skórki, a następnie ugnieść. Wymiesza je z jajkiem, mąką, a z braku mleka użyje tej samej wody, w której je ugotował. Potem uformuje gnocchi – w każdym zrobi kciukiem zagłębienie pośrodku, jak robiła jego babka – i wrzuci je na wrzątek. Równocześnie z oliwy, suszonych pomidorów – które od dobrej chwili trzyma w wodzie, żeby się namoczyły – i dwóch cebul zdobytych w ostatniej chwili przyrządzi sos. Byłby lepszy, gdyby znaleźli czosnek, gdyby mieli zioła i gdyby gnocchi można było posypać tartym serem, lecz jest, co jest. Jego kolega Vittorio zajmuje się kurczakiem, upiecze go na ognisku. Giulio i sześciu towarzyszy, którzy są razem z nim, odkąd przybył na front – dotychczas żaden z nich nie zginął – zjedzą swoją szczególną *cenone*: kurczaka i gnocchi, wypiją także kawę i po odrobinie zdobycznej grappy. Zjedzą posiłek wcześnie, może pośpiewają jakieś piosenki ze swoich stron i w starej stajni ułożą się do snu przy ogniu, nie przejmując się odgłosem odległych wystrzałów armatnich.

Zajęty przygotowywaniem kolacji Giulio przynajmniej na chwilę zapomniał o Francesce. Ma ochotę wybuchnąć płaczem, a nie chce, żeby widzieli to jego towarzysze. Wiadomość jest niezwykle okrutna, szczególnie że przyszła w taki właśnie dzień, w Wigilię, lecz najgorsze jest to, że to nie ona ją napisała, że poprosiła o to jego rodziców. Zanim zabierze się do gotowania, Giulio szuka ostatniego listu od tej, która była jego narzeczoną. List jest sprzed trzech tygodni i mówi tylko o miłości. Francesca nie wspomina w nim o Marinim, nie pisze o żadnej zmianie, nie można z niego wyczytać żadnego zamiaru zerwania.

— Chłopaki, kapitan nas wzywa.

— Czego chce? Nawet dzisiaj nie zostawią nas w spokoju?

Właśnie zepsuto im noc. Patrol zwiadowczy natknął się na dwóch żołnierzy wroga.

— Rozstrzelamy ich.

— Dzisiaj? Nie możemy dzisiaj rozstrzelać jeńców. Jest Boże Narodzenie.

Giulio pożałował tych słów, jeszcze zanim skończył je wypowiadać. Kapitan Carmine podchodzi do niego. Przybliża swoją twarz do jego twarzy, tak że odległość między nimi wynosi mniej niż piędź, i mówi:

— Bovenzi, jesteście pierwszym ochotnikiem do plutonu egzekucyjnego. Potrzebuję jeszcze trzech.

Jest Wigilia, dociera już do nich zapach kurczaka, gnocchi trzeba tylko zanurzyć na kilka minut we wrzącej wodzie, sos pomidorowy jest niemal gotowy, śnieg pokrywa wszystko, ziąb przenika ich aż do kości, a Giulio musi przed wieczerzą zabić dwóch ludzi.

Dwaj Austriacy bardzo się od siebie różnią, jeden jest wysoki i jasnowłosy, drugi niziutki i smagły, mógłby uchodzić za Włocha z południa. Ich wierzchnia odzież była znacznie lepsza od tej, jaką noszą Włosi, więc ktoś ją sobie zabrał. Także buty. Nawet gdyby ich nie rozstrzelano, w ciągu kilku godzin zamarzliby na śmierć.

Giulio dobrze wie, co zrobi: musi wycelować lepiej niż kiedykolwiek, z szacunku dla tych, którzy mają umrzeć. To się i tak stanie, nikt nie może ocalić im życia, a on przynajmniej może sprawić, by ich śmierć była szybka.

Pierwszy jest ten wysoki i jasnowłosy. Żołnierze ustawiają się przed nim, on stoi przodem, nie zasłonięto mu oczu. Robi wrażenie oderwanego od rzeczywistości, może pragnie już tylko przestać marznąć i chce, żeby stało się to jak najszybciej. Kapitan Carmine, człowiek, który ich skazał, wyda rozkaz do strzału.

– *Platone atenti! Caricare! Puntare! Fuoco!*

Wycelował w środek piersi i wierzy, że trafił. Jasnowłosy żołnierz pada do tyłu i śnieg zaczyna zabarwiać się krwią. Wtedy Giulio słyszy płacz i błagania ciemnowłosego w języku, którego nie rozumie.

I wówczas, kiedy nikt się tego nie spodziewa, ów mężczyzna zaczyna biec. Jeden z towarzyszy Giulia wybucha śmiechem, pozostali milczą. Austriacki żołnierz ślizga się, bosy, upada, podnosi się, i biegnie dalej. Nikt nie próbuje go zatrzymać. Tylko kapitan unosi pistolet. Zamierza strzelić, lecz po chwili opuszcza broń.

– Niech zamarznie. Mógł mieć godną śmierć, a umrze śmiercią tchórza.

* * *

– Żar jest już gotowy.

Nicolau i wszyscy, którzy tak jak on przybyli do Buenos Aires, musieli się dostosować do nowych zwyczajów. Włoskie zmieszały się z majorkańskimi i hiszpańskimi, z miejscowymi, z niektórymi przywiezionymi przez Niemców, a nawet ze zwyczajami rosyjskich i polskich Żydów, tworząc odmienne Boże Narodzenie. Nie spożywa się *escudella* ani mięsa pieczonego w piekarniku, lecz przyrządzane na argentyńską modłę, na rozżarzonych węglach, i popijane bardzo zimnym piwem. W pierwszych latach Boże Narodzenie było smutne i trudne, teraz już się przyzwyczaili i nie zamieniliby nowych zwyczajów na dawne. Wiele lat temu przestali już tęsknić za chodzeniem o północy do kościoła, żeby wysłuchać *Pieśni Sybilli*.

Gromadzą się ze swoimi nowymi rodzinami, wyobrażając sobie, że pamiętają o nich ci, których pozostawili w rodzinnych stronach. Oni również o nich myślą, lecz teraz to Argentyna jest ich ojczyzną. Sóller, Palma czy Son Servera są już tylko pięknymi miejscami, które dawno opuścili i których może nigdy już nie zobaczą.

Nicolau zobowiązuje się dostarczyć najlepsze mięso, Andreu i jego żona udostępniają dom i zapewniają słodycze, Joan dba o to, by nie zabrakło zmrożonego piwa. Może w którymś momencie zaśpiewają kolędę z wyspy dla małego synka Andreu; jego ojciec dokłada starań, żeby nauczyć go słów *El desembre congelat – arriben els tres Reis, amb gran alegria, adorant el Rei del Cel, en una establia* – chociaż chłopczyk potrafi wymówić poprawnie po kastylijsku nie więcej niż kilka słów.

Zbierają się w domu, który Andreu kupił przed dwoma laty w Boedo, nieopodal Café de Aeroplano, w tej samej dzielnicy, gdzie Nicolau prowadzi swoją. Ten typ domu nazywa się tutaj „kiełbasą" – jest to budynek z niewielką fasadą od ulicy i podłużnym patiem, na które wychodzą okna wszystkich pokoi – żeby przejść do kolejnego pomieszczenia trzeba minąć poprzednie, niczym plastry kiełbasy, i stąd ta nazwa.

Nawet Żydzi obchodzą tutaj Boże Narodzenie i Nicolau postanowił złożyć życzenia swojemu przyjacielowi Moszemu, który mieszką z siostrą w bardzo podobnym domu w dzielnicy Once, gdzie osiedlają się – a w wielu przypadkach zakładają swoje firmy – Żydzi przybywający do Buenos Aires z Polski i Rosji.

Od domu przyjaciół do placu Once dzieli go zaledwie półgodzinny spacer. Tam, kilka metrów od alei Corrientes, Mosze wita go bardzo zimnym piwem, nie przywiązując wagi do zakazu picia alkoholu narzucanego przez jego religię.

– Wesołych świąt, Nicolau.

– Zawsze mnie zadziwia fakt, że wy składacie mi życzenia.

– Teraz jesteśmy bardziej Argentyńczykami niż Żydami, przyjacielu.

Z tego co wie, Żydzi w Buenos Aires są podzieleni, a Mosze należy do tych, których pozostali nazywają *tame*, nieczystymi. To członkowie żydowskiego Warszawskiego Towarzystwa Wzajemnej Pomocy z Barracas al Sud i Buenos Aires, nazywanego Towarzystwem Warszawskim lub po prostu „Warszawą", jak mówią o nim wszyscy. Zajmują się prowadzeniem burdeli i sprowadzaniem prostytutek z Polski, Ukrainy, Rosji... To najbogatsi przedstawiciele żydowskiej społeczności, którzy kupują sędziów, polityków, policję, prowadzą interesy w Buenos Aires, w Rosario, w Bahía Blanca, w Montevideo, a mówi się, że także w Paragwaju, w Santiago de Chile i w Brazylii. Nikt bardziej ich nie zwalcza niż sami Żydzi, a z powodu zakazu wstępu do synagog i religijnego pochówku członkowie „Warszawy" musieli założyć odrębny cmentarz i zbudować własną synagogę w dzielnicy Avellaneda.

Nicolau poznał Moszego przed wielu laty, tuż po przybyciu do Buenos Aires. Między innymi jemu zawdzięcza pozycję i dobrobyt, jakimi teraz się cieszy: można powiedzieć, że to dzięki niemu mógł poprosić Wikarego Fiqueta o zaaranżowanie dla niego ślubu z młódką z Sóller.

Kiedy Nicolau przybył do argentyńskiej stolicy, znał tylko nazwisko i adres don Oriola, mieszkańca Sóller, który wyemigrował wiele lat wcześniej. Człowiek ten był kelnerem w kawiarni na ulicy Corrientes i zachował się w stosunku do niego przyzwoicie, załatwił mu pracę w tym samym lokalu i przez pierwsze tygodnie pozwolił mu mieszkać u siebie, dopóki Nicolau nie zarobił dość pieniędzy, by móc znaleźć własne lokum. Don Oriol był żonaty z Argentynką i miał dwie starsze od Nicolau córki, które mówiły z doskonałym argentyńskim akcentem i nie wiedziały nic o ojczyźnie ojca. Oriol mieszkał w Buenos Aires od czterdziestu lat i niczego nie osiągnął, dla niego byłoby lepiej, gdyby został na Majorce. Nicolau wiele myślał o nim i o jego życiu – Oriol zmarł przed dziesięcioma laty. Nie chciał tak żyć – ani ożenić się z Argentynką, ani mieć dzieci, które nie będą mówić w jego języku, ani przez całe życie być kelnerem i pracować dla kogoś. Nie wiedział, jak to osiągnąć, lecz przebył połowę świata, żeby odnieść sukces, żeby, jeśli kiedyś wróci na Majorkę, być jednym z tych bogaczy, którzy budują wielkie domy i kupują rozległe sady.

Kiedy tylko zdołał, po odebraniu pierwszej wypłaty, może po to, by odseparować się od don Oriola i jego nędznego losu, przeprowadził się do mrówkowca w San Telmo. Mrówkowce to czynszówki, w których zamieszkują nowo przybyli imigranci. Mają wspólne sanitariaty i podwórka, a każdy pokój wynajmuje się jednej rodzinie lub grupie mężczyzn. Tam wspólnie mieszkają najbiedniejsi Argentyńczycy, Włosi, Hiszpanie i Żydzi. To miejsce, gdzie wszyscy dostosowują się do nowych zwyczajów i zapominają o tych ojczystych. Tam zdobywa się pracę, a niemal wszyscy szkolą się w ideach anarchistycznych, jakie wielu przywozi z Europy. Nicolau przybył jednak do Argentyny, przetrwał rejs w trzeciej klasie i przeszedł przez Hotel Imigrantów, z uwagi na swój niemal okrągły kształt zwany Rotundą, nie po to, żeby walczyć o dobrobyt proletariuszy świata; on przybył po to, żeby się wzbogacić. Podobnie jak jego rówieśnik, ten milczący Żyd – ledwie wtedy mówiący po hiszpańsku – Mosze Benjamin.

Zaprzyjaźnili się dopiero wtedy, gdy Nicolau zobaczył, jak Rosjanin – Żydzi są dla wszystkich albo Rosjanami, albo Polakami, obojętnie, skąd przybywają – wpada pędem do kamienicy. Odniósł wtedy wrażenie, że ucieka przed kimś i potrzebuje pomocy. Podjął tę decyzję nagle i bez zastanowienia: otworzył drzwi swojego pokoju, pokazał uciekinierowi, żeby wszedł pod łóżko, a sam się na nim położył. Potem okłamał policjantów, że nikogo nie widział. Przekonał ich, że gdyby widział, byłby pierwszym, który by im go wydał, gdyż trzeba przepędzić tych Żydów z Argentyny raz na zawsze, żeby nie przyjeżdżali tutaj i nie brukali kraju swoimi zwyczajami, swoimi interesami i swoimi dziwkami.

Kiedy niebezpieczeństwo minęło, Mosze wyszedł z ukrycia i obiecał Nicolau, że zrewanżuje się za przysługę. Co spełnił z nawiązką.

– Przyjacielu, niedługo w naszych domach pojawią się nowe kobiety. Max Szlomo pojechał po nie na Ukrainę.

– Jak zamierza nakłonić je do wyjazdu?

– Jedne o niczym innym nie marzą, a inne trzeba oszukać. Z niektórymi trzeba się nawet ożenić. Na pewno podczas tej podróży Max się z którąś ożeni. Pewnego razu wrócił z trzema żonami.

Pracujące dla Moszego dziewczęta przybywają z Ukrainy, z Polski, z Rosji, z Litwy lub z któregoś innego kraju wschodniej Europy. Zależnie od ich urody i nastawienia do pracy podejmuje się decyzję, co z nimi zrobić. Niektóre zostają w najlepszych domach publicznych Buenos Aires, tych, które odwiedza Nicolau; inne muszą przejść „zmiękczanie", rodzaj swoistego odosobnienia, podczas którego w najbrutalniejszy sposób, ciągłymi gwałtami, uczy się je, że muszą być posłuszne organizacji, najmniej powabne są zaś odsprzedawane do burdeli w głębi kraju, na południu, w Patagonii.

– Ożenił się z trzema kobietami podczas jednej podróży? Co za niewdzięczna praca! Ty też się ożeniłeś?

– Ożeniłem się już z pięcioma Polkami. A kiedy wróci mój przyjaciel Max, może ożenię się z szóstą, żeby wydano jej dokumenty i mogła zostać w Argentynie. Władze sprawiają coraz większe problemy dziewczętom przyjeżdżającym z moich stron. Ścigają nas z powodu Żydowskiego Stowarzyszenia na rzecz Pomocy Dziewczętom i Kobietom. Jest tu taki jeden starzec, Izaak Kleinmann, który nie daje nam spokoju, powinniśmy go zabić.

– A potem się rozwodzisz?

– Nie muszę. Dokumenty giną i jest tak, jakbym nigdy się nie ożenił. Mamy także religijną ceremonię, odprawia ją rabin w naszej synagodze. To zacny człowiek o słabej pamięci, nigdy nie pamięta, że wcześniej udzielił ci ślubu.

Nicolau woli nie osądzać swojego przyjaciela. Po pierwsze dlatego, że to sprawy Żydów: członkowie „Warszawy", dziewczęta, burdelmamy, rodziny, które pozwalają im wyjechać z Europy, walczące z nimi Stowarzyszenie, udzielający im ślubu rabin... wszyscy są Żydami. Wszyscy z wyjątkiem mężczyzn, którzy sypiają z tymi kobietami za pieniądze, ci, tak jak on, pochodzą ze wszystkich zakątków świata. Po drugie dlatego, że boi się, iż gdyby go osądził, on, jako klient, znalazłby się w niezręcznej sytuacji. Kiedy mieszkał w Sóller, nawet nie przyszłoby mu do głowy, że pójdzie do łóżka z młodą Żydówką, za kilka peso niemal porwaną z zapadłej wsi przez tych, którzy powinni jej pomóc.

Jego uwagę najbardziej zwraca fakt, że Mosze i jego przyjaciele, nie chcąc żyć na marginesie swojej społeczności, stworzyli moralność na własną miarę. Przekupują policjantów, władze imigracyjne, sędziów i wszystkich, których muszą. Uprowadzają dziewczęta, stawiają czoło swojej społeczności, gardzącym nimi uczciwym Żydom, którzy najzacieklej z nimi walczą, niemniej jednak nawet najwięksi ateiści i anarchiści nie ośmielają się żyć bez Boga: wznieśli własną synagogę i oddali ją w ręce równie zdeprawowanego jak oni rabina. Nie zgadzają się na to, by grzebano zarówno ich samych, jak i ich podopieczne na wspólnym cmentarzu, toteż założyli własny, przylegający do cmentarza pobratymców, ażeby można było ich chować zgodnie z ich obyczajami i religią.

– Kiedy przybędą te kobiety?

– Niebawem. Ponieważ w Europie trwa wojna, tym razem nie sprowadzamy ich z Polski, lecz z południowej Ukrainy. Jeden statek przewiezie je z Odessy do Stambułu, a następny przez Morze Śródziemne do Barcelony. Tam wsiądą na pokład *Príncipe de Asturias*, który płynie do Buenos Aires.

– Moja żona także wyruszy z Barcelony. Może popłyną tym samym statkiem.

– Nie poznają się, gwarantuję ci, chyba że Max postanowi, by jedna z nich podróżowała z nim pierwszą klasą. Lecz ty owszem, na pewno je poznasz. Jeśli chcesz, możesz być pierwszym klientem którejś z nich. Max na pewno przywiezie jakąś dziewicę.

Przed dwoma tygodniami Nicolau przesłał ojcu instrukcje odnośnie do podróży Gabrieli. List pewnie niebawem do niego dotrze. Napisał w nim, że żona ma pojechać do Barcelony, gdzie ma już zarezerwowany hotel na Rambli, Cuatro Naciones, i zamówić sobie odpowiednią garderobę na przyjazd do Buenos Aires. Nie chce, żeby przyniosła mu wstyd, ubrana jak wieśniaczka. Potem powinna się stawić w biurach Kompanii Żeglugowej Pinillos, gdzie otrzyma bilet pierwszej klasy na najbliższy statek odpływający z Barcelony do Buenos Aires, a także adres banku, do którego musi się udać, by wypłacono jej pieniądze na pobyt w stolicy Katalonii i na podróż. Dziewczyna, którą widział jedynie na zdjęciu i która teraz jest jego żoną, miała znacznie więcej szczęścia niż ta młoda Żydówka wybrana przez przyjaciela Moszego, który się z nią ożeni i zachowa jej dziewictwo do czasu, aż ktoś w Buenos Aires zapłaci, żeby ją go pozbawić.

– Niedługo będę chciał z tobą porozmawiać, Nicolau. Muszę tylko podjąć pewną decyzję, może za dwa lub trzy dni. Będę niebawem potrzebował twojej pomocy w czymś ważnym.

– Jakiś kłopot, Mosze?

– Kłopot, okazja? Nie wiem. Nie po to przemierzyliśmy połowę świata i dotarliśmy do tego kraju, żeby inni podejmowali za nas decyzje. Niewolnictwo to problem starej Europy.

I mówi to ktoś, kto w Nowym Świecie trzyma kobiety w niewoli. Mosze powie mu, kiedy nadejdzie pora, nic go nie zmusi, by teraz zdradził coś więcej. Nicolau poczeka. Może otrzyma propozycję przystąpienia do interesu, już raz o tym rozmawiali, i wtedy Nicolau odmówił, czasy się jednak zmieniają, może nadszedł moment, żeby się zgodzić. Będzie musiał zarabiać wystarczająco dużo pieniędzy, by utrzymać rodzinę, chce też, by żona pomogła mu wejść do hiszpańskiej socjety w Buenos Aires: to tam robi się naprawdę wielkie interesy. Może nadszedł czas, by rozważyć kupno kilku takich burdeli, jakie posiada przyjaciel.

* * *

– Do Argentyny? Oczywiście, Wasza Królewska Mość wie, że jestem do dyspozycji. Kiedy będę musiał wyruszyć?

Eduardo Sagarmín, markiz de Aroca, jest jednym z najbliższych przyjaciół króla Alfonsa XIII, może najlepszym, wraz z Alvarem Ginerem, który teraz podchodzi, by się przywitać.

– Czy Wasza Królewska Mość powiedział już Eduardowi, co go czeka?

– Właśnie o tym mówiliśmy. I na razie nie wygląda na bardzo przestraszonego. Sądzę, że pragnie się udać na drugi koniec świata.

Spędzą z królem tylko kilka minut, w Pałacu Królewskim odbywa się bowiem przyjęcie wigilijne i wszyscy goście czekają na chwilę, by zabłysnąć u boku monarchy, już z zawiścią spoglądając na nich, że zawładnęli jego uwagą.

– Najlepiej, żeby Álvaro przekazał ci, co wie, ale to nie wszystko. Zobaczymy się za kilka dni, wypijemy aperitif i przekażę ci szczegóły.

– Jak Wasza Królewska Mość sobie życzy.

Król odchodzi, by dalej witać się z zaproszonymi na przyjęcie gośćmi. Podchodzi kelner z tacą pełną kieliszków wina i obaj biorą po jednym.

– Dlaczego król chce, żebym udał się do Argentyny? Wiesz coś?

– Oficjalnie po to, żeby przekazać posągi.

– I to wszystko? W takim razie nie ma się czego bać.

– Nie bądź taki pewny. Chodzi o przeklęte rzeźby z Pomnika Hiszpanów.

Wszyscy czytali o tym gazetach, o śmierci dwóch pierwszych rzeźbiarzy, o strajkach, o stałych opóźnieniach i o tym, że posągi przynoszą pecha.

– Wierzysz w te klątwy?

– Ja nie wierzę, lecz wolę, abyś to ty wsiadł z nimi na statek, nie ja. Klątwy nie istnieją.

Podchodzi do nich niezwykle piękna blondynka o jasnych oczach.

– Witaj, Álvaro. Potrzebuję cię na chwilę.

– Dzisiaj także musimy rozmawiać o pracy, Blanco? Odpocznij trochę.

Eduardo po raz pierwszy spotyka Blancę Alerces, chociaż wiele razy o niej słyszał: Álvaro i król często o niej wspominają. Najpierw z powodu tego, co zaszło w dniu jej ślubu z Carlosem de la Era, potem – kiedy razem z królem Alfonsem i Alvarem rozpoczęła pracę w Urzędzie do spraw Ochrony Jeńców. Obaj nie szczędzą jej pochwał.

– Blanco, może Eduardo mógłby nam pomóc w biurze, zna rosyjski. Nie otrzymujemy korespondencji w tym języku?

– Przyszło kilka listów i zwróciliśmy się o pomoc do pewnego profesora uniwersytetu. Może w przyszłości będziemy musieli poprosić o nią pana.

– Jestem do waszej całkowitej dyspozycji. Z pewnym wysiłkiem i ze słownikiem w ręku może nawet byłbym w stanie przetłumaczyć jakiś list z jidysz.

Pierwszą placówką w dyplomatycznej karierze Eduarda Sagarmina był Sankt Petersburg, potem przebywał w Rzymie i w Kairze. Reprezentował również króla Hiszpanii przy innych okazjach: w 1910 roku brał udział w poufnych rozmowach z francuskim prezydentem Armandem Fallières'em prowadzonych w celu rozwiązania problemów związanych z granicą między Gwineą Hiszpańską a Gabonem; w jego imieniu wziął udział w koronacji Mulaja Jusufa, sułtana Maroka, po abdykacji jego brata Mulaja Abd al-Hafiza. Misja w Buenos Aires nie jest zatem jego pierwszą.

– Blanco, pozwól mi przez pięć minut porozmawiać z Eduardem, potem zajmiemy się tymi niecierpiącymi zwłoki sprawami biura.

Kiedy Blanca odchodzi, Álvaro Giner nie potrafi przestać na nią patrzeć.

– Blanca to cudowna kobieta.

– Nie musisz mi tego mówić, Álvaro, doskonale znam tę minę, jaką przybierasz, gdy jakaś kobieta ci się podoba.

Obu łączy przyjaźń z królem Alfonsem, czują też do siebie wielkie zaufanie i sympatię.

– Przypuszczam, że gdyby nie pilne obowiązki w Urzędzie do spraw Ochrony Jeńców, to mnie przypadłoby w udziale odbyć tę podróż, gdyż nie jestem żonaty. Chociaż oficjalnie chodzi o przekazanie posągów, istnieje więcej powodów, dla których król poprosił o to ciebie. Trzeba zostać w Buenos Aires do czasu odsłonięcia pomnika i reprezentować króla.

– To znaczy kilka miesięcy.

– Powiedziałbym, że prawie cały rok. Wiosną odbędą się w Argentynie wybory i król Alfons chce, żeby przy objęciu władzy przez nowy rząd był obecny jego przedstawiciel. Przypuszczam, że możesz zabrać Beatriz, jeśli tego chcesz.

Beatriz jest żoną Eduarda. Jak przystoi ludziom należącym do jego klasy społecznej, publicznie oboje zachowują pozory. Kiedy jednak są sami, nie potrafią ukrywać prawdy: powiedzieć, że się nie znoszą, to za mało, ich ślub był błędem i oboje żywią do siebie wielką urazę. Eduardo nie poprosi Beatriz, żeby mu towarzyszyła, ona zresztą się na to nie zgodzi. Poza tym ta podróż to doskonała okazja, by spędzić kilka miesięcy z dala od niej, może uda się uniknąć pogorszenia sytuacji.

– Jest jeszcze jedna kwestia, którą powinieneś poruszyć z argentyńskim rządem. To jednak wielce poufna sprawa, o której nie mogę ci powiedzieć, zrelacjonuje ci ją król osobiście pojutrze, kiedy będziesz się z nim widzieć.

Dziwią go słowa Alvara, nie ma pojęcia, o jaką sprawę może chodzić. Wie tylko, że jak zawsze jest na usługi króla.

– Teraz bądź dyskretny, przedstawię ci osobę, która popłynie tym samym statkiem co ty. Wie o posągach, lecz nie wie ani nie może się dowiedzieć o drugiej sprawie, z którą udasz się do Buenos Aires.

– Nie obawiaj się, nawet nie mam pojęcia, na czym ma polegać to zadanie. Niemożliwe więc, żebym się wygadał.

Podchodzą do bardzo wysokiego i bardzo szczupłego mężczyzny. Da się zauważyć, że jego żakiet jest pożyczony – lub wypożyczony, gdyż ostatnimi czasy modne stały się zakłady krawieckie wypożyczające etykietalne stroje – i nie jest uszyty na miarę.

– Gaspar Medina, dziennikarz „El Noticiero de Madrid", przedstawiam panu don Eduarda Sagarmina, markiza de Aroca.

– Co tydzień czytuję pański felieton *Fotel rozmyślań*. Podoba mi się pański pogląd na wojnę w Europie, pańska analiza społeczeństwa.

Zna pracę dziennikarza, chociaż nigdy się z nim nie spotkał; wyobrażał go sobie jako mężczyznę zaprawionego w bojach, z charakterem, a nie jako nieśmiałego i zalęknionego młodego człowieka, którego ma przed sobą. Zwłaszcza po przeczytaniu jednego z jego ostatnich felietonów, w którym niemal nazywa hiszpańskich generałów nędznymi i niekompetentnymi tchórzami.

– Szczęście, że jesteśmy neutralni, ta wojna to bestialstwo i rzeź. Jako dziennikarz uczynię wszystko, co w mojej mocy, choćby było to tylko ziarnko piasku, żeby położyć jej kres i żeby Hiszpania nie popełniła tego błędu i nie włączyła się do walki.

– Don Eduardo będzie reprezentował króla podczas przekazania posągów przeznaczonych na pomnik w Buenos Aires. Popłyniecie tym samym statkiem. Zostawiam was, porozmawiajcie sobie, a ja w tym czasie zajmę się pewną niecierpiącą zwłoki sprawą, w związku z którą szukała mnie jedna z moich współpracownic z Urzędu do spraw Ochrony Jeńców.

Urząd to najważniejsza inicjatywa humanitarna, jaką Hiszpania podejmuje podczas wojny: pomoc jeńcom obu stron i ich rodzinom. Król zlecił to zadanie Alvarowi, chociaż równie dobrze mógł powierzyć je Eduardowi. Ten byłby dumny z pracy w tej instytucji, jeśliby król go o to poprosił.

— W jakim celu udaje się pan do Argentyny?

— W zasadzie w tym samym co pan: będę relacjonować dla mojej gazety przekazanie posągów. W rzeczywistości wysyła się mnie w tę podróż, bym nie mógł dłużej publikować artykułów na temat wojny. Wojskowi ani trochę nie są zachwyceni moją antywojenną postawą, otrzymałem nawet kilka pogróżek. Dla armii wojna stanowi rację bytu, a jeśli zachowamy neutralność, nie będzie awansów, medali ani wydatków na zbrojenia…

— Nie wiedziałem, że wojskowi mają taką władzę, by zmusić gazetę do wysłania na drugi koniec świata kogoś, kto nie podziela ich poglądów.

— Strach nie zna granic, don Eduardo. A ja nie jestem bohaterem, i kiedy otrzymuję list, w którym grożą, że rozwalą mi łeb, pierwsze, co mi przychodzi na myśl, to żeby uciec jak najdalej, choćby i do Argentyny. To nie gazeta podjęła decyzję, lecz ja, i miałem to szczęście, że szefowie mnie wsparli.

Nieczęsto zdarza się, by człowiek był tak świadom własnego tchórzostwa, i Eduardo uśmiecha się przyjaźnie. Gaspar rozgląda się wokół, jakby naprawdę bał się o życie i wierzył, że mogą go zabić nawet podczas przyjęcia w pałacu.

— Wykorzystam podróż do Argentyny, by wysyłać stamtąd reportaże, z każdą chwilą coraz więc Hiszpanów wyjeżdża do tego kraju. Przypuszczam, że statek, na którym popłyniemy, będzie wiózł setki emigrantów.

— Nie znam szczegółów podróży, dopiero przed kwadransem się dowiedziałem, że mam się udać do Buenos Aires. Czy wiadomo już, którym statkiem popłyniemy?

— *Príncipe de Asturias*, nie będziemy mieli się na co skarżyć, to najbardziej luksusowa i najbezpieczniejsza jednostka, jaka istnieje. Kiedy się o tym dowiedziałem, przepełniła mnie radość: nie mam najmniejszego zamiaru zginąć w morskiej katastrofie. Cieszę się, że postanowiwszy mnie wysłać, moja gazeta wybrała najlepszy sposób podróży.

— Niech pan tego nie mówi nawet żartem, żaden z nas nie chce umrzeć jako rozbitek. I jeśli już o tym mowa, w żaden inny sposób.

– To poufne, ale mówi się, że Pinillos, prezes towarzystwa żeglugowego, jest o krok od zawarcia porozumienia z Niemcami, dotyczącego nienaruszalności jego statków. Dzięki temu nasza podróż będzie znacznie spokojniejsza.

Rozmawiając z dziennikarzem, Eduardo Sagarmín widzi swoją żonę, Beatriz Conde, pogrążoną w ożywionej rozmowie z Sergiem Sanchezem-Camargo, hrabią Camargo. Zna go od wielu lat, nawet kilkakrotnie spotkał się z nim przypadkiem w Sali Oręża Kasyna Wojskowego, to znakomity szermierz, równie biegły w fechtunku jak on. Przygląda się ich uśmiechom, ich porozumiewawczym spojrzeniom i uświadamia sobie, że nawet jeśli jeszcze nic między nimi nie zaszło, to na pewno do tego dojdzie, kiedy on uda się w podróż. Nie byłby to pierwszy jej kochanek, Eduardo nie czuje jednak zazdrości: oby wszystko okazało się łatwiejsze i Beatriz odeszła z hrabią Camargo, jeśli tego pragnie, zostawiając go w spokoju i zwracając mu wolność. Gdyby to od niego zależało, jego małżeństwo zakończyłoby się jeszcze tego samego wieczoru, a on nigdy więcej by jej nie zobaczył. To właśnie by go naprawdę uszczęśliwiło, a nie wierność żony.

Przed pójściem do domu raz jeszcze rozmawia na osobności z królem Alfonsem.

– Czy Álvaro poinformował cię o drugim zadaniu?

– Powiedział mi, że Wasza Królewska Mość będzie musiał osobiście wydać mi instrukcje, on ich nie zna.

– Znakomicie. Przyjdź do mojego gabinetu pojutrze o dziesiątej, zaznajomię cię ze wszystkim. I nie komentuj tego, chcę, żeby odbyło się to w całkowitej tajemnicy.

Przyjęcie trwa nadal, lecz Eduardo nie widzi już żony: zniknęła mu z oczu. Szuka hrabiego Camargo i jego także nie znajduje. Ma tylko nadzieję, że nikt inny tego nie zauważył i że nie zaczną krążyć plotki.

* * *

– Pójdziemy gdzieś? Czy jest dzisiaj otwarty jakiś lokal, gdzie można wypić kieliszek szampana?

W takim wielkim mieście jak Madryt zawsze jest miejsce, dokąd mogą pójść ludzie samotni, nawet w Wigilię. Nie wszyscy idą na pasterkę.

Roberto, tancerz, zamierza spędzić wieczór z Raquel. Kolacja nie była zbyt bożonarodzeniowa: omlet z ziemniaków – jedyna potrawa, którą on potrafi przyrządzić – i butelka wina Rioja, jedna z tych, które don Amando trzyma w mieszkaniu do swoich posiłków, oraz nugaty, które ona kupiła w Casa Mira dla swojej rodziny, pyszności. Raquel nie umie gotować, nawet będąc dzieckiem, nie zaprzątała sobie głowy nauką kucharzenia, już wtedy wiedziała, że będzie artystką.

– Na ulicy Flor na pewno jest mnóstwo ludzi.

– Tak, ale tam się nudzę, żaden z mężczyzn nie zwraca na mnie uwagi.

– Jesteś okropną egoistką i wcale nie myślisz o innych. Na mnie patrzą, a to powinno ci wystarczyć, ty niedobra przyjaciółko.

– A Oberża Gaditany?

Nie jest to ani prawdziwa gospoda, ani przydrożny zajazd, nie daje także schronienia podróżnym: to tawerna na ulicy Amparo, w Lavapiés, wcześniej nazywała się La Comadre. W Oberży Gaditany są gitary, palmy, flamenco. Także wielka hulanka, a tego właśnie Raquel i Roberto potrzebują w tę samotną noc, kiedy reszta miasta świętuje.

Nie tylko oni postanowili zignorować rodzinne i religijne święto, wychodząc z domu, żeby zabawić się, jakby to był zwykły dzień. Gospoda pęka w szwach, w lokalu, w którym mieści się ledwie pięćdziesiąt lub sześćdziesiąt osób, jest ich ponad setka.

– Nie spodziewałem się ciebie tutaj, owieczko.

– A gdzie miałabym być? Na pasterce w San Ginés?

– Nawet jeśli nie wychodzisz z domu, jesteś bardziej skora do grzeszenia niż do modlenia.

Manuel Colmenilla jest jednym z tych mężczyzn, od których lepiej trzymać się z daleka, co to zamiast płacić, zabierają pieniądze kobietom, z którymi idą do łóżka. Jest jednym z nielicznych, przed którymi Raquel otworzyła drzwi domu, nie domagając się wcześniej pieniędzy. Uczyniła to raz – dawno, ponad sześć lat temu – i już nigdy nie zamierza tego powtórzyć.

– A ty co tutaj porabiasz, Manuel? Nie dali ci kolacji w domu?

– Pewna moja przyjaciółka nie miała planów na dzisiejszy wieczór i poświęciłem się dla niej. Poszła do toalety, kiedy wróci, przestawię ci ją. Ma na imię Rosita i na pewno przypadnie ci do gustu.

Nie tylko Manuel się z nią wita. Jest tam Dora, inna artystka z Salón Japonés; Carla, dziewczyna, która tańczyła tam jeszcze przed dwoma laty; Ramón, muzyk, który akompaniował jej kilka razy...

– Raquel, owieczko, zaśpiewasz?

– Jeśli ty mnie o to prosisz, Prendo, zaśpiewam.

Prenda to około pięćdziesięcioletni Cygan, syn Gaditany. Jego matka otworzyła ten lokal, a po jej śmierci on go prowadzi. Jest niezwykły, potrafi grać na gitarze, wybijać rytm, angażować tancerzy na prywatne przyjęcia i kroić szynkę na tak cienkie plastry, że można przez nie czytać.

– Zaczniesz od *Relikwiarza*?

Relikwiarz to piosenka o pięknym toreadorze, która stała się modna w tym roku dzięki innej Raquel, Raquel Meller, chociaż tak naprawdę ona nie ma na imię Raquel, nazywa się Paca Marqués. Zaśpiewała ją w Trianón, teatrzyku na ulicy Alcalá, niemal sąsiadującym z Salón Japonés. Meller cieszy się sławą, jaką Raquel Castro nie może się pochwalić. Wigilia Bożego Narodzenia to nie jest jednak odpowiedni czas, by o tym myśleć.

Raquel zaczyna śpiewać. Widzi Manuela z Rositą i czuje zazdrość. Rosita to niezwykle piękna kobieta, bardzo wysoka. Poza tym jest tak młoda, jak Raquel była w tę noc, gdy otworzyła drzwi swojego mieszkania amantowi, który dzisiaj towarzyszy innej.

Raquel śpiewa z wściekłością, dlatego że nie jest już taka młoda jak Rosita i dlatego, że nie stała się tak sławna jak ta druga Raquel, Meller. Elektryzuje publikę, kiedy zaczyna refren, który wszyscy znają.

Na końcu, kiedy toreador pada śmiertelnie raniony i wyciąga relikwiarz, który nosi na sercu, Raquel płyną łzy, a publiczność szaleńczo ją oklaskuje – marzyła o tym w Belmonte del Tajo, nim wyruszyła na podbój Madrytu. Widzom tak się spodobało jej wykonanie, że proszą ją, by zaśpiewała kolejną piosenkę, lecz ona, choć czuje pokusę, żeby spełnić ich żądania, wymawia się i schodzi z niewielkiego podium, pozwala gitarzystom wrócić do flamenco, tego bowiem oczekują klienci w Oberży Gaditany w tę świąteczną noc.

– Wzruszyłaś się, owieczko. Nie wiedziałem, że wzdychasz do toreadorów.

– Tak samo jak ty, żartownisiu.

Roberto, jej wierny towarzysz, który dzisiejszego wieczoru przyrządził nawet dla niej omlet ziemniaczany, jest jedynym mężczyzną, któremu pozwoli wejść do domu, a nawet za darmo przygarnie do swojego łóżka. To oczywiste, że on nie ma najmniejszego zamiaru wykorzystać jej ciała.

– Roberto, co zrobimy, kiedy się zestarzejemy?

– Co to za pytanie… Umrzemy.

– Chodzi mi o to, co będzie wcześniej, nie chcę być stara i biedna. Nie chcę się ubierać jak żebraczka.

– Cóż, pobierzemy się i wyjedziesz ze mną do mojego miasteczka. Ale ostrzegam cię, że tam mieszkają tylko prostacy i chamy. W całej Hiszpanii nie ma większych chamów. No, na pewno nie będą mieć mi za złe, kiedy zobaczą, że przyjeżdżam z taką klaczką jak ty, chociaż nieraz mnie prześladowali za to, że jestem homo.

To smutne opowieści, lecz Roberto opowiada je z takim wdziękiem, że Raquel w końcu wybucha głośnym śmiechem.

– Uwaga, idzie Manuel. Nie bądź suką, znam cię.

Manuel Colmenilla, ze swoim uśmiechem, ze swoimi groźnie wyglądającymi bokobrodami, z wypomadowanymi ciemnymi włosami i zielonymi oczami, podchodzi do niej z Rositą uwieszoną u ramienia.

– Obiecałem ci, że was sobie przedstawię: Rosito, to jest Raquel. Raquel, to jest Rosita.

Kobiety patrzą na siebie i mierzą się wzrokiem. Rosita, która uznaje się za zwyciężczynię z uwagi na swoją młodość i fakt, że idzie pod rękę z kochankiem, odzywa się pierwsza.

– To ty wykonujesz ten numer z kotami?ò Myślałam, że jesteś młodsza.

– Wybacz, ale zupełnie cię nie kojarzę. Występowałaś na jakiejś scenie czy tylko dajesz prywatne występy za ustaloną cenę?

Manuel się uśmiecha, widząc, że szykuje się walka kocic, ale nie chce, żeby doszło do rękoczynów i któraś skończyła z podrapaną twarzą. Nie chce, żeby do tego doszło w tym momencie.

– Niedługo usłyszysz o Rosicie, Raquel, bardzo niedługo. Pojutrze widzi się z Losadą w sprawie angażu do Salón Japonés.

– Powodzenia.

„I niech ci da kopa", dodaje pod nosem, kiedy tamta nie słyszy. Żegnają się i rozstają, a Raquel ma zepsutą noc.

– Powinnaś spróbować szczęścia w Argentynie, owieczko. Tam znają się na muzyce i teatrze, tam zarobiłabyś krocie. Przecież nawet jakiś impresario dał ci wczoraj wizytówkę i powiedział, że by cię zatrudnił.

– Zgubiłam ją.

* * *

– Nie przyjdziesz do ogniska? Vittorio będzie śpiewał.

Vittorio, ten, który upiekł kurczaka, jest neapolitańczykiem obdarzonym dobrym głosem i z upodobaniem śpiewa piosenki ze swoich stron, piosenki o miłości. Jeszcze tylko tego dzisiaj brakuje Giuliowi.

– Nie, spróbuję się chwilę przespać.

Po egzekucji austriackiego żołnierza – czy uratuje się ten ciemnowłosy, który uciekł pędem? – wśród towarzyszy Giulia nastał moment przygnębienia, lecz podczas wojny emocje trwają krótko, z wyjątkiem strachu, który nigdy ich nie opuszcza. Po chwili wszystkich zajmuje już tylko to, by zjeść wieczerzę i usiąść razem przy ogniu, żeby się ogrzać, schować przed obfitymi opadami śniegu, które czynią wszystko wokół nieskalanym i pięknym. Tej nocy inny niepokój gnębi tylko Giulia, który nie przestaje myśleć o Francesce i Marinim. Jak to możliwe, że ona poślubi tego handlarza rybami? Gdyby tylko mógł stanąć przed nią i poprosić ją o wyjaśnienia…

– Nie uda ci się zasnąć. Kto wie, może mamy ostatnią okazję się rozerwać. Jutro możemy oberwać i będą musieli nas zbierać łopatą.

Mają rację. Łatwiej zapomnieć o zmartwieniach wśród zabawy niż w samotności, kiedy się wie, że chociaż człowiek się stara, sen i tak nie nadejdzie.

– Harmonia dla ciebie, Bruno!

Skąd się wziął akordeon kilka kilometrów od linii frontu? Zawsze trzeba pokładać wiarę w umiejętności przystosowywania się i zdobywania tego, czego chcą, jakie wykazują żołnierze z jego kompanii: ktoś znalazł gdzieś akordeon, a jeden z jego towarzyszy, Bruno, umie na nim nieźle grać.

– *Quanno sponta la luna a Marechiaro, pure li pisce nce fanno a ll'ammore, se revòtano ll'onne de lu mare: pe la priézza cágnano culore...*

Francesca nie pochodzi z Viareggio; zamieszkała u wujostwa, po tym jak jej rodzice zginęli w pożarze domu przed trzema laty. Przyjechała z południa, z Kalabrii: smagła, o pięknych oczach, bujnych kształtach. Miała szesnaście lat i już była bardziej zmysłowa niż wszystkie kobiety, które Giulio widział wcześniej w mieście. Zaskoczyło go, że zwróciła na niego uwagę: syna nauczyciela, nieśmiałego, cichego, żądnego wiedzy, zawsze z książkami pod pachą, który marzył o podróży do Rzymu, gdy osiągnie odpowiedni wiek do studiowania na uniwersytecie. Kiedy pocałowała go po raz pierwszy, jego plany się zmieniły, przestał myśleć o uniwersytecie, greckich i łacińskich filozofach, poezji, więcej było mądrości w ustach Franceski niż we wszystkich naukach Platona, Sokratesa, Arystotelesa razem wziętych. Pomyślał, że opuszczenie Viareggio nie jest dobrym pomysłem, kiedy ma się ją obok.

Nadal pamięta rozstanie z Francescą, kiedy mu się oddała w ostatnią noc przed wyruszeniem na front. To był jego pierwszy raz i zdarzył się w domu jej kuzynki, która przebywała w podróży, w łóżku, z pięknymi lnianymi prześcieradłami, choć zawsze sobie wyobrażał, że się to stanie w porzuconej nad morzem łodzi albo w zapuszczonym pensjonacie w pobliżu Teatro Politeama. To był jej pomysł, żeby poszli do łóżka tej nocy, jemu nawet do głowy nie przyszło, żeby ją o to prosić. Był tak zdenerwowany, że to

Francesca musiała mu powiedzieć, jaką pozycję przyjąć, co robić, jak się poruszać. Nie pomyślał, że być może ona już to robiła, nie przyszło mu to do głowy aż do dziś. A jeśli już wtedy zadawała się z handlarzem rybami? I jeśli z nim także sypiała w tym samym łóżku z pięknymi prześcieradłami?

– *Io te voglio bene assaje, e tu non pienze a me!*

Czasem nie rozumie neapolitańskiego dialektu Vittoria, dzisiaj nie ma z tym najmniejszych trudności. „Tak bardzo cię kocham, a ty o mnie nie myślisz".

Po pierwszej butelce grappy pojawiła się druga, podarunek od kapitana. Giulio pociągnął pokaźny łyk, ale wielu jest chętnych do picia, więc wystarczyło tylko na to, by się ogrzać, ale nie żeby zapomnieć. Tak więc co chwila powracają wspomnienia o Francesce: pierwszy raz, kiedy ją zobaczył, wiosną, jak przechodziła obok wieży Matyldy w białej sukience i czarnym wełnianym żakiecie, który mocno przytrzymywała w ochronie przed silnym wiatrem. Albo kiedy pierwszy raz z nią rozmawiał, tego lata, kiedy spotkał ją po wyjściu z kościoła Sant'Andrea, do którego przyszła w towarzystwie wujostwa, a później w ogródku Gran Caffè Margherita. Albo też kiedy po raz pierwszy się pocałowali – lub raczej kiedy ona go pocałowała – podczas karnawału następnego roku, na balu maskowym w Caffè del Casino. Tego roku w Viareggio nie będzie karnawału.

– *Metti anche tu la veste bianca. E schiudi l'uscio al tuo cantor! Ove non sei la luce manca; ove tu sei nasce l'amor.*

Mattinata, ulubiona piosenka Franceski, która rozbrzmiewała z gramofonu w Gran Caffè Margherita głosem Carusa w dniu, kiedy byli na pierwszej randce. Jedyna, którą Vittorio zaśpiewał bezbłędnie po włosku: „Gdzie cię nie ma, brakuje światła; gdzie jesteś, rodzi się miłość".

Giulio wstaje, noc sprawia, że nikt tego nie zauważa, rusza przed siebie, śnieg zasypuje jego ślady. Zatrzyma się dopiero, kiedy stanie przed Francescą i zapyta ją, dlaczego wychodzi za Mariniego. Dla niego wojna się skończyła.

* * *

– No, Gabrielo, usiądź obok pana Quimeta. Jesteś już za duża na głupstwa.

Nie sądzi, by teść obmacywał ją w kościele, niemniej jednak w jego obecności jest jak sparaliżowana, a ojciec nie wie, co się wydarzyło podczas wieczerzy. Stary znowu to zrobił, położył dłoń na jej pośladku, na ulicy, kiedy szli do kościoła. Gabriela myśli tylko o tym, jak tego uniknąć podczas tygodni dzielących ją od wyjazdu do Buenos Aires.

– Matko, poproście ojca, żeby nie kazał mi przy nim siedzieć.

– Znowu cię dotykał?

– Robi to za każdym razem, gdy się do niego zbliżam.

– Nie sądzę, by cię dotykał w kościele w czasie mszy.

– A jeśli to zrobi?

– Wytrzymaj, a jutro zobaczymy. Jeśli nie przestanie, trzeba będzie porozmawiać z Wikarym Fiquetem. Twój teść na pewno poprosi, żebyś zamieszkała u niego do wyjazdu, nie możemy mu na to pozwolić.

Jeśli teść ośmiela się obmacywać ją w obecności rodziny, podczas wieczerzy wigilijnej, to co zrobi, kiedy znajdą się sam na sam w jego domu? Czy jego syn Nicolau uwierzyłby, gdyby mu o tym powiedziała? Komu będzie ufał jej bogaty mąż, swojemu ojcu czy żonie, którą widział jedynie na zdjęciach?

– Na pasterce będzie tłum ludzi, trzymaj się blisko mnie, w ten sposób zmieści się więcej ludzi. Teraz jesteśmy rodziną, jestem twoim teściem, to tak jakby drugim ojcem.

Gabriela patrzy przed siebie, nie ośmielając się spojrzeć panu Quimetowi w oczy. Czeka, aż rozpocznie się najbardziej typowe nabożeństwo dla majorkańskiego Bożego Narodzenia, *Pieśń Sybilli*. Była tak zaabsorbowana, że nie pomyślała o Enriqu, dopóki nie zobaczyła, jak ją minął, nawet na nią nie spojrzawszy. A kiedy zauważa jego pogardę, może myśleć tylko o nim i zapomina o panu Quimecie i jego długich rękach, dopóki jedna z nich nie zapuszcza się na jej udo.

El jorn del judici, parrà el qui haurà fet servici. „Dzień Sądu nadejdzie dla tego, kto służył Jezusowi Chrystusowi, królowi wszechświata". *Pieśń Sybilli* rozlega się w kościołach Majorki od średniowiecza, początkowo po łacinie, potem w języku starokatalońskim.

Ogłasza się w niej przyjście na świat Jezusa Chrystusa i bliskość dnia Sądu Ostatecznego.

Gabriela doskonale zna tę pieśń: kiedy była małą dziewczynką, marzyła, żeby odegrać podczas pasterki wieszczkę Eritreę, wejść z mieczem przed ołtarz, nakreślić nim krzyż i zaintonować pieśń o Sądzie Ostatecznym, lecz zawsze wybierano do tej roli chłopców. Ona musiała się zadowolić niesieniem świecy i śpiewaniem w chórze dziecięcych głosów. Potrafi słowo po słowie powtórzyć przepowiednię wieszczki.

– Z nieba spadnie wielki ogień, morza, źródła i rzeki, wszystko spłonie, ryby będą wydawać wielkie krzyki, pozbawione rozkoszy natury.

Dłoń teścia nadal błądzi po jej udzie, wykorzystując mrok panujący w kościele; od czasu do czasu mocno ją szczypie, innymi razy tylko głaska. Gabriela musi myśleć o wieszczce, zignorować starego i czekać, aż msza się skończy i będzie mogła się od niego oddalić. Już wie, że dni dzielące ją od chwili, gdy wsiądzie na statek do Buenos Aires, będą koszmarem i nikt jej nie pomoże, aby przypadkiem nie wybuchł skandal.

– Ojciec Josep zaprasza nas do siebie na czekoladę i *ensaïmada*.

Zgodnie ze zwyczajem po zakończeniu pasterki, w tę noc, kiedy się nie śpi i je za dużo, rodziny spotykają się przed udaniem się na spoczynek. Tego roku nie pójdą do Llullów; będą gośćmi proboszcza, taki zaszczyt nigdy nie był udziałem rodziny Roselló.

– *Bon Nadal*, Enriq.

– *Bon Nadal*. Słyszałem, że wyszłaś za mąż. Wszystkiego najlepszego, *felicitats*.

Ani słowa więcej. Powiedziawszy to możliwie najbardziej neutralnym tonem, Enriq odwraca się plecami, dołącza do Onofrego i szybko znikają w uliczkach Sóller. Czy to ten sam mężczyzna, który posiadł ją zaledwie przed miesiącem, jedyny, któremu się oddała? Potraktował ją pogardliwie, Gabriela nie wie dlaczego: przecież jest tak samo winny jak ona i nie uczynił nic, żeby zapobiec ślubowi… Jakby nie wiedział, że w tym społeczeństwie kobieta nie jest zależna od własnej woli, lecz od woli innych. Jakby on również nie ponosił odpowiedzialności. Z każdą chwilą jest coraz bardziej przekonana, że Enriq się cieszy, iż się jej pozbył.

W domu proboszcza jest sporo ludzi, wszyscy z wysokich sfer towarzyskich Sóller. Matka Gabrieli jest szczęśliwa, ślub córki zapewnił jej awans, na jaki według siebie zasługuje: wspięła się na wyższy szczebel drabiny społecznej. Águeda jest córką wojskowego, sierżanta, który awansował ze zwykłego szeregowca, z czasem wymyśliła jednak atrakcyjnego i dzielnego oficera z wioski pod Valladolid, którego wysłano do Tetuanu w północnej Afryce. Męża, ojca Gabrieli, poznała, kiedy ten służył w wojsku w Maroku. Prawdopodobnie jedyną niewykalkulowaną rzeczą, jaką zrobiła w życiu, było to, że zakochała się w tym żołnierzu z Majorki, wyszła za niego za mąż wbrew opinii rodziny i pozwoliła się zamknąć na tej wyspie, gdzie musiała wieść skromne życie żony rybaka. Nigdy nie przestanie tego żałować, dlatego jest przekonana, że wydając córkę za mąż za Nicolau Estevego, nawet wbrew jej woli, robi to, co dla niej najlepsze. Lepiej, żeby podstawy małżeństwa były racjonalne i żeby zostało ono zawarte z rozsądku, niż pozwolić, by zdecydowało o nim coś tak niestałego, niepewnego i ulotnego jak miłość.

Ale teraz, po wielu nieprzespanych nocach, znalazła się w końcu tam, dokąd udają się posiadacze wielkich domostw po zakończeniu pasterki. Pan Quimet czuje się tu swobodnie, mimo że jest zwykłym wieśniakiem. Widać, że od wielu lat otrzymuje pieniądze od syna i przestaje z ważnymi ludźmi miejscowej społeczności.

– Doño Águedo, pomyślałem, że teraz, kiedy pani córka powinna zacząć się przyzwyczajać do obyczajów panujących w mojej rodzinie, mogłaby zamieszkać w moim domu, dopóki nie wyjedzie do Argentyny.

Wiedziała, że o to poprosi, i zdaje sobie sprawę, co przeżyje Gabriela w ciągu dwóch lub trzech tygodni dzielących ją od wyjazdu. Chociaż uważa, że dobrze postąpiła, wydając ją za Nicolau, to jednak jej córka, nie zamierza zatem zostawić jej samej. Będzie jej bronić ze wszystkich sił.

– Porozmawiamy o tym jutro. Chciałabym, żeby te dni, kiedy jest na wyspie, spędziła przy mnie, młoda mężatka musi się tak wiele nauczyć… Przyjdzie pan do nas na świąteczny obiad?

– Nie, jestem zaproszony do siostry. Chciałbym, żeby Gabriela mi towarzyszyła.

– Porozmawiam z nią.

Gabriela nie zna żadnej z osób, które składają jej gratulacje z okazji ślubu. Czuje się niezręcznie w niedzielnym stroju, wszystkie kobiety są elegancko ubrane, a mężczyźni mają na sobie garnitury i krawaty. Zauważa, że jedna z najbogatszych i najelegantszych kobiet w mieście, doña Neus Moya, patrzy na nią z ciekawością, lecz nie podchodzi, żeby jej pogratulować. A jeśli to ona jest dawną narzeczoną Nicolau? Podobno wyszła za mąż za bogacza... Nie ośmiela się podejść do niej i zapytać o to.

Gabriela wolałaby zjeść *ensaïmada* z Llullami. Patrzy na ojca, który rozmawia z burmistrzem, i domyśla się, że on także źle się tutaj czuje. Matka jednak sprawia wrażenie, jakby znalazła się w swoim żywiole. Jej wymuszona swoboda ma w sobie coś żałosnego.

– Gabrielo, pójdź ze mną na taras.

– Lepiej zostańmy tutaj, panie Quimet.

– Nie pytałem cię o zdanie, wydałem ci polecenie. Chodź ze mną na taras.

Idzie za nim. Tak jak myślała: na tarasie jest pusto. Mężczyzna nie zwleka. Natychmiast ją obejmuje i całuje, wpycha jej w usta swój obrzydliwy język. Gabriela ma dość słuchania instrukcji matki, zamierza zrobić to, co powinna była zrobić od początku.

– Co robisz, oszalałaś?

Nie sposób opisać zdumionej miny pana Quimeta po tym, jak synowa wymierzyła mu policzek.

– Panie Quimet, jeśli jeszcze raz pozwoli pan sobie na zbyt wiele i tknie mnie choćby jednym palcem, przysięgam, że nocą, kiedy będzie pan spał, rozpłatam pana na pół jak sardynkę i wypruję z pana flaki. I nie znajdą pana ciała, dopóki nie wsiądę na statek do Argentyny. Zrozumiał pan?

Ma nadzieję, że jedno ostrzeżenie wystarczy i nie będzie musiała go powtarzać.

3

FOTEL ROZMYŚLAŃ

Autorstwa Gaspara Mediny dla „El Noticiero de Madrid"

SZCZĘSNY POMYSŁ KRÓLA

Ci wszyscy, którzy czytają moje felietony, wiedzą, że nie będąc zajadłym republikaninem, jestem krytykiem króla Alfonsa XIII. Nie stanowi to jednak przeszkody, bym wyraził uznanie dla jednego z wielkich sukcesów jego panowania, tak słabo nam znanego, że wywołał zdumienie nawet niektórych kolegów w redakcji.

Nieco ponad rok temu Jego Królewska Mość otrzymał list od pewnej francuskiej dziewczynki, w którym prosiła go o pomoc w znalezieniu swojego brata, jeńca armii niemieckiej wziętego do niewoli w bitwie pod Charleroi. Król Alfons XIII, w geście przynoszącym mu zaszczyt jako istocie ludzkiej, postanowił przyjść jej z pomocą i wprawił w ruch konieczne procedury w celu znalezienia młodego jeńca. Sprawa miała szczęśliwy finał i w tym miejscu mogłaby się zakończyć, stając się ozdobą biografii monarchy.

Niemniej jednak, i do tego się odnoszę, pisząc o szczęsnym pomyśle króla, sprawa miała ciąg dalszy. Don Álvaro Giner otrzymał polecenie zajęcia się wszystkimi listami, jakie nadchodzą do Pałacu Królewskiego ze wszystkich krajów biorących udział w konflikcie zwanym wielką wojną. Z pomocą garstki pracowników, między innymi ślicznej Blanki Alerces, córki księcia Alerces, i kilku wolontariuszy, znany przyjaciel króla wykonuje pracę godną wzmianki, nagrody i wielkich braw. Każdego dnia przychodzą tysiące listów do miejsca zwanego Urzędem do spraw Ochrony Jeńców, na najwyższym piętrze Pałacu Królewskiego. Tam się je tłumaczy, klasyfikuje, odpisuje na nie i nadaje bieg sprawom mającym na celu rozwiązanie problemów, o których piszą nadawcy.

To jedynie iskra światła w spowijającym Europę mroku. Niemniej jednak to początek, gdy bowiem zapłoną inne, podobne płomienie, pojawi się nadzieja, że kontynent ponownie zajaśnieje.

Kiedy musimy krytykować króla Alfonsa XIII – częściej niżbyśmy chcieli – robimy to, lecz kiedy należy go zachęcić oklaskami, nie wzdragamy się przed tym, świetnie, Wasza Królewska Mość! Owszem, teraz jesteśmy dumnymi poddanymi Waszej Królewskiej Mości!

O budź się. Za godzinę musimy być w teatrze. Dzisiaj na pewno się spóźnimy…

Gdy Raquel otworzyła oczy późnym popołudniem, Robert spał nago u jej boku. Teraz Raquel ma kaca, to była długa noc i dużo wypiła.

– Która godzina, owieczko?

– Piąta po południu. Pora wstawać.

Będą mieć zaledwie chwilę, żeby się umyć i wypić herbatę przed wyjściem do teatru, na szczęście mają niedaleko – na dotarcie z ulicy Arenal, gdzie mieszka, do Salón Japonés na Alcalá potrzebują tylko dziesięciu minut. Jeśli spóźnią się choćby o minutę, nie dostaną zapłaty.

– Czy to, co pamiętam, to prawda?

To, co wydarzyło się ubiegłej nocy, znacznie bardziej martwi Roberta niż ją. Tak, to pewne, wrócili pijani, wleźli do łóżka i kochali się.

– Wydaje mi się, że było ci całkiem nieźle, więc mi teraz nie wyskakuj ze skargami i wyrzutami sumienia. Do niczego cię nie zmuszałam.

– Nie skarżę się. Po raz pierwszy w życiu zrobiłem to z kobietą i podobało mi się. A jeśli przez cały czas się oszukiwałem?

– Nie martw się, nie podobało ci się, tylko tak ci się wydawało, bo byłeś pijany. Nadal jesteś zboczeńcem.

– Tak źle się spisałem?

– Zaskakująco dobrze… zważywszy na okoliczności i twoje upodobania.

Po wyjściu z Oberży Gaditany – i niemiłym spotkaniu z Manuelem Colmenillą i tą jego dziwką Rositą – powinni byli iść spać, lecz Roberto miał ochotę pójść na przyjęcie, które wydawał pewien markiz, bardzo bogaty i bardzo zepsuty, przyjaciel jego przyjaciela, w swoim mieszkaniu na ulicy Atocha. Tam spotkali jeszcze innych znajomych, wśród nich Juana, drugiego tancerza występującego w przedstawieniu.

– Jeszcze przed chwilą był tu Losada. Wyszedł z młodziutkim Francuzem. Nie zdziwiłoby mnie, gdyby niebawem pojawił się w teatrze.

– Jest tancerzem?

– Chodzi jak tancerka, brakuje mu tylko baletek.

Chociaż uczestnikami przyjęcia byli niemal wyłącznie mężczyźni – wszyscy o takich samych upodobaniach jak Roberto – znalazło się tam także kilka kobiet. Wśród nich największą uwagę zwracała wysoka, chyba wyższa od wszystkich obecnych tam mężczyzn, blondynka w nienagannie skrojonym męskim fraku, z doskonale zawiązaną muszką i w błyszczących czarnych lakierkach. Już po chwili znalazła się obok Raquel z dwoma kieliszkami szampana w ręku.

– Cieszę się, że cię spotykam. Myślałam, że mnie okłamano i w Hiszpanii nie ma pięknych kobiet. Kieliszek szampana?

– Dziękuję.

Była ładną kobietą o miłym uśmiechu, mówiła po hiszpańsku z obcym akcentem i z natężeniem patrzyła Raquel w oczy.

– Mam na imię Susan.

– Raquel.

– Wiem. Odkąd cię ujrzałam, nie mogę myśleć o nikim innym, musiałam się wszystkiego o tobie dowiedzieć.

– I czego się dowiedziałaś?

– Że jesteś wielką artystką i masz jedno z najpiękniejszych ciał w Madrycie, a nawet w całej Hiszpanii.

– Przesada.

– Powiem ci, jak zobaczę.

– Jesteś taka pewna, że ci się to uda?

– Obie jesteśmy tego pewne. Ty i ja, skarbie. I to nie tylko na scenie. Tak bardzo mi się podobasz, że mogłabym cię schrupać.

Zabawnie było słyszeć te słowa z jej ust, wypowiedziane z tym akcentem. Susan była sympatyczna, uwodzicielska, bezpośrednia i pewna siebie; Raquel żałowała, że nie podobają jej się kobiety.

– Zatańczyć z tobą? Wybacz, Susan, ale nigdy nie tańczę z kobietą na pierwszej randce. Może kiedy spotkamy się następnym razem.

– Obiecujesz?

– Będziesz musiała na to zasłużyć.

– Mogę przyjść do teatru, żeby cię zobaczyć?

– Oczywiście, będę zachwycona, jeśli przyjdziesz obejrzeć mój występ, ale muszę cię ostrzec, że przychodzi tam niewiele kobiet.

– Ty mi wystarczysz.

Dużo później zastała Roberta w kuchni, pijącego na umór i rozpaczliwie płaczącego.

– Wiesz, kto był w salonie z innym mężczyzną? Gerardo…

Raquel nie zliczy, ile razy musiała słuchać opowieści Roberta o Gerardzie, o jego niewierności i impertynencjach. Myślała, że już mu przeszło, lecz Gerardo zawsze wraca do serca Roberta.

Ona nigdy nie umiała poczuć do kogoś tego, co Roberto czuje do Gerarda. Kiedy między zakochanymi wszystko układa się dobrze, zazdrości im, lecz w takich chwilach jak ta dziękuje Bogu za swoją obojętność. Człowiekowi jest znacznie lepiej bez tych udręk miłości, lepiej nigdy się nie zakochać.

– Chodź, idziemy do domu, jest bardzo późno i jesteś kompletnie pijany.

Roberto niemal padał z nóg, kiedy Raquel zaprowadziła go do sypialni i pomogła mu zdjąć ubranie, po czym sama się rozebrała i położyła obok niego. Przyjaciel zachowywał się jednak tej nocy jak ktoś zupełnie obcy, zaczął ją dotykać i całować, a jego dłonie zapuszczały się tam, gdzie nigdy nie zapuściłyby się dłonie przyjaciela. Początkowo Raquel próbowała się opierać, bardziej z uwagi na to, co on sam o sobie pomyśli po przebudzeniu, niż z braku ochoty. Wkrótce jednak i ona zaczęła szukać go dłońmi. Zaskoczyło ją to, co znalazła: może Roberto bardzo kochał

Gerarda, był jednak mężczyzną i był w pełni gotowy na to, co miało się zdarzyć.

Było jej bardzo dobrze, znacznie lepiej niż z którymkolwiek z kochanków, nawet lepiej niż podczas tej odległej nocy z Manuelem, kiedy sądziła, że znalazła miłość. Zaznała przyjemności nie raz, lecz wiele razy. Roberto zachowywał się tak, jakby nigdy nie robił nic innego, tylko sprawiał kobiecie przyjemność jak prawdziwy wirtuoz: jego pocałunki, jego dłonie, jego pchnięcia nie pozostawiały wątpliwości, że jej pragnie. Kiedy skończył, zasnął, jakby go zastrzelono, nie mając czasu na wyrzuty sumienia.

— Jeśli się spóźnimy, nie zapłacą nam, więc się pospiesz.

— W porządku, już wstaję, lecz wiedz, że było mi z tobą bardzo przyjemnie, owieczko.

Jej także, gdyby miała czas, zrobiłaby to jeszcze raz.

— Już mówiłeś. Mnie także, możemy to powtórzyć, kiedy tylko zechcesz.

— Nie, raz i nigdy więcej, podobają mi się inne rzeczy. Twój kotek ani mnie ziębi, ani grzeje, mimo wczorajszej nocy.

— Kochany, musisz wybrać jedną kartę. Ale nie mów mi, że to as kier, że będziesz mnie kochał po wsze czasy.

Numer Raquel poprzedza występ Madame Renaud, dawnej gwiazdy kabaretu, która zmieniła emploi i teraz wykonuje sztuczki karciane. Udaje francuski akcent, chociaż pochodzi z Galicii, i przymila się do widzów, jakby była niewinną i frywolną młódką. Wywołuje sporo śmiechu i oklasków; jest dobra jako prestidigitatorka i czasami wydaje się niewiarygodne, że udaje jej się odgadnąć karty, które widzowie wybrali…

Madame Renaud, niegdyś piękna kobieta, przez lata była gwiazdą występującą w finale przedstawienia i każdego wieczoru do jej garderoby przychodzili wielbiciele. Teraz zbliża się do pięćdziesiątki i chociaż dobrze się trzyma jak na swój wiek, nie ma już kochanków, którzy by ją utrzymywali, toteż mieszka w pensjonacie na ulicy

Colegiata. Raquel widzi w Madame Renaud siebie w przyszłości: pewnego dnia jej uroda przeminie, a dziś musi zarywać noce, żeby zarobić na życie.

– A teraz zapomnijcie o moich kartach, gdyż za chwilę rozpocznie się numer, na który wszyscy czekacie: Raquel Castro i jej śliczny kotek!

Przy akompaniamencie braw Raquel, nadal za kulisami, zdejmuje szlafrok, ten sam, którego używa w garderobie, a tancerze otulają ją futrem. Tak wychodzą na scenę przy pierwszych taktach muzyki.

Zaraz po wyjściu dostrzega ją w pierwszym rzędzie. Siedzi tam poznana w nocy Amerykanka, Susan. Jej długie blond włosy i wzrost wyróżniają ją spośród tłumu, a poza tym jest jedyną kobietą na widowni. Jak wszyscy pozostali, entuzjastycznie klaszcze.

– Lubi spędzić tutaj chwilkę, och, co za łotr z tego kotka!

Raquel nie widzi don Amanda, nie siedzi na swoim zwykłym miejscu. Rzadko kiedy nie ma go podczas trzeciego przedstawienia danego dnia. Może nie przyszedł z powodu bożonarodzeniowych odwiedzin rodziny, o których mówił, a może dlatego, że zaczęła go nużyć. To wszystko to tylko urojenia w głowie Raquel.

Amerykanka musiała wywołać spore zamieszanie przy wejściu w tym jakże ekstrawaganckim jak na kobietę stroju. Ma na sobie elegancki, doskonale skrojony szary męski garnitur, z kamizelką i krawatem, oraz dwukolorowe, biało-czarne buty. W szatni zostawiła czarny płaszcz i melonik.

Susan oklaskuje występ jak każdy inny widz, a kiedy jej spojrzenie krzyżuje się ze spojrzeniem Raquel, uśmiecha się i puszcza oko. Ze wszystkich wpatrzonych w nią oczu artystka czuje tylko jej wzrok wbity w swoją pupę, kiedy odwraca się tyłem. To Amerykankę szczególnie beszta za to, że wykorzystała jej nieuwagę i zobaczyła jej *arrière garde*.

– Dlaczego tak na mnie patrzysz? Nie masz takiego samego?

*

– Powiedziałam, że przyjdę cię zobaczyć.

– Nie spodziewałam się, że nastąpi to tak szybko.

– W mojej ojczyźnie nie obchodzi się Trzech Króli, obdarowujemy się prezentami w dzień Bożego Narodzenia, dlatego przyszłam, żebyś była moim prezentem. Ja także przyniosłam ci podarek.

Raquel otwiera pudełko. Wewnątrz znajduje piękny naszyjnik ze złota i pereł, znacznie kosztowniejszy niż bransoletka, którą wczoraj podarował jej don Amando: kosztował co najmniej tysiąc peset, może więcej. Susan wie, co podoba się takim dziewczynom jak Raquel, to klucz, który otwiera ich drzwi.

– Wydaje się bardzo drogi.

– Jestem bardzo bogata. A kiedy coś mi się podoba, nie obchodzi mnie, ile kosztuje.

– Masz na myśli naszyjnik czy mnie?

– Jedno i drugie.

Antresola w kawiarni Fornos jest jedynym miejscem, jakie przychodzi Raquel na myśl, gdzie dwie samotne kobiety – jedna z nich w garniturze i kapeluszu – mogą zjeść kolację bez wzbudzania zbytniej uwagi. Tam przychodzi bohema, artyści, nocne marki, ludzie, których niełatwo zbulwersować. Wcześniej, w bramie Maxim's, niedawno otwartego baru nieopodal kasyna na ulicy Alcalá, u olbrzymiego czarnego portiera Susan kupiła brązową buteleczkę zawierającą gram kokainy, tego proszku, który tak lubi wielu kolegów Raquel.

– Nie chcesz?

– Nie, nie lubię tego.

Spróbowała tylko raz, kiedy była kochanką don Wenceslaa, i nie przypadła jej do gustu. Nie ma nic przeciwko temu, żeby inni ją zażywali, jeśli chcą, lecz jej nie sprawia to przyjemności.

– Podają tutaj dobry filet. Masz ochotę?

– Wolę homara. Nie postawisz mi homara thermidor?

– Nawet całą łódź pełną homarów, moja śliczna.

To trochę dziecinne, zresztą Raquel nawet nie lubi homarów, lecz ma pewną zasadę: podczas pierwszej randki z ewentualnym kochankiem trzeba poprosić o homara, żeby sprawdzić, jak wielkie jest zainteresowanie mężczyzny i czy z łatwością sięga po portfel. Susan zamawia ponadto francuski szampan: zdała egzamin.

– Podobał ci się mój występ?

– Z kotem? Jest zabawny, a ty masz bardzo piękne ciało, którym mam nadzieję się cieszyć. Byłam na podobnych przedstawieniach w Madrycie, w Chantecler i w Eden Concert, ale ty jesteś najlepsza.

– Nie porównuj mnie z nimi.

Dwa lokale, o których wspomina Susan, Chantecler przy placu Carmen i Eden Concert na ulicy Aduana, to najgorsze miejsca, w jakich może skończyć taka artystka jak ona. Raquel boi się, że to właśnie ją czeka, kiedy przestanie się podobać klienteli Salón Japonés.

– Dziewczętom z Chantecler także ofiarowałaś naszyjniki?

– Nie było takiej potrzeby, dziewczęta z Chantecler zadowalają się czymś znacznie tańszym. Ty należysz do arystokracji.

– Jakiej arystokracji?

– Kobiet. Ty jesteś królową, moją królową.

Mogła powiedzieć, że należy do arystokracji utrzymanek lub użyć innego, bardziej sprośnego słowa, arystokracji kurew, a wtedy Raquel by wstała i odeszła, miała jednak na tyle rozsądku, żeby się zastanowić. Może to nie takie złe, może zgodzi się spędzić noc z tą Amerykanką: równość mężczyzn i kobiet, czyż nie tego domagają się sufrażystki?

– Co robi w Hiszpanii bogata i piękna Amerykanka?

Przyszła zobaczyć ją w teatrze, podziwia ją, ma pieniądze i nie waha się ich wydawać. Dla Raquel to obojętne, czy będzie to mężczyzna czy kobieta, byle mógł przeznaczyć na nią swój majątek, stać się jednym z jej dochodowych kochanków.

– Nie można podróżować do Paryża i Londynu przy tym wojennym szaleństwie, a chciałam znaleźć się jak najdalej od Nowego Jorku, tam została moja ostatnia kochanka.

Susan pochodzi z Detroit, nauczyła się mówić po hiszpańsku podczas wakacji, które jako dziecko spędzała w Meksyku. Jej ojciec jest magnatem, właścicielem wielkiej fabryki samochodów. Susan jest niesłychanie bogata – licząc w milionach dolarów – i bardzo niewygodna dla rodziny.

– Rodzina woli, jak trzymam się z dala, ale szczodrze sypie pieniędzmi. Odkryłam, że na południu Europy żyją najpiękniejsze kobiety na świecie. Szkoda, że Włochy także nie są neutralne: zachwycają mnie Sycylijki.

Po homarze i francuskim szampanie w Fornos wracają do Maxim's, gdzie niezwykle wysoki – sięga dwóch metrów? – portier w liberii zna Susan z imienia jako stałą klientkę. Grają w ruletkę na górnym piętrze. To nielegalne, lecz nawet pewien minister stawia wielkie sumy na numer siedemnaście. Susan finansuje ich grę.

– Już przegrałaś pieniądze, które dałam ci wcześniej? Masz.

Za każdym razem, kiedy Raquel mówi jej, że nie ma już żetonów, Amerykanka daje jej dalsze sto peset. Raquel wymienia niewielką sumkę, by nadal grać, a resztę chowa. Wygrywa całą pulę, postawiwszy na numer trzydzieści – czerwone, parzyste – na który postawiła dziesięć peset. Wypłacają jej trzysta sześćdziesiąt, to znacznie więcej niż wynosi kilkutygodniowy zarobek robotnika.

– Pójdziemy już?

Nim wsiadają do taksówki, Susan kupuje u portiera jeszcze jedną buteleczkę. Prosi taksówkarza, żeby zawiózł je do Ritza.

– Nie pozwolą mi wejść. W Ritzu mają bardzo surowe zasady.

– Nie martw się, zajmuję jeden z najdroższych apartamentów w hotelu. Gości najdroższych apartamentów nie obowiązują żadne zasady. Robimy, co chcemy. Poza tym jesteśmy tylko dwiema przyjaciółkami. Kto pomyśli, że możemy robić coś innego, niż gawędzić o naszych kobiecych sprawach?

Czuje pieszczoty Amerykanki, jej silne i giętkie, a jednocześnie kobiece ciało, słodki smak pocałunków. Amerykanka pieści ją zdecydowanie, lecz czule, to ledwie muska jej skórę, to używa siły. Raquel szybko zapomina, że to nie kolejny mężczyzna ją obejmuje, zamyka oczy i zatraca się w ciele towarzyszki, poddaje się sile jej nóg, które zdają się ją ściskać. Czuje jej język w miejscach, w które żaden mężczyzna nie ośmielił się zapuścić. Przenika ją fala rozkoszy. Zawsze ją odczuwa, lecz tym razem jest intensywniejsza, niemal taka, jakiej zaznała z Robertem. Nim wstaje, jest pewna, że spotka się jeszcze z Susan.

– Wychodzisz już, czy zaczynamy od nowa?

– Zaczynamy od nowa.

Nie licząc wartości naszyjnika ze złota i pereł, szacuje, że z pieniędzmi z wygranej, z tym, co podkradła z ruletki i co Susan dała jej przed wyjściem, eufemistycznie mówiąc, że to na taksówkę, zgarnęła tej nocy nieco ponad tysiąc peset. Dla takiej sumy gotowa jest kochać się z każdym; za dwie albo trzy takie noce będzie mogła sobie kupić bilet w pierwszej klasie na statek do Ameryki.

* * *

– Był pan na przyjęciu w Pałacu Królewskim? Dlaczego nie powiedział mi pan o tym wcześniej? Co za emocje, mieć takiego szacownego lokatora…

Doña Mercedes, właścicielka pensjonatu na ulicy del Pozo, traktuje Gaspara z wielkim szacunkiem. Nie ma się czemu dziwić, nigdy nie spóźnił się z zapłatą, nie przysporzył jej żadnych problemów, nie był uczestnikiem żadnego skandalu, a w rozmowie jest uprzejmy, miły i zabawny. Według innych lokatorów jest jeszcze jeden powód: doña Mercedes jest w nim zakochana, to widać. Wszyscy są o tym przekonani, tylko nie on, może dlatego, że Gaspar też jest zakochany, i to od pierwszej chwili, kiedy ją ujrzał przed trzema laty. Dzień, gdy dowiedział się, że jest zaręczona – a na domiar złego, że jest zaręczona z pewnym majorem – był jednym z najgorszych dni w jego życiu.

Doña Mercedes – kiedy tak się o niej mówi, człowiek wyobraża sobie starszą panią, surową wdowę – jest bardzo atrakcyjną młodą kobietą. Odziedziczyła pensjonat po śmierci ojca i niewiele podnosząc ceny, uczyniła z niego jeden z najwygodniejszych w Madrycie.

– Jutro będzie potrawka, przyjdzie pan na obiad?

Potrawka jest czwartkową tradycją i lokatorzy, gdy tylko mogą, pilnie się stawiają.

– Oczywiście, doño Mercedes. Nie zrezygnuję z potrawki za nic na świecie. Poza tym muszę z panią porozmawiać. Znajdzie pani dla mnie kilka minut dziś po południu?

– Wie pan, że dla pana zawsze mam czas, don Gasparze. Zechce pan wypić ze mną kawę?

– Będę zachwycony.

Denerwuje się na myśl, że usiądzie z nią sam na sam. Jego koledzy z redakcji, gorliwi bywalcy burdeli na ulicy Madera i tych na ulicy Abada, śmialiby się z niego, gdyby się dowiedzieli, że nigdy nie spał z kobietą. Czasami, kiedy nalegają, by z nimi poszedł, kłamie, że ma w Salamance narzeczoną o imieniu Margarita.

– Ma pan ochotę na herbatę czy może podać kawę?

Doña Mercedes przyjmuje go w miejscu, do którego wstęp ma bardzo niewielu lokatorów i to przy bardzo wyjątkowych okazjach: w prywatnym saloniku sąsiadującym z jej sypialnią. Jest bardzo elegancko umeblowany – stoi tu wygodny fotel i sekretarzyk, w którym właścicielka pensjonatu zapewne przechowuje firmowe rachunki. Jest też biblioteczka z dość sporą liczbą książek w pięknych okładkach. Drzwi do sypialni są otwarte i widać małżeńskie łoże. Podobno do sypialni przylega prywatna łazienka, z której korzysta tylko doña Mercedes. Gaspar cierpi na myśl, że major Pacheco, narzeczony jego ukochanej, dobrze zna te pomieszczenia.

– Ciężko mi przychodzi powiedzieć to, co muszę pani zakomunikować, doño Mercedes. W połowie lutego opuszczę pensjonat.

Ból i zdziwienie malujące się na twarzy kobiety nie wydają się udawane.

– Jest pan niezadowolony z pobytu tutaj?

– Nie, wyjeżdżam z Madrytu na kilka miesięcy. Płynę do Buenos Aires.

– Wyjeżdża pan? Nie wiem, co powiedzieć. To dla mnie przykra wiadomość. Oczywiście jako właścicielka tego pensjonatu, lecz także jako osoba, bardzo sobie cenię pańskie towarzystwo.

Nie ma wątpliwości, że jest poruszona. Gdyby nie czuł się tak niepewnie w relacjach z kobietami, spróbowałby ją jakoś pocieszyć. Nie wie jednak, co robić. Milczy, jakby była mu obojętna, lecz tak naprawdę chce ująć ją za rękę, może pocałować, sprawić, by wstała, zaprowadzić ją do sypialni, rzucić na łóżko, które stąd widać, i kochać się z nią aż do następnego ranka.

– Mnie również jest przykro. Mieszkam w tym pensjonacie, odkąd przybyłem do Madrytu, i jest dla mnie jak dom. A zwłaszcza w ostatnich latach, odkąd pani nim kieruje, dońo Mercedes.

– Dlaczego nie przestanie pan tak się do mnie zwracać? Proszę mi mówić po prostu Mercedes, a ja będę do pana mówić Gaspar. Co każe panu udać się do Buenos Aires?

Gaspar nie wyjawia jej prawdziwego powodu, że przyczyną jest strach wywołany otrzymywanymi pogróżkami, a cała reszta to tylko ozdóbki. Mówi jej o posągach, o wyborach w Argentynie, o reportażach na temat hiszpańskich emigrantów w innych miejscach na świecie.

– To pasjonujące. Pomyśleć, że mieszka pan tutaj, tak blisko, i ma tak ciekawą pracę…

– Niech pani tak nie sądzi, w sumie siedzę tylko przy stole, grzmocąc w maszynę do pisania.

– Proszę tak nie mówić. Każdego tygodnia czytam pański felieton, a czasami, kiedy pisze pan o generałach, boję się i myślę, że jest pan odważnym człowiekiem, wyrażając głośno to, co inni myślą.

– Myślałem, że sympatyzuje pani z wojskowymi.

– Mówi pan tak z uwagi na majora Pacheco? Niech pan nie sądzi po pozorach, drogi Gasparze.

Gaspar nie wie, czy ją zapytać, czy to oznacza, że nie jest szczęśliwa ze swoim narzeczonym, czy też chodzi jej o coś innego, a on z powodu braku doświadczenia z kobietami niewłaściwie to interpretuje.

– Może któregoś dnia, zaraz po świętach, zje pan ze mną kolację i opowie mi ze szczegółami o swojej pracy?

Musi się zgodzić, oczywiście, chociaż naraża się na rozstrzelanie przez pluton egzekucyjny pod rozkazami majora Pacheco.

– Oczywiście, będę zachwycony.

– Tylko pan i ja, żeby nikt nam nie przeszkadzał. Ugotuję coś specjalnie dla pana, jestem dobrą kucharką. Pan jednak musi się zająć zakupem wina.

Gaspar wychodzi na ulicę, unosząc się w powietrzu, myśląc o tym, że kupi najlepsze wino, a jeśli będzie trzeba, odda za tę butelkę bożonarodzeniową premię, którą dostał w gazecie.

* * *

– Nie zamierzam iść na obiad z panem Quimetem.

– To twój teść i chce, żebyś towarzyszyła mu w świątecznym obiedzie u jego siostry. Nie sądzę, byś dobrze robiła, nie idąc. Zapomnij o tym, co było wczoraj, człowiek za dużo wypił, to się nie powtórzy. Sama powiedziałaś, że po mszy już cię nie obmacywał.

Jej matka nie wie, co zaszło na tarasie domu Wikarego Fiqueta: że spoliczkowała teścia i zagroziła, że go wypatroszy, jeśli raz jeszcze sobie pozwoli na zbyt wiele. Może matka się dowie, lecz to nie Gabriela jej o tym powie.

– Matko, już raz powiedziałam: nie zamierzam tam iść. Jestem mężatką, jestem posłuszna mężowi. Nie teściowi ani matce. Nie zmuszajcie mnie do tego, żebym to pokazała. Nic was nie obchodzi, że próbuje mnie wykorzystać?

– Oczywiście, że mnie obchodzi. Tyle tylko, że sądzę, iż to się nie powtórzy, wczoraj za dużo wypił, to wszystko. Nie rób ze mnie jędzy tylko dlatego, że próbuję zapewnić ci lepsze życie, żebyś miała to, czego ja nie miałam.

– Już cię wysłuchałam, *mare*. Podjęłam decyzję. Nie pójdę.

Pomaga gotować *sopa torrada* – zupę, którą przygotowuje się z bardzo drobno posiekanych resztek mięs pozostałych z wieczerzy z cebulą, rosołem, pomidorami, paprykowaną kiełbasą *sobrasada*, selerem i kilkoma jajkami wbitymi do kieliszka jerezu. W tym czasie matka przygotowuje *escaldums de pollastre* – małe kawałki kurczaka w migdałowym sosie i z ziemniakami, potrawę, do której wykorzystuje się także pozostałości wczorajszej *porcella rostida*. Te tradycyjne dania spożywa się w Boże Narodzenie w jej domu, tak jak w niemal wszystkich okolicznych domach. Da się jednak zauważyć, że u rodziny Roselló coś się zmieniło, już nie jest zależna tylko od tego, co ojciec zarobi na połowie ryb: teraz jest więcej pieniędzy, które dał pan Quimet. Gabriela musi sprawić, by nadal tak było, nawet po jej wyjeździe. To nie będzie trudne, jej teść wykazał, że jest podatny na groźby.

– Czy teść ci powiedział, kiedy wypłyniesz do Buenos Aires?

– Nie, matko, powiedział tylko, że mój mąż musi napisać i przysłać bilet. Sądzę, że nastąpi to wkrótce. Jeśli takie ma być moje życie, mam ochotę rozpocząć je jak najszybciej i poznać męża. Czy słyszałaś, że w młodości Nicolau miał tutaj podobno narzeczoną?

– Nie. To nie ma znaczenia. Mężczyźni mogą mieć przeszłość i inne kobiety. My nie możemy. Dopilnuj, żeby twój mąż nigdy się nie dowiedział o tym Enriqu.

Przed obiadem pan Quimet przyjeżdża po nią, jakby poprzedniego wieczoru nic nie zaszło. Wynajęty samochód wraz z szoferem czeka przed bramą, żeby zawieźć ich do Deià, gdzie mieszka siostra pana Quimeta.

– Nie jadę. Chcę spędzić Boże Narodzenie we własnym domu, to moje ostatnie święta z rodziną.

Gabriela rozkoszuje się nową relacją z panem Quimetem; on, chociaż nie chce tego dać po sobie poznać, jest przestraszony jej wczorajszą reakcją, więc zbytnio nie nalega. Upiera się tylko dla zachowania twarzy.

– Powinnaś zacząć poznawać krewnych swojego męża, jesteśmy twoją nową rodziną.

– Osobą, którą powinnam poznać przede wszystkim, jest mój mąż. Myślę, że jego rodziny nigdy więcej nie zobaczę. I już wiem wszystko, co powinnam o niej wiedzieć, pan mnie uświadomił. Mam tylko nadzieję, że mój mąż okaże się porządniejszym człowiekiem niż jego ojciec. Pan jest nikczemny.

Gabriela musi udawać stanowczość, której wcale nie czuje. Za każdym razem, kiedy z nim rozmawia, ogarnia ją panika, lecz nie daje tego po sobie poznać: gorzej byłoby zgodzić się na wymagania i molestowanie teścia, które, jak wie, nie ograniczyłoby się tylko do obmacywania jej nóg. Gdyby zamieszkała w jego domu, co bez wątpienia zalecałaby jej matka, na pewno by na tym nie poprzestał i niechybnie zaraz wpakowałby się jej do łóżka. A ona musiałaby spełnić groźbę i wypruć mu flaki jak sardynce.

– Sądzę, że niewłaściwie zrozumiałaś moje zamiary.

– A zatem miał pan pecha. Gdyby jednak miały się powtórzyć i gdybym ponownie źle je zrozumiała, mój mąż musiałby się o nich dowiedzieć. Nie znam Nicolau, lecz nie sądzę, by mu się spodobała informacja, że ma pan tak niewiele szacunku dla tego, co do niego należy. Przypominam panu, że jestem jego żoną, a nadużywając zaufania w stosunku do mnie, nadużywa pan go także w stosunku do syna. Jest pan jego ojcem, lecz ja jestem jego żoną i będę matką jego dzieci. Zapewniam pana, że mi uwierzy i straci pan ziemię, dom i wszystko, co posiada.

Nie będzie towarzyszyć panu Quimetowi, zje obiad we własnym domu, a potem pójdzie na spacer z Àngels. Niech wszyscy myślą, co chcą. Gabriela czuje zawrót głowy, lecz także przyjemność, że wzięła los we własne ręce.

Po obiedzie wychodzi z domu, żeby spotkać się z Àngels. Nie miała okazji opowiedzieć przyjaciółce o wczorajszych wydarzeniach.

– Próbował cię obmacywać?

– W domu, podczas wieczerzy, w kościele i później, na tarasie domu księdza proboszcza. Sądzę jednak, że już nigdy więcej tego nie zrobi, boi się.

– Naprawdę powiedziałaś mu, że go wypatroszysz? Jesteś wariatką.

– Musiałam coś zrobić.

– Wypatroszyłabyś go?

– Myślę, że tak. Byłam wściekła, widząc, jak się zachowuje, jak się pcha z łapami, jakby on i jego syn mnie kupili.

Àngels z trudem może uwierzyć w reakcję Gabrieli, uważa ją bowiem, jak wszyscy, za dziewczynę spokojną, nieśmiałą i miłą – ona sama zresztą też tak o sobie myślała aż do wczoraj.

– A jeśli się uprze, żebyś u niego zamieszkała?

– Nie zrobię tego. Mówię ci, jeśli będzie trzeba, spełnię swoje groźby.

Wsiadają do tramwaju, który zawiezie je do miasta. Po drodze mijają pola. Niektóre z nich, porosłe drzewkami pomarańczowymi i oliwnymi, należą do Nicolau. Dogląda ich pan Quimet.

– Teraz jesteś bogata, Gabrielo.

– Co mi z tego...

– Pamiętasz, ile razy przejeżdżałyśmy tędy i zadawałyśmy sobie pytanie, do kogo należą te gaje pomarańczowe? Są twoje.

– Nie mam złamanego grosza w kieszeni, nawet ty musiałaś zapłacić za mnie za tramwaj. Co mnie obchodzą pomarańcze?

Przyjaciółki idą ulicą Luna, a potem stają zafascynowane, jak zawsze, przed Can Prunera, wspaniałym modernistycznym pałacem zbudowanym przed zaledwie trzema bądź czterema laty.

– Wyobrażasz sobie, że poślubiasz mężczyznę, który buduje ci taki dom?

– Nie muszę sobie tego wyobrażać. Już poślubiłam bogatego mężczyznę. Może dom, w którym zamieszkam, też będzie tak wyglądał. A może okłamał całe miasteczko i każe mi mieszkać w stajni, nie ma ani hotelu, ani kawiarni, w których posiadanie wszyscy wierzą.

– Myślałaś o tym, jak będzie, kiedy spotkacie się w Buenos Aires? Będzie czekał na ciebie na nabrzeżu, kiedy zejdziesz ze statku.

– Oczywiście, że o tym myślałam, ale nawet go nie rozpoznam, nie wiem, jak wygląda. Dopóki się nie przedstawi, będę się przyglądać wszystkim mężczyznom, myśląc, że to mój mąż. Wyobrażasz sobie, że może nie przyjdzie po mnie i zostanę tam sama?

– Nie mów głupstw, tak się nie stanie.

Gabriela to sobie wyobraża. A także to, że dostaje pieniądze na bilet, jedzie do Barcelony i tam znika: nie płynie do Buenos Aires ani nie wraca na Majorkę. Na zawsze zostaje w Barcelonie, staje się jedną z tych kobiet, których wyrzeka się rodzina, ladaco, a pewnego dnia, przechadzając się po Rambli, spotyka Enriqa. Marzy o tym, że okazuje mu pogardę, lecz później mu wybacza, a on ponownie ją uwodzi. I zostają ze sobą na zawsze po drugiej stronie morza.

– Albo wyobraź sobie, że schodzę ze statku w jednym z portów po drodze, nie docieram do Buenos Aires. Schodzę na ląd w jakimś miejscu, gdzie nikt mnie nie zna i gdzie nikt mnie nie znajdzie: w Brazylii. Opuszczam statek w Brazylii i poślubiam czarnego Brazylijczyka, a moje dzieci są Mulatami.

– Z czego byś żyła?

– Nie wiem, musiałabym poszukać jakiejś pracy. Chociaż sądzę, że niczego nie umiem robić. Boję się, że będę musiała popłynąć do Argentyny i mieć dzieci z Nicolau. Mam nadzieję, że nie będzie zbyt odrażający. Muszę się dowiedzieć, kim była jego narzeczona, i zapytać ją o to.

Może i Gabriela jest bogata, lecz wychodząc z domu, miały przy sobie jedynie drobniaki na tramwaj. Nie mogą usiąść w kawiarni jak zamożne damy.

Kiedy już zapominają o Nicolau, o panu Quimecie, o Enriqu, o Buenos Aires i Wikarym, ich rozmowy są takie same jak zawsze: marzenia, żarty, przyjaciółki i chłopcy, których mijają.

Zmierzch zapada bardzo wcześnie, więc łapią powrotny tramwaj, żeby wrócić do życia. Co może porabiać jej mąż oddalony o tyle kilometrów od Sóller? Ktoś, Gabriela nie pamięta kto, powiedział jej, że między Majorką a Argentyną jest wiele godzin różnicy, a zatem, chociaż tutaj jest wieczór, wyobraża sobie, że u niego nadal jest rano. Nie wie, jak to możliwe, lecz powiedziano jej, że tak jest. Być może on się budzi, kiedy ona kładzie się spać.

* * *

– Dlaczego chce się ożenić ze mną? Dlaczego wybrał mnie? Jest wiele kobiet, eleganckich kobiet, ja jestem zwykłą wieśniaczką.

Stojąc przed Maxem Szlomo, dżentelmenem, który przyszedł do jej domu w towarzystwie szadchan, Sara bardziej niż kiedykolwiek czuje, że jest biedna. Spędziła noc, śniąc o jego wizycie, miotając się między strachem, że wszystko to pułapka, a nadzieją, że może to druga szansa, że ten atrakcyjny mężczyzna, bogaty i dystyngowany, wyrwie ją z jej nędznej wioski, zabierze z Ukrainy do Argentyny bez żadnych niespodzianek, zapewni jej wygodne i miłe życie bez strachu przed pogromami dokonywanymi przez sąsiadów chrześcijan, bez grobu pierwszego męża, bez głodu, bez chłodu zimą. Może nawet kupi jej piękne stroje, jak ta zielona sukienka, którą miała na sobie siostra Zimrana, kiedy wróciła do wsi po swoje siostry.

Jej marzenia się spełniły, Max jest takim mężczyzną, jakiego pragnęła, lecz zamiast ją uspokoić, wywołało to jeszcze większą niepewność. Chce znaleźć wymówkę, żeby mu odmówić, chociaż swatka już wcześniej jej powiedziała, że Argentyna to jedyna opcja. Równocześnie, chociaż może się to wydać absurdem, szuka jakiegoś argumentu, żeby przekonać rodziców.

Gdy oni wraz z szadchan wyszli i Sara została sama z Maxem, zdała sobie sprawę z niebezpieczeństwa, kiedy bowiem spojrzał jej w oczy, kiedy ujmując filiżankę z herbatą, otarł się o jej dłoń, kiedy uśmiechnął się do niej nie tylko ustami, lecz także oczami, poczuła, że zawładnął jej wolą. W przypływie próżności wyprostowała plecy, żeby uwypuklić piersi, schyliła głowę, by jej spojrzenie było bardziej uległe niż wyniosłe, i uśmiechnęła się powściągliwie. Wtedy uświadomiła sobie, że próbuje go uwieść, że zachowuje się jak jakaś sziksa, frywolna kobieta, która ma do zaoferowania tylko swoją urodę, a nie jak dobra żydowska żona, której Max zapewne szuka. Było już jednak za późno i zło się stało, mężczyzna już wlepił w nią wzrok.

– Jesteś bardzo piękna. Miałem zamiar zabrać cię ze sobą, żebyś mogła wyjść za mąż za mojego przyjaciela w Buenos Aires, Moszego Benjamina, lecz jeśli się zgodzisz, poszukam dla niego innej żony, a ja poślubię ciebie. Zauroczyły mnie twoje oczy i twoje włosy, nigdy nie sądziłem, że znajdę tyle piękna w tym maleńkim, nędznym sztetlu. Chcę cię dla siebie, chcę mieć wiele dzieci z takimi samymi włosami jak twoje, w kolorze płomieni.

„W kolorze płomieni", dokładnie to samo mówił Eliasz. Max Szlomo nie nosi brody, po której można by poznać, że jest Żydem, lecz cienki, starannie przycięty wąsik, na stopach nie ma ciężkich roboczych butów, lecz drogie trzewiki z dobrej skóry, nie nosi wiejskiej odzieży, tylko garnitur z najprzedniejszego materiału, nie osłania także głowy czapką i żydowską jarmułką, lecz miękkim kapeluszem, który zdjął, wchodząc do domu. Jego płaszcz jest uszyty z tkaniny, której Sara nie potrafi nazwać, miękkiej w dotyku, lecz równocześnie ciepłej. Jest pewna, że Max nawet nie chodzi szybko, jak to robią jej bliscy, lecz powoli, rozkoszując się światem. Podobnie jak ona mówi w jidysz, lecz wplata rosyjskie i ukraińskie słowa. Mówi także po niemiecku i hiszpańsku. Sara nie jest jednak nieukiem, ma zdolności językowe, prócz jidysz zna także ukraiński, rosyjski i trochę hebrajski. Max byłby doskonałym mężczyzną na sziduch – spotkanie, podczas którego młodzi żydowscy narzeczeni się poznają po tym, jak ich rodzice i swatka już porozmawiali i postanowili, że posuną się dalej w swoich planach matrymonialnych – gdyby nie fakt, że przybywa z kraju, z którego docierają najgorsze opowieści, najokrutniejsze historie.

– Szybko nauczysz się hiszpańskiego. Tam używamy go nawet między sobą. W Buenos Aires jesteśmy Żydami, lecz przede wszystkim jesteśmy Argentyńczykami. Ten kraj przyjmuje ludzi z całego świata i już wkrótce po przyjeździe poczujesz się Argentynką. Mięso szybko ci się przeje.

– Mięso?

– Jest tyle krów, że gdybyś chciała, mogłabyś jeść mięso codziennie aż do końca życia. Rano i wieczorem. I jajka, mleko, cebulę, pomidory, ziemniaki, najsłodsze owoce… Tam jest tyle jedzenia, że nawet je rozdają.

– Nie potrzeba pieniędzy?

– Na inne rzeczy, na przykład jeśli chcesz mieć wygodny dom. Ty jednak nie musisz się o to martwić, bo będziesz moją żoną, a ja dam ci wszystko, czego zapragniesz. Także piękne stroje, sukienkę na każdy dzień tygodnia. I buty, wszystkie, jakich zapragniesz. Tam skóra jest tak tania, że nawet najbiedniejsi mają skórzane trzewiki i botki.

Sara chciałaby, żeby mówił jej nie tylko o dobrach, jakie można tam zdobyć, lecz by z jego ust płynęły także słowa otuchy, a nawet miłości, jak przed kilkoma chwilami, kiedy chwalił jej urodę. Reszta się nie liczy: kto chce mieć więcej butów niż stóp? I jaki to musi być kłopot mieć tyle sukienek i nie wiedzieć, którą włożyć każdego ranka. A mimo wszystko Sara czuje się w duchu szczęśliwa, niemal ma ochotę śmiać się, wyobrażając sobie stół pełen mięsa, winogron, jabłek, słodkich ciastek, stół, przy którym ona i jej rodzina mogliby jeść, aż by pękli.

– Czy moja rodzina mogłaby ze mną pojechać?

– Teraz powinnaś pojechać sama, żeby wpuszczono cię do Argentyny. Nie pozwalają wszystkim tam mieszkać, gdyby to zrobili, Ukraina, Rosja i Polska by opustoszały… Najbiedniejszy Argentyńczyk żyje lepiej niż najbogatsi ludzie z tutejszych wiosek, nawet ci szlachcice, którzy mieszkają w Odessie czy Moskwie. Kiedy jednak się tam znajdziemy, będziemy mogli załatwić wszystkie papiery i ich także sprowadzić do Argentyny, przynajmniej twoich braci. Tam nauczą się jakiegoś zawodu i będą mieli szansę się wzbogacić. Albo się uczyć, nikt nie przeszkadza Żydom się uczyć, w szkołach i na uniwersytetach nie pytają nikogo o religię.

– I nie ma wiosek dla Żydów? Nie ma sztetli?

– Nie. Jest dzielnica, w której mieszka wielu Żydów, nazywa się Once, lecz każdy może mieszkać, gdzie chce. Mieszkamy w tej dzielnicy, gdyż lubimy być razem, lecz nikt nas do tego nie zmusza. Jest kilka synagog, jedna z nich, najważniejsza, gromadzi ponad tysiąc Żydów.

Zgodzić się, wyjść za tego jakże dystyngowanego mężczyznę, który przybył do miasteczka powozem zaprzężonym w konie, nie obawiając się, że zostanie zatrzymany przez gojów, zapomnieć o wszystkim, co się mówi o kobietach, które jadą do Buenos Aires, i o tym, co się tam z nimi dzieje. Gdyby to zrobiła, pewnego dnia mogłaby sprowadzić do siebie rodzinę. Kiedy zamknie oczy, widzi ojca wybierającego kawałki mięsa z tacy i jedzącego bez ustanku, braci kosztujących owoców, których istnienia nawet sobie nie wyobrażają, matkę w ładnych sukniach, ze służącą pomagającą jej robić pranie i sprzątać dom; ogień ogrzewający całe mieszkanie, do którego można dorzucać drewna, kiedy tylko się chce, nie obawiając się, że zgaśnie. Tylko strach, nieustanny strach nie pozwala jej się zgodzić.

– Już nie ma zastraszonego, zaszczutego Żyda, droga Saro. W Buenos Aires jesteśmy wolni.

– Także kobiety?

– Kobieta w Argentynie jest bardziej wolna niż którykolwiek żydowski mężczyzna w sztetlu. Tutaj życie to nie życie, polega ono tylko na czekaniu, kiedy nadejdzie śmierć. Zobaczysz różnicę, kiedy zejdziesz ze statku w Buenos Aires. Tam nikt nie czuje do nas nienawiści.

Max myśli tylko o interesie, o swoim zobowiązaniu. Ale też wyobraża sobie Sarę bez tych nędznych szmat, w jedwabnej sukni, wystawioną na spojrzenia innych mężczyzn. Podnieca się, myśląc tak o niej, jak i o pieniądzach, jakie może zarobić dzięki tej młodej rudowłosej dziewczynie, uświadamia sobie jednak również, że pragnie jej dla siebie. Może uda mu się połączyć te dwie rzeczy. Winien jest wdzięczność swatce, że go do niej przyprowadziła, nawet dołoży starej kilka groszy do zapłaty. Teraz jednak musi ukryć te myśli i użyć swoich najlepszych sztuczek, żeby dziewczynę przekonać. Za nic na świecie nie chciałby jej stracić, nie zamierza dopuścić do tego, żeby spędziła życie pogrzebana w śniegu tego małego sztetla, nie zaspokajając jego pożądania i nie zasilając jego kieszeni.

Rodzice Sary wyszli z domu z jej małymi braćmi i swatką. Przebywają na zewnątrz, na mrozie, żeby ona mogła porozmawiać z Maxem. Oni dwoje siedzą wewnątrz, przy ogniu, który jej ojciec rozpalił wcześnie rano. Ogień jest bardzo wątły, nie taki, jaki mógłby płonąć w Argentynie. Sara czuje, że musi powiedzieć Maxowi „tak", aby oni także mogli wejść i się ogrzać. Żeby mogli zamieszkać w tym cudownym kraju, jakim wedle słów Maxa jest Argentyna.

– A to, co się mówi o kobietach, które wyjeżdżają do Buenos Aires?

– Co się mówi?

– Że po przyjeździe je sprzedają.

Max wpada w złość, podnosi głos, czuje się obrażony, zawsze tak robi, kiedy jakaś kobieta zadaje mu to pytanie. Jakby deklamował jakiś wyuczony tekst, choć ta rudowłosa, którą ma teraz przed sobą, sprawia, że gra lepiej niż kiedykolwiek. Sara widzi gniew w jego oczach i boi się: ponownie czuje się jak tchórzliwa Żydówka z nędznego ukraińskiego sztetla.

– Sprzedać cię? Sądzisz, że pozwoliłbym, aby moja żona sypiała z innymi mężczyznami? Za jakiego mężczyznę mnie uważasz? Lepiej już sobie pójdę. Jeśli tak myślisz, nie nadajesz się na żonę ani dla mojego przyjaciela, ani dla mnie. Zostań tutaj i wiedź dalej swoje nędzne życie. Sama to powiedziałaś: jest wiele innych kobiet, elegantszych i piękniejszych, kobiet, które potrafią wykorzystać sposobność, jaką ci daję.

Max wstaje i zaczyna wkładać szalik, płaszcz, rękawiczki... Sara nie może pozwolić, żeby sobie poszedł, zrujnować przyszłości swojej i całej rodziny. Musi coś zrobić, żeby go powstrzymać, nim przekroczy próg, nim będzie za późno.

– Nie, Max, poczekaj. Wybacz mi, proszę.

Max udaje, że się zastanawia, i ponownie ściąga szalik z miękkiej, delikatnej wełny. Sara czeka niecierpliwie, aż znowu się odezwie, jest gotowa na wszystko, żeby tylko się na nią nie gniewał.

– Nigdy, nigdy więcej nie wątp w mój honor. Niech cię nie zmyli mój wygląd: jestem poważnym mężczyzną, a nie narwanym młodzikiem, który nie wie, czego chce od życia. Jeśli raz jeszcze we mnie zwątpisz, odejdę. Ukraina jest pełna takich dziewcząt jak ty, nawet piękniejszych, które nie pozwolą, żeby przeszła im koło nosa taka szansa na odmianę losu, jaką ja ci ofiaruję. Teraz dość już gadania, zawołaj swoją rodzinę i powiedz im, co zdecydowałaś. Nie każ mi tracić czasu, mam w Odessie wiele spraw do załatwienia.

Sara już podjęła decyzję. Tak jest pewna tego, co zrobi, jak tego, że Argentyna nie będzie rajem, jaki przedstawił jej Max. Życie nigdy niczego nie daje za darmo i tym razem, chociaż wydaje się, że jest inaczej, będzie tak samo.

– *Tate*, *mame*, proszę, wejdźcie. Pan Szlomo i ja chcemy wam przekazać wiadomość.

Max uśmiecha się z zadowoleniem, jak zawsze, gdy osiąga swój cel. Chociaż dzisiaj jest trochę bardziej ucieszony: przewiduje, że ta kobieta będzie dla niego ważna, uczyni go bogatym.

* * *

– Eduardo, wiesz, że kawa ostygnie, nim ją przyniosą, więc nie warto o nią prosić. Wolisz kieliszek jerezu?

– O dziesiątej rano, Wasza Królewska Mość?

– To prawda, że dopiero dziesiąta, lecz już za dwie godziny będzie dwunasta, to tylko kwestia uświadomienia sobie, że czas jest względny. Ileż to razy podczas polowania piliśmy na śniadanie wódkę?

Niemożność wypicia czegoś ciepłego w pałacu, o czym wielokrotnie pisali kronikarze, to fakt. Budowla jest ogromna, a kuchnie znajdują się na przeciwległym krańcu niż komnaty zajmowane przez króla. Nawet jeśli napoje i zupy opuszczają kuchnię jako wrzątek, a pokojowiec jest szybki, kiedy je podaje, są letnie.

– A zatem kieliszek jerezu będzie doskonały. Nie rozumiem, dlaczego Wasza Wysokość nie każe urządzić kuchni w tym skrzydle.

– Łatwiej wypowiedzieć wojnę zaprzyjaźnionemu krajowi, niż zmienić coś w tym budynku, Eduardo. Urząd do spraw Ochrony Jeńców musieliśmy ulokować na strychu.

Aczkolwiek Eduardo Sagarmín wielokrotnie bywał w gabinecie króla Alfonsa XIII, to jego majestatyczność nie przestaje robić na nim wrażenia. Niemniej jednak jego ulubioną komnatą jest sala tronowa: konsole Ventury Rodrigueza, fresk na plafonie pędzla Tiepola, lustra, dywany, gobeliny, a przede wszystkim purpurowy złocony tron symbolizujący władzę monarchy, dawny splendor hiszpańskiego imperium.

– Dobrze się bawiłeś na bożonarodzeniowym przyjęciu? Nie miałem okazji złożyć życzeń twojej małżonce…

Ma ochotę odpowiedzieć królowi, że jego żona, Beatriz, spędziła przyjęcie, gawędząc z hrabią Camargo, i pozwolić, by sam wyciągnął wnioski.

– Przyjęcia w pałacu zawsze są wspaniałe. Nie wiem, co mogło się zdarzyć, że Beatriz nie przywitała się z Waszą Królewską Mością, może nie miała okazji. Waszą Królewską Mość zawsze otaczają ludzie.

– To prawda. Pomówmy jednak o sprawie, która nas zajmuje. Czy Álvaro powiedział ci, że w rzeczywistości chodzi o trzy misje? Jedna z nich to przekazanie posągów i odsłonięcie pomnika.

– Z pięcioletnim opóźnieniem.

– W rzeczy samej. Jeżeli jeszcze się to nie opóźni, wiesz przecież, co mówią dziennikarze, że te posągi są pechowe. Popłyną w ładowniach *Príncipe de Asturias*, statku Kompanii Żeglugowej

Pinillos. Będziesz miał najlepszą kajutę, tę, którą zarezerwowałbym dla siebie.

– Dziękuję, Wasza Królewska Mość.

– Co logiczne, będziesz musiał w moim imieniu prosić don Victorina de la Plaza, prezydenta Republiki Argentyńskiej, o wybaczenie za to opóźnienie i współdziałać z nim, aby odsłonięcie pomnika było wielkim wydarzeniem, które sprawi, że wszelkie przeszkody pójdą w zapomnienie.

– Spróbuję, Wasza Królewska Mość.

– Zapewniam cię, że pech to zwykłe wymysły, a z tymi posągami nic się nie dzieje. Drugim celem podróży jest reprezentowanie mnie podczas objęcia urzędu przez nowego prezydenta, którym wedle wszystkich raportów zostanie Hipólito Yrigoyen. Wybory odbędą się wiosną, a we wrześniu odbędzie się ceremonia zaprzysiężenia. Wcześniej musisz się spotkać z Yrigoyenem i zaoferować mu naszą pomoc. Wiem, że spędzisz wiele miesięcy w Buenos Aires, lecz przebywając tam, będziesz mógł na miejscu ocenić sytuację mieszkających tam Hiszpanów, poznać kraj, wynegocjować pewne umowy handlowe, które nas interesują, a nade wszystko wykonać trzecią misję.

– W końcu dochodzimy do punktu, na który czekałem.

– Powiedz mi, Eduardo, czy Beatriz popłynie z tobą? Jeśli nie, pamiętaj, by poprosić ją o dyskrecję. Chcemy za wszelką cenę uniknąć plotek. Nie chciałbym czuć się winny, ponieważ to ja poprosiłem cię, byś na tak długi czas opuścił kraj.

To forma dania Eduardowi do zrozumienia, że plotki już zaczęły krążyć i że nie byłoby dobrze, gdyby zaczęły się szerzyć. Nie opuszczając pałacu, król Alfons jest na bieżąco ze wszystkim, co się dzieje w Madrycie.

– Poproszę ją o to, Wasza Królewska Mość. Jeśli to konieczne, zażądam, by żona mi towarzyszyła.

– Tak jak powiedziałem, decyzja należy do ciebie.

Król milknie na kilka sekund, jakby szukał odpowiednich słów, by poruszyć trzeci temat, dla którego poprosił Eduarda na spotkanie. Jakby nie przemyślał tego wcześniej i nie wiedział dokładnie, w jakiej formie to uczynić.

– Trzecia misja polega na zainicjowaniu rozmów, a nawet negocjacji, w celu zawarcia porozumienia z argentyńskim rządem. Jest kilka spraw, niektóre są bardzo delikatne. Część z nich mógłbym zostawić w rękach korpusu dyplomatycznego, lecz inne chcę powierzyć komuś, kto cieszy się moim całkowitym zaufaniem.

– Jestem wdzięczny Waszej Królewskiej Mości za uprzejmość i poważanie.

– Tematy o pomniejszym znaczeniu zostaną ci szczegółowo przedstawione w pałacu Santa Cruz. Dotyczą umów zakupu pszenicy, eksportu produktów przemysłowych oraz uzgodnień odnośnie do przepływu obywateli obu państw, tego typu sprawy.

– Dogłębnie je przestudiuję.

– Wiem, ufam w twoją pracowitość i w to, że będziesz potrafił pokierować urzędnikami, którzy już znają szczegóły. Teraz pora, bym cię poinformował o sprawach, które najbardziej mnie zajmują i skłaniają do poproszenia cię, byś to ty udał się w tę podróż.

Pomimo swojego doświadczenia Eduardo jest pewny, że w tej chwili serce bije mu szybciej, niż kiedy wchodził do gabinetu.

– To, co ci teraz powiem, jest absolutnie poufne, wie o tym bardzo niewiele osób, minister spraw zagranicznych, don Miguel Villanueva, przewodniczący Rady Ministrów, dwóch urzędników, którzy znają tylko część, i ja: nie mówiłem o tym nawet naszemu przyjacielowi Alvarowi, i ty także nie możesz o tym z nikim rozmawiać. Sprawa dotyczy ostatniej tajnej wiadomości, która do nas dotarła: otrzymaliśmy raporty mówiące o możliwym ataku Niemców na Baleary.

– Jesteśmy przecież krajem neutralnym.

– Belgia także była, i niewiele to Niemców obeszło. Nie nastąpi to rychło, może odwlec się jeszcze o rok.

– Ależ Baleary to bardzo cenna strategiczna enklawa, Anglicy na to nie pozwolą.

– Oczywiście, że tak, dla nich byłoby to mistrzowskie posunięcie. My musielibyśmy wypowiedzieć wojnę Niemcom, a nasza armia nie jest gotowa. Potrzebowalibyśmy Anglików w celu powstrzymania niemieckiego ataku na nasze porty, a to byłoby równoznaczne z otwarciem im drzwi do naszego terytorium.

– Przyznaję, Wasza Królewska Mość, że z trudem nadążam za tymi strategicznymi posunięciami. A ponadto nie rozumiem, co ma z tym wszystkim wspólnego Argentyna i moja podróż.

– Nasze rezerwy złota. Trzeba je gdzieś przewieźć. Nasza armia nie będzie w stanie obronić hiszpańskiego terytorium, a wkrótce po rozpoczęciu działań wojennych przeciwko Hiszpanii doszłoby do inwazji ze strony Francuzów, Anglików lub jednych i drugich. Nikomu nie ufam, także Niemcom. Nasze rezerwy złota, nie zapominaj, że to wiele ton, nadal należą do największych na świecie mimo upadku i utraty imperium. Byłyby bardzo atrakcyjne dla wszystkich, a zatem musimy umieścić je w bezpiecznym miejscu.

– W Argentynie?

– To jedna z możliwości, nie jedyna. Z pewnością nie mogą pozostać w Europie, Stanom Zjednoczonym nie ufamy, w północnej Afryce zaś znalazłyby się bliżej Francuzów. Jak widzisz, Argentyna to bardziej niż rozsądny wybór, jeśli pominiemy transport, który byłby skomplikowaną sprawą. W przyszłym tygodniu zorganizujemy spotkanie, oprócz nas dwóch będą na nim obecni minister Villanueva i dwaj eksperci, którzy opracowują możliwość przewiezienia złota. Wtedy zapoznasz się ze szczegółami i gwarancjami bezpieczeństwa, jakie chcielibyśmy uzyskać od argentyńskiego rządu w przypadku podjęcia decyzji o przeprowadzeniu tej operacji.

Eduardo Sagarmín mieszka niespełna kilometr od królewskiej siedziby, w pałacyku nieopodal kościoła San Nicolás. Wychodzi z pałacu oszołomiony, idzie pieszo, myśląc o misji, jaką właśnie powierzył mu król Alfons XIII, o wojennej strategii Anglików i Niemców i o tym, jak może ona wpłynąć na życie na Półwyspie, który byłby zmuszony do wzięcia udziału w zatargu, mimo że pragnie pozostać neutralny. Nie zwykł zazdrościć swojemu przyjacielowi, królowi Alfonsowi XIII; dzisiaj ma po temu jeszcze mniej powodów niż kiedykolwiek wcześniej.

Postanawia wrócić pieszo do domu, ponieważ to lubi, ale także po to, by spokojnie pomyśleć, jak przekonać żonę, by zachowywała się dyskretnie, jak zasugerował król. Nie ma nic gorszego niż dać powody do plotek, że jest się mężczyzną, którego nie szanuje się w jego własnym domu. Ironia losu: on, który mógłby z powodzeniem szpadą bronić swojego honoru, urodził się w czasach, kiedy nie wypada mu tego robić. Chociaż Camargo – nie ma wątpliwości, że jest kochankiem jego żony – także jest znakomitym fechmistrzem. Niejeden raz widział, jak trenuje w Kasynie Wojskowym, aczkolwiek osobiście nigdy się z nim nie zmierzył.

Dociera do ulicy Mayor i idzie dalej w stronę Puerta del Sol. Wchodzi do kawiarni Café de la Montaña, na parterze Grand Hotel París, tej, którą nazywają „kawiarnią Pneumonia" z powodu panujących tam przeciągów wywołanych przez wielkie, stale otwarte drzwi na Puerta del Sol i ulicę Alcalá. Siada przy jednym z marmurowych stolików i zamawia gorącą kawę, której nie mógł wypić w Pałacu Królewskim.

* * *

– Kim pan jest? Stać!

Kilka razy Giulio omal nie rzucił karabinu i pozbywszy się ciężaru, nie podążył za kursem słońca w stronę Viareggio. Gdyby to zrobił, nie doszłoby do tego spotkania. Ale karabinier jest tylko przestraszonym człowiekiem i to Giulio jako pierwszy celuje do niego z broni.

– Niech mnie pan nie zmusza do tego, żebym strzelił. Nie chcę panu zrobić krzywdy.

Kładzie palec na spuście i mierzy w głowę mężczyzny, lecz powstrzymują go wyrzuty sumienia. Nie jest zdolny zabić człowieka z zimną krwią. Używa kajdanek, które karabinier miał przy pasie, żeby go unieszkodliwić, po czym prowadzi go do niewielkiego zagajnika, a tam przywiązuje do drzewa i knebluje jego własnym krawatem. Chociaż go to dziwi, z całych sił pragnie, żeby ktoś znalazł biedaka i go uratował.

Od kilku dni unika uczęszczanych dróg, omijając napotykane wioski, kradnąc jedzenie i znosząc chłód. Często wspomina austriackiego żołnierza, który uciekł spod luf plutonu egzekucyjnego.

On ma wojskowe buty i płaszcz, a o mało nie poddał się z powodu zimna i zmęczenia. Austriak miał na sobie tylko koszulę i był bez butów, niemożliwe, by uszedł z życiem.

Ostatnim miasteczkiem, które ominął, było Castrezzato. Musi podążać w kierunku Parmy, a tam skręcić ku morzu, w ten sposób ominie bowiem Mediolan i Genuę. Kiedy dotrze do Wybrzeża Liguryjskiego, znajdzie się niedaleko Viareggio i będzie miał większą szansę dotrzeć do domu.

Idąc, ma aż nadto czasu, by myśleć o swoim życiu, by wspominać każdą minutę z Francescą i przeklinać każdą chwilę bez niej. Nie wie, jak będzie wyglądać spotkanie. Boi się, że kiedy stanie przed nią, nie będzie zdolny nic powiedzieć, oddać jej medalika, który mu dała dla ochrony, i będzie milczeć jak idiota. Nie okłamuje samego siebie, to zawsze Francesca decydowała o wszystkim: to ona pierwsza do niego zagadała, ona poprosiła go, żeby spotkali się na osobności, ona go pocałowała pierwszy raz i ona zadecydowała o tym, gdzie i jak będą się kochać przed jego wyjazdem. To także ona podjęła decyzję o odejściu. Co ma zrobić? Błagać ją? To byłoby jeszcze gorsze, musiałby znieść nie tylko jej odrzucenie, ale także pogardę.

Nocami próbuje spać w jakimś miejscu, gdzie są zwierzęta domowe, krowy lub konie, by ogrzać się w ich cieple. Jeśli dalej będzie tak robić, rozpoznają go po zapachu stajni. Kiedy uciekł z frontu, uczynił to bez żadnego planu, nie zabrał ani odzieży na zmianę, ani żywności, niczego. Musi się umyć, zdjąć mundur i znaleźć sposób na szybsze przemieszczanie się. Zabijał już na froncie, to daje mu przewagę: zawsze może zrobić to jeszcze raz. A chociaż darował życie karabinierowi, jest do tego zdolny.

– Kim jesteś? Czego chcesz?

Od wielu godzin obserwował dom. Mieszkają w nim kobieta i sędziwy mężczyzna, staruszek, który nie może się poruszać. Dom znajduje się na uboczu; nawet gdyby krzyczeli, nawet gdyby był zmuszony strzelić, nikt by tego nie usłyszał. Poczekał do zapadnięcia nocy, żeby zapukać do drzwi.

– Nie chcę państwu wyrządzić żadnej krzywdy. Potrzebuję pomocy.

– Jesteś dezerterem? Wejdź.

Kobieta – może mieć nieco ponad pięćdziesiąt lat – szykuje coś do jedzenia i daje mu odzież swojego ojca, żeby mógł się przebrać. Podgrzewa wodę na węglowej kuchence, żeby mógł się wykąpać, wręcza mu nawet buteleczkę perfum, w której zostało jeszcze trochę płynu. Nie ma większej przyjemności na świecie niż znaleźć się w ogrzanym miejscu, czuć się czystym, włożyć wygodne ubranie, mieć pełny żołądek... Nikt tego nie wie, dopóki tego nie stracił, a potem nie odzyskał.

Staruszek nie tylko nie może się poruszać, także nie mówi.

– To mój ojciec. Jest taki od trzech lat. On także musiał iść na wojnę, walczył z Austrią przed prawie sześćdziesięciu laty. Powiedział, że było to najgorsze, co człowiek może przeżyć.

– To prawda.

– Dlatego ci pomagam. On na pewno by się zgodził. Znajdujemy się bardzo daleko od frontu i nie spodziewałam się zobaczyć tu dezertera, miałeś dużo szczęścia, że dotąd cię nie złapali.

Giulio boi się, że kiedy zaśnie, ona go wyda, lecz w cieple, po kąpieli i kolacji, nie jest w stanie oprzeć się senności. Kiedy się budzi, widzi, że jego strach był nieuzasadniony, jest już jasno i pachnie świeżo upieczonym chlebem. Filippa, bo tak ma na imię kobieta, która go ugościła, przygotowała mu śniadanie: wielki kubek ciepłego mleka i dwie ogromne pajdy chleba z czosnkiem i oliwą.

– Co zrobisz? Jeśli chcesz, możesz zostać kilka dni i odpocząć przed dalszą drogą. To bardzo ustronne miejsce. Nikt cię tu nie zobaczy.

– Muszę dotrzeć do mojego miasta.

– Oszalałeś? W mieście natychmiast cię znajdą! Jeśli nie chcesz, żeby cię rozstrzelano za dezercję, powinieneś uciec gdzie indziej.

– Mam tam coś do zrobienia. Muszę zapytać narzeczoną, dlaczego wychodzi za mąż za innego.

Filippa słucha w milczeniu opowieści o Francesce, czyta list, który Giulio dostał od rodziców, także ostatni, który ona mu wysłała, kiedy rzekomo byli jeszcze narzeczonymi.

– To niewarte zachodu, Francesca do ciebie nie wróci. Mnie także przed wielu laty opuścił mężczyzna. Wyjechał do Mediolanu i już nigdy go nie zobaczyłam.

– Wiem. Nie chcę, żeby wróciła, tylko żeby mi wyjaśniła swoje powody. Potem się poddam lub nadal będę uciekał.

– Wyjedź do Ameryki, zacznij nowe życie. Tam nikt nikogo nie pyta o przeszłość. Mam w Argentynie dalekiego kuzyna, który w listach pisze nam, że tam liczy się jedynie chęć do pracy. Ja nie wyjechałam, żeby nie zostawiać go samego.

Wskazuje na ojca. Staruszek uczestniczy w rozmowie, poruszając głową i kierując wzrok na mówiącego, lecz nic nie świadczy o tym, że rozumie znaczenie słów.

– Wcześniej modliłam się, żeby umarł i uwolnił mnie, bym mogła stąd wyjechać, teraz już tego nie chcę. Umrę w tym domu, kiedy będę stara, chociaż nie będę mieć takiego szczęścia jak on, nie będzie nikogo, kto by się mną opiekował. Ty jednak jedź do Argentyny, masz przed sobą całe życie.

Filippa przekonuje go, by spędził u niej jeszcze jeden dzień i wyruszył następnego ranka.

– Przygotuję ci trochę jedzenia na drogę i koszule na zmianę. A jeśli uda ci się naprawić rower, który stoi w stajni, będzie twój. Używał go mój ojciec, lecz już od wielu lat nikt na nim nie jeździ.

Mając rower, cywilne ubranie i jedzenie, by nie musieć po drodze kraść, nie będzie tak zwracał na siebie uwagi i za dwa, może trzy dni dotrze do Viareggio. Gdy już się tam znajdzie, zapuka do drzwi Franceski i poprosi ją o wyjaśnienia.

* * *

– Kapitanie Lotina, jak się miewa stewardesa po operacji wyrostka robaczkowego?

– Ma na imię Paula. Dostała zwolnienie, umieszczono ją w pensjonacie przy placu Mentidero. Zaproponowaliśmy jej możliwość udania się do domu pierwszym wypływającym z Kadyksu statkiem, lecz mówi, że woli spędzić urlop tutaj.

– Nie dziwi mnie to, mnie także ani w głowie opuszczać Kadyks. Nie znajduję żadnego powodu, żeby podróżować po świecie. Ta Paula to musi być bardzo inteligentna dziewczyna.

Paula, musi zapamiętać to imię. To jedna z nauk, jaką don Antonio Martínez de Pinillos otrzymał od don Miguela, swojego ojca, założyciela dynastii: poznać imiona wszystkich pracowników kompanii żeglugowej, orientować się w ich sytuacji, posyłać im prezenty ślubne, listy kondolencyjne, kiedy tracą kogoś z rodziny, nie zapominać o wysłaniu kwiatów z okazji narodzin dziecka i proponować wizytę firmowego lekarza podczas choroby. Korzyści są znacznie większe niż poniesione wydatki.

– Niech nas powiadomi, jeśli czegoś potrzebuje, czegokolwiek. Firma Pinillos jest do jej dyspozycji.

Don Antonio chce odwiedzić statek i przyjrzeć się pracom remontowym i renowacyjnym, jakie mają zostać podjęte, lecz przede wszystkim chce porozmawiać z kapitanem, poinformować go o pewnych niepokojących go sprawach.

– Zapłaciliśmy sumę, jakiej zażądał od nas niemiecki konsul, by niemieckie okręty podwodne nie przysparzały problemów naszym statkom. Bardzo wysoką sumę.

– To dobra wiadomość, panie Pinillos.

– Dopóki nie dowiedzą się Brytyjczycy. Jeśli tak się stanie, nasze problemy dopiero się zaczną. A umowa była bardzo kosztowna, będziemy musieli poczynić kilka ustępstw w naszej polityce bezwzględnego poszanowania praworządności.

– Co to znaczy, don Antonio?

– Że może będziemy musieli przewozić towary, jakich w innym przypadku byśmy nie przewozili. I pasażerów, których wolelibyśmy nie mieć na pokładzie. Powiedzmy, że będziemy mniej skrupulatni. Dostosujemy się do tej wojny, jak czyni to reszta Europy.

– Na przykład?

– Na przykład dezerterzy. Skontaktowano się z nami, byśmy przerzucili włoskich dezerterów do Argentyny. Za bilety płacą pewni mieszkający tam Włosi. Władze nie mogą się o tym dowiedzieć, więc będą musieli podróżować jako pasażerowie na gapę.

– Większy problem stanowi to, co przywozimy do Europy, niż to, co zawozimy do Ameryki. Żadna z walczących stron nie chce przecież, żeby wróg otrzymywał pomoc.

– Postaramy się nie brać na pokład broni ani materiałów wojskowych, które mogłyby wpędzić nas w kłopoty.

– A pszenica, którą przywieźliśmy? Dla kogo była przeznaczona?

– Pszenica to pszenica, służy do wypieku chleba. Nie naszym problemem jest sprawdzanie, kto będzie jadł ten chleb.

Kapitan Lotina wyjaśnia armatorowi parametry nowego silnika, remonty, jakie przeprowadzi się w kajutach pierwszej klasy, a także te, których według niego jeszcze należy dokonać. Opowiada mu także anegdoty z rejsu i ciekawostki dotyczące Argentyny.

– Zawsze wypytuje mnie pan o Buenos Aires, dlaczego więc nie popłynie pan z nami któregoś dnia?

– Niech mnie Bóg broni! Nie rozumiem, jak możecie pływać z takim spokojem, mimo luksusu i wysokiego poziomu bezpieczeństwa, jakie osiągnęliśmy. Statek zawsze pozostanie łupiną orzecha rzuconą na pastwę morza. Nie, nie zobaczy mnie pan na pełnym morzu, kapitanie Lotina. Poza tym, jak już panu powiedziałem, Kadyks ma wszystko, czego potrzebuję na świecie, chociaż przyznaję, że ciekawi mnie to okazałe miasto, jakim według wszystkich jest stolica Argentyny.

Don Antonio przekazuje Lotinie wiadomość, że niebawem zacznie pływać na innej trasie.

– To ostatni rejs *Príncipe de Asturias* do Río de la Plata. Po powrocie zacznie pływać na Antyle, to znacznie bardziej dochodowe.

Kierunek rejsu jest Lotinie obojętny. Wielokrotnie pływał na Kubę, tak samo jak do Buenos Aires. Każde z tych miejsc ma w sobie coś atrakcyjnego: zmysłowość Karaibów w przeciwieństwie do wyrafinowania argentyńskiej stolicy; tropikalne plaże w porównaniu z rozrywkami i teatrami ulicy Corrientes; kubański son wobec zmysłowego argentyńskiego tanga.

– Początkowo ostatnim rejsem do Buenos Aires miał być ten, który właśnie pan zakończył, lecz otrzymaliśmy prośbę z królewskiego dworu, osobiście od króla Alfonsa Trzynastego, by dostarczyć coś do Buenos Aires. Być może, jeśli dobrze wypełnimy to zlecenie, będziemy mogli ubiegać się o przywilej przewożenia poczty między Hiszpanią a Antylami.

Przewożenie poczty to ważny dochód dla towarzystwa żeglugowego, a zadanie to spoczywa w rękach konkurencji Pinillos, Kompanii Transatlantyckiej, innego wielkiego hiszpańskiego armatora założonego przez Antonia Lopeza, markiza Comillas, w połowie XIX stulecia. Ponadto dobrze jest zagrać kartą poczty w rozmowie z kapitanem Lotiną. Nawet właściciel jego statku zna wagę, jaką kapitan przykłada do przekazywania listów, zwłaszcza miłosnych.

– Na czym polega zadanie?

– Trzeba przewieźć posągi, które Hiszpania przekazuje w darze Argentynie. Mają stanowić część Pomnika Hiszpanów.

To nie jest zwykłe przekazanie i obaj to wiedzą. Nawet Lotina, człowiek rozsądny, któremu obce są zabobony starych wilków morskich, czuje niepokój na wieść, że znajdą się na pokładzie jego statku.

– Lepiej, żeby tak je zapakowano, by nie było wiadomo, co to jest, niektórzy marynarze nie chcieliby z nimi płynąć.

– Absurdalne przesądy, kapitanie.

Każdy, kto odbył podróż do Argentyny lub czytał gazety, wie, że te posągi są przeklęte, przynoszą nieszczęście wszystkim osobom, które mają z nimi do czynienia. Pomnik miał być odsłonięty w 1910 roku, w argentyńskiej stolicy położono nawet kamień węgielny w obecności infantki Izabeli Burbońskiej, ciotki króla Alfonsa XIII. Pięć lat później nadal nie zdołano go ukończyć.

Monument, podarowany przez dzieci Hiszpanii mieszkające w Argentynie i sfinansowany dzięki powszechnej subskrypcji, miał upamiętnić stulecie niepodległości kraju i nosić nazwę Pomnik ku Czci Carta Magna i Czterech Regionów Argentyny. Powołano komisję, która pojechała do Hiszpanii, by wybrać rzeźbiarza. Artystą, któremu powierzono pracę, był Agustí Querol i Subirats, ten sam, który zdobył pierwszą nagrodę na Wystawie Światowej w 1888 roku, lecz zmarł on przed dokończeniem dzieła. Komisja ponownie musiała udać się do Hiszpanii, z góry wiedząc, że nie zdoła przekazać dzieła w terminie. Cipriano Folgueras, rzeźbiarz zatrudniony do dokończenia dzieła, także zmarł po kilku miesiącach pracy nad nim. W tym momencie projekt zaczął się cieszyć złą sławą. Trzeci wybrany artysta, Antonio Molinari, zdołał ukończyć projekt. To, że przeżył, nie oznaczało jednak, że problemy się skończyły: rzeźbiarz musiał stawić czoło strajkowi robotników w kamieniołomach Carrary, który pozbawił go marmuru; wybuch wojny spowodował, że brąz stał się potrzebny do innych celów niż posągi, co utrudniło artyście jego pozyskanie; pierwszej marmurowej damie umieszczonej na pomniku odpadła ręka; wynikło jeszcze wiele innych opóźnień. Gazety, zarówno w Argentynie, jak i w Hiszpanii, wahały się, czy przyjmować ze śmiechem każdą nową okoliczność, czy też uznać ją za zatruty podarunek, założyć, że pomnik jest przeklęty, a zatem lepiej będzie o nim zapomnieć, a w wybranym miejscu umieścić jakikolwiek inny posąg.

Doświadczenie podpowiada kapitanowi Lotinie, że wielka część załogi statku będzie wierzyć w tę demoniczną teorię i nikomu nie spodoba się podróż z tymi nieszczęsnymi posągami, a niektórzy marynarze mogą nawet zrezygnować z wypłynięcia.

— Proszę posłuchać, panie Pinillos, im mniej osób będzie wiedziało, że posągi płyną w ładowniach *Príncipe de Asturias*, tym lepiej dla wszystkich. Najlepiej by było, gdybyśmy tylko my o tym wiedzieli: pan i ja.

Don Antonio nie odpowiada, może on także nie wie, jakie plany ma król Alfons XIII i czy to on podejmie decyzję, czy posągi będą podróżowały incognito, czy też zostaną zorganizowane oficjalne uroczystości związane z wypłynięciem statku przewożącego części pomnika.

— Paulo, czy jest pani pewna, że nie chce pojechać do Galicii? Kompania oferuje pani darmową kajutę na statku, który pani wybierze. Na trasie Kadyks–Vigo pływa ich kilka.

Paula postanowiła zostać w Kadyksie i nie odwiedzać rodzinnych stron. Zanim kapitan wsiądzie na statek, którym popłynie do Barcelony, ma obowiązek zapewnić ją, że oddano do jej dyspozycji wszelkie środki.

– Życzę panu szczęśliwego Nowego Roku, panie kapitanie.

Nie chce żałować swojej decyzji, tego, że postanowiła wyjechać do Argentyny na zawsze. Jeśli zobaczy się z rodziną, z matką, ojcem, braćmi i bratankami, może zechce to przemyśleć i w końcu zrezygnuje z realizacji swojego prawdziwego marzenia. Gdyby zobaczyła Luisa… Nie, nie spotkałaby Luisa, nawet gdyby popłynęła do Galicii, wszystko między nimi się skończyło i nie ma od tego odwrotu.

Armator wypłacił jej pełną pensję za ostatni rejs, ma też oszczędności, które zachowała z myślą o kupnie domu w Vigo. Dzięki tym pieniądzom może bez trudu przeżyć półtora miesiąca dzielące ją od ponownego wypłynięcia *Princípe de Asturias*, a nawet zostanie jej jeszcze trochę na urządzenie się w Buenos Aires. Najbliższy miesiąc poświęci sobie, a jedynym nieprzyjemnym obowiązkiem będzie napisanie listu pożegnalnego do bliskich. Nie wie, jakich słów użyje, ma czas, żeby je przemyśleć.

Jeszcze nie wróciła w pełni do zdrowia, dopiero kilka dni temu wstała z łóżka po operacji. Znalazła czysty pensjonat dla panien, skromny i tani, przy placu Mentidero, nieopodal rezydencji właściciela kompanii żeglugowej, don Antonia Martineza de Pinillos. Jest trochę oddalony od placu San Agustín, przy którym mieszczą się biura.

W Kadyksie panuje ładna pogoda, chociaż są to ostatnie dni roku, pełnia zimy. Przechadzka nad morzem sprawia Pauli przyjemność – czuje promienie słońca na twarzy i myśli o deszczu i chłodzie, jakie znosiłaby w Vigo. Stara się rozkoszować piękną aurą i nie myśleć o doświadczeniach, które pociągnęły za sobą trudne decyzje, szczególnie o zerwaniu z Luisem, chłopakiem z Vigo, swoim odwiecznym narzeczonym. Od tego czasu minął rok, stało się to podczas ubiegłego Bożego Narodzenia. Teraz już wraca do równowagi, lecz nie było to łatwe. Dowiedziała się, że on, tak niechętny ślubom, ma się na wiosnę ożenić z inną kobietą. Mimo że bardzo się stara, nie potrafi się zmusić do tego, by życzyć mu szczęścia.

Od biur Kompanii Żeglugowej Pinillos idzie w kierunku ulicy Plocia w pobliżu portu, gdzie znajdują się magazyny zaopatrujące statki wypływające z Kadyksu, tam będzie mogła usiąść i coś zjeść, a może spotka nawet któregoś z kolegów z *Príncipe de Asturias*. Będzie mogła podziękować, że tak chętnie zastąpili ją w pracy, kiedy zachorowała.

Rok 1915 to nie był dobry rok, na szczęście do jego końca pozostało już tylko kilka dni.

* * *

— Losada oczekuje cię w swoim gabinecie, owieczko. Lepiej coś na siebie narzuć.

Gdy Raquel zakończyła swój występ, odwróciwszy się niedbale, żeby wszyscy mogli do woli podziwiać jej ciało, rozległy się oklaski i komplementy. Schodząc ze sceny, rzucała uśmiechy tym widzom, którzy sprawiali wrażenie najbardziej wpływowych, prowokując ich do odwiedzenia jej w garderobie i być może ofiarowania jakiegoś prezentu.

— Losadzie jest obojętne, czy się okryję czy nie, możliwe, że nie zauważy, nawet jeśli wejdę naga.

Losadę, impresaria teatrzyku, zupełnie nie interesuje ciało Raquel, jego upodobania podążają w całkiem innym kierunku – rzadko który tancerz nie był obiektem jego atencji. Raquel darzy go pewnym szacunkiem, kiedy bowiem była już o krok od zrezygnowania z kariery artystki i powrotu do swojego miasteczka, udało się jej dostać na przesłuchanie u Losady, po którym otworzyły się przed nią drzwi. Zaśpiewała wówczas piosenkę z zarzueli*, podczas gdy on przyglądał się jej ze znudzoną miną. Kiedy skończyła, powiedział, że nie potrzebuje jeszcze jednej śpiewaczki, że ma ich wiele, że szuka czegoś, co by sprawiło, iż widzowie zerwaliby się z foteli.

— Jestem gotowa zrobić to, o co pan poprosi.

— Poważnie? Dobrze, więc proszę zdjąć ubranie.

---

* Rodzaj hiszpańskiej operetki z partiami mówionymi i śpiewanymi.

Raquel nie zdradza, że tamtego dnia, przed ośmiu laty, była dziewicą i żaden mężczyzna nie widział jej nago. Nikt by jej nie uwierzył.

– Wszystko?

– Oczywiście, proszę nie marnować mojego czasu. Wszystko. Nie zjem panienki. Zapewniam, że przy niewielu mężczyznach jest panienka tak bezpieczna jak przy mnie.

Raquel podjęła decyzję w ułamku sekundy, nie dając sobie czasu na jej pożałowanie. Zdjęła z siebie wszystko. Robiła, co kazał: obracała się, przechadzała po gabinecie, pozwoliła też, żeby przyjrzał się jej don Jesús, księgowy teatrzyku, który został wezwany przez Losadę.

– Jest dobrze zbudowana, ma niezłe ciało, przede wszystkim tyłek. Zobaczmy, czy umie śpiewać.

– Co mam zaśpiewać?

– Wszystko jedno, lecz niech mnie panienka nie nudzi zarzuelą, tylko zaśpiewa jakiś kuplet. I niech się nie zasłania, bo już i tak wszystko widzieliśmy.

Zaśpiewała *Marionetkę* Fornariny, której się nauczyła kilka dni wcześniej, rozmawiając z koleżanką z pensjonatu, która także marzyła o zostaniu artystką. I chociaż bardzo się wstydziła, coś jej mówiło, że ruchy są ważniejsze niż głos, toteż śpiewając, poruszała wszystkimi częściami ciała, jakie przyszły jej na myśl: odwracała się, wypinała pupę i bawiła się piersiami.

Po tym przesłuchaniu, zapewniwszy impresaria, że nie będzie miała nic przeciwko wykonywaniu tego samego numeru w teatrze pełnym ludzi, zdobyła swój pierwszy kontrakt. Pierwszego wieczoru przed pełną salą niemal umierała z nerwów; potem, stopniowo, zaczęła się przyzwyczajać, a nawet stwierdziła, że się jej to podoba. Niebawem poznała don Wenceslaa, pierwszego mężczyznę, który wynajął jej mieszkanie, i jej życie się zmieniło. Może gdyby dłużej poczekała i nie wiązała się wyłącznie z jednym kochankiem, zdobyłaby większą sławę, łatwo to jednak powiedzieć po latach. W tamtym czasie był to dobry pomysł. Raquel się obawia, że ten etap już się kończy, że jest już za stara, żeby odnosić takie sukcesy jak Meller, Piękna Otero, Fornarina czy Chelito.

– Panie Losada, powiedziano mi, że chce mnie pan widzieć.

– Wejdź i usiądź.

Losada nie jest sam. Oprócz niego w gabinecie są Rosita i Manuel Colmenilla, z którym niegdyś, dawno temu, spędziła noc.

– Mniemam, że znasz już Rosę Romanę.

– Przedstawiono mi ją jako Rositę.

– Otóż od tej pory nazywa się Rosa Romana. Ty też urodziłaś się jako Chinchilla, a wszyscy nazywają cię Castro.

Przyszła zdenerwowana z garderoby, a obecność tych dwojga nie poprawia jej nastroju. Manuel nawet na nią nie spojrzał; Rosita – lub Rosa Romana – owszem, i to bezczelnie.

– Począwszy od pierwszego stycznia Rosa dołączy do zespołu Salón Japonés. To ona będzie wykonywała finałowy numer.

Nic gorszego nie mogła usłyszeć.

– A ja?

– Nadal będziesz wykonywała numer z kotem, jeszcze nie wiem, w którym momencie. Niedługo ci powiem. I pomyśl o innym numerze, bo ten z kocurem już się opatrzył.

– Ależ, panie Losada…

Rosita nie zamierza stracić okazji do wtrącenia się i jej przerywa. Dziewczęta pracujące w tej profesji nie grzeszą dobrymi manierami ani powściągliwością.

– Co jest, kochaniutka, nie podoba ci się, jak śpiewam? Pytałaś mnie niedawno, czy występuję tylko prywatnie. Więc nie, także publicznie. I zamykam spektakl, śliczna. Ty będziesz poprzedzała główną atrakcję.

Ta wiadomość jest dla Raquel katastrofą, prawdziwą klęską. Stracić możliwość wykonywania numeru finałowego, to znaczy nie być najbardziej pożądaną, nie przyjmować wizyt wielbicieli po występie. Będzie musiała czekać w garderobie, sama, aż prawdziwa gwiazda skończy swój popis, a potem zadowolić się resztkami, jakby była jakąś chórzystką. Wiedziała, że ten dzień nadejdzie, sama wyparła inną wedetę, by wystąpić w finałowym numerze, lecz nic nie wróżyło, że nastąpi to tak szybko: miała nadzieję, że przetrwa jeszcze kilka lat na swojej pozycji królowej Salón Japonés.

Ma pozostać tutaj jako numer drugi czy zostać główną gwiazdą w Chantecler? Zechcą ją tam? Czy w Chantecler wystarczy, że będzie pokazywać *arrière garde*, czy też będzie musiała robić coś bardziej skandalicznego, może coś, na co nawet ona nie jest gotowa? Wie, że ostatnio modne stają się lesbijskie numery odgrywane przez dwie kobiety. Po bożonarodzeniowym doświadczeniu z Susan nie kosztowałoby jej to wiele. Z każdą kobietą, byle nie z Rositą.

– Owieczko, jesteś dzisiaj jakaś nieobecna. Można wiedzieć, co ci jest? Tak cię rozstroiła noc z tą Amerykanką?

Noc z Susan, chociaż przyjemna, w najmniejszym stopniu nie wpłynęła na Raquel, a w zamian za następny naszyjnik z pereł i złota powtórzyłaby ją tyle razy, ile by było trzeba. Kochałaby się z nią nawet na scenie, na oczach wszystkich, gdyby miało to jej zapewnić numer finałowy.

– W sylwestrową noc ostatni raz będziemy wykonywać nasz numer na zakończenie programu. Od pierwszego w finale będzie występować Rosa Romana.

– A kto to jest?

– To Rosita, ta dziwka, którą przedstawił nam Manuel w Oberży Gaditany.

Robertowi nie musi wyjaśniać, co to oznacza. Nie robiłaby mu także wyrzutów, gdyby zabiegał o to, żeby być jednym z tancerzy towarzyszących Rosicie podczas występu.

– Powiedzieli ci, kiedy będzie szedł nasz numer?

– Jeszcze nie. Sądzę, że zamierzają mnie odprawić, tyle tylko, że Losada chce mi przekazać tę wiadomość stopniowo. Najlepiej, żebym zachowała odrobinę godności i odeszła, nim kopną mnie w tyłek.

Chociaż mówi Robertowi, że może zrobić to, co uzna za stosowne, ten zapewnia ją, że jej nie opuści i podąży za nią.

– Choćbyśmy musieli pójść do Chantecler.

To nie ona wymieniła nazwę lokalu przy placu Carmen, lecz on: tam właśnie skończy, jeśli szybko czegoś nie zrobi.

– Naprawdę uważasz, że mam jakąś szansę znaleźć pracę jako artystka w Buenos Aires?

* * *

– Będę potrzebował twojej pomocy, Nicolau. Chcę, żebyś dziś wieczór mi towarzyszył i uważnie się wszystkiemu przyglądał. Chodzi o to, o czym niedawno ci mówiłem.

Mosze Benjamin nie musi prosić o pomoc, wystarczy, że powie, iż jej potrzebuje i kiedy. Nicolau Esteve, jego hotel i kawiarnia, a nawet inny lokal, który jeszcze nie otworzył swoich podwoi dla gości, są do jego całkowitej dyspozycji, bez względu na to, co trzeba będzie zrobić.

– Nie zgadzam się z podziałem zysków, jaki ustalono w Warszawskim Towarzystwie. Rozmawiałem z kilkoma kolegami i zamierzamy zmienić istniejący stan rzeczy.

– Chcesz zerwać z Traumanem?

Nicolau pyta ze strachem, pragnie, by Mosze zaprzeczył, żeby powiedział, iż opacznie zrozumiał jego słowa. Mimo że cieszył się zawsze sympatią i względami Traumana, boi się go. Wie, że pod maską uprzejmości kryje się jeden z najniebezpieczniejszych typów, jakich zna. Nie chciałby, żeby rozpoczęła się wojna, a on musiał stanąć po przeciwnej stronie, tej, która, jak się obawia, popełnia błąd.

– Nie mam innego wyjścia, Nicolau. Dobrze to przemyślałem i nadeszła ku temu pora. Nie chcę jednak, by na razie ktoś o tym wiedział, przynajmniej do czasu, aż Max wróci z Ukrainy.

Nicolau weźmie wraz z Moszem udział w jednej z licytacji, jakie odbywają się w Café Parisien. W ten sposób będzie mógł zobaczyć, jak się je organizuje, żeby potem umiał ją przeprowadzić. Mosze nie chce, żeby został właścicielem burdelu, chce o wiele więcej: żeby był numerem drugim w organizacji, którą utworzą i która zastąpi „Warszawę".

– Przecież nie jestem Żydem.

– Ale jesteś jednym z nas. Wszyscy będą cię poważać.

Nie opuszczają go słowa przyjaciela, a tym bardziej strach, lecz nie może go okazać, musi brnąć dalej.

– Przyjdą bardzo ważne osobistości. Zanim nadejdzie ten dzień, dziś wieczór powiem ci wszystko, co musisz wiedzieć. I zarobisz sporo pieniędzy.

– Pieniądze są w porządku, to coś, co daje nam kopa, i po to jesteśmy tutaj, w Argentynie. Wiesz jednak, że pomagam ci nie dla pieniędzy, lecz dlatego, że uważam cię za brata.

Takie deklaracje łatwo mu przychodzą, gdyż to prawda, a Mosze zawsze dobrze je przyjmuje. Wszyscy lubią napuszone frazesy, lecz Nicolau nie odczuwa potrzeby ani mówienia ich, ani słuchania, chociaż w końcu się do tego przyzwyczaił. W jego rodzinnych stronach mówi się mniej, ale uścisk dłoni znaczy tam więcej niż w jego nowej ojczyźnie.

Café Parisien na alei Alvear jest pełna mężczyzn. Przed wejściem wszyscy są rewidowani przez dwie atrakcyjne kobiety. Mosze się śmieje.

– Jeśli już ktoś musi nas obmacywać, niech to robią piękne kobiety.

Są to dwie dziewczyny, które pracują w jednym z najlepszych domów publicznych w Buenos Aires, należącym do Traumana. Mieści się w dzielnicy Recoleta i jest zarezerwowany wyłącznie dla klientów z najwyższych sfer.

– Te nie są warte nawet dwóch peso, drogi Nicolau, Eva i María biorą za numerek nie mniej niż dwadzieścia.

Lokal jest elegancki, cisi kelnerzy w liberiach krążą między gośćmi z tacami pełnymi napojów i kanapek. Wśród zaproszonych widać nie tylko Żydów, niektórych w krzykliwych i ekstrawaganckich garniturach, innych w bardziej tradycyjnych, czarnych, z klasycznymi szerokoskrzydłymi kapeluszami. Są także Włosi sprawiający wrażenie zdecydowanych i odważnych, eleganccy Francuzi w barwnych kamizelkach i o lodowatym spojrzeniu, a także, czego Nicolau się nie spodziewał, dwóch Hiszpanów, których widział wcześniej na spotkaniach Klubu Hiszpańskiego przy ulicy Buen Orden. Największą jednak uwagę przykuwa fakt, że w spotkaniu uczestniczą Argentyńczycy – niektórzy są dość sławni; dwaj znani politycy i inspektor policji, któremu w celu uniknięcia kłopotów

Nicolau płaci co miesiąc pewną sumę. Rozpoznaje również pewnego dziennikarza, autora kilku powieści, który zagląda do jego kawiarni i uczestniczy w odbywających się tam spotkaniach literackich. Jednak goście, nawet ci znani, nie są tam najważniejsi: tam błyszczy gospodarz, Noé Trauman.

Nicolau zna Noego od wielu lat, niejeden raz gościł go w Café Palmesano. To elegancki mężczyzna, nie tak ekstrawagancki jak wielu jego wspólników: z łatwością mógłby uchodzić za zamożnego bankiera lub adwokata. Jest jasnowłosy, silny, o niebieskich oczach i szerokich ramionach, bardzo uprzejmy i uśmiechnięty, a nikt, kto go nie zna, nie podejrzewałby, że ma przed sobą jednego z najniebezpieczniejszych ludzi w Buenos Aires.

– Nicolau, chodź, przywitamy się z Noem.

Mosze i Nicolau podchodzą do niego, a szacunek, jaki przyjaciel okazuje Traumanowi, zda się przeczyć temu, co wyjawił przed przyjściem do Café Parisien, a mianowicie, że zamierza mu się przeciwstawić.

Noé mile ich wita.

– Nicolau, przyjacielu. Po raz pierwszy jest pan na naszej licytacji?

– Tak, po raz pierwszy, chociaż słyszałem o nich.

– Życzę dobrej zabawy. A jeśli chce pan bliżej poznać którąś z dziewcząt, proszę bez wahania dać mi znać, jest pan moim gościem. Uważamy pana za dobrego przyjaciela „Warszawy" i zawsze jesteśmy do pańskiej dyspozycji, w każdej potrzebie.

– Wzajemnie, panie Trauman, w miarę moich możliwości.

Krąży przekonanie, że Trauman prócz judaizmu wierzy tylko w jedno – w anarchizm. Powiada się, że pomaga grupom anarchistów i że Simón Radowitzky, słynny anarchista skazany za zamordowanie pułkownika Falcona, szefa policji w Buenos Aires, zdołał uniknąć kary śmierci dzięki wpływom Traumana. Mosze zawsze temu zaprzeczał.

– Nie wiem, co Noé robi ze swoimi pieniędzmi, ale wątpię, żeby płacił adwokatom anarchistów.

*

Podchodzi do nich jeden z Hiszpanów, którego Nicolau zna. To Bernardo Candeleira, Galisyjczyk, właściciel kilku tawern – a raczej winiarni, w których sprzedaje się wszystko, szwarc, mydło i powidło – w rejonie Boca i w innych podrzędnych dzielnicach Buenos Aires.

– Nie spodziewałem się pana tutaj, Esteve. Zamierza pan rozszerzyć swoje interesy? Jeśli tak, może będę zainteresowany współpracą z panem.

– Na razie przyszedłem się tylko rozejrzeć.

– Niech się pan dobrze bawi i nie obawia się inwestować u naszych przyjaciół Żydów. U nich można zarobić sporo pieniędzy.

Celem spotkania nie jest tylko licytacja dziewcząt, także interesy, jakie robi się w różnych tworzących się grupkach. Do Moszego podchodzi jakiś człowiek, żeby prosić go o wstawiennictwo u Traumana w celu zakupu pewnego lokalu, inny proponuje mu współudział przy sprowadzeniu jakichś maszyn rolniczych, dwaj inni zabiegają o spotkanie następnego dnia w celu sprawdzenia przybyłego z Francji transportu szampana, który muszą rozprowadzić bez zezwolenia.

– Zarabiasz teraz na handlu alkoholem?

– Nie, lecz opłacam ludzi, którzy bez problemów mogą uzyskać pozwolenie na jego sprzedaż. Nie jest tak, że jednego dnia jest się w jakimś interesie, a następnego przystępuje się do innego. To kwestia okazji. Oni przychodzą do mnie z uwagi na moje kontakty. Jestem gotów udostępnić im je za pieniądze i wszyscy na tym zarobimy.

Mosze, który w głębi duszy nadal jest tym samym przebiegłym chłopakiem poznanym w czynszówce w San Telmo, jest teraz ważną osobistością, może drugim człowiekiem w „Warszawie" po Traumanie. Nicolau uznaje, że to logiczne, iż chce zająć jego miejsce. Logiczne, chociaż nierozsądne.

Osoba, na którą czekali i z której powodu nie rozpoczęto jeszcze licytacji, toruje sobie drogę przez zatłoczoną Café Parisien.

– Czy to…?

– Tak, to on. Jest tu nie po raz pierwszy.

Nicolau nie spodziewał się spotkać tutaj Genara Monteverdiego, jednego z najważniejszych tuzów argentyńskiej polityki, o którym mówi się, że może zostać pierwszym prezydentem kraju włoskiego pochodzenia. W najbliższych miesiącach okaże się, czy będzie kandydować w wyborach, które mają się odbyć wiosną.

– Ma jakieś interesy z dziewczętami?

– Don Genaro jest tylko dobrym klientem. Jeśli wygra wybory, Casa Rosada zaroi się od dziwek. Nie chciałbym, żeby został prezydentem tego kraju, wcale nie.

Monteverdi zajmuje uprzywilejowane miejsce po prawej stronie Traumana. Kiedy siada, mistrz ceremonii wchodzi na niewielkie podwyższenie, prosi o ciszę i rozpoczyna licytację.

– Wielu z panów uczestniczyło już w innych licytacjach tego typu i zna procedurę. Kobieta wyjdzie na podium, będą panowie mogli się jej przyjrzeć, poprosić, żeby podeszła bliżej, nie wolno jednak jej dotykać. Podamy cenę wywoławczą i będą panowie mogli ją podwyższać. Uczynienie gestu oznacza, że podnosi się stawkę, nie ma możliwości wycofania się, a ten, kto wygra licytację, dostaje kobietę i spłaca jej dług.

Pierwsza kobieta, która wychodzi na podium, naga, by licytanci widzieli, co kupują, patrzy bezczelnie i wyniośle. To kobieta, która ma już za sobą najlepszy okres, może mieć z trzydzieści pięć lat, a jej piersi trudno nazwać jędrnymi.

– Alba pracowała już w Buenos Aires. Jest zdrowa i zna zawód. Może jeszcze przez wiele lat świadczyć usługi w głębi kraju.

– Czy ta kobieta dobrowolnie stawiła się na licytację?

Nicolau patrzy na wszystko z ciekawością. Zawsze sądził, że uczestniczenie w czymś takim będzie budziło w nim odrazę. Uświadamia sobie jednak, że go to nie brzydzi, że oglądanie podniecenia niektórych mężczyzn, obojętności innych, ambicji wszystkich i rezygnacji kobiet go pasjonuje. Przyjmuje neutralną postawę, każdy zajmuje tu pozycję, jaka mu odpowiada, a on jest obserwatorem. Jego postawa moralna nikogo nie interesuje.

– My nie wykorzystujemy kobiet, dostają swoją część pieniędzy i mogą robić z nimi, co chcą: wysłać je swoim rodzinom do Europy, zaoszczędzić na starość… Co chcą.

To, co mówi Mosze, w teorii jest prawdą, lecz w rzeczywistości kłamstwem. Większość dziewcząt bierze narkotyki, zwłaszcza kokainę, dostarczaną im przez „Warszawę". Otrzymują swoją dolę, ale potem ich szefowie odzyskują pieniądze, sprzedając im narkotyki po cenie, którą sami dyktują. Bardzo nielicznym dziewczętom udaje się wycofać, i żyć z zaoszczędzonych pieniędzy, wiele z nich umiera, zanim osiągną wiek, kiedy nikt już nie będzie ich pożądał.

– Dlaczego je sprzedają?

– Niektóre za karę, inne ponieważ mają problemy z koleżankami w burdelu, lecz zwykle sprzedaje się je i kupuje po to, żeby zmieniły miejsce. W tym interesie nowości są dobre, klienci się nudzą kobietami: gdyby chcieli sypiać zawsze z tą samą, toby się ożenili. Młoda dziewczyna, która przestała odnosić sukcesy w Buenos Aires, może rozpocząć nowy złoty etap życia w Montevideo.

Bernardo Candeleira wygrywa licytację starszej kobiety z pewnym Żydem, właścicielem burdeli w Mendozie. Wysoko przepłaca wartość kobiety: pięćset peso.

– Twój znajomy to głupek. Żyd, który licytował, ani nie jest z Mendozy, ani nie ma żadnego burdelu, to człowiek Traumana. Licytował, żeby podnieść cenę dziewczyny.

Licytacja trwa. Dziewczyny nie są zbyt atrakcyjne, niektóre pochodzą z Europy – uciekają przed wojną i głodem i już tam były prostytutkami. Nikt się z nimi nie ożenił, nikt ich nie oszukał, żeby skłonić je do przyjazdu. Jedna nawet nie ma licytatora, który by podbijał cenę wywoławczą, w przypadku innych cena szybuje w górę. Candeleira dysponuje sporymi pieniędzmi i kupuje jeszcze dwie dziewczyny; w sumie zabierze do domu trzy. Niektóre wchodzą na podwyższenie zawstydzone, inne prowokacyjnie przechadzają się wśród publiczności. Licytacja szybko staje się rutyną i nuda rozwiewa się tylko wówczas, gdy dwóch chętnych zaczyna licytować jedną z kobiet.

– Sprzedasz w ten sposób te dziewczyny, które Max przywiezie z Ukrainy?

– Którąś na pewno, ale nie zrobię tego tutaj, w Parisien, tylko w Palmesano. A jeśli chcesz, to w nowej kawiarni, którą otwierasz. Będzie się nazywać Café de Sóller?

– Tak, tak się nazywa moja rodzinna miejscowość. Bardzo ładne miejsce.

– Wrócisz tam kiedyś?

– Nie sądzę, ale nigdy nie wiadomo.

Na końcu pojawiają się gwiazdy wieczoru. Dwie młode dziewczyny, na oko poniżej dziewiętnastu lat, chociaż mistrz ceremonii zapewnia, że tyle mają. Jedna z nich, Rebeca, jest ciemnowłosa i bardzo szczupła, jej wzgórek łonowy lewie pokrywa puszek, a piersi są bardzo małe. Patrzy przerażonym wzrokiem i stara się zakryć rękami. Druga, Uma, jest długowłosą blondynką o większych piersiach, ze skórą pokrytą piegami i jasnymi włosami łonowymi. Ma puste spojrzenie – albo nie jest zbyt bystra, albo dano jej coś na uspokojenie. Na widok obu dziewcząt rozlega się pomruk aprobaty, a wielu mężczyzn, którzy dotychczas zachowywali milczenie, porusza się nerwowo na swoich miejscach. Te dwie przyniosą sporo pieniędzy ludziom z „Warszawy": cena wywoławcza każdej z nich wynosi pięć tysięcy peso, dziesięć razy więcej niż Candeleira zapłacił za pierwszą licytowaną kobietę.

– Odwróćcie się, niech nasi goście dobrze was zobaczą.

Brunetka bez szemrania robi, co jej każą, blondynce trzeba pomóc, jakby nie rozumiała polecenia, które licytator wydaje jej po hiszpańsku i w jakimś nieznanym Nicolau języku Europy Wschodniej.

– W jakim języku do nich mówią?

– W jidysz, obie są Żydówkami i pochodzą z Ukrainy. Wcześniej niemal wszystkie dziewczyny przybywały z Polski, lecz wojna sprawia, że łatwiej sprowadzać kobiety z południa Europy.

Nicolau nie rozumie, jak ci mężczyźni mogą uprowadzać i sprzedawać kobiety własnego narodu – on nie zrobiłby tego dziewczynie z Majorki ani nawet Hiszpance – lecz nie po to jest tutaj, żeby cokolwiek rozumieć, i chyba jest jedynym, którego zajmuje ta kwestia.

Patrzy na don Genara i Noego Traumana: polityk mówi coś na ucho Żydowi, a ten robi jakiś znak. Mistrz ceremonii natychmiast go rozumie i oznajmia:

– Rebeca zostaje wycofana z licytacji.

Niektórzy głośno protestują, inni, którzy wiedzą, dlaczego zapadła taka decyzja, spoglądają na Noego, niezmiennie uśmiechniętego, i milczą. Jedna z kobiet, które przeszukiwały wchodzących, zabiera dziewczynę z podium.

– Co się stało?

– Don Genaro chce ją mieć dla siebie. Żal mi jej. On lubi się ostro zabawić.

Blondynka, która sprawia wrażenie, jakby zupełnie nie wiedziała, z jakiego powodu ją tu przyprowadzono, osiąga cenę dziesięciu tysięcy peso. Kupuje ją pewien Francuz, właściciel kilku burdeli w La Placie.

– Każe jej uchodzić za Francuzeczkę, żeby więcej za nią brać.

Kiedy spotkanie się kończy, Nicolau odrzuca zaproszenie do kabaretu będącego własnością „Warszawy". Jutro porozmawia z Moszem i odradzi mu wszczynanie wojny z Traumanem. Za fasadą miłego człowieka kryje się diabeł.

4

FOTEL ROZMYŚLAŃ
Autorstwa Gaspara Mediny dla „El Noticiero de Madrid"

NEUTRALNOŚĆ

Podobno od dobrych generałów Napoleon wolał tych, którzy mieli szczęście. Nie mnie, skromnemu pismakowi, poprawiać błędy prawdziwego cesarza, lecz mam swoje zdanie: wolę ołowianych generałów, mających kilka centymetrów wzrostu i pomalowanych na kolory dawnych mundurów, takich, których używa się tylko do wystawienia w witrynach. Prawdziwi generałowie, pułkownicy i majorzy reprezentują sobą tylko zacofanie, nieokrzesanie i śmierć.

Codziennie czytamy wiadomości docierające z europejskiego teatru wojny: ataki, kontrataki i ataki na kontrataki... Ruchy wojsk pozostawiające tysiące trupów. Kto zapomniał, że trupy to ludzie, a nie liczby? I wszyscy wiemy, z czyjego rozkazu czynione są wszystkie te okrucieństwa: generałów. Przynajmniej nie chodzi o hiszpańskich generałów, ci, tak jak my w dzieciństwie, poświęcają się zabawom z wyimaginowanymi wojskami na mapie: są tak bezużyteczni, że nawet nie wyrządzają szkody.

Najgorsze ze wszystkiego jest to, że na listach poległych nigdy, lub prawie nigdy, nie figurują dowódcy: generałowie, panowie wojny. Rzadko pojawiają się na froncie, mają większą szansę umrzeć na niestrawność niż od kuli wroga.

Wystarczy podejść do Kasyna Wojskowego na ulicy Ángel,

które niebawem opuszczą, aby przenieść się do nowej siedziby na Gran Vía, i napić się tam kawy, żeby usłyszeć, jak nasi wysocy rangą wojskowi protestują z powodu podjęcia decyzji o neutralności Hiszpanii. Oni woleliby wysłać młodych Hiszpanów do walki w Europie: źle uzbrojonych, źle odżywionych, źle wyposażonych. Co z tego, że padaliby jak muchy, jeśli przysporzyłoby to im więcej kolorowych blaszek do ozdobienia swoich mundurów? Bezpieczna przystań kasyna napełnia ich odwagą i czyni z nich dobrych strategów, dlaczego więc nie zastosowali tego w Maroku? Czyżby prowadzili salonową wojnę, podobnie jak tak wielu uprawia salonową walkę byków, wykazując się większą odwagą niż Gallo?

Przykro mi, lecz nie mogę być neutralny w tej wojnie: jestem przeciwko generałom.

Byłem w Pałacu Królewskim na rozmowie z królem Alfonsem. Skarżył się, że podczas wigilijnego przyjęcia nie podeszłaś, żeby się z nim przywitać.

Eduardo Sagarmín musiał poczekać, aż jego żona, Beatriz, wróci do domu. Nie zostawiła informacji, dokąd się udaje, powiedziała tylko, że wróci w porze obiadu.

– Jego Wysokość powierzył mi pewną misję i chce, żebyśmy popłynęli do Buenos Aires.

Beatriz nawet nie potrafiła ukryć swojego niezadowolenia ani tego, że nie ma ochoty udawać się z mężem w podróż.

– Dokąd?! Nie zamierzam się ruszać z Madrytu. A tym bardziej do Argentyny. Jak długo płynie się statkiem? Miesiąc? I następny miesiąc na powrót? Dwa miesiące poza Madrytem? Mam nadzieję, że odmówiłeś.

Beatriz urodziła się w Hawanie, doskonale wie, ile zajmuje podróż statkiem do Ameryki, i że trwa znacznie krócej.

Relacje Eduarda z żoną są fatalne, każde z nich dokłada starań, żeby uprzykrzyć drugiemu życie. On wie, że ją najbardziej irytują nagłe zmiany planów. Dlatego też zwleka, aż Beatriz usiądzie do stołu, czekając na podanie obiadu, żeby podjąć decyzję, iż zje posiłek w Casino de Madrid.

– Nie mogłeś powiedzieć mi tego wcześniej?

– Mogłem, ale nie miałem ochoty.

Tym razem nie idzie piechotą, lecz jedzie swoim autem Hispano Suiza 16 HP Torpedo. Wszedłszy do środka, spotyka Alvara, który czeka na niego, i razem idą do jadalni dla członków klubu.

– Umówiłeś się z kimś?

– Nie, zjedzmy razem, jeśli chcesz. Zamierzałem zjeść w domu, lecz ważne sprawy zatrzymały mnie w biurze.

– Przypomnij Blance, że jeśli będzie potrzebowała kogoś ze znajomością rosyjskiego, może na mnie liczyć.

– Nie muszę jej tego przypominać. Jeśli będzie czegoś potrzebować, zwróci się do ciebie, nie ma najmniejszych oporów, jeśli chodzi o zmuszenie kogoś do pracy dla naszej instytucji. Pewnego dnia, kiedy sama była zajęta innymi sprawami, skłoniła króla do tłumaczenia listów z angielskiego. Spotkałeś się dzisiaj z nim, prawda?

– Tak, przed południem.

– Wiem, że nie możesz mi przytoczyć treści waszej rozmowy ani zdradzić, co to za poufne i tajne zadanie, o którym tylko tyle mogę wiedzieć, że musisz się udać się do Buenos Aires. Sam król mnie przestrzegł, więc aby uniknąć niedyskrecji, pomówmy o czymś innym. Beatriz jedzie z tobą?

– Lepiej przestańmy mówić ogródkami i porozmawiajmy szczerze. Co się mówi o mojej żonie? Zakładam, że mąż zawsze dowiaduje się ostatni.

Álvaro ma do niego wystarczająco dużo zaufania, żeby potwierdzić, iż owszem, komentuje się związek jego żony z Sergiem Sanchezem-Camargo. Krążą nawet plotki, że widziano ją, jak wyjeżdżała jego samochodem z ogrodu pewnego domu w pobliżu hipodromu.

– Nie wiadomo jednak, czy to prawda czy zwykłe plotki.

– Czy słyszałeś kiedykolwiek plotkę, która nie byłaby prawdziwa? W każdej tkwi źdźbło prawdy, drogi Álvaro.

Eduardo chciałby pozwolić jej odejść do kochanka. To byłoby zatrute jabłko dla Camarga, wziąłby sobie kobietę o najtrudniejszym charakterze, najbardziej kapryśną i najgorzej wychowaną w całym Madrycie. Ideałem byłoby sprawić, żeby się to stało bez uszczerbku na honorze Eduarda. Codziennie żałuje, że się z nią ożenił, a zwłaszcza że uczynił to samowolnie, wbrew opinii rodziców.

– Nie odpowiedziałeś mi, czy popłynie z tobą.

– Nie wiem. Nie mam na to najmniejszej ochoty. Buenos Aires to z pewnością fascynujące miejsce, a ona tylko zatrułaby mi pobyt. Król mnie przestrzegł, że będę musiał stawić czoło plotkom, jakie zapewne pojawią się podczas mojej nieobecności. Dlatego też powinienem wziąć ją ze sobą, jeśli to możliwe, związaną.

Beatriz pochodzi z Kuby. Miała zaledwie piętnaście lat, kiedy wyspa uzyskała niepodległość, a ona z rodziną przeniosła się do Hiszpanii. Jej ojciec, don Basilio Conde, posiadał wielką cukrownię, a mimo zniesienia niewolnictwa, nadal miał na swe usługi wielką liczbę niewolników. Niedawno zmarły don Basilio był Kubańczykiem od wielu pokoleń, natomiast matka Beatriz, doña Ana Toledo, była dalszą kuzynką matki Eduarda. Dzięki temu po raz pierwszy zobaczył Beatriz kilka miesięcy po jej przyjeździe do Madrytu. Nigdy nie zapomni, jak ta szesnastoletnia dziewczyna – on był zaledwie o pięć lat starszy – weszła do salonu pałacyku jego rodziców w dzielnicy Chamberí. Pamięta nawet jej białą suknię i wachlarz w tym samym kolorze, którym chłodziła się w to upalne lato w stolicy, pierwsze w XX wieku. Zakochał się jak młokos, którym faktycznie był, i nie zważając na głos rozsądku, rok później ożenił się z nią w kościele Hieronimitów, San Jerónimo el Real. Król Alfons XIII, jego wielki przyjaciel, wówczas tuż po koronacji, był jego drużbą.

Nikt nie może zaprzeczyć, że Beatriz jest kobietą o zjawiskowej urodzie, a połączenie pięknych zielonych oczu z czernią włosów i bielą zębów robi nieodparte wrażenie. Nie można także zaprzeczyć, że ma godną pozazdroszczenia figurę, niewielu mężczyzn jest w stanie odwrócić wzrok od jej szyi i ramion – a także jej piersi – kiedy pojawia się na przyjęciu w jednej ze swych śmiałych, wydekoltowanych sukien. Nawet dzisiaj, kiedy przekroczyła już trzydziestkę, trudno innej kobiecie przyćmić ją urodą i elegancją.

Eduardo nie musiał długo czekać na odkrycie, jaki błąd popełnił przy wyborze: do pierwszych starć doszło już podczas miodowego miesiąca, kiedy przemierzali Europę. Kilka miesięcy po powrocie do Madrytu, gdy urządzili się w pałacyku na ulicy San Nicolás, w którym nadal mieszkają, brak szacunku i impertynencje były już w jego małżeństwie czymś zwyczajnym. Kiedy wysłano go do Sankt Petersburga, odmówiła towarzyszenia mu, a Eduardo utwierdził się w przekonaniu, że życie jest o wiele lepsze, kiedy znajduje się jak najdalej od Beatriz. Podczas pobytu w Rosji dotarły do niego pierwsze wiadomości o jej niewierności, a od tamtej pory było ich tyle, że przestały robić na nim wrażenie.

Wszyscy mężczyźni kochają się w Beatriz Conde. Gdyby mógł, powiedziałby im, że uprawianie z nią miłości wcale nie jest przyjemne, chyba że pragnie się posiadać coś pięknego i zimnego. Beatriz nigdy nie obchodzi przyjemność partnera, chce tyko cieszyć się jego podziwem i tym, jakie jej kaprysy jest gotów spełnić, by nadal z nią być.

– Nie sądzę, Eduardzie, żeby królowi spodobało się, że jego emisariusz siłą zabiera żonę na statek do Buenos Aires.

– Nie, muszę wymyślić inne rozwiązanie. Nie ma żadnej partii, która chciałaby usankcjonować rozwody w Hiszpanii?

Chociaż przy Alvarze nie musi udawać, gdyż on doskonale wie, jakie problemy miałaby taka rodzina jak jego z zakończeniem małżeństwa i jakim skandalem byłaby próba unieważnienia go na podstawie cudzołóstwa żony, jest wdzięczny, że posiłek dobiega końca. Jak niemal każdego dnia Álvaro zagra w szachy w jednej z sal kasyna, natomiast Eduardo ruszy w stronę Puerta del Sol, gotów oddać się swojemu wielkiemu zamiłowaniu, fechtunkowi.

– Nie spodziewałem się pana tutaj dzisiaj, don Eduardo.

Markiz de Aroca jest zamiłowanym szermierzem, tak doskonałym, że nie ćwiczy w Sali Szermierzy w kasynie – jego zdaniem zbyt eleganckiej – lecz w Hiszpańskiej Nowoczesnej Szkole Fechtunku don Adelarda Sanza mieszczącej się przy Puerta del Sol 9, w miejscu, gdzie zdobywają szlify najwięksi hiszpańscy mistrzowie szpady, szabli i floretu. Przychodzi dwa razy w tygodniu, czasami częściej, kiedy musi dać upust energii i się odprężyć.

Na półpiętrze głównego budynku widnieje widoczny z ulicy szyld głoszący: „Szkoła Fechtunku Sanza". Uczą w niej Adelardo i jego brat Alfredo. Eduardo ćwiczył tam setki razy z Angelem Lanchem i Ciriakiem Gonzalezem; tam uprawia się prawdziwą szermierkę dla sportowców, nie rozrywkę dla arystokratów. Teraz Angel Lancho otworzył własną szkołę fechtunku na ulicy Ventura de la Vega – do której Eduardo również czasami zachodzi – a Ciriaco naucza swej sztuki w Argentynie.

Spędzanie wielu godzin wśród białej broni, ochronnych masek i rękawic, mierzenie się z trenerem lub innymi, takimi jak on mistrzami, lepiej koi mu nerwy niż cokolwiek innego. Jedną z pierwszych myśli, jaka przyszła mu do głowy, kiedy dowiedział się, że udaje się do Buenos Aires, była ta, że spotka się tam z wielkim Ciriakiem Gonzalezem, Mańkutem, najlepszym szermierzem, jakiego w życiu widział – z wyjątkiem Lancha oraz Afrodisia Aparicia – a także swoim wspaniałym towarzyszem z pierwszych lat ćwiczeń. Ciriaco od lat mieszka w Argentynie, jest trenerem fechtunku w Jockey Clubie. Eduardo jest pewny, że ponownie by się zmierzyli, a on ponownie by przegrał, jak za każdym razem, kiedy stawali naprzeciwko siebie.

– Wkrótce udaję się do Buenos Aires, mistrzu. Muszę więcej ćwiczyć, żeby Ciriaco mnie nie upokorzył.

– Trudno ci będzie, Sagarmín. Niewielu szermierzy może się mierzyć z Ciriakiem i wyjść z tego zwycięsko.

Uwagę Eduarda zwraca obecność wśród ćwiczących kobiety, wysokiej i jasnowłosej, zapewne Amerykanki. Stoi, obserwując ją przez kilka minut: jest dobra, ma wyrafinowaną technikę i nie boi się wchodzić w zwarcie.

– Co pan o niej sądzi?

– Dobra. Jak się nazywa?

– Susan. To Amerykanka. Od miesiąca przychodzi dwa razy w tygodniu. Widać po niej, że w jej ojczyźnie uczą fechtunku i do obrony używają nie tylko łuku i strzał.

Nie może się zmierzyć z Amerykanką, gdyż ta zakończyła trening, nim on przygotował się do jego rozpoczęcia. Ma nadzieję zrobić to przy innej okazji.

Eduardo spędza nieco ponad dwie godziny, ćwicząc, pocąc się, szermując z młodymi i obiecującymi uczniami don Adelarda. Wielu z nich weźmie udział w zawodach i pokazach, będzie demonstrować swą sztukę w wielkich teatrach Francji, Włoch i Anglii. Sagarmín chce tylko się doskonalić, utrzymać się w formie i rozładować frustrację. Może w innych czasach wykorzystałby te umiejętności w pojedynku z którymś z kochanków żony. W sali ćwiczeń, kiedy trzyma w dłoni szpadę, nikt nie może spojrzeć na niego z uśmieszkiem wyższości; wszyscy wiedzą, że Sagarmín drogo kazałby im za to zapłacić.

* * *

– Przyszedł list od mojego syna.

Teść Gabrieli, pan Quimet, i Wikary Fiquet, który otrzymał i przeczytał list, przyszli się z nią zobaczyć. W końcu dowie się czegoś o tym, jak potoczy się teraz jej życie.

– Don Nicolau Esteve, twój mąż, chce, żebyś niebawem wyruszyła do Buenos Aires, i przesyła instrukcje, które musisz w tym celu wypełnić.

Ksiądz proboszcz wręcza jej napisany w majorkańskim list Nicolau: po raz pierwszy ma z nim niemal bezpośredni kontakt. Charakter pisma nie zdradza człowieka zbytnio nawykłego do pisania, lecz Nicolau nie popełnia poważnych błędów ortograficznych, a przy tym wyraża się dość zwięźle i poprawnie.

– Pisze, że z początkiem roku powinnam wyjechać do Barcelony.

– Tak, jak najszybciej, może na Trzech Króli. Tam będziesz mogła się zaopatrzyć w garderobę odpowiednią do twojej nowej pozycji i wsiąść na jeden ze statków pływających na trasie do Río de la Plata.

Nicolau zadał sobie trud, żeby wszystko zorganizować: hotel, w którym powinna się zatrzymać w Barcelonie w oczekiwaniu na wypłynięcie statku – Cuatro Naciones na Rambli – Kompania Żeglugowa Pinillos, gdzie czekać na nią będzie bilet do kajuty w pierwszej klasie, barcelońskie sklepy, w których powinna kupić nową garderobę – niemal wszystkie przy luksusowym Paseo de Gracia – oraz bank, gdzie został już otwarty rachunek do jej dyspozycji – Banco de Sóller.

– Jutro pójdziemy razem do banku.

– Panie Quimet, tutaj są wszystkie niezbędne dokumenty, nie ma potrzeby, żeby pan mi towarzyszył. Pan nie umie czytać, lecz jeśli ktoś panu pomoże, dowie się pan, że w liście mój mąż nie żąda, abym składała panu jakiekolwiek wyjaśnienia na temat wydanych pieniędzy.

Pokazywanie teściowi, gdzie jego miejsce, sprawia jej przyjemność, a przecież wszystko byłoby łatwiejsze, gdyby nie miał tak długich rąk. Ksiądz proboszcz, który nie ponosi winy za tę sytuację, woli się nie mieszać i przyznaje jej rację: od tej chwili ona jest panią pieniędzy złożonych na rachunku, a także panią własnych poczynań, dopóki nie dotrze do miejsca swojego przeznaczenia. List Nicolau zawiera wszystkie polecenia, jakie powinna wykonać, i żadnego innego nie mogą jej wydać.

Ani jej matka, ani pan Quimet nie protestują, Gabriela nie miałaby przecież oporów, żeby powiedzieć proboszczowi, jak zachowywał się jej teść. Kiedy znajdzie się sam na sam z panem Quimetem, nie omieszka mu oświadczyć, że jest gotowa to zrobić. Zaczyna odkrywać zalety posiadania władzy. Nie będzie już dłużej uległą dziewczyną, przynajmniej do czasu przybycia do Buenos Aires.

– Ja pójdę z tobą do banku jutro rano.

– To niepotrzebne, matko, to, co powiedziałam teściowi, odnosi się także do ciebie: w liście mojego męża nie ma nic o tym, że mam się komukolwiek opowiadać. Sama pójdę do banku. Ani was nie potrzebuję, ani nie chcę, byście mi towarzyszyli.

– Trzy tysiące peset?

Àngels reaguje tak samo jak ona, kiedy rano weszła do banku i dowiedziała się o saldzie na rachunku w centrali Banco de Sóller, z którego usług korzystają niemal wszyscy emigranci, przesyłając pieniądze do domu. Budynek banku, tuż obok kościoła św. Bartłomieja, to robiąca wrażenie modernistyczna budowla wzniesiona kilka lat przed wybuchem wojny w Europie. Wchodząc do niego, Gabriela poczuła strach. Na szczęście siedziała, kiedy dyrektor podał jej wysokość sumy, jaką może dysponować, w przeciwnym bowiem razie nogi by się pod nią ugięły. Dla dziewczyny, która rzadko kiedy miała trochę drobniaków, może kilka peset, była to fortuna.

– Zdajesz sobie sprawę, Àngels? To dużo pieniędzy. Z trzema tysiącami peset mogłabym rozpocząć nowe życie daleko stąd.

Sam dyrektor zwrócił jej uwagę na pewne konieczne wydatki, jakie będzie musiała ponieść przed wyruszeniem w drogę do Buenos Aires: około dwudziestu peset na parowiec z Majorki do Barcelony, dwanaście peset dziennie za pokój z pełnym wyżywieniem w wybranym przez męża hotelu na Rambli, wydatki związane z pobytem w Barcelonie, na przykład wypicie kawy w kawiarni. Bilet do Buenos Aires kosztuje około tysiąca sześćset peset, lecz już będzie opłacony, kiedy Gabriela przyjdzie go odebrać.

– Wszystko to wyniesie najwyżej tysiąc peset. Co zrobisz z resztą?

– Mąż pisze, że mam się zaopatrzyć w garderobę odpowiednią dla damy.

– Więc od teraz do dnia wyjazdu nie przestaniemy wydawać pieniędzy.

– Nie mamy wiele czasu. Już jutro pojedziemy do Palmy na zakupy.

Dzień w Palmie z Àngels, mając pieniądze, nie musząc nikomu się opowiadać… Po raz pierwszy od dnia ślubu Gabriela dostrzega zalety małżeństwa.

– Ile pieniędzy jest na rachunku, który otworzył ci mąż?

Nadeszła chwila, żeby się dowiedzieć, czy wydając ją za Nicolau Estevego, matka chciała dobrego życia dla córki czy też pieniędzy dla siebie.

– Dość, żeby dotrzeć najpierw do Barcelony, a potem do Argentyny, matko. Także na to, żeby uszyć sobie suknie, jakich potrzebuję.

Taka odpowiedź matce nie wystarcza, naciska więc Gabrielę, aż dowiaduje się o wysokości sumy, która zadziwia ją, podobnie jak Àngels.

– Dzięki pieniądzom wiele można załatwić.

– To moje pieniądze, matko, moja cena za poślubienie mężczyzny, którego nie znam.

Nie miałaby nic przeciwko podzieleniu się nimi, nie interesują jej pieniądze, a trzy tysiące peset to wystarczająca suma, żeby okazać szczodrość, lecz czuje do matki urazę i nie chce, żeby skorzystała na tym małżeństwie.

– Córko, jeszcze nie widzisz, że nie chcę twoich pieniędzy? Miałaś szczęście odmienić swoje życie i powinnaś pomóc swoim braciom. Niczego nie chcę dla siebie.

Gabriela jednak cieszy się z tego, że matka nie zdołała zrealizować swoich planów, że nie wzbogaciła się, sprzedając córkę, i ani myśli dać jej choćby centyma z pieniędzy Nicolau.

* * *

– Patrz, tatuś przypłynął.

Kapitan Lotina przed laty opuścił swoją rodzinną Plencię, żeby zamieszkać tutaj, w Barcelonecie, w domu z widokiem na morze. Zawsze kiedy zawija do portu po rejsie, jego żona czeka na niego przy trapie z ich córką Amayą.

– Jak minął rejs?

– Spokojnie, nie było żadnych problemów. To będzie nasz ostatni rejs do Buenos Aires, potem zaczniemy pływać na Antyle.

– To lepsza trasa czy gorsza?

– Jeśli mam być szczery, wszystko mi jedno. Jak się wydaje, ani na jednej, ani na drugiej nie powinniśmy mieć problemów z niemieckimi okrętami podwodnymi, a tylko to mnie martwi.

Żony marynarzy, które zawsze bały się morskich katastrof, chorób, poczynań mężów w tym czy tamtym porcie, teraz dodały do tej listy także strach przed wojną. Rzadko która nie myśli codziennie o *Lusitanii* i jej prawie tysiąc dwustu ofiarach.

– Właściwie i tak myślę o tym, by porzucić wielkie linie i poświęcić się żegludze kabotażowej tutaj, na Półwyspie.

– Nie wierzę w to, lecz owszem, gdybyś to zrobił, sprawiłbyś mi wielką radość.

Zachwycona powrotem ojca Amaya czeka, aż stanie się obiektem jego uwagi, aż porwie ją do góry i powie, jak zwykle, że bardzo urosła i że jeszcze dwa, trzy rejsy i nie zdoła wziąć jej na ręce, będzie do tego potrzebował jednego z portowych dźwigów. Dziewczynka śmieje się, jak zawsze, ściska i całuje ojca.

– Przywiozłem ci prezent z Buenos Aires.

Z każdego rejsu przywozi z Ameryki podarunki dla córki i dla żony, nigdy o tym nie zapomina. Tym razem są to zrobione ze skóry i pomalowane na wesołe kolory lalki – wykonane przez kobiety z jednego z zapewne niewielu rdzennych plemion, jakie pozostały jeszcze w Argentynie – dla Amayi i kilka srebrnych bransoletek dla Carmen.

– Jak spędziłeś Wigilię?

– Byłem na kolacji u Martineza de Pinillos. Potem spotkałem się z moją załogą, żeby wznieść z nimi toast. A w dzień Bożego Narodzenia rano poszedłem odwiedzić jedną z naszych stewardes, która podczas rejsu przeszła operację wyrostka robaczkowego. Ma się dobrze, dochodzi do zdrowia. Chociaż myślę, że z tą dziewczyną coś się dzieje, może jeszcze nie wyleczyła złamanego serca…

– Znam ją?

– Nie, nie mieszka w Barcelonie. Pochodzi z Vigo. Dobra dziewczyna, poważna i pracowita. Jak mi mówiono, niedawno zerwała z narzeczonym. Jej koledzy mówią, że pięknie rysuje i znakomicie szyje, wielokrotnie pomagała pasażerkom, kiedy miały problemy z sukniami.

Po kilku godzinach spędzonych w domu wraca się do normalności, do rozmów o znajomych, nowinek rodzinnych, relacji o tym, co się wydarzyło podczas tygodni rozłąki.

– Spędzimy kilka dni w Plencii?

– Jeśli mam być szczery, tym razem wolałbym tam nie jechać. Podróż jest bardzo męcząca, a ja chciałbym odpocząć.

W celu dotarcia do Baskonii z Barcelony trzeba jechać wiele godzin pociągiem Kompanii Dróg Żelaznych Północnej Hiszpanii, z przesiadką w Saragossie. To skomplikowana podróż nawet dla kapitana Lotiny, który przemierza przecież cały świat.

Rano 31 grudnia, dzień po przyjeździe, kapitan Lotina udaje się do biur Kompanii Żeglugowej Pinillos w Barcelonie, mieszczących się nieopodal portu, na Paseo Isabel II. Tam spotyka się ze starym przyjacielem, kapitanem Pimentelem, który dowodzi *Infantą Isabel*, bliźniaczym statkiem *Príncipe de Asturias*. *Infanta Isabel* ma wkrótce wypłynąć do Buenos Aires. W rejsie powrotnym, niedaleko od Las Palmas, oba statki spotkają się na pełnym morzu, a ich syreny zawyją na znak pozdrowienia.

– Słyszałem, że zostawiłeś statek w doku remontowym w Kadyksie. Po następnym rejsie przyjdzie kolej na mnie.

Przechadzają się po Rambli i siadają przy stoliku w kawiarni La Mallorquina, jednej z najelegantszych i najstarszych w mieście.

– Rozmawiałeś z panem Pinillosem? Opowiedział ci o negocjacjach z Niemcami?

– Tak, w Wigilię jadłem u niego kolację, a w drugi dzień świąt odwiedził ze mną statek. Poinformował mnie o wszystkim i zalecił, żebyśmy nie byli tak skrupulatni, jeśli chodzi o dokumenty pasażerów. Zobaczymy, kto popłynie w naszych ładowniach. Pinillos mówi, że nie miesza się w sprawy krajów toczących wojnę i mam nadzieję, że to prawda i nie okaże się, że przewozimy żołnierzy albo broń.

– Nie sądzę. Z pewnością chodzi o jakichś biedaków bez papierów.

Kapitan Pimentel jest w takiej samej sytuacji. Jego statek wypływa trzeciego stycznia, a drugiego w nocy trzecia klasa ukradkiem się zapełni. Zapewniono go, że policjanci pilnujący portu są poinformowani, dostali łapówki i nie będą stwarzać kłopotów.

– Na statek wsiądą uciekający przed wojną Żydzi oraz włoscy i francuscy dezerterzy. W Almerii dołączy wielu emigrantów, którzy nie uzyskali pozwoleń.

– Trzeba zrobić wszystko, żeby uniknąć niemieckich okrętów podwodnych. Przewozisz jakiś specjalny ładunek?

– Chyba nie.

Kapitan Pimentel porusza sprawę, która irracjonalnie od wielu dni nie daje Lotinie spokoju.

– Ty będziesz wiózł do Buenos Aires słynne przeklęte posągi?

– Ejże, prosiłem Pinillosa, żeby zachował to w tajemnicy, nie chcę mieć problemów z załogą.

– Przecież wszyscy o tym wiedzą. Słyszałem nawet, że popłyną w towarzystwie pewnego dyplomaty i dziennikarza, który ma relacjonować ich przekazanie. Nie zdziw się, jeśli przed wyjściem w morze znajdziesz się na pierwszej stronie którejś z gazet. Albo jeśli sam król przybędzie do portu i wygłosi mowę.

– Będę miał kłopoty, zobaczysz. Nie jestem przesądny, ale dobrze wiesz, że marynarze są bardzo zabobonni.

Nim skończą pić kawę, do ich stolika podchodzi inny mężczyzna, Eusebio Bennasar, kapitan należącego do Towarzystwa Żeglugowego Isleña Marítima statku *Miramar*, kursującego między Barceloną a Majorką. Bennasar to doświadczony kapitan. Kilkakrotnie okrążył świat na takich statkach, jakimi oni teraz dowodzą, a potem postanowił pływać na krótkich trasach, by móc patrzeć, jak rosną jego wnuki.

– Jak się mają młode wilki morskie? – Bennasar jest miłym człowiekiem i można się go poradzić w każdej wątpliwości związanej z żeglugą. – Czytam o tych niemieckich okrętach podwodnych i cieszę się, że nie muszę pływać przez Atlantyk. Co za bestialstwo! Myślę o tym, co spotkało *Lusitanię*...

– Nie sądź, że nie ma ich na Morzu Śródziemnym i uważnie się rozglądaj, Bennasar. Są tam i okręty podwodne, i piraci.

– Piraci są na wszystkich morzach.

Kiedy Pimentel odchodzi, Bennasar prosi Lotinę, by jeszcze chwilę został i wypił z nim kawę, gdyż chce z nim o czymś pomówić.

– Byłem wczoraj w Somorrostro.

– Nieprzyjemne miejsce na wypady turystyczne.

Baraki w Somorrostro znajdują się na obrzeżach Barcelonety, już na granicy z Poble Nou. To jedna z najgorszych dzielnic w Barcelonie, najbiedniejsza i rodząca największe problemy.

– Miałem swoje powody, żeby się tam wybrać, wiesz, że uwielbiam flamenco, a tam można zobaczyć najlepsze występy, znacznie lepsze niż w którymkolwiek kabarecie. Niebezpieczeństwo związane z pójściem tam warte jest zachodu, a mnie już znają i nawet się nie niepokoją na mój widok. Chcę ci jednak powiedzieć o czymś, co usłyszałem.

– Mów.

– Widziałem tam dwóch Francuzów. Sądząc, że nikt ich nie rozumie, rozmawiali, nie zachowując ostrożności. Wspomnieli *Príncipe de Asturias* i mówili o posągach.

– Uważasz, że chcą je ukraść? Oddaliby mi przysługę, wtedy nie musiałbym ich przewozić.

– Nie sądzę, by chcieli je ukraść, raczej wykorzystać do przemycenia czegoś na statek. Uważam, że powinieneś zachować ostrożność, sądząc po ich wyglądzie i tonie głosu, nie uważam, by chodziło o coś legalnego. To z pewnością byli jacyś kryminaliści.

– Dziękuję za przestrogę, będę uważał. Teraz jednak bardziej mnie martwią legalne wojska niż jakaś banda złoczyńców.

Przeklęte posągi, nielegalni emigranci, pasażerowie bez dokumentów, niemieckie U-Booty, angielskie pancerniki, a teraz jeszcze jacyś podejrzani Francuzi. Najbliższy rejs nie będzie chyba przyjemną wycieczką.

Wracając do domu, kapitan Lotina widzi, że w okolicach portu kręci się mnóstwo dziwnych osobników, dezerterów, o których mówił Pimentel, a także Żydów z ich rzucającym się w oczy wyglądem. Zakłada, że na pokładzie jego statku również popłynie grupa takich indywiduów.

Lepiej nie myśleć o problemach, dopóki nie będzie się musiał z nimi zmierzyć, lecz rozkoszować węgorzykami, które jego żona zapowiedziała na kolację tego wieczoru, ostatniego w 1915 roku.

* * *

– Za naszą siostrę, która może być matką milionów!

Przez cały ubiegły, poprzedzający ceremonię wieczór rodzice starali się nie dopuścić do ślubu, powstrzymać Sarę przed udaniem się do Buenos Aires z tym człowiekiem. Kiedy się dowiedzieli, że szadchan go okłamała, że ten mężczyzna nie wie, iż ich córka jest wdową, i uparła się, by wnieść posag, jakby była dziewicą, ich nalegania przybrały na sile.

– Wiesz, po co chce dziewicę? Wiesz, dlaczego tak naprawdę cię zabiera i co się stanie, kiedy się dowie, że go okłamałaś?

– Ojcze, zaufaj mi. Wiem, dokąd jadę, nic złego mi się nie stanie. Zgodził się ze mną ożenić, jak powiedzieliście.

– W tym domu nigdy ci nie zabraknie talerza strawy, miejsca przy ogniu. Nie chcemy tych pieniędzy, nie w zamian za naszą córkę.

Także matka, na osobności, chciała nakłonić Sarę do zostania, chociaż ona rozumiała ją lepiej niż ojciec.

– *Mame*, wiesz, że nie mogę dalej mieszkać w wiosce. Nie ma tu już dla mnie miejsca. Zrobię, co trzeba będzie zrobić, i napiszę do was, byście do mnie dołączyli. Zdobędę lepsze życie dla nas wszystkich.

Oczywiście, ma wątpliwości, lecz jest przekonana, że takie życie przypadło jej w udziale. Musi się skupić na ceremonii ślubnej, być wdzięczna za podejmowane przez rodziców próby chronienia jej, lecz także myśleć o tym, żeby kochać męża.

Rabin błogosławi pannę młodą i rozpoczyna ceremoniał. Narzeczeni przybyli do synagogi przed kilkoma godzinami. Sara – w pięknej białej sukni ze złotymi zdobieniami, pożyczonej przez matkę Judyty, tej samej, w której przyjaciółka weźmie ślub, gdy nadejdzie jej dzień – spotkała się w jednej sali z zaproszonymi gośćmi, którzy śpiewali i tańczyli z radości, jedli i pili, podczas gdy ona siedziała na swoistym tronie i musiała zachować post.

Pozostałe kobiety zajęły się przypominaniem jej, że dzień ślubu powinien być niemal obowiązkowo najszczęśliwszym dniem w jej życiu, że samotny człowiek jest tylko połową osoby, że przed narodzinami, w niebie, już postanowiono, z kim każdy mężczyzna i każda kobieta się zwiążą, że każda ludzka istota ma ziwuga, bliźniaczą duszę… To samo słyszała, gdy brała ślub z Eliaszem: gdyby on nie poległ, gdyby car nie wypowiedział wojny Niemcom, Sara nie przeżywałaby tego po raz drugi.

– Widziałaś, jak przyjechał Max, matko? To taki elegancki i przystojny mężczyzna.

– To prawda, lecz przyjechał sam, bez ojca ani matki, bez brata ani przyjaciela. Jego rodzina nas nie pozna, nie będzie kogo prosić o zdanie rachunku. Kto się tak żeni? Kogo mamy prosić o wyjaśnienia, jeśli nie dotrzyma obietnic?

Sara chce uspokoić matkę, chociaż obie wiedzą, że problemem nie jest prezencja ani elegancja narzeczonego, tylko obawy, jakie budzi w nich jego pochodzenie. Za kilka godzin, kiedy ceremonia się skończy, Sara praktycznie stanie się jego własnością, a jej rodzicom zostanie tylko podpisany kontrakt, który będzie bezwartościowym dokumentem, gdy państwo młodzi opuszczą Nikolew. Max zabierze ją do Buenos Aires, a tam wszystko będzie tak, jak on zechce. Czy prawdą okażą się cuda, jakie głosi, czy też Sara przeżyje koszmar, którego się boi? Aby się tego dowiedzieć, musi tam pojechać, i jest gotowa to zrobić.

Pośpiech związany z zawarciem małżeństwa, zaledwie trzy dni po tym, jak państwo młodzi się poznali, spowodował, że tego samego dnia odbyły się ceremonie, między którymi zwykle upływa cały rok.

Kiedy Sara i Max zawołali jej rodziców i szadchan do domu i oznajmili im, że się pobierają, a po ślubie ona pojedzie z mężem do Argentyny, z pomocą rabina ruszyły przygotowania w celu opracowania tena'im, kontraktu narzeczeńskiego.

– Jesteś pewna, córko?

– Jestem pewna, matko. Pragnę wyjechać do Argentyny i wiem, że będę kochać mojego męża. Szybko sprowadzę do siebie braci. I was, jeśli będę mogła. Max powiedział mi, że tam codziennie można jeść mięso, że jedzenia jest w bród, że Żydzi mogą mieszkać, gdzie chcą…

Próbuje przekonać samą siebie argumentami, jakich używał Max. Matka tego nie przyjmuje, nawet się nie uśmiecha, słysząc to wszystko. Jako pierwsza rozumie, do czego to zmierza, lecz godzi się, może mimo wszystko lepiej być prostytutką w Buenos Aires niż biedną Żydówką w ukraińskim sztetlu. Być może matka, przeżywszy tutaj całe życie, wolałaby nawet, by ją samą spotkał inny los. Starsze kobiety widziały wcześniej, jak wiele młodych wyjeżdża, rozmawiały z tymi, które wróciły, oceniły ich opowieści i oddzieliły prawdę od kłamstw.

Kiedy Sara siedzi tam, znosząc głód i słuchając rad starych, zamężnych kobiet z wioski, które teraz żartują z tego, co ona przeżyje, gdy zostanie sam na sam ze swoim mężem, Max, którego dzisiaj jeszcze nie widziała – powinien był minąć tydzień do chwili, gdy go zobaczy, jednak okoliczności sprawiły, że skrócono ten okres – przebywa w innej sali synagogi, w towarzystwie mężczyzn. Czytają i podpisują ketubę, kontrakt małżeński, określający, jaką sumę pieniędzy wniesie każda ze stron. Mężczyźni zachowują powagę w przeciwieństwie do atmosfery panującej wśród kobiet: tak nakazuje wielowiekowa tradycja.

Jako że Sara nie wnosi posagu, zgodnie z postanowieniami kontraktu Max Szlomo przekaże niewielką sumkę jej rodzicom, jeśli już jej nie przekazał. Dzięki poświęceniu córki będą przynajmniej mieć pieniądze na przetrwanie zimy. Ona o to nie pytała, lecz domyśla się, że ten, który za kilka minut zostanie jej mężem, zapłacił także za jedzenie i napoje dla gości. Wszystkiego jest pod dostatkiem, jej ślub zostanie zapamiętany w wiosce jako radosny dzień.

– Masz szczęście, że możesz wyjechać, na pewno wszystko dobrze się ułoży.

– A jeśli nie?

– Czy jesteś pewna, że choćby poszło bardzo źle, będzie to gorsze niż życie, które spędziłabyś uwięziona tutaj?

Matka Zimrana patrzyła, jak jej najstarsza córka opuszcza sztetl, a potem, kiedy ta wróciła, oddała jej młodsze córki, żeby zabrała je do Buenos Aires. Sara uświadamia sobie, że fałszem jest to, co zawsze myślano o tej kobiecie. Choćby nie wiadomo jak piękna była zielona sukienka, którą miała na sobie jej córka po powrocie, spotkał ją równie nędzny los jak inne dziewczęta. Lecz jej wydawał się on na tyle dobry, że zdecydowała się zabrać ze sobą siostry, by wiodły takie samo życie. Większość wyjeżdżających dziewcząt wie, co je czeka. Może to najlepsze, co może je spotkać.

– Pozwoliłaś im wyjechać, żeby służyły wielu mężczyznom?

– Pozwoliłam im wyjechać, żeby mogły żyć. Twoja matka także zrobiła to dla ciebie.

Wreszcie słyszą śpiewy i śmiechy, co oznacza, że mężczyźni osiągnęli zgodę i podpisali kontrakt, że jej ojciec i Max przezwyciężyli wszelkie różnice, które mogły ich dzielić.

– Już nadchodzą, Saro, uśmiechnij się.

Sara musi stanąć na wysokości zadania i być tak piękną panną młodą, jakiej wszyscy się spodziewają, cudowną panną młodą o rudych włosach. Począwszy od tej chwili, uroczystość przebiega tak samo jak każdy inny ślub, który odbywał się w sztetlu Nikolew, jak daleko sięgnąć pamięcią. Pan młody – na garnitur zarzucił kitel, rytualną białą koszulę zakładaną przez Żydów także w Jom Kipur, tę samą, w której zostanie pochowany, kiedy nadejdzie jego czas – wchodzi do sali, gdzie ona przebywa, w towarzystwie mężczyzn okazujących radość głośnymi krzykami, śpiewających i tańczących. Zakłada jej na głowę welon, by okazać, iż jest kobietą, z którą pragnie się ożenić. Ten symboliczny gest oznacza, że choćby nie wiadomo jak piękna była jej twarz, dla niego znacznie ważniejsze są jej dusza i charakter.

Gdyby była to wiosna lub lato albo gdyby znajdowali się w jakimś miejscu o łagodniejszym klimacie, ceremonia – erusin, uświęcenie, i nisu'in, właściwe zaślubiny – odbywałaby się na świeżym powietrzu. Jako że panuje surowa ukraińska zima, pada śnieg, uczynią to pod dachem, pod chupą, baldachimem podtrzymywanym przez przyjaciół i krewnych, symbolizującym dom, który będą dzielić. Pan młody staje pod chupą, bez ozdób, oczekując na nią, prowadzoną przez rodziców, podczas gdy rabin wyśpiewuje błogosławieństwa. Sara jest zaskoczona, widząc, jak dobrze prezentuje się pan młody. Przypomina sobie Eliasza, jego niechlujność i wyraźne zakola we włosach. Bez wątpienia znacznie łatwiej byłoby zakochać się w Maxie niż w pierwszym mężu.

– Witajcie! Panna młoda jest piękna i uczciwa.

Sara musi siedem razy okrążyć pana młodego – powtarza to, co zrobiła z Eliaszem i czego nikt nie wyjawia, wszyscy trzymają w tajemnicy fakt, że już była zamężna – gdyż świat został stworzony w ciągu siedmiu dni; jest to także symbol wznoszenia murów wspólnego domostwa – własnego małego świata.

Jest zdenerwowana, lecz udaje jej się nie zaplątać w suknię i nie upaść. Max na nią nie patrzy, wpatruje się w gości. Sara nie czuje z jego strony pożądania. Zauważa także, że jest bardzo spokojny, jakby była to zwykła rutyna, jakby przeżywał to nie pierwszy raz.

Potem oblubieńcy wypijają kieliszek wina, a on wyciąga prostą złotą obrączkę, bez ozdób ani inkrustacji, i wkłada pannie młodej na palec.

– Tą obrączką zostajesz mi poświęcona zgodnie z prawem Mojżesza i Izraela.

Ślub się jeszcze nie skończył, nadszedł jednak kulminacyjny moment. Goście zaczynają klaskać i wykrzykiwać gratulacje.

– Mazeł tow! Mazeł tow! Powodzenia!

Teraz trzeba tylko odczytać ślubny kontrakt, wręczyć go pannie młodej, by mogła powierzyć go na przechowanie matce, która ma dopilnować, ażeby pan młody go wypełnił. Małżonek zobowiązuje się w nim do żywienia, chronienia i kochania żony. Kiedy kontrakt zostaje przekazany, wyśpiewuje się siedem błogosławieństw, szewa brachot.

– Pochwalony bądź Adonai, nasz Panie, Królu wszechświata, który stworzyłeś radość i uroczystość pana młodego i panny młodej, wesołość i zabawę, przyjemność i rozkosz, miłość i braterstwo, pokój i przyjaźń.

Państwo młodzi wypijają drugi kieliszek wina, pierwszy po zawarciu małżeństwa, a on prawą stopą miażdży go na drobne kawałeczki, niszcząc szklane naczynie, tak jak została zniszczona Świątynia Jerozolimska. W celu przypomnienia tego faktu wypowiada przysięgę, którą w ciągu stuleci wypowiadało tylu nowożeńców:

– Jeżeli zapomnę cię, Jerozolimo, niech uschnie moja prawica!

To chwila, kiedy państwo młodzi przechodzą do innego pomieszczenia na jichud, chwilę odosobnienia. W dawnych czasach właśnie wtedy konsumowano małżeństwo, podczas gdy zaproszeni czekali na zewnątrz. Teraz już się tak nie robi, teraz nowożeńcy obdarzają się na osobności pierwszymi pocałunkami i jedzą coś, by przerwać post. Sara ma nadzieję, że Max okaże pożądanie, jakie skłoniło go do ożenienia się z nią, lecz on unika jej spojrzenia i podchodzi do stołu, by sięgnąć po jakieś słodycze leżące na tacy. Ocierając pot chusteczką, mówi jej, że powinni wrócić do gości.

– I uśmiechnij się, niech wszyscy w wiosce zapamiętają cię jako szczęśliwą oblubienicę.

Kiedy ponownie wchodzą do sali, są już mężem i żoną. Zabawa rozpoczyna się na nowo. Nawet najbardziej dystyngowani rabini tańczą, by uczcić małżonków, młodzi ludzie skaczą i wycinają hołubce. Wszyscy chcą zatańczyć z Sarą micwa tanc, uroczysty taniec. Jako że już nie można dotknąć panny młodej – teraz należy do innego mężczyzny – ujmują jej dłoń przez chusteczkę. Raz po raz wyśpiewują siedem błogosławieństw.

– Obdarz nieprzebraną radością tych ukochanych towarzyszy, jak niegdyś w ogrodzie Edenu obdarzyłeś radością twoje stworzenie. Pochwalony bądź, Panie, który dajesz radość oblubieńcowi i oblubienicy.

Także ojciec tańczy z panną młodą, lecz wbrew tradycji nie jest szczęśliwy. On także wie, albo podejrzewa, w jakim celu oddał córkę temu mężczyźnie. Bez wątpienia wiele o tym rozmawiali z żoną.

Sara chwilami się bawi. W pewnych momentach zapomina, że ślub mógł być oszustwem, i przeżywa go tak, jakby naprawdę była panną młodą rozpoczynającą nowe życie z mężczyzną, w którym jest zakochana.

– Jestem zmęczony. Przebierz się i przygotuj, jedziemy do Odessy.

Sara ma niewiele czasu, żeby radować się weselem, na którym zgromadzili się niemal wszyscy mieszkańcy sztetla, a skoro mąż powiedział jej, by z nim pojechała, nie ma innego wyjścia, jak okazać mu posłuszeństwo. Nie wie, czy będzie spać w Odessie, może w jakimś hotelu, ani czy mąż ustalił to z jej ojcem jako jeden z warunków kontraktu. Ledwie ma czas, żeby się pożegnać z rodzicami, obdarzyć ich szybkim uściskiem. Wyjeżdża przepełniona niepokojem, czy kiedykolwiek wróci.

* * *

– Witaj, Francesco.

Francesca stanęła jak wryta, widząc Giulia w drzwiach. Razem z rodzicami, braćmi i resztą rodziny przygotowywała się właśnie do wyjścia na sylwestrową kolację w domu Mariniego, który za kilka dni zostanie jej mężem. Miała zostać przedstawiona towarzystwu.

– Co tu robisz, Giulio?

– Chcę, żebyś mi wyjaśniła, dlaczego wychodzisz za niego za mąż. Jeszcze mnie nie zabili.

Nie przestawał o tym myśleć, kiedy pedałował na rowerze ojca Filippy do Viareggio, kiedy zatrzymywał się na odpoczynek, kiedy przez chwilę przysiadał, patrząc na morze, które od chwili narodzin widział tak wiele razy, że przestał je zauważać. Gdyby zginął, miałaby prawo wyjść za mąż za właściciela sklepu rybnego, lecz nie kiedy on nadal żyje.

– Wejdź, nie stój tam, jeszcze cię ktoś zobaczy.

Najpierw poszedł do jej domu, jeszcze zanim zobaczył się z rodzicami. Na szczęście Francesca jest sama.

– Nie masz prawa pojawiać się tutaj.

– Zasługiwałem na to, żebyś osobiście mi to powiedziała, a nie za pośrednictwem moich rodziców.

– Nie wiem, dlaczego za niego wychodzę. Dobrze, wiem. Żeby mieć lepsze życie, żeby nie czuć strachu.

Francesca zaprzecza, jakoby była z handlarzem ryb, nim Giulio wyjechał na front.

– Obiecałaś, że będziesz na mnie czekać.

– Mogłeś zginąć.

– Ale nadal żyję. Nie dotrzymałaś słowa, jeszcze mnie nie zabili, mogli to zrobić, ale nie zrobili. Nie masz prawa wychodzić za mąż.

Francesca płacze, złości się i krzyczy, lecz nie przedstawia żadnego wyjaśnienia, zasłania się tylko tym argumentem, że mógł zginąć. I kiedy oszołomiony Giulio tak jej słucha, uświadamia sobie, że jest mu to obojętne. Podobała mu się piękna i niewinna Francesca, nie ta wyrachowana i samolubna kobieta. Zdaje sobie sprawę, że popełnił głupstwo, dezerterując. Jeśli go znajdą, zostanie rozstrzelany. Nie może wrócić, nie może się także poddać. Pozostało mu tylko uciekać: jeśli chce uratować życie, musi uciekać.

– Łudziłem się, że miałaś jakiś powód, żeby zrobić to, co zrobiłaś, którego sama nawet sobie nie uświadamiałaś. Żegnaj.

Ani razu się nie dotknęli. Giulio rzuca jej do stóp medalik, ten, który miał go strzec i sprowadzić z powrotem do Viarregio zdrowego i całego, i na zawsze opuszcza życie Franceski. Nie sądzi, by miał za nią tęsknić. Ona poślubi Salvatorego, będzie z nim nieszczęśliwa, jak mogłaby być z każdym innym mężczyzną, nauczy się wykrawać dzwonka z wątłusza, oczyszczać ryby z łusek czy co tam robią sprzedawcy ryb. Jej dłonie utracą delikatność, nie będą już tak miło pachnieć, skóra jej się pomarszczy, talia zrówna się z biodrami, zlewając w jedno. Francesca stanie się jeszcze jedną kobietą, która w młodości przeżyła miłosną historię, a może wcale jej nie przeżyła. Giulio nie zobaczy jej już więcej i obawia się, że wspomnienie jej twarzy nie będzie towarzyszyć mu zbyt długo. Jeśli ujrzy ją za kilka lat, zdziwi się, że był w niej zakochany, a tym bardziej że dla niej zdezerterował i przemierzył połowę Włoch piechotą i na starym rowerze.

– Ojcze, otwórz, to ja.

– Odejdź, za pół godziny spotkamy się przy via Regia przed Palazzo Belluomini. Biegnij, tutaj nie możesz zostać!

Giulio nie spodziewał się takiego przyjęcia w domu. Nawet matka ani młodsza siostra nie wyszły, żeby się z nim zobaczyć. Niemniej jednak robi to, co nakazał mu ojciec. Odchodzi, przestraszony, kryjąc się w najciemniejszych zaułkach miasta, które od wybuchu wojny po zachodzie słońca tonie w ciemnościach.

Idzie tam, gdzie zgodnie z instrukcjami ma się spotkać z ojcem. Czeka w ukryciu, dopóki go nie zobaczy. Ojciec podchodzi do niego, jednak nie zatrzymuje się, tylko wydaje mu polecenie:

– Idź za mną.

Docierają do nieoświetlonego miejsca, panuje ciemna noc, za pół godziny wybije północ, zacznie się nowy rok. Dopiero tam ojciec go obejmuje.

– Co ty narobiłeś? Przyszli po ciebie do domu. Oskarżają cię o dezercję. Jeśli cię znajdą, zostaniesz rozstrzelany. Wczoraj zdaliśmy sobie sprawę, że pilnują domu, mam nadzieję, że nie widzieli, jak przyszedłeś. Musimy poszukać jakiegoś miejsca, gdzie mógłbyś spędzić noc. I pomyśleć. Jutro musisz opuścić miasto. Nie możesz nawet zostać we Włoszech.

– Dokąd pójdę? Cała Europa jest ogarnięta wojną, a ja jestem dezerterem.

– Twoja matka uważa, że powinieneś wyjechać do Argentyny. Ponad dwadzieścia lat temu jej kuzyn wyemigrował do Buenos Aires i może będzie mógł ci pomóc. Ponadto uczyłeś się hiszpańskiego. Gdzieś mamy adres tego kuzyna, poszukamy go. Teraz pójdziemy do domu stryja Nica, on pomoże ci się ukryć.

Kto by powiedział Giuliowi, że jego osobliwa decyzja uczenia się hiszpańskiego, samodzielnie, z kilku starych podręczników, któregoś dnia okaże się tak przydatna? Tylko jego matka, córka Andaluzyjki, która umarła, gdy on był ledwie niemowlęciem, i znała kilka słów, jakich sama nauczyła się w dzieciństwie, zachęcała go, by się uczył.

Stryj Nico, Domenico, brat ojca, jest proboszczem w kościele San Giuseppe w Torre del Lago, małym miasteczku niemal przylegającym do Viareggio. Giulio i jego ojciec idą tam w środku nocy, uważając, żeby nikogo nie spotkać. Tego roku, roku wojny, nie ma petard ani sztucznych ogni, nic nie obwieszcza nadejścia roku 1916, który nastaje, gdy są w drodze. Bez życzeń, bez radości, z przekonaniem, że każdy rok będzie gorszy od poprzedniego.

– Poczekaj tutaj na mnie. Wejdę porozmawiać ze stryjem, żeby zobaczyć, czy jest sam. Może szukali cię także tutaj.

Ojca nie ma przez kilka minut, po czym wychodzi i zaprasza go do środka. Domenico zgadza się udzielić mu schronienia na tę noc.

– Zostań tutaj, jutro rano przyjdzie twoja matka, przyniesie ci ubranie i będzie mogła się z tobą zobaczyć. Ja się dowiem, co musimy zrobić, żebyś mógł opuścić Włochy.

Stryj pożycza mu coś do ubrania i podgrzewa resztki z kolacji.

– Chcesz się wyspowiadać?

– Wybacz, stryju, ale przybywam z frontu. Tam się robi takie rzeczy, z których nie rozgrzesza się podczas spowiedzi. Zawsze będę musiał z nimi żyć.

– Dlaczego uciekłeś? Dlaczego teraz? Stało się coś szczególnego?

– Przestałem się bać, przestałem nawet współczuć. Mógłbym stryjowi powiedzieć, że na dwie godziny przed ucieczką kazano mi rozstrzelać człowieka, w wigilię Bożego Narodzenia, i musiałem śmiać się z innego, który uciekał boso po śniegu. Byłyby to wystarczające powody, żeby zdezerterować, ale nie dlatego to zrobiłem. Zrobiłem to, żeby zapytać Francescę, dlaczego mnie zdradziła z tym sprzedawcą ryb.

– I co ci powiedziała?

– Nic, bo tak naprawdę nie ma czego wyjaśniać. Francesca nigdy nie była dla mnie. Francesca nie istniała naprawdę, była tylko w mojej głowie. Była ona, a mogła być każda inna. Znajdę inną dziewczynę w Argentynie, dokąd popłynę, jeśli uda mi się opuścić ten kraj. Francesca nie była kobietą, była ideą. Nie jest niczemu winna.

Giulio zawsze bał się stryja Domenica, który zażarcie walczył o swoje przekonania, oskarżał innych i gwałtownie bronił wiary. Jednak tej nocy już go tak nie postrzega, jego także przestał się bać. Może tej nocy przestał się bać czegokolwiek, gdyż wie, że nic gorszego nie może się już zdarzyć. Tylko śmierć, a nie jest pewny, czy będzie to coś gorszego czy wręcz przeciwnie – ulga.

Noc mija spokojnie, Giulio jest tak wyczerpany, że natychmiast zapada w głęboki sen.

* * *

– Jesteś gotowa, owieczko? Madame Renaud zaraz skończy swój występ.

– Chodźmy.

To ostatni wieczór, kiedy Raquel Castro wychodzi na scenę Salón Japonés w roli gwiazdy. Począwszy od jutra, na afiszach powyżej jej nazwiska znajdzie się Rosa Romana. Dzisiaj to jednak nadal ona jest gwiazdą i to ona znajdzie się na scenie dokładnie o północy, kiedy skończy się rok 1915, a rozpocznie 1916. Dla kogoś, kto poświęca się światu rozrywki, to wielki honor dzielić ze swoimi admiratorami ostatnią minutę starego i pierwszą nowego roku.

– A teraz zapomnijcie już o moich kartach, gdyż za chwilę zacznie się numer, na który wszyscy czekaliście, Raquel Castro i jej śliczny kotek. Szczęśliwego roku tysiąc dziewięćset szesnastego! – Madame Renaud żegna się z publicznością.

Teatr jest wypełniony po brzegi, a na widowni jest znacznie więcej kobiet niż w każdy inny dzień roku. Don Amando siedzi w swoim zwykłym fotelu – nie widziała go od Wigilii, ani w teatrze, ani w mieszkaniu na ulicy Arenal – obok niego zajął miejsce Manuel Colmenilla. A między nimi Rosa Romana. Raquel nie chce, żeby to ją zaślepiło, po występie pomyśli o Rosie i don Amandzie, i o tym, dlaczego siedzą razem. Teraz musi się skupić na widowni pełnej ludzi pragnących się zabawić.

Nie wychodzi jak zawsze naga, lecz w kostiumie zrobionym z dwunastu nałożonych na siebie kawałków materiału: wszystkie razem tworzą elegancką srebrzystą suknię. Muzyka rozlegnie się dopiero wtedy, kiedy rozpocznie się Nowy Rok, a do tej chwili Raquel musi zabawiać widzów. Każdy z nich ma na głowie karnawałową czapeczkę z kartonu, przy sobie confetti i torebkę z dwunastoma winogronami, zwyczaj, który z każdym rokiem zdobywa coraz więcej zwolenników.

– Wiecie już państwo, że należy zjeść winogrona na szczęście, jedno przy każdym uderzeniu zegara! Każdy owoc zjedzony na czas zapewnia miesiąc szczęścia. Nie będziemy tu słyszeć bicia zegara przy Puerta del Sol, więc pomoże nam nasza orkiestra. Proszę zademonstrować, maestro Romero, jak będzie brzmieć każde uderzenie.

Od strony orkiestry rozlega się głośny dźwięk bębna.

– A zatem już wiecie: jedno winogrono za każdym razem, gdy rozlegnie się ten dźwięk. Ja państwu przypomnę. Mówią mi, że już pora, czas zacząć odliczać. Dwanaście, jedenaście…

Publiczność odlicza razem z Raquel, aż dochodzą do „jeden".

– Gotowi? Maestro, zaczynamy.

Rozlega się pierwsze uderzenie w bęben. Raquel, jak wszyscy, wkłada do ust pierwszy owoc, lecz tancerze mają jeszcze jedno zadanie: prócz zjedzenia winogrona muszą zerwać z niej jeden z kawałków stroju i rzucić go na ziemię. Roberto zrywa pierwszy. Drugie uderzenie, drugie winogrono, Juan zrywa drugi kawałek materiału. Trzecie uderzenie, trzecie winogrono, trzeci kawałek...

Po dwunastym uderzeniu Raquel jest naga, nie ma nawet pluszowego kota, który zasłoniłby ją choć odrobinkę. Unosi ręce i woła:

– Szczęśliwego roku tysiąc dziewięćset szesnastego!

Publiczność klaszcze, rzuca confetti i składa sobie nawzajem życzenia. Raquel widzi, jak don Amando ściska Rositę, i uświadamia sobie, że właśnie nadeszła chwila, której się obawiała. Jej kariera doprowadziła ją tylko do tego miejsca: jest nagą kobietą stojącą pośrodku setek ubranych osób. Nie czuje wstydu, nie martwi jej to, że widzą ją nagą, odczuwa jedynie smutek: tyle marzeń, tyle nadziei, że zostanie wielką artystką; pragnęła tego, odkąd była małą dziewczynką, i aż do tej pory nie uświadamiała sobie, że marnowała życie. Po co ma kończyć ten spektakl? Gdyby jutro umarła, co by po niej pozostało? Czego dokonała w życiu? Z czego mogłaby być dumna?

Rozbrzmiewa muzyka do numeru z kotami i Raquel nie może dalej rozmyślać, musi zacząć tańczyć i śpiewać.

To jej ostatni spektakl w Salón Japonés. Podjęła decyzję: nie pozwoli się poniżać; po zakończeniu numeru opróżni swoją garderobę i na zawsze opuści ten teatr. Jutro spakuje walizki i wyniesie się z mieszkania. Później dowie się, co musi zrobić, żeby wyjechać do Argentyny, skąd i kiedy wypływają statki.

Don Amando nie przychodzi do garderoby po zakończeniu spektaklu, garderobiana potwierdza, że wyszedł w towarzystwie Manuela i Rosity, dla której był bardzo czuły. Potraktowano ją nie fair, lecz nie może powiedzieć, że była to dla niej niespodzianka: od co najmniej tygodnia spodziewała się, że tak się stanie. Opuści mieszkanie, zanim kochanek ją z niego wyrzuci. Przypuszcza, że teraz Rosa będzie musiała nauczyć się mszalnej liturgii.

– Roberto, pójdziemy się gdzieś zabawić?

– Idę z Gerardem, owieczko, odwiedził mnie po południu. Jestem taki szczęśliwy...

Cieszy się szczęściem przyjaciela, chociaż jeszcze tej nocy chciałaby mu powiedzieć, że postanowiła odejść.

Wszystko, co ma w garderobie, mieści się w jednej torbie. Nie ma – jak tyle innych artystek – obrazków ze świętymi i Matką Boską, nie zmieniła też tego niewielkiego pomieszczenia w salonik – niektóre dziewczyny nawet dekorują garderoby szydełkowymi dywanikami. Z nikim się nie żegna, wychodzi z teatru i idzie ulicą Alcalá. Dochodząc do Puerta del Sol, mija grupki rozbawionych mężczyzn. Jeden z nich rozpoznaje ją z teatru.

– Pokaż nam kotka!

Na wysokości Ministerstwa Spraw Wewnętrznych jakiś czerwony samochód, buick, trąbi klaksonem, żeby zwrócić jej uwagę. Za kierownicą siedzi Susan. Towarzyszą jej dwie kobiety.

– Raquel, jedziemy na przyjęcie, jedziesz z nami?

Nie zastanawia się dwa razy, kilka sekund później jest już w samochodzie. Susan ma na sobie ten sam frak co tamtego wieczoru, gdy ją poznała, pozostałe dwie kobiety są w wieczorowych sukniach. Nie są delikatnymi młódkami, lecz żadna z nich nie jest tak męska jak jej przyjaciółka z Detroit.

Przyjęcie odbywa się w jednej z willi w dzielnicy Aravaca, w miejscu, gdzie zaczyna się przedmieście Cuesta de las Perdices. Zna niektórych uczestników i muzyków, którzy przygrywają do tańca: wszyscy są członkami orkiestry w Salón Japonés. Raquel pije niemal do utraty zmysłów, tańczy, a kiedy ją o to proszą, wchodzi na niewielkie podium dla muzyków, żeby zaśpiewać.

Goście wraz z nią śpiewają refren. Kiedy schodzi z podium, Susan całuje ją namiętnie na oczach wszystkich.

– Susan, chcesz iść do hotelu?

– A ty chcesz, owieczko?

– Jeśli zamówisz szampana, to tak. Możemy razem zakończyć w Ritzu pierwszą noc tego roku. Na pewno nie pożałujesz.

– Na pewno nie. Zaśpiewasz dla mnie?

– Co tylko zechcesz. Zaśpiewam ci na ucho wszystko, co umiem.

Bez przeszkód wchodzą do hotelu, wznoszą toasty szampanem, który zamówiła Susan, i idą do łóżka. Raquel zna już ciało Susan, jej dotyk i smak jej pocałunków. Już wie, na jakich klawiszach zagrać, by sprawić, żeby Amerykanka wiła się z rozkoszy i także jej sprawiła rozkosz. Jest jej nawet lepiej niż za pierwszym razem;

czuje się tak cudownie jak jeszcze nigdy w życiu. Susan daje jej niezwykłą rozkosz, większą niż każdy mężczyzna, z którym była. Kiedy powie to Robertowi, on na pewno będzie się śmiał i powita ją w swoim świecie.

Spędzi w Ritzu jeszcze jedną noc, a nim odejdzie rano, spróbuje wyciągnąć od Amerykanki tyle pieniędzy, by wystarczyło na podróż do Argentyny i na utrzymanie się tam przez kilka miesięcy. Kiedy wróci do mieszkania, da służącej wolny dzień i zadzwoni do Roberta, musi zabrać z domu wszystkie wartościowe rzeczy i znaleźć jakieś miejsce, gdzie będzie mogła nocować, dopóki nie opuści Madrytu. Ta decyzja ją uszczęśliwia. Z optymizmem spogląda w przyszłość, na swoje nowe życie w Buenos Aires.

* * *

– Ktoś ci przysłał bożonarodzeniowy kosz, Medina. Naprawdę masz szczęście.

Kosz sprawia wrażenie bardzo bogatego, jak te, które dostaje szef redakcji, z dwoma butelkami wina, serem i owiniętą w płótno szynką. Są w nim także nugaty i torciki piaskowe. Może w ten sposób rozwiązała się kwestia wina na kolację z Mercedes.

– Czy kosze bożonarodzeniowych nie przysyła się przed Wigilią?

– Jeśli go nie chcesz, wezmę go sobie i opowiem ci, co w nim było.

W koszu, który przyniósł chłopiec z recepcji, znajduje się niewielka koperta, a w niej karteczka z tekstem skreślonym odręcznie ładnym charakterem pisma. Bez podpisu. Kiedy Gaspar Medina ją czyta, zmienia mu się wyraz twarzy.

– Od kogo to? Co jest napisane?

Głos Gaspara drży, gdy odczytuje głośno:

– Ciesz się tej nocy końcem roku, bo będzie to ostatni rok twojego życia. Nade wszystko rozkoszuj się szynką. Niedługo pożałujesz wszystkiego, co napisałeś.

Jeden z kolegów natychmiast rozwija szynkę i widzi, że są to owinięte w płótno zdechłe szczury.

– Co za obrzydliwość.

W papierkach są zgniłe nugaty, które natychmiast lądują w koszu na śmieci.

– Lepiej nie otwieraj wina. Chyba jednak będziesz musiał jakieś kupić.

– Twoi wrogowie zadają sobie sporo trudu, żeby cię przestraszyć, co oznacza, że twoja kariera doskonale się rozwija.

Kiedy minął pierwszy szok, wszyscy koledzy Gaspara śmieją się, jak zwykle każdy temat wzbudza ich wesołość. Jest ostatni dzień 1915 roku, w Nowy Rok „El Noticiero de Madrid" się nie ukazuje i wszyscy są odprężeni. Pragną opuścić biuro, by grupkami rozejść się po mieście. Niektórzy wrócą do domu i spędzą ostatni dzień roku z rodziną. Większość będzie pić, aż nadejdzie pora zjedzenia winogron na Puerta del Sol, po czym pójdą włóczyć się po tawernach i odwiedzać panienki. Matka Gaspara miała rację, sprzeciwiając się, kiedy jej syn postanowił wyjechać do Madrytu, żeby zostać dziennikarzem: żaden porządny człowiek nie powinien poświęcać się dziennikarstwu.

– Idziesz z nami czy twoja gospodyni nawet dzisiaj ci nie pozwala wyjść?

Jeśli Gaspar Medina nie ma dzisiaj na coś ochoty, to na samotność i rozmyślania o anonimowych pogróżkach, o trumnie ze swoim nazwiskiem, o tym nieszczęsnym koszu ze szczurami. Dzisiaj pójdzie z kolegami, będzie pił, zje winogrona i będzie robił to co oni.

– Zjemy winogrona na Puerta del Sol?

– Nie, dużo lepiej, pójdziemy do Salón Japonés. Nigdy nie widziałeś, jak Raquel Castro śpiewa *Kociaczka*? Zrzednie ci ta mina prowincjonalnego seminarzysty, Gasparze.

Zostało czterech kolegów. Do tej pory Gaspar wychylił więcej kieliszków, niż wypił przez cały kończący się rok: zaczął od anyżówki, potem wino, do pulpecików, które jedli w pewnej tawernie na ulicy Cuchilleros, w końcu whisky: szkocki trunek, mający według niego posmak dymu.

– Jak to posmak dymu?

– Tak smakuje, nie kłamię.

W teatrze nie mogą dalej pić i Gaspara ogarnia senność. Zasypia, kiedy jakieś kobiety śpiewają jotę. Budzą go na specjalny numer.

– Zaraz wyjdzie ta z kotem, zobaczysz. Bierz winogrona.

Nadal jest zaspany, nie ma jednak wątpliwości, że główna atrakcja wieczoru, słynna artystka z kotem, jest przepiękną kobietą. Ma na sobie srebrzystą suknię, jakby uszytą z wielu kawałków materiału.

– A zatem już wiecie: jedno winogrono za każdym razem, gdy rozlegnie się ten dźwięk. Ja państwu przypomnę. Mówią mi, że już pora, czas zacząć odliczać. Dwanaście, jedenaście...

Gaspar z entuzjazmem dołącza do odliczających widzów. Kiedy rozbrzmiewa pierwszy dźwięk bębna, wkłada jedno winogrono do ust. A wówczas następuje niespodzianka: jeden z tancerzy zrywa z artystki kawałek materiału.

– Och, rozbierają ją.

– Patrz uważnie, Gasparze, nigdy nie zobaczysz takiej samicy.

Bębnienie rozlega się raz za razem w zawrotnym tempie, aż wszystkie skrawki materiału spadają na ziemię i artystka stoi na scenie całkiem naga. Gaspar nie baczy na winogrona ani na toasty wznoszone butelkami cydru, które pojawiły się nie wiadomo skąd. Nawet nie klaska. Patrzy tylko na tę kobietę, która z uniesionymi wysoko rękami wita Nowy Rok i się śmieje. Patrzy na jej ciało, które jemu wydaje się najpiękniejsze ze wszystkich, jakie kiedykolwiek w życiu widział. Wtedy orkiestra zaczyna grać, a ona śpiewa, tancerze zaś zasłaniają ją i odsłaniają, używając do tego dwóch pluszowych kotów.

– Wygląda na to, że ci się podobało, Gasparze.

– Jeśli chcesz, możemy pójść do jej garderoby.

Idą, lecz jest wiele osób, teatr jest pełny i wielu znakomitych mężczyzn chce się zobaczyć z Raquel Castro. Nie udaje im się do niej zbliżyć.

– Przykro nam, Gasparze, na nas już czas. Idziemy dalej szaleć. Może pójdziemy na ulicę Madera? Co wy na to?

Gaspar idzie z nimi, lecz kiedy prawie docierają na miejsce, czuje się całkiem zamroczony. Nie jest tak przyzwyczajony do picia jak pozostali.

– Przykro mi, ale chyba wrócę do pensjonatu.

– Chcesz, żebyśmy cię odprowadzili?

– Nie ma takiej potrzeby.

Kiedy zostaje sam, na tych ciemnych i wąskich zaułkach, które niebawem mają zostać wyburzone, gdy rozpocznie się przebudowa Gran Vía, przypomina sobie pogróżki. Jednak jest sylwester, jest pijany i podniecony, a uliczki są prawie puste… Gaspar nie przestaje odtwarzać w myślach obrazu tej artystki, która śpiewała i pozwalała się obnażać… Widział oczywiście wizerunki nagich kobiet, lecz żadna nie była tak piękna i tak realna jak ta. Zatrzymuje się na skrzyżowaniu Virgen de los Peligros z Caballero de Gracia i wyrzuca wszystko, co ma w żołądku. Przysięga sobie, że nigdy więcej nie będzie pił. Nieco chwiejnym krokiem idzie ulicą Sevilla: jego pensjonat znajduje się niedaleko, na ulicy Pozo, Gaspar musi tylko dojść do ulicy Cruz i skręcić.

– Patrzcie, kogo tu mamy.

Zatrzymuje się przed nim czarny samochód, z którego wysiada czterech mężczyzn. Gaspar ich nie zna. Twarzy jednego z nich nie widzi, zasłonił ją chustą i stoi z tyłu.

– A więc to ty jesteś Gaspar Medina, dziennikarz, któremu tak bardzo nie podoba się armia.

– Szczęśliwego nowego roku panowie, wracam do pensjonatu.

Nie zdaje sobie sprawy z niebezpieczeństwa, w jakim się znalazł – upojenie alkoholowe sprawia, że unosi się w powietrzu – i zamierza wyminąć mężczyzn. Wtedy zaczynają go szturchać.

– Ostrzegaliśmy cię wiele razy, ale ty nie wyciągnąłeś z tego żadnych wniosków.

Pierwszy cios wymierzony w żołądek jest tak silny, że Gaspar zgina się wpół. Zwymiotowałby wszystko, gdyby nie zrobił tego pięć minut wcześniej. Nie broni się, chce tylko paść na ziemię i leżeć spokojnie, lecz ciosy mu to uniemożliwiają. W przebłysku świadomości, mimo że jest tak pijany, zdaje sobie sprawę, że go zabiją.

– Stójcie! Zostawcie tego człowieka!

Nocny stróż pojawia się w ostatniej chwili.

* * *

– Nie będziesz spał ze mną?

Max nie rozmawiał z Sarą, odkąd opuścili Nikolew, a ona również nie ośmieliła się do niego odezwać przez całą drogę, aż do chwili, kiedy zobaczyła, że on zamierza wyjść. Jest już ciemno, ostatnia noc roku według kalendarza gregoriańskiego. Sara po części czuje ciekawość, jak zacznie się jej życie jako kobiety zamężnej, a po części nadzieję, że jej nowo poślubiony mąż okaże jej choć trochę pożądania. Odparłoby to złowróżbne przeczucie, że on chce zachować jej dziewictwo, by uzyskać za nią lepszą cenę. Niemniej jednak Sara wierzy, że kiedy ujrzał ją po raz pierwszy, spojrzał na jej rude włosy z iskrą pożądania, takiego samego, jakie czuł Eliasz.

– Mam sprawy do załatwienia.

Sara słyszy zgrzyt klucza w drzwiach – wychodząc, zamknął ją w pokoju. W oknie są mocne kraty. Więzienie zaczęło się wcześniej, niż się spodziewała, już w noc poślubną. Bała się, że on ją weźmie, a teraz, kiedy została sama, niemal żałuje, że tak się nie stało.

W szafie są tylko ubrania Maxa: garnitury, para butów, męska bielizna, skarpetki i futro. W szkatułce są ozdobne złote spinki do mankietów z błękitnym kamieniem i wyglądający na srebrny kieszonkowy zegarek. Dla niej nie ma niczego, prócz tego, co ma na sobie. W szafie jest też gazeta. Sara nie zna języka, w jakim jest wydrukowana, chociaż domyśla się, że to hiszpański, język, jakim mówi się w Argentynie. Ma zdolności do języków, więc szybko się nauczy i będzie mogła zrozumieć, co jest napisane w gazecie.

To był bardzo długi dzień: od chwili, gdy matka ją obudziła, żeby się umyła, ubrała i wyszła do synagogi, minęło wiele godzin i przeżyła wiele napięcia. Podczas uczty weselnej nie zjadła dużo, lecz nie czuje głodu. Szybko zasypia.

– Obudź się.

Max wrócił. Sara ledwie może zrozumieć, co mówi jej mąż, porusza się niezdarnie, jest pijany.

– Złaź z łóżka, połóż się na podłodze.

Sara była pewna, że ją wykorzysta, jest jej mężem, a to ich noc poślubna, nawet nie zamierzała się opierać, lecz on natychmiast zasypia. Ona z zimna kuli się w kłębek w kącie pokoju. Ośmiela się narzucić na siebie jego płaszcz. Chociaż wydaje się to niemożliwe, ponownie zasypia.

Budzi się, kiedy zaczyna świtać. Teraz naprawdę jest głodna i odczuwa ogromną potrzebę oddania moczu. Wyschło jej w ustach i bolą ją plecy od spania na podłodze w niewygodnej pozycji. Drzwi są zamknięte na klucz: chociaż Max przyszedł taki pijany, nie zapomniał tego zrobić. Sara siada w swoim kąciku, stamtąd widzi, że pod łóżkiem stoi nocnik. Używa go i zostawia w kącie, nie ośmiela się go opróżnić przez kraty w oknie. Nie wie, co jest na dole, czy nie wyleje jego zawartości na kogoś.

Jej mąż – jak trudno jej myśleć o nim jako o swoim mężu, a nie strażniku więziennym – śpi, nie wydając żadnego odgłosu, nie chrapie głośno jak jej ojciec, nawet pod tym względem różni się od mężczyzn z wioski. Sprawia wrażenie, jakby spał spokojnie. Sara musi czekać, aż się obudzi, wtedy zapyta go, co z nią będzie.

Po niespełna godzinie ktoś puka do drzwi. Sara nie może otworzyć, nie śmie obudzić Maxa, a on nadal śpi, jakby niczego nie słyszał. Osoba po drugiej stronie drzwi niepokoi się, puka coraz natarczywiej, a po chwili jakiś głos zaczyna się domagać otwarcia drzwi. Sara podejmuje decyzję.

– Max, ktoś puka, zaraz rozwali drzwi.

– W kieszeni mam klucz.

Szuka w kieszeniach marynarki, aż znajduje klucz. Gdy otwiera drzwi, do pokoju wchodzi bardzo wysoki jasnowłosy mężczyzna o niebieskich oczach. Bez słowa wymierza jej siarczysty policzek, uderzenie jest tak silne, że Sara pada na podłogę. Jeszcze nigdy nikt jej nie uderzył, nawet ojciec. Po raz pierwszy została spoliczkowana dzień po ślubie i to nie przez męża. Mężczyzna rozgląda się dokoła i widzi nocnik, którego użyła Sara. Chwyta go i wylewa jego zawartość na Maxa.

– Obudź się, ty zapity Żydzie.

Max podskakuje jak sprężyna i nim blondyn zdołał się poruszyć, przystawia mu nóż do gardła.

– Po raz ostatni tknąłeś moją żonę. Po raz ostatni mnie obrażasz.

Blondyn nie wygląda już na tak wściekłego jak przed minutą, jest przerażony. Max wali go łokciem i mężczyzna pada z bólu na podłogę. Zanim Max pozwala mu się podnieść, kopie go w twarz, a kilka kropli krwi pryska na ubranie Sary.

– Mój szef chce z tobą rozmawiać.

– Żeby twój szef wiedział, co myślę o chrześcijanach, którzy nie okazują nam szacunku, zaniesiesz mu tę wiadomość. – Nożem wycina mu krzyż na czole. – Niech klęknie przed tobą i modli się, ponieważ to cud, że uchodzisz z życiem. I przekaż mu, że to nie on mnie wzywa, lecz to ja go poszukam, kiedy uznam za stosowne.

Blondyn odchodzi pokornie, krwawiąc z nosa i czoła.

– Zamknij drzwi na klucz i daj mi pospać.

Sara zamyka drzwi, a Max ponownie się kładzie. Już zobaczyła, jaki jest jej mąż: zupełnie nie przypomina wyrafinowanego i dobrze wychowanego mężczyzny, którego przyprowadziła jej swatka. Nie śmie mu się sprzeciwiać, nawet do głowy jej nie przychodzi, żeby wyjść bez pozwolenia czy obudzić go, by mu powiedzieć, że jest głodna. Przeraża ją sama myśl o ucieczce. Boi się go, lecz równocześnie podziwia zdecydowanie, z jakim potraktował tego goja: bezsprzecznie nie jest strachliwym Żydem.

Jej mąż śpi aż do południa, spotkanie z blondynem nie zakłóciło jego spokojnego snu. Sara opuszcza pokój razem z nim, kiedy on tak postanawia. Zabiera ją, żeby wzięła kąpiel w łaźni z bieżącą wodą płynącą z kurka. Sara po raz pierwszy widzi coś takiego.

– Nie stój tak, jakbyś wylądowała na Księżycu. W Argentynie z kurka płynie nawet ciepła woda, zobaczysz.

Potem idą na obiad do gospody oddalonej o jakieś dwieście metrów od domu, w którym spędzili noc. Sara jest pewna, że są tam jedynymi Żydami, lecz nikt nic nie mówi. Je potrawkę z mięsa i ziemniaków.

– Nie jest koszerna, ale to nieważne. To jedzenie.

On je to samo i popija wielkim kuflem piwa.

– Próbowałaś kiedyś piwa? Niech pan przyniesie jeszcze jeden kufel.

Oberżysta natychmiast spełnia polecenie. Max jest niebezpiecznym człowiekiem i inni to wyczuwają, nikt mu się nie sprzeciwia.

Sara pociąga łyk i napój wydaje jej się gorzki, lecz po wypiciu połowy kufla zaczyna jej smakować. Kiedy wypija wszystko, czuje się szczęśliwa. Nie rozumie, dlaczego jej religia zakazuje picia napojów, które sprawiają przyjemność.

– Czy w Argentynie jest piwo?

– W Argentynie jest wszystko, o czym zamarzysz, już ci powiedziałem. Później przyniosę ci ubranie. Nie chcę, żebyś wyglądała jak żebraczka.

Może dlatego, że widziała, jak potraktował tego blondyna o niebieskich oczach, może z uwagi na szczególny sposób, w jaki okazuje jej życzliwość, a może z powodu piwa Sara czuje, że Max Szlomo ją chroni i jest mu za to wdzięczna.

* * *

– Powinnaś zjeść sylwestrową kolację z teściem. Sama powiedziałaś, że więcej ci się nie narzucał.

Matka wciąż nalega, jakby nie znała odpowiedzi, jakiej udzieli jej córka. Gabriela nie zadaje sobie trudu, żeby dalej udawać.

– Matko, ile razy będziesz do tego wracać? Nie. I nie nalegaj.

Bez wyjaśnień. Nigdy więcej nie będzie ich udzielać. Powinna była zrobić to od początku, odkąd potrafi używać rozumu: ludzie się boją, kiedy stają twarzą w twarz z kimś, kto jest pewny tego, co robi i czego chce.

– Zamierzamy z Àngels pojechać do Palmy. Pójdziemy na zakupy. Nie wrócę na kolację do domu. Zjemy u niej, a potem pójdziemy palić ogniska na plaży.

Nigdy nie pozwolono jej iść na ogniska, lecz dzisiaj nie potrzebuje niczyjego pozwolenia.

Odbywa tę samą drogę, którą przebyła przed tygodniem: tramwajem do miasteczka, a stamtąd pociągiem do Palmy. Spędza dzień w centrum z przyjaciółką, wchodzą do sklepów, kupują wszystko, co się im podoba, a w południe idą do Grand Hotelu, żeby zjeść obiad w restauracji. Àngels nadal nie przyzwyczaiła się do takiego życia.

– Tu jest zbyt luksusowo. Pozwolą nam wejść?

– Mamy pieniądze, żeby za to zapłacić.

– Czułabym się niezręcznie. Lepiej chodźmy gdzie indziej.

W końcu idą do Café Lírico, także bardzo luksusowej i drogiej. Za pieniądze, które trzeba tam zapłacić za obiad, rodzina każdej z nich żyje przez tydzień.

Na sylwestrową kolację nie podaje się żadnych tradycyjnych dań, w wielu domach nawet nie wita się nowego roku w szczególny sposób. Podobno w Madrycie i w Barcelonie ludzie spotykają się i zjadają dwanaście winogron przy dźwiękach uderzeń zegara, lecz ten zwyczaj nie dotarł jeszcze na Majorkę, a przynajmniej nie do Sóller, do domu rodziny Roselló ani do ich znajomych.

U Àngels podaje się potrawę z owoców morza złowionych rano przez ojca, przynajmniej tego dnia najlepsze zostawiają dla siebie, zamiast przeznaczyć na sprzedaż. Gabriela przynosi ciasto kupione w piekarni, a ponadto dwie butelki wina, które rano nabyły z przyjaciółką w Palmie.

Pół godziny przed wybiciem północy obie idą na platja d'es Traves położoną najbliżej miasteczka. Tam najmłodsi zbierają się wokół trzech płonących już ognisk. Àngels i Gabriela kierują się ku jednemu z nich – rozpalili je ich dawni koledzy ze szkoły. Teraz to już mężczyźni i pracują jako rybacy, rolnicy, tkacze…

Wielu podchodzi do niej, jakimś sposobem po miasteczku rozeszła się już wieść o trzech tysiącach peset, które przysłał jej mąż.

– Na twoim miejscu uciekłbym z nimi.

– Nie mów głupstw, jeśli mąż wysłał jej tyle na półtora miesiąca, to wyobrażasz sobie, ile ma tam? Będziesz bardzo bogata, któregoś dnia każesz wybudować sobie rezydencję w centrum Sóller.

– Co muszę zrobić, żeby Wikary Fiquet znalazł mi takiego męża?

Jedni śpiewają przy akompaniamencie gitar, inni tylko piją, niektóre pary – tak dzieje się co roku – oddaliły się od ognisk. Podczas tak ciemnej nocy mogą robić, co chcą, bez obawy, że ktoś je zobaczy.

* * *

– *Bon any.*

Chociaż stoi tyłem, doskonale rozpoznaje jego głos.

– Szczęśliwego Nowego Roku, Enriq.

– Słyszałem, że wyjeżdżasz w Trzech Króli i że masz trzy tysiące peset. Ciesz się, jesteś teraz bogata.

– Nie chciałam mieć trzech tysięcy peset, chciałam sama decydować o sobie. I być z tobą.

Po raz pierwszy od długiego czasu, po raz pierwszy, odkąd mu się oddała, myśląc, że to wszystko zmieni i powstrzyma przeznaczenie, mogą porozmawiać na osobności. Muszą tylko oddalić się w ustronne miejsce. Pozostali na pewno ich obserwują, a jutro wszyscy będą wiedzieć, że Enriq i Gabriela usiedli, żeby pogadać, może nawet jej matka i teść się dowiedzą.

– Dlaczego nie przeszkodziłeś mi wyjść za mąż?

– Tak było dla ciebie najlepiej.

– Ze względu na pieniądze?

– Po to, żebyś nie była żoną rybaka. Będziesz mieć nowe życie i kto wie, co cię spotka w Buenos Aires. Dobrego i złego. Nie mogłem cię tego pozbawić.

– Odejdźmy stąd.

Enriq się nie zgadza, woli uniknąć plotek, nie chce zbrukać reputacji Gabrieli, jest przecież mężatką. Ona szybko go jednak przekonuje.

Początkowo tylko rozmawiają, lecz godzinę później, tuż obok wyciągniętej na piasek łodzi, Gabriela zbliża się do niego, a on ją całuje. Odkąd byli dziećmi, robili tak wiele razy pod osłoną nocy, schowani za łodziami na plaży.

– Gabrielo, nie powinniśmy, jesteś teraz mężatką.

– Sprawy z mężem pozostaw mnie.

Po pocałunkach następują pieszczoty. Chociaż wcześniej tylko raz się kochali, znają swoje ciała. Ona wie, jak sprawić, żeby przestał myśleć o tym, czy to, co robią, jest dobre czy złe. Wie, jak go dotykać i pieścić, to delikatnie, to bardziej gwałtownie.

On jeszcze przez kilka sekund się opiera, lecz po chwili wsuwa jej rękę pod bluzkę, pieści ją. Potem pod spódnicę i zrywa z niej bieliznę.

Dla Gabrieli nie ma już żadnej przeszkody, podnosi więc spódnicę i siada na nim. Enriq jest bardzo podniecony i bez trudu w nią wchodzi. Zachowuje milczenie, jakby skupiony jedynie na poruszaniu biodrami; ona musi ugryźć się w palec, żeby nie krzyczeć.

– Będę za tobą bardzo tęsknił, Gabrielo.

– Wyjeżdżam, ponieważ ty tego chciałeś.

Kiedy on kończy, ona jeszcze nie doszła. Jego to nie obchodzi, wysuwa się spod niej i rusza w stronę pozostałych. Strzępy jej bielizny zostają na piasku.

W jakiś sposób Gabriela będzie musiała wytłumaczyć swojemu mężowi, że ksiądz proboszcz nie przysłał mu dziewicy. To znaczy, jeśli się dowie, jeśli ona w końcu do niego pojedzie.

5

FOTEL ROZMYŚLAŃ

Autorstwa Gaspara Mediny dla „El Noticiero de Madrid"

PRAWA MORSKIE. PRAWA WOJENNE

Nie ma niczego starszego od wczorajszej gazety, mówił mi szacowny mistrz w początkach mojej kariery w tym pięknym zawodzie. Zwłaszcza teraz, kiedy świat utracił swój spokojny nurt i wpadł w wir. Niemniej jednak pod koniec tego 1915 roku, pełnego złych wiadomości, tylko takie bowiem wypełniają gazety, pragnę spojrzeć wstecz, na wydarzenie, do którego doszło w maju, ni mniej, ni więcej, lecz przed siedmioma miesiącami: na zatopienie *Lusitanii*.

Dwa tysiące pasażerów, z których życie straciło tysiąc dwustu, w tym wiele kobiet i dzieci. Tak, przeczytaliśmy wszystko na temat tego nieszczęścia, począwszy od nazwy niemieckiego okrętu podwodnego, który zatopił statek, po listę pasażerów, od dramatu ostatnich minut po reakcje rządu amerykańskiego, grożącego przystąpieniem do wojny przeciwko Niemcom, aby pomścić śmierć swoich obywateli. Jedna groźba, jedno ultimatum, jedna torpeda i historyczne osiągnięcia spływają do ścieku.

Co nowego możemy wnieść? Nic, może poświęcić ofiarom jedną myśl, ponieważ człowiek przestaje istnieć i naprawdę umiera tylko wówczas, kiedy nikt o nim nie pamięta.

Może jedyne, co możemy uczynić, to obiecać im, że coś takiego nigdy więcej się nie zdarzy, że będzie się szanować prawa morskie, stanowiące, że rozbitkowie, którzy przeżyją, uzyskają pomoc, bądź też to prawo wojenne, które głosi, że niewinni nie będą zabijani.

A może bądźmy szczerzy i ambitni i zamieńmy wszystkie te prawa na jedno ważniejsze, prawo istoty ludzkiej: prawo, które zakazuje wojen, które stawia jednostkę ponad sporami, obywatela ponad rządami, życie ponad śmiercią. Skończmy z armiami, bombami, okrętami podwodnymi i wojnami. Tylko tak będziemy mogli z dumą spojrzeć w oczy tym, którzy zginęli, i powiedzieć im: ubolewamy nad waszą śmiercią, lecz ofiara warta była swej ceny.

O budziłaś się wreszcie? Szczęśliwego Nowego Roku!
Było późno, kiedy Raquel i Susan dotarły do Ritza, a jeszcze później, kiedy zgasiły światło. Amerykanka okazała się niezaspokojoną i uważną kochanką. Raquel, która prawie nie spała od chwili, gdy jej towarzyszka uznała miłosną sesję za zakończoną, leżała w ogromnym łożu, myśląc o krokach, jakie musi poczynić w ciągu dnia: poczekać, aż Susan się obudzi, żeby wyciągnąć od niej trochę pieniędzy, wrócić do domu, dać wolny dzień służącej, by móc spakować się bez świadków, wysłać wiadomość Robertowi, żeby przyszedł się z nią zobaczyć i zabrał kilka rzeczy, które chciałaby jak najszybciej zabezpieczyć…

— Susan, muszę iść, potrzebuję pieniędzy.

— Najpierw chodź tu do mnie i powiedz mi dzień dobry. Zdradzę ci coś, co powinnaś wiedzieć: my, bogaci, jesteśmy bogaci, ponieważ nie wyrzucamy pieniędzy przez okno. Powiedz mi, na co są ci potrzebne.

— Mam kłopot i muszę wyjechać do Barcelony.

— Ależ to ekscytujące. Pojedziemy razem, zawiozę cię samochodem, a po drodze zatrzymamy się, gdzie tylko będziemy chciały. Będą nas śledzić? To by dopiero było pasjonujące. Jaka szkoda, że jest zimno! Gdyby nie to, pojechałybyśmy na Costa Brava, kąpałybyśmy się w morzu, na pewno nigdy nie kąpałaś się nago w morzu. Lubię Barcelonę, lubię morze i lubię ciebie. A teraz chodź, połóż się obok mnie.

Kiedy się kochają – za każdym razem pocałunki i pieszczoty Susan coraz bardziej jej się podobają – Raquel cały czas myśli o szczegółach swojej ucieczki: rozstanie się z Amerykanką, kiedy nadejdzie pora, teraz potrzebuje pieniędzy, którymi ta szasta na prawo i lewo, chociaż ona sama ma trudności z wydobyciem ich od niej.

– Pieniądze dam ci w Barcelonie, nie martw się, będę szczodra. My, bogaci, nie wyrzucamy dolarów na ulicę, kiedy jednak coś nam się podoba, gotowi jesteśmy za to zapłacić. Zważ, że twoje towarzystwo jest czymś, na co warto wydawać pieniądze.

Susan zamawia śniadanie do pokoju. Nie obchodzi jej, że kelner, który serwuje im na tacy wędliny, widzi je razem w łóżku, zmysłowe i bezwstydne. Amerykanka jasno dała jej do zrozumienia, że pieniądze trzeba zarobić, i Raquel nie ma wątpliwości: będzie robić wszystko, co Susan jej każe. Dopiero w okolicach południa udaje się jej uwolnić, żeby pójść do mieszkania na ulicy Arenal.

– Możesz sobie wziąć dzień wolnego, idź odwiedzić rodzinę, złóż im życzenia noworoczne i zanieś coś do jedzenia. Wróć jutro przed południem, może potem przyjdzie pan.

– Już od wielu dni nie przychodzi.

– Z powodu przeziębienia, ale już mu lepiej. Jutro na pewno przyjdzie.

Zawiniątko z szynką, drugie z cukrem oraz butelka oliwy z zasobnej spiżarni don Amanda sprawiają, że Aurelia pozbywa się wątpliwości i wybiega na ulicę. Takie smakołyki rzadko widuje się w ruderach, w jakich mieszka jej rodzina w dzielnicy Las Ventas del Espíritu Santo, nad brzegiem strumienia Abroñigal, w jednej z najuboższych dzielnic Madrytu.

Pozbywszy się służącej, Raquel pisze liścik do Roberta i woła syna dozorcy. Daje mu dwie pesety i zapewnia, że dostanie jeszcze więcej, jeśli liścik trafi do adresata.

– Jeśli wrócisz z moim przyjacielem, dam ci jeszcze dwie pesety. Biegnij!

W liściku pisze Robertowi, że nie zamierza wrócić do teatru, że wszystko rzuca, że opuszcza mieszkanie don Amanda i że go potrzebuje.

Czekając, aż przyjdzie, otwiera swoją tajemną skrytkę, swój sejf. To dziura w ścianie, którą sama wydłubała, schowana za listwą podłogową i zastawiona łóżkiem. Przechowuje tam zgromadzone pieniądze i biżuterię, którą podarowali jej wcześniejsi kochankowie i okazjonalni wielbiciele, jeszcze zanim poznała don Amanda. Jest tam fortuna, jakieś sześć tysięcy peset w banknotach – ostatni tysiąc schowała po nocnej ruletce z Amerykanką – oraz biżuteria o wartości jakichś dwudziestu tysięcy, chociaż gdyby musiała szybko ją spieniężyć, możliwe, że nie wyciągnęłaby więcej niż połowę tej sumy. Nie ma czasu, żeby ją przymierzyć i przypomnieć sobie okoliczności, w jakich trafiła do jej rąk, chociaż z czułością patrzy na pierwszy klejnot podarowany przez mężczyznę, don Wenceslaa, na początku jej pracy w Salón Japonés. To naszyjnik z pereł, który musiała zakładać, gdy szła z nim do łóżka. Kiedy don Wenceslao podarował jej to cacko, pomyślała, że skończyły się chude lata i mieszkanie w nędznym pokoiku, że nigdy więcej nie pójdzie spać bez kolacji, jedynie o chudym rosołku, jaki podawała właścicielka pensjonatu. W tamtych czasach wydawało jej się, że czeka ją wspaniałe życie. Marzyła, że stanie się sławna, jak Piękna Otero, jak Fornarina, jak Raquel Meller. Dlaczego nie? Przecież one nie są od niej piękniejsze ani nie śpiewają lepiej, miały tylko więcej szczęścia lub podjęły lepsze decyzje.

Raquel biega po mieszkaniu, szukając wszystkiego, co ma wartość, i pakując to do walizki: srebrne sztućce, dwie srebrne tace oraz kandelabry, których używa do swoich wyuzdanych mszy.

Roberto ją przy tym zastaje. Syn dozorcy się sprawił i zarobił obiecane dwie pesety.

– Co to znaczy, że nie wrócisz do Salón Japonés i opuszczasz mieszkanie?

– To, co słyszysz. Don Amando spiknął się z Rositą. Ona i Manuel mogą tu przyjść w każdej chwili, żeby mnie wyrzucić. Muszę wynieść wartościowe rzeczy, zanim mi je zabiorą.

Podczas gdy Roberto zabiera pieniądze i biżuterię, żeby ukryć je w jakimś bezpiecznym miejscu, Raquel wyciąga z szaf ubrania. Eleganckie suknie i jedno z futer odkłada na podróż statkiem i przyjazd do Buenos Aires. Pozostałe zamierza sprzedać, a za uzyskane pieniądze urządzić się na miejscu bez konieczności sprzedania się pierwszemu, który się napatoczy. Zamierza zarezerwować kajutę w pierwszej klasie. Rejsy są długie, a na liniowcach nie ma nic do roboty: kto wie, może podróżując pierwszą klasą, spotka jakiegoś mężczyznę, który mógłby ją utrzymywać, a może nawet się z nią ożenić. To byłoby najlepsze rozwiązanie: małżeństwo z zamożnym mężczyzną. Nie musiałaby występować w podrzędnych teatrach ani szukać bogatych kochanków.

Przed powrotem Roberta – może mu zaufać, nigdy by jej nie zdradził – Raquel ma wszystko gotowe. Niewiele razy w życiu pracowała tak szybko i z taką ochotą.

– Wynajmij samochód i znieśmy to. Mogę zostać dziś u ciebie na noc?

– Dzisiaj i jak długo chcesz, owieczko, lecz przypominam ci, że moje mieszkanie nie jest tak luksusowe jak twoje. Niczego więcej stąd nie zabierzesz? Jesteś pewna? No, Losada wpadnie w szał, kiedy się dowie, że go rzucasz.

– Nie, nie jestem pewna tego, co robię, i nie wiem, co ze mną będzie, ale nie mam już wyjścia.

Przed siódmą wieczorem, pół godziny po rozpoczęciu pierwszego przedstawienia w teatrze, wszystko było już przewiezione i rozlokowane w niewielkim mieszkanku Roberta. To tylko dwa pokoje – salonik i sypialnia w taniej kamienicy na ulicy Tribulete, w pobliżu Oberży Gaditany. Ten lokal Raquel uważa za początek swojego szybkiego upadku, tam bowiem ponownie spotkała Manuela i poznała Rositę. Kto wie, może jest to także miejsce, gdzie rozpoczęła nowe życie, które przyniesie jej dużo więcej satysfakcji, doświadczeń i bogactw niż dotychczasowe.

– Ty także opuściłeś spektakl w Japonés, Roberto. Jutro będziesz musiał się tłumaczyć.

– Ja też tam nie wracam. Przemyślałem to, uznałem, że wycofam się, kiedy ty to zrobisz. Dlatego nie ubiegałem się o to, żeby towarzyszyć Rosie Romanie. Wiesz, kto z nią tańczy? Juan i ten Francuz, którego Losada poznał w Wigilię na imprezie. Było jasne, że będę im zawadzał.

– Co zrobisz? Poszukasz angażu w innym teatrze?

– Nie wiem, może rzucę świat rozrywki? I tak nigdy nie będę sławny. Robię to od dziesięciu lat, a moim największym osiągnięciem jest zasłanianie pluszowym kotem twoich wdzięków. Publiczność tylko wtedy mnie oklaskiwała, kiedy robiłem to źle i pozwalałem jej zobaczyć więcej twojego ciała. Chciałbym pracować za kulisami, a poza tym potrafię malować; może mógłbym tworzyć dekoracje. Albo obrazy. Bardzo chciałbym być malarzem.

– Nigdy mnie nie poprosiłeś, żebym ci pozowała. Zrobię to, kiedy tylko zechcesz.

Raquel namówiłaby Roberta, żeby pojechał z nią do Argentyny, zawsze lepiej mieć blisko dobrego przyjaciela, lecz stanowiłby przeszkodę w osiągnięciu celu, dla którego postanowiła to zrobić. Nie można szukać męża w towarzystwie jakiegoś *chevalier servant*.

– Zostawię ci trochę pieniędzy na początek, dopóki czegoś nie znajdziesz. Przynajmniej tyle, żebyś kupił sobie farby, pędzle, płótna.

– Nie martw się, jestem dość oszczędny. Pieniądze nie są problemem. Przez jakiś czas sobie poradzę.

Mieszkanie Roberta nie ma własnej ubikacji, jest tylko jedna w korytarzu dla mieszkańców całego piętra. Raquel musi czekać, aż jakaś kobieta skończy załatwiać swoje potrzeby. Stwierdza ze zdziwieniem, że łazienka jest dość czysta. Kiedy wychodzi, dwóch innych sąsiadów czeka w kolejce.

– Jest czysto, bo w tym tygodniu ja sprzątam. Kiedy przypada kolej tej świni z mieszkania obok, jest tam jak w chlewie. Ale nie martw się, bardzo krótko będziesz wieść życie biedaków, a ja cię nie poproszę, żebyś pomogła mi sprzątać. Kiedy wyjeżdżasz?

– Myślę, że nie muszę się bardzo spieszyć, ale nie będą też zbytnio zwlekać. Jutro lub pojutrze pójdę zapytać o bilety do Argentyny. Będę pewnie musiała pojechać pociągiem do Barcelony albo Kadyksu, żeby tam wsiąść na statek. Albo mogę poprosić Susan, obiecała, że zawiezie mnie do Barcelony swoim samochodem, a po drodze będziemy się zatrzymywać w różnych miejscach. Może uda mi się odbyć wycieczkę i zobaczę Matkę Bożą z Pilar w Saragossie.

– Podoba ci się ta Amerykanka?

– Zwariowałeś? Mnie się kobiety nie podobają, chociaż ona jest miła i potrafi dać mi rozkosz. I całuje lepiej niż którykolwiek ze znanych mi mężczyzn.

– Wyjdziemy coś zjeść? Nie masz ochoty się dowiedzieć, jak sobie poradziła Rosa Romana? Ja umieram z ciekawości, owieczko.

Ją także rozpiera ciekawość, chociaż boi się, że usłyszy, iż Rosita odniosła wielki sukces. Bez trudu udaje im się spotkać kogoś, kto widział premierę: w kawiarni Gato Negro, na ulicy Príncipe, natykają się na dwóch muzyków z orkiestry.

– Losada cały czas cię szukał, nawet posłał po ciebie na Arenal, ale nie było cię w domu. Co za skandal.

Rosa Romana – nawet pseudonim nie brzmi dobrze, za dużo w nim „r" – od kilku dni rano odbywała próby nowego numeru: rozbierała się, śpiewając kuplet. Raquel tak samo zaczynała. Nie rozumie tego, taki numer ma w swoim repertuarze każda piosenkareczka i każdy kabaret: Salón Japonés powinien nadawać ton.

– Nową piosenkę skomponował niejaki López Forja. Słowa mówią o dziewczynie, która czeka na list od ukochanego, podnieca się i zdejmuje ubranie, aż w końcu zostaje bez niczego. Dość wulgarne, muzyka toporna, żadnego podtekstu, słyszy się to, co się widzi.

– A jak udało jej się przekonać Losadę, żeby dał jej numer finałowy? Powinna przynajmniej pokazać coś bardziej pikantnego niż *Kociaczek*.

– Sądzę, że Losada chciał, żeby ta nowa zrobiła z tobą lesbijski numer, podobno w Paryżu żaden spektakl się bez niego nie obejdzie.

Raquel w to wierzy, słyszała już, jak mówiono o sukcesie, jakim takie numery cieszą się w stolicy Francji. Dzięki doświadczeniu z Susan nie miałaby nic przeciwko temu – oczywiście nie z Rositą, to jasne, lecz są inne tancerki, z którymi na pewno wystąpiłaby w takim przedstawieniu.

– Nie wiesz jeszcze wszystkiego. Kiedy ta cała Rosita wyszła na scenę, ogarnęła ją trema i zaczęła płakać. Nie dała rady ani zaśpiewać, ani się rozebrać, ani nic. Publiczność wszystkim rzucała, nawet kawałek kanapki z mortadelą wylądował na scenie. Wtedy

Losada kazał cię szukać. Powiem ci tylko, że musiała wyjść Madame Renaud, żeby zaśpiewać *Pchłę*.

– W jej wieku? Co za wstyd. I coś takiego na finał w Salón Japonés!

– Nie uwierzysz, ale ona nadal ma jędrne ciało. Z wdziękiem śpiewała i kołysała biodrami. Była bardziej zabawna niż zmysłowa, ale uratowała sytuację.

Gdyby Raquel wróciła i odpowiednio porozmawiała z Losadą, może oddałby jej finałowy numer, a nawet przyznał sporą podwyżkę. Pomyśli o tym przed zaśnięciem. Tymczasem woli świętować niepowodzenie Rosy Romany, Rosity.

Później, w Villa Rosa przy placu Santa Ana, spotkali się z innymi jeszcze towarzyszami nocnego życia, którzy byli świadkami ataku tremy nowej wedety. Wszyscy pogratulowali Raquel i mówili, że jest najlepsza.

– To, co się stało dzisiejszego wieczoru w Salón Japonés, to największy skandal od czasów, kiedy Meller spoliczkowała Argentinitę.

Wszyscy wiedzą o tym incydencie. Raquel Meller, Aragonka z Tarazony, już wcześniej ukarana grzywną za napaść na inną kuplecistkę w teatrze Gayarre, pobiła się z Encarnación López, Argentinitą, dlatego że ta naśladowała ją w teatrze Romea na ulicy Carretas.

Także tam, w Villa Rosa, spotykają się z impresariem z Eden Concert na ulicy Aduana, który proponuje im pracę w swoim teatrze.

– Nie mogę ci płacić tyle co Losada, lecz będziesz gwiazdą spektaklu i będziesz wykonywać każdy numer, jaki tylko zechcesz. Wybór należy do ciebie. Jeśli zechcesz, możesz otwierać i zamykać spektakl, przyznam ci specjalną premię.

Obiecuje mu, że to przemyśli, lecz już wcześniej podjęła decyzję: jeśli nie będzie miała szczęścia i nie dostanie dobrej oferty w Barcelonie, a raczej tak się nie stanie, gdyż mieszka tam blisko czterysta kuplecistek z siedmiuset, jakie wedle wszelkich szacunków występują w Hiszpanii, wsiądzie na statek, który zabierze ją do Ameryki Południowej.

– Może Susan poprosi cię, żebyś pojechała z nią do Chicago.

– Nie wiem dlaczego, lecz jej rodzina nie chce jej widzieć jeszcze bardziej, niż moja nie chce widzieć mnie.

Raquel już postanowiła, że nie pożegna się z bliskimi. Nie odwiedzi Belmonte del Tajo przed wyjazdem ani nie prześle żadnej wiadomości, nawet listu. Może któregoś dnia, jeśli przyjdzie jej na to ochota, napisze do nich z Argentyny, kiedy będzie już żoną bogatego mężczyzny i zdobędzie dobrą pozycję.

– Sądzę, że stajesz się mężczyzną, z którym najwięcej razy w życiu dzieliłam łóżko.

– A ty już jesteś kobietą, z którą najwięcej razy się kochałem: jedyną.

Łóżko Roberta jest wąskie, a pokój mały. W nocy muszą korzystać z nocnika. Od wyjazdu ze wsi Raquel nie mieszkała w takich skromnych warunkach, i chociaż Roberto wiele razy widział ją, jak ją Bóg stworzył, Raquel wstydzi się załatwiać w jego obecności.

– Nie patrz.

– Jakby mnie interesowało to, co zamierzasz zrobić.

Jest bardzo niewygodnie, poza tym bardzo zimno, aby się rozgrzać, musi się do niego mocno przytulić. Zasypiając, czuje jego dłonie na swoim ciele.

– Chcesz to zrobić jeszcze raz?

– Tak, owieczko.

Drugi raz kocha się z Robertem i drugi raz uznaje to za jedno z najprzyjemniejszych doświadczeń w życiu. Z chęcią robi to, co akceptuje z musu ze swoimi kochankami. On się stara, by zaznała rozkoszy, potrafi nawet pytać o to, co sprawia jej rozkosz, wykrzykiwać słowa, które zawstydziłyby nawet jej publiczność…

– Nie wiem, dlaczego taką przyjemność sprawia mi kochanie się z tobą, bo przecież nie podobają mi się kobiety.

Rano być może on także będzie miał wyrzuty sumienia, lecz teraz śpi smacznie i spokojnie. Raquel nie myśli o don Amandzie, o Losadzie, o Colmenilli, o Rosicie ani o Susan, tylko o tym, że rozpoczyna nowe życie, które przyniesie inne kłopoty, lecz także inne przyjemności. Może będą tak rozkoszne jak kochanie się z Robertem?

* * *

— Przyniosłem ci ubrania i trochę pieniędzy. Przydadzą ci się.

Renato, ojciec Giulia, potrzebował dwóch dni na zdobycie informacji koniecznych do zorganizowania ucieczki. Od trzydziestu lat jest nauczycielem w szkole w Viareggio, dlatego wszyscy go znają, cenią i są gotowi mu pomóc. Wraz z zapadnięciem nocy Giulio opuści dom stryja Domenica, dotrze do portu i wsiądzie na kuter rybacki należący do Giuseppe Contaldiego, a on i jego pomocnicy przetransportują zbiega do Livorno i zostawią w pobliżu latarni morskiej Torre di Calafuria. Z portu w Livorno wypływają statki do Barcelony, a jest on mniej pilnowany niż port w Genui, gdzie mają swoje siedziby wszystkie wielkie kompanie żeglugowe. Tam, w Livorno, musi się skontaktować z innym znajomym ojca – kelnerem w Caffè Bardi – który pomoże mu wsiąść na jakiś statek jako pasażer na gapę. Jeśli wszystko dobrze pójdzie i nie złapią go, zanim dotrze do Barcelony, otrzyma wsparcie grupy Włochów pomagających wojennym dezerterom dotrzeć do Argentyny.

— Wiem, że instrukcje są nieprecyzyjne, i będziesz musiał sam sobie radzić, lecz to wszystko, co możemy tutaj uzyskać. Dzisiaj po południu matka przyjdzie się z tobą zobaczyć i pożegnać. Postaraj się jej nie zasmucać, i tak jest rozdarta, dla niej to wszystko jest bardzo trudne.

— Mam większą szansę ujść z życiem, niż kiedy wyruszałem na front. Nie powinniście się martwić.

Pozostaje mu około dwunastu godzin, nim opuści Viareggio; wie, że być może już nigdy tutaj nie wróci. Chciałby po raz ostatni przespacerować się po mieście, zobaczyć zabytki, kościoły, pałace, pozdrowić napotkanych znajomych, wypić kawę w Gran Caffè Margherita, może raz jeszcze wysłuchać *Mattinaty*, pożegnać się z kilkoma osobami, które ceni, odwiedzić tych nielicznych przyjaciół z dzieciństwa, którzy nie wyjechali na front lub nie polegli w tej absurdalnej wojnie. Co się dzieje z Pierem, Tomasem, Alberikiem, Agostinem...? Nie żyją, są w niewoli, ranni? Przyszło im żyć w trudnych czasach, czasach, które każą im przedwcześnie umierać.

– Masz, to wszystko, co mogę ci dać. My, księża, nie mamy pieniędzy, chociaż ludzie myślą, że opływamy w bogactwa.

Stryj wręcza mu najcenniejszy skarb rodziny Bovenzich, złoty zegarek dziadka. Nie wie, jak znalazł się w rękach przodka, lecz w rodzinie zawsze przypisywano temu przedmiotowi wielką wartość, wartość symbolu, który powinien przechodzić z pokolenia na pokolenie. Odziedziczył go najstarszy syn dziadka, Domenico, a teraz on wręcza go jemu, swojemu uciekającemu bratankowi.

– Nie jest tak cenny, jak uważało się w naszej rodzinie.

– Nie mogę go wziąć, to pamiątka po waszym ojcu.

– Nie da się żyć pamiątkami, nie można się do nich przywiązywać. A ja nie mam dzieci, więc i tak byłby twój. Nie wahaj się, jeśli będziesz musiał go sprzedać. Nic nie ma większej wartości od życia. A już na pewno żadna pamiątka.

Bardzo rzadko rozmawiał ze stryjem, wymieniali zaledwie zdawkowe uwagi podczas spotkań rodzinnych, w których obaj uczestniczyli. W ciągu tych dwóch dni po raz pierwszy ma okazję spędzić z nim więcej czasu. Stwierdza, że to człowiek światły, chociaż jest jedynie proboszczem małego kościoła w prowincjonalnym mieście. Ma dobrze wyposażoną bibliotekę, w której nie wszystkie książki są religijne. Codziennie poświęca wolny czas na czytanie i pisanie i można z nim porozmawiać na każdy temat.

– Mogę stryjowi zadać jedno pytanie? Co stryj pisze?

– Powieść.

– Religijną?

– Nie, skąd. To powieść o starożytnym Rzymie, o gladiatorze pochodzącym z tego rejonu, z okolic Pizy. O człowieku, który przeszedłszy na chrześcijaństwo, przestaje zabijać na arenie, żeby nie wyrządzać krzywdy bliźnim. Idiota...

– Uważa stryj, że nadal powinien walczyć?

– Oczywiście, zachowanie życia jest obowiązkiem człowieka, zwłaszcza chrześcijanina: życie to dar od Boga i nie można się narażać na jego utratę ani go sobie odbierać. Może otrzyma później jakieś zadanie? Skąd gladiator wie, że nie czeka go ważniejsza misja niż odbieranie życia w cyrku? Naprawdę jednak interesuje mnie świat gladiatorów, a nie jego moralny dylemat.

– Czy ten gladiator naprawdę istniał?

– Nie, tego akurat wymyśliłem, lecz inni istnieli. Piszę to tylko dla rozrywki, nigdy nie zamierzam wydać tej powieści. Ksiądz nie może publikować powieści o gladiatorach, lecz może je pisać. Umysł jest wolny i nic nie może tego zmienić.

Giulio się z nim zgadza. Czuł tę wolność, kiedy był w okopach. Rychło zdał sobie sprawę, że chociaż jest zimno, chociaż grzęźnie w błocie, a wokół rozlegają się odgłosy wybuchów i wystrzały, on może myśleć, o czym chce: o słonecznym dniu, o aromacie pieczeni lub o łące pełnej kwiatów. Nie zastanawiał się nad tym, że dla wielu życie także jest miejscem, z którego muszą uciekać.

– Co stryj wie o Argentynie?

– To, co wszyscy, co opowiadają mi parafianie, których bliscy wyjechali: że to wielki kraj, a jeśli dalej tak pójdzie, wkrótce będzie tam więcej Włochów niż tutaj.

Jest ósma wieczór, zapadła ciemność, postanowili jednak, że Giulio nie opuści domu przed dziesiątą. Już ponad dwie godziny temu miały przyjść matka i siostra, żeby się z nim pożegnać, lecz nadal ich nie ma. Ksiądz Domenico chciałby zbagatelizować ten fakt, lecz on także martwi się tym opóźnieniem.

– Przykro mi, stryju. Wyspowiadałbym się, żeby stryja zadowolić, ale za bardzo się denerwuję.

– Zdziwiłbyś się, jaki spokój daje spowiedź. Może to jeden z najpożyteczniejszych wynalazków katolicyzmu: zrzucić coś z serca i głowy, wyjawić to, zdobyć przekonanie, że ci wybaczono.

– Nie, nie mogę prosić Boga o wybaczenie.

Wszystko jest zapakowane do niewielkiego plecaka, Giulio bowiem może zabrać tylko to, co będzie w stanie swobodnie przenieść. Ma trochę ubrań, trochę jedzenia i swoje zdjęcie z rodzicami. Matka uszyła mu coś w rodzaju kieszeni, którą może zawiesić na szyi, pod ubraniem, i schować w niej dokumenty i pieniądze. Stryj podarował mu dobre buty i złoty zegarek…

– Zajrzę do twoich rodziców. Coś musiało się stać, że twoja matka nie przyszła. Nie ruszaj się stąd, dopóki nie wrócę.

Nie chce myśleć o tym, że mógłby nie pożegnać się z matką. Boi się, że jeśli nie zobaczy jej raz jeszcze, nie zapamięta jej twarzy.

– Bierz swoje rzeczy, musimy iść.

W domu Giulia byli karabinierzy. Salvatore Marini dowiedział się o jego odwiedzinach u Franceski i go zadenuncjował. Rodzice zrezygnowali z pożegnania z synem, żeby go chronić. Wiedzieli, że naraz_iliby go na niebezpieczeństwo.

– Nie mogę odejść bez pożegnania, nie wiedząc, co im się stało i czy są bezpieczni…

– Nie ma wyjścia. Wiesz, że od chwili, gdy postanowiłeś zdezerterować, nie ma już odwrotu.

Stryj Domenico ma rację, z każdą minutą wzrasta prawdopodobieństwo, że przyjdą go szukać także tutaj. Giulio bierze plecak – w środku znajduje się całe jego życie – i razem ze stryjem idą przez Viareggio w stronę portu, kryjąc się w cieniu domów. Wkrótce znajdują łódź Giuseppe Contaldiego. Nazywa się *Bianca*, tak ma na imię jego żona.

– Powodzenia, chłopcze.

– Niech stryj pożegna rodziców w moim imieniu. Proszę ich zapewnić, że wszystko pójdzie dobrze, choćby nawet było to kłamstwo.

– Będzie dobrze. Nie trać wiary. Pisz na mój adres, a ja dopilnuję, żeby twoje listy do nich dotarły.

Giulio kładzie się na dnie łodzi i przykrywa sieciami. Jest bardzo zimno, wilgoć potęguje chód. Przez całą noc nasłuchuje. Do jego uszu docierają głosy, a nie mogąc stwierdzić, do kogo należą, wyobraża sobie, że to karabinierzy, którzy przyszli po niego. O świcie przychodzi rybak z dwoma pomocnikami.

– Zaraz wypływamy. Nie martw się o rodziców. Są bezpieczni w domu, lecz nie mogli przyjść, żeby się z tobą pożegnać.

Gdy łódź opuszcza port, Giulio może wstać i rzucić ostatnie spojrzenie na miasto. Dnieje. Morze jest lekko wzburzone. Giulio Bovenzi rozpoczyna długą podróż, która doprowadzi go do Buenos Aires.

* * *

– Słyszałam, co robiłaś w sylwestra na plaży. Czy to prawda?

Gabriela powinna była założyć, że plotki szybko dotrą do jej domu. Zapewne wielu ludzi widziało, jak oddala się od ogniska z Enriqem, może nawet jakieś wścibskie oczy obserwowały, jak dają upust swojej namiętności. Jeśli pogłoski dotarły nawet do jej matki, to znaczy, że zna je połowa miasteczka. Także pan Quimet.

– Oczywiście, że nie, matko. Za kogo mnie uważasz? Nie wiem, po co ludzie rozpowszechniają takie kłamstwa.

Gabriela zamierza zaprzeczać, chociaż to nic nie da: plotka będzie się nieustannie szerzyć. Jeśli dzieje się tak w przypadku fałszywych pogłosek, to co mówić o prawdziwych.

– Jeśli twój mąż cię odtrąci, nie wracaj do tego domu. Nie wychowaliśmy cię na ladacznicę.

Chociaż tak wiele się zmieniło, Gabriela musi milczeć w obliczu groźby matki. Co by zrobiła, gdyby mąż ją odtrącił? Może musiałaby zwrócić pieniądze, a przy odrobinie szczęścia mogłaby zatrzymać te kilkadziesiąt peset wydanych na bilet do Barcelony. Tam miałaby możliwości zarobić na życie, aczkolwiek żadna z nich do niej nie przemawia. Kiedy raz zobaczyła, jak to jest mieć pieniądze, nie zniosłaby pracy w fabryce od rana do nocy.

– Àngels, musisz wyświadczyć mi przysługę, musisz powiedzieć Enriqowi, że chcę się z nim widzieć. Jeśli ludzie będą gadać o tym, co się działo w sylwestra na plaży, musi wiedzieć, co odpowiadać.

– Enriq wypłynął na morze, wróci do Sóller za tydzień.

A więc uciekł, znowu; wróci dopiero wtedy, gdy jej już tu nie będzie, nie chce walczyć. Gabriela nie wie, kiedy on naprawdę jest sobą, czy wtedy, gdy z nią rozmawia i kocha się z nią na plaży, czy kiedy ucieka. Przypuszcza, że wcale nie czuje tego co ona. Nie pożegnają się, nigdy do siebie nie napiszą, prawdopodobnie nigdy więcej się nie zobaczą, a ona będzie czuć to samo, co czują wdowy po rybakach, którzy utonęli: ich mężowie zniknęli w morzu.

– Wczoraj słyszałam rozmowę moich rodziców. Oni wiedzą, kim była dawna narzeczona Nicolau. To Neus Moyá.

Gabriela miała przeczucie, że to właśnie o nią chodzi, od tego wieczoru, kiedy dostrzegła, jak ta kobieta obserwuje ją w domu proboszcza. Musi się zebrać na odwagę i pójść ją zapytać. Może powie jej coś, czego nikt inny nie wie, może sprawi, że innymi oczami spojrzy na to, co ją czeka.

– Gabrielo, chcę z tobą porozmawiać.

Ma pecha, spotykając na ulicy Wikarego Fiqueta w jedyne popołudnie, kiedy wyszła z domu sama, niemal ukradkiem. Matka myślała, że idzie spotkać się z Enriqem, a ona chciała tylko odetchnąć przez chwilę, żeby nikt nie patrzył na nią z przyganą, jakby popełniła najgorszy grzech. Zamierzała pójść na ulicę, przy której mieszka Neus Moyá, jedyna osoba, która mogłaby udzielić jej jakichś informacji o Nicolau.

– Powiedziano mi coś, w co wolałbym nie wierzyć.

– Mojej matce również to powiedziano. Dobrze ksiądz zrobił, nie wierząc. Ludzie bardzo lubią wymyślać niestworzone historie. A szczególnie jeśli mogą zbrukać reputację dziewczyny wyjeżdżającej z miasteczka.

Kłamstwo nic jej nie kosztuje, chociaż ma krótkie nogi i zawsze wypływa. Gabriela udaje, że chodzi jej tylko o to, żeby zasiać niepewność. Prawdę będą znali jedynie ci, którzy widzieli to na własne oczy. Reszta niech się dowie, kiedy ona znajdzie się daleko od Sóller.

– Chcesz się wyspowiadać?

– Nie. Chcę wyjechać i spotkać się z mężem.

– Sądzę, że to zacny człowiek. Daje pracę kilku osobom, które pochodzą z wyspy, a także innym Hiszpanom.

– Pocieszam się, że nie będzie taki jak jego ojciec. Pan Quimet nie jest zacnym człowiekiem, jest nędznikiem.

Gabriela podejmuje decyzję – lepiej atakować, niż się bronić – i szlochając, opowiada Wikaremu Fiquetowi, co ją spotkało ze strony pana Quimeta, o tym, jak próbował ją wykorzystać. Oskarża go też, że to on szerzy kłamstwa, aby jej zaszkodzić.

– Co by się ze mną stało, gdybym z nim zamieszkała, jak proponował! Kto wie, czy to nie on rozsiewa plotki o tym, co niby się działo tamtej nocy na plaży!

– To, co mówisz, to poważna sprawa. Jak daleko to zaszło?

– Dotykał mnie tam, gdzie nikt mnie jeszcze nigdy nie dotykał.

– A twoja matka? Czy ona o tym wie?

– Wie i prosiła mnie, żebym to cierpliwie znosiła. Tłumaczyła, że mój teść był pijany, że to się więcej nie powtórzy. Nie powiedziałam o tym ojcu, boję się tego, co mógłby zrobić.

Ksiądz proboszcz sprawia wrażenie poruszonego i rozczarowanego. W końcu Gabriela uznaje, że to porządny człowiek, że zajmując się swataniem, stara się czynić dobro i pomóc mieszkańcom, których dusze od niego zależą.

– Mimo wszystko jestem pewny, że będziesz szczęśliwa z mężem. Doprowadziłem do zawarcia wielu małżeństw i nigdy się nie pomyliłem, wiem, czego ludziom potrzeba.

– Ksiądz mnie nie zna, przypuszczam, że nie zna także mojego męża.

– Wiem, jak postrzegają was inni, a to wszystko, co muszę wiedzieć. Wiem również, że kochałaś Enriqa i że on nie był mężczyzną dla ciebie. To zwykły tchórz, który nigdy nie uczyniłby kroku, jaki powinien był uczynić. Mylę się?

Nie, jest jasne, że Wikary Fiquet się nie myli. Może to prawda, że zna się na ludziach. Może nawet trafnie przewidział, że jej małżeństwo z Nicolau będzie szczęśliwe, czemu nie? Może jeszcze kiedyś będzie mu wdzięczna i znajdzie w Argentynie swoje miejsce.

– Proszę mi wybaczyć, pani Moyá. Chciałabym z panią porozmawiać.

Nie musiała długo czekać. Już po dwóch godzinach Neus Moyá wyszła z pięknego domu sama, odświętnie ubrana. Zmierzała do kościoła św. Bartłomieja, tego samego, w którym Gabriela wzięła ślub.

– Czego chcesz ode mnie?

– Jestem Gabriela Roselló, żona Nicolau Estevego.

– Doskonale wiem, kim jesteś. Nadal nie wiem jednak, czego chcesz.

– Żeby mnie pani przekonała, że nie zrujnowałam sobie życia, wychodząc za niego.

– Tego nigdy się nie wie.

Neus nie chce usiąść w żadnej kawiarni, na oczach wszystkich. Woli, żeby poszły do niej, do jednej z tych rezydencji, które Gabriela tyle razy podziwiała, tuż obok plaça del Mercat.

– Czasami myślimy, że jesteśmy wolni, lecz ludzie ciągle chowają w pamięci rzeczy, które mogą cię zdyskredytować. Mnie wiele osób pamięta jako kobietę porzuconą przez Nicolau, chociaż wyszłam za mąż za porządnego mężczyznę, chociaż urodziłam mu dzieci. Gdyby ludzie zobaczyli, że z tobą rozmawiam, uznaliby, że mówię źle o Nicolau, że chowam urazę za to, co mi zrobił. Przypuszczam, że ciebie zapamiętają z powodu tego, co robiłaś w sylwestrową noc z pewnym młodzieńcem z miasteczka.

– To nie takie pewne, bo nie robiłam nic złego.

Musi podtrzymywać kłamstwo nawet w stosunku do osób, które są jej obojętne. To najszybciej roznosząca się plotka w historii miasta, dotarła nawet do wyższych sfer towarzyskich Sóller. Kto ją puścił w ruch?

– To nieważne, nikogo nie interesuje, czy to prawda czy nie. Przez całe życie będą twierdzić, że przybyłaś do Argentyny z plamą na honorze, że na oczach wszystkich kochałaś się na plaży z mężczyzną, który nie był twoim mężem. Nic ci nie przyjdzie z zaprzeczania, są osoby, które widziały wszystko na własne oczy i opowiedziały o tym. Ktoś nawet zabrał strzępki twojej bielizny i je przechowuje. Jest na to kastylijskie przysłowie: małe miasteczko, wielkie piekło. Nie zapominaj o tym.

Salon jest wielki i luksusowy, piękne meble, pokojówka w uniformie – to nie dziewczyna z Sóller, może z jakiejś wioski w głębi wyspy – a filiżanki, w których podaje kawę, są z porcelany najwyższej jakości, może angielskiej. Gabriela nie umie się zachować w takich miejscach, stara się jak najmniej poruszać i prawie się nie odzywa, żeby nie mieć zbyt wielu okazji do popełnienia jakiejś gafy.

– Oczywiście nie zawsze mieszkałam w tak wytwornym miejscu. Kiedy byłam narzeczoną Nicolau, mieszkałam w porcie. Mój ojciec pracował przy wyładunku i załadunku statków pływających do Francji z owocami. To była bardzo ciężka praca. Ojciec Nicolau był jego kolegą. Obaj, mój ojciec i pan Quimet, odnieśli w życiu sukces dzięki swoim dzieciom.

Gabriela nie mówi jej, że pan Quimet jest zwyczajną świnią, woli raczej wysłuchać tego, co ta kobieta ma do powiedzenia o jej mężu.

– Jaki był Nicolau?

– Ambitny, od dziecka wiedział, że nie chce być zwykłym dokerem i wieść takiego życia jak nasi ojcowie. Był tak zdeterminowany, że czasami ogarniał mnie strach. Naprawdę myślałam, że wezwie mnie do siebie, a ja wsiądę na statek do Buenos Aires i popłynę na spotkanie z nim. Czekałam pięć lat. Najpierw pisał do mnie, potem listy przestały przychodzić. W pierwszych opisywał mi cuda, a ja pragnęłam ujrzeć je na własne oczy: opowiadał mi o mieście, o muzyce, o ludziach z różnych stron świata, o kawiarniach, o luksusie, o pewnym żydowskim przyjacielu, z którym wiązał wiele planów... Później jednak, kiedy przestał do mnie pisać, uświadomiłam sobie, że to wszystko się dla mnie skończyło, pomyślałam, że poznał inną kobietę, może się ożenił. Wtedy do miasta wrócił Roger, który dzisiaj jest moim mężem. Wyjechał na studia do Barcelony i wrócił, żeby przejąć kierownictwo fabryki ojca. Byłam bardzo ładna, a on zawsze się we mnie podkochiwał. Umiałam rozegrać swoje karty, a poza tym byłam coraz starsza, może to była dla mnie ostatnia szansa.

Nadal jest ładna, ponadto elegancka i bogata... Nie przedstawia jej Rogera, ponieważ ten przebywa w Palmie, prawdopodobnie ze swoją nową kochanką.

– Nie, nie współczuj mi, tak jest lepiej. Mąż płaci za wszystkie domowe wydatki, podtrzymuje pozory w mieście, kocha nasze dzieci, a mnie pozwala prowadzić własne życie. Początkowo z trudem to akceptowałam, lecz teraz jestem szczęśliwa, że tak jest. Kiedy wyjeżdżasz?

– W Trzech Króli.

Gabriela nie wie dlaczego, lecz ufa tej kobiecie, toteż porzuca początkową ostrożność: opowiada jej o swoim strachu przed spotkaniem z Nicolau, o planowanej podróży, o pieniądzach, które przysłał jej nowo poślubiony mąż, o próbach molestowania jej przez teścia, o swojej miłości do Enriqa, o marzeniach, by uciec, zanim dopłynie do Buenos Aires...

– Ja nigdy nie miałam problemów z ojcem Nicolau, oczywiście było to wiele lat temu, kiedy był dużo młodszy, a jego żona jeszcze żyła.

– Sądzi pani, że jego syn będzie dobrym mężem?

– Nie mogę cię o tym zapewnić. Minęło już tyle lat, odkąd nie mam o nim żadnych wieści, a jego życie tak było odmienne od tego, jakie wiódł tutaj, że mógł się bardzo zmienić, lecz uważam, że nie był złym człowiekiem. Jestem przekonana, że pragnie, żebyś dała mu dzieci i nauczyła je naszego języka. Nicolau kochał tę ziemię, nie wiem, dlaczego nigdy tu nie wrócił, nawet kiedy się wzbogacił. Czasami myślę, że dlatego, by nigdy więcej nie spotkać się ze mną. Chociaż on być może już mnie nie pamięta, ale ja jego tak. Nie żywię do niego urazy, w tamtych czasach życie było trudniejsze niż obecnie, to normalne, kiedy człowiek zajmuje się swoimi sprawami i zapomina o przeszłości. Dzięki temu, że mnie porzucił, mogłam poznać męża. Nie byłam szczęśliwa, lecz miałam wszystko, czego chciałam. Może Nicolau także nie zaznał szczęścia w Argentynie.

* * *

– Rozbierz się, chcę cię zobaczyć.

Podczas czterech nocy, które razem spędzili, Max nie wykonał żadnego gestu świadczącego o tym, że pożąda Sary, nigdy nie prosił, by dzieliła z nim łóżko, ani nie próbował jej dotknąć. Co noc wracał pijany, zamykał drzwi na klucz i kazał jej spać na podłodze, niemal na nią nie spojrzawszy. Nie próbował brać jej siłą. Jedyne chwile, kiedy sprawia wrażenie, że dobrze się z nią bawi, to te, które spędzają razem w tej samej gospodzie co pierwszego dnia. Tam jedzą to, co im podają, nie przejmując się, czy pozwala im na to religia, popijając wielkimi kuflami piwa. Z każdym wypitym kuflem Sara ma coraz mniej obaw: Max jest miły, opowiada żarty o sprytnych Żydach i głupich gojach. W ciągu czterech dni śmiała się więcej niż przez ostatnie lata, na pewno znacznie więcej niż z Eliaszem. Czeka na niego co noc, chce, by wrócił jak najprędzej, niecierpliwie idzie do gospody, pragnąc piwa i rozmowy z mężem.

Dzisiejszej nocy Max po raz pierwszy prosi ją o coś takiego. Sara posłusznie spełnia jego prośbę, zawstydzona, lecz pełna nadziei.

– Mam zdjąć wszystko?

– Tak.

On siedzi na łóżku, z butami na pościeli, oparty o ścianę, w samej koszuli i z poluzowanym krawatem, patrząc na nią z zainteresowaniem, chociaż Sara nie potrafi stwierdzić, czy w tym spojrzeniu jest również pożądanie. Czuje wstyd, lecz równocześnie ma wrażenie, że staje w obliczu wielkiej szansy. Odsłania, bez wdzięku, swoje szczupłe ciało o pełnych, atrakcyjnych piersiach, o bardzo białej, piegowatej skórze, puszysty trójkąt na jej łonie ma ten sam rudy kolor co jej włosy.

– Jesteś bardzo piękna.

– Jestem twoją żoną, możesz mnie wziąć, jeśli chcesz.

– Musisz dotrzeć do Buenos Aires nietknięta, w grę wchodzą duże pieniądze.

Boi się reakcji Maxa, kiedy ten odkryje, że nie jest dziewicą, że jest wdową, że sądząc, iż wszystkich oszukał, sam dał się oszukać.

– Powiedziałeś, że mnie nie sprzedasz.

– Obiecałem ci lepsze życie i tak będzie. W Buenos Aires będziesz miała rzeczy, o jakich nie marzyłaś w sztetlu. Nie pożałujesz, że przyjęłaś moją propozycję, nigdy więcej nie będzie ci niczego brakować.

Sara już od kilku dni wyobrażała sobie tę chwilę, mając nadzieję, że coś się zmieni i że los, jaki ją czeka, będzie inny. Jeśli uda się jej sprawić, że Max się w niej zakocha, życie będzie takie, jakie jej obiecał w dniu, kiedy poznali się w sztetlu: wolne, zasobne we wszystko, pełne książek, jedzenia, ubrań… Gdyby Max się zakochał, nie mógłby jej sprzedać. Nie wątpi, że jest prawdziwym mężczyzną – pokazał to, kiedy tamten jasnowłosy goj chciał mu narzucić swoją wolę. Nie wątpi także, że gdyby ją pokochał, nie pozwoliłby, żeby jego żona sypiała z innymi. A może tak, może Max ma już żonę w Buenos Aires i pragnie do niej dołączyć? Sara nie ma jednak innego wyjścia, jak spróbować stać się jego prawdziwą żoną. A przynajmniej nie wyobraża sobie innego rozwiązania. To jedyne, co jej przychodzi do głowy, i musi zrobić wszystko, co leży w jej możliwościach, żeby go w sobie rozkochać: jest jej mężczyzną i musi o niego walczyć. Poza tym nie jest jej obojętny.

Nie jest to dla niej łatwe. Sara nie ma doświadczenia w uwodzeniu mężczyzn, nie musiała tego robić z Eliaszem i nie nauczyły jej tego stare kobiety z wioski. Od nich można się tylko nauczyć, jak przygotować farsz i ciasto na rogale oraz obchodzić szabat. W sztetlu kobiety nie uwodzą mężczyzn, poślubiają ich, rodzą im dzieci i je wychowują, w zamian oczekując w miarę spokojnego życia, szacunku i odrobiny czułości, niczego więcej. Zdobywając Maxa, Sara musi ufać swojemu instynktowi. Jak sprawić, żeby ją pokochał?

– Ubierz się. Zobaczyłem już wszystko, co chciałem widzieć.

Przestała się bać, że ją uderzy – odkąd się znają, nie podniósł na nią ręki.

– Nie, nie chcę się ubrać, chcę zostać naga, chcę, żebyś mnie widział i się ze mną kochał. I chcę, żebyś ty także zdjął ubranie.

Jest piękna, to wie na pewno, najpiękniejsza w wiosce, to za nią wszyscy mężczyźni, nawet najpoważniejsi i najpobożniejsi, młodzi, starzy, żonaci i kawalerowie, nawet rabini, odwracali głowy. Może jej uroda wystarczy; może pokazując się bezwstydnie, nie zasłaniając ani kawałeczka ciała, zdoła rozbudzić jego pożądanie. Ośmiela się nawet zatańczyć przed nim, jak się jej zdaje, zmysłowo.

– Już ci powiedziałem, że musisz dotrzeć do Buenos Aires jako dziewica.

– Jesteś moim mężem, masz prawo. Ja także chcę cię zobaczyć nagiego.

Max jest dziwnym człowiekiem. Sarze trudno go zrozumieć i przewidzieć, jak zareaguje. Raz jest chłodny, jak wówczas, gdy odwiedził jej wioskę ze swatką i poprosił rodziców o jej rękę; poprawny, jak w dniu ślubu, kiedy wypełnił wszystkie nakazy i dopełnił rytuałów; gwałtowny i okrutny, jak w dniu, gdy zranił tego wysokiego blondyna; zabawny, jak wtedy, gdy w gospodzie częstuje ją piwem;

szczodry, jak tego dnia, gdy przyniósł jej ubranie, które teraz zdjęła; małostkowy, jak wówczas, gdy upewniał się, że jej dziewictwo ma pieniężną wartość, i spolegliwy, jak właśnie teraz, gdy zdejmuje ubranie.

Podoba się jej ciało Maxa: muskularne, o szerokiej piersi, porośnięte złocistym włosem, silne nogi i penis wyraźnie wskazujący na podniecenie. Eliasz taki nie był, ani trochę.

– Jestem twoją żoną, nie weźmiesz mnie? Pragnę tego. I ty także, mówi to twój szmok.

Nigdy wcześniej w niczyjej obecności – nawet w obecności swojego nieżyjącego męża – nie ośmieliła się wypowiedzieć słowa oznaczającego tę intymną część ciała mężczyzny, o której nie mówi się publicznie. Widząc w jego oczach wahanie, Sara podchodzi, żeby go dotknąć – dotknąć jego szmoka. Musi przezwyciężyć swoją wstydliwość, lecz Max odsuwa jej rękę.

– Powiedziałem ci, że nie. Mosze by mnie zabił.

– Max, ty jesteś moim mężem, nie Mosze. On nie jest ani twoim, ani moim właścicielem. Ty jesteś moim panem, moim jedynym mężczyzną. Mosze jest nikim.

Max ubiera się, nie mówiąc ani słowa, jakby zawstydzały go własne myśli. Podchodzi do drzwi. Przed wyjściem każe jej wszystko przygotować.

– Może wyruszymy dziś w nocy, może jutro. Spakuj wszystko do walizki. Także moje ubrania. Tylko uważaj, żeby się nie pomięły.

– Nie pojadę już do domu? Nie zobaczę mojej rodziny?

Max nie odpowiada. Wychodzi, nie zamykając drzwi na klucz. Nic nie przeszkodziłoby Sarze wyjść – mogłaby uciec i rozpocząć nowe życie ladacznicy na ulicach Odessy, ukrywając fakt, że jest Żydówką. Nie ośmiela się jednak tego uczynić. Ubiera się i posłusznie wkłada ubrania do kartonowej walizki, którą Max przyniósł wczoraj. Czy naprawdę wyjeżdżają? Wyruszają w drogę do Buenos Aires? W głębi duszy pragnie, żeby wreszcie stało się to, co ma się stać.

Max wraca dopiero w nocy, pijany jak zawsze. Wyrzuca Sarę z łóżka i pada na nie: jeśli tej nocy mieli wyruszyć w podróż, to na pewno tego nie zrobią. I nie będzie się z nią kochał bez względu na to, co by zrobiła, jak bardzo by się do niego przymilała. W ciągu kilku minut Max bowiem zasypia.

Rano, podobnie jak pierwszego dnia, rozlega się pukanie do drzwi. Sądząc jednak po głosach, tym razem jest ich kilku. Najwyraźniej pragną zemsty za to, co przydarzyło się ich towarzyszowi. Przerażona budzi Maxa.

– Wiesz, gdzie jest klucz. Otwórz.

– Nie, Max, tym razem jest ich więcej. Zabiją cię. I mnie także.

Max wstaje i patrzy na nią z uśmiechem. Sprawia wrażenie, jakby to były chwile, dla których żyje, które go bawią, oczy mu błyszczą, ręka ani drgnie.

– Nie martw się, nie zabiją nas. Niełatwo jest zabić, trzeba mieć w sobie wiele odwagi albo wiele nienawiści. Ludzie boją się nienawidzić. Nie każdy to potrafi.

Walenie do drzwi nie ustaje. Sara się boi, że je wyważą, Max jednak jest spokojny. Bierze marynarkę i wyciąga z kieszeni pistolet, po czym starannie go ładuje. Drugi, jak zawsze, ma pod poduszką.

– Zaraz, zaraz, już otwieram. Po co ten pośpiech, nie można spokojnie pospać?

Staje przed drzwiami na rozstawionych nogach i celuje z obu pistoletów. Rzuca Sarze klucz, żeby to ona otworzyła drzwi, i szepcze do niej:

– Kiedy otworzysz, odejdź w kąt i połóż się na podłodze.

Ona podchodzi do drzwi, lecz ze zdenerwowania upuszcza klucz na podłogę. Podnosi go i otwiera. Kiedy przekręca klucz w zamku, kopnięcie odrzuca do tyłu drzwi, które uderzają ją, niemal pozbawiając przytomności.

– Kogóż tu mamy? Mojego przyjaciela goja z krzyżem na czole.

Trzej mężczyźni stają jak wryci, widząc Maxa z pistoletami w dłoniach, spokojnego i z zadowoleniem wymownie malującym się na twarzy. Sara przygląda mu się, skulona na podłodze, przekonana, że Max zabije jednego z trzech mężczyzn, jeśli nie wszystkich trzech, widzi to w jego oczach. Nie musi tego robić, żeby ratować życie, po prostu ma na to ochotę. Tak, owszem, on ma odwagę zabić. Sara poślubiła mordercę, który nie wie, co to litość.

– Dymitr chce z tobą mówić.

– Nie wiem już, jak mam wam wyjaśniać, że skoro Dymitr chce ze mną mówić, to on musi do mnie przyjść, nie będę chodził na jego zawołanie jak pies. Jego psami jesteście wy, gojowskie kundle. Mam dość kul na dwóch, a jest was trzech. Który chce? Pozwalam wam wybrać.

Jeden z nich, ten sam blondyn co poprzednim razem, ten z blizną w kształcie krzyża na czole, zaślepiony nienawiścią popełnia błąd i chce się rzucić na Maxa. Sara miała rację, jej mąż pragnął, by to się wydarzyło, chciał strzelić. I nie robi tego, by ich ostrzec, przestraszyć ani im grozić, robi to, żeby zabić: strzela mężczyźnie w środek czoła, dokładnie w miejsce, gdzie przecinają się ramiona krzyża. Krew jest wszędzie. Sara krzyczy, kiedy mózg mężczyzny rozbryzguje się po podłodze. Jego dwóch towarzyszy nieruchomieje.

– Któryś jeszcze chce skończyć jak wasz przyjaciel? Nie byliście dość szybcy, tak więc teraz starczy mi kul dla obu.

Po tych słowach obaj uciekają w popłochu. Max uśmiecha się do Sary.

– Powiedziałem ci, że mnie nie zabiją. Zbieraj się, wychodzimy.

Chociaż Sara robi co może, żeby nie nadepnąć na fragmenty mózgu, błyskawicznie jest gotowa, wrzuca ostatnie rzeczy do walizki. Max wydaje się spokojny, sprawia wrażenie, jakby miał ochotę położyć się znowu, a może nadal zabijać. Wychodzą na ulicę i w niecałą minutę są już w samochodzie. Max podaje kierowcy adres i jadą szybciej, niż Sarze wydawało się to możliwe, żadne, nawet najszybsze zwierzęta nie pociągnęłyby go z taką prędkością. Ośmiela się powiedzieć:

– Zabiłeś człowieka.

– Lepiej zabić, niż zginąć. Takie jest życie i trzeba się tego szybko nauczyć.

– Wielu ludzi zabiłeś?

Wzrusza ramionami, uśmiecha się, niewinnie, niemal jak dziecko przyłapane na kradzieży ciastek, i odpowiada:

– Wielu, dawno już straciłem rachubę. Kobiety i mężczyzn.

Zatrzymują się przed bramą budynku, który ma więcej niż sześć pięter. Wchodzą po wąskich schodach na czwarte piętro i Max kluczem otwiera jedne z drzwi.

– Co teraz zrobimy?

– Ja się położę, ci goje nie dali mi się wyspać. Dzisiaj w nocy wsiadamy na statek. Bądź gotowa.

Max rzeczywiście kładzie się na łóżku i zasypia. Sara podbiega do okna: stąd świat wygląda inaczej, jej przyjaciółka Judyta nie uwierzyłaby, że istnieją tak wysokie budynki. Ma nadzieję, że z tej wysokości kłopoty będą takie jak ludzie, których widzi: bardzo małe. Przypomina sobie blondyna, lecz już się nie martwi; teraz zadaje sobie tylko pytanie, jak będzie wyglądało jej życie w Buenos Aires, czy znowu będzie musiała patrzeć, jak Max zabija ludzi, czy całkowicie przestanie im współczuć. Jeśli Max, który potrafi odebrać komuś życie z takim spokojem, boi się Moszego, ten musi być przerażającym człowiekiem; ma nadzieję, że nigdy go nie pozna.

Max śpi. Sara powinna się go bać, lecz zamiast tego pragnie go. Ani Eliasz, ani żaden inny mężczyzna z wioski nigdy nie budził w niej pożądania. Uświadamia sobie, że zakochuje się w Maxie, chociaż on może się okazać potworem.

* * *

– Miriam? Czy to nie ta kobieta, z którą spędziłem swoją noc poślubną?

W Café Parisien rzadko odbywają się dwie licytacje z rzędu. Szczególny przypadek, bez wątpienia spowodowany wyjątkową sytuacją.

– Tak, ta sama. Noé postanowił wystawić ją na licytację, a ja chcę ją odzyskać. Kazał ją sprzedać. To jego sposób powiadomienia nas, że wie o naszych zamiarach wysadzenia go z siodła i chce, żebyśmy za to zapłacili, ale mu się to nie uda.

– Wiem, że nie powinienem ci mówić, co masz robić. Zawsze jestem po twojej stronie i zrobię wszystko, żeby ci pomóc, ale sądzę, że powinieneś przemyśleć sprawę rzucenia wyzwania Traumanowi.

Nicolau nie ma problemu z wyznaniem Moszemu Benjaminowi, że się boi, że on, jak wielu innych, słyszał, co Trauman robi z tymi, którzy mu się sprzeciwiają.

– Chcę tylko, żebyś o tym pomyślał, zanim będzie za późno. Jestem twoim przyjacielem i moim obowiązkiem jest zmuszenie cię, żebyś pomyślał dwa razy, zanim zrobisz krok, który według mnie jest błędny.

– Dziękuję ci za przestrogę, lecz decyzja już zapadła.

Mosze jest odważnym człowiekiem, nie doszedłby tam, gdzie jest teraz, gdyby taki nie był, a na tym etapie już się nie zmieni. Był taki za młodu, kiedy zszedł ze statku, którym przypłynął z Europy jako młody Żyd bez grosza przy duszy, był taki, kiedy poznali się w czynszówce w dzielnicy San Telmo, a także wtedy, gdy wdał się w interesy z „Warszawą", kiedy pomógł Nicolau się urządzić… Przyjaciel z Majorki próbuje jedynie pohamować jego ambicję, uświadomić mu, że nie ma już wiele do zyskania, a mnóstwo do stracenia, że to, co osiągnęli, znaczenie przewyższa to, co mieli nadzieję zdobyć, kiedy byli dwoma biednymi imigrantami spoglądającymi z dala na luksus Buenos Aires. Teraz się nim cieszą, nie warto go utracić przez zbyt wybujałą ambicję.

– Sam mówisz, że to ostrzeżenie ze strony Noego. Po co iść z nim na udry?

– Bo takie jest prawo życia. Jedni przychodzą i zagarniają najwyższe pozycje, jeśli inni chcą je zająć, muszą ich zrzucić.

Nie przekona Moszego, ale jest gotów nadal trwać u jego boku, chociażby miał wszystko stracić. Zawsze będzie mógł wrócić na swoją wyspę, do Sóller, i zarządzać ziemiami, które ojciec kupował w jego imieniu za wysyłane rok w rok pieniądze. Ależ niespodziankę przeżyłaby jego młoda żona, gdyby tuż po przybyciu do Argentyny musiała wracać na Majorkę.

– Jak mam uzasadnić kupno Miriam? Nie jestem właścicielem żadnego burdelu.

– Jak chcesz. Możesz powiedzieć, że powziąłeś do niej sentyment lub że postanowiłeś urządzić burdel w swoim domu w Boedo. Lepsze to pierwsze albo i jedno, i drugie: Miriam to bardzo ładna kobieta i sypiałeś z nią, a nawet spędziłeś z nią swoją noc poślubną.

– Ty nie możesz jej kupić?

– Nie sprzeda mi. Może mi ją podaruje, lecz nie sprzeda. A to nie jest odpowiednia chwila, żeby być mu winnym przysługę.

To kwestia układu między nimi, którego Nicolau nie rozumie ani nie zamierza zrozumieć.

– Do jakiej wysokości mam licytować?

– Cena nie gra roli. Kup ją. Zwrócę ci pieniądze.

– A dokąd mam ją zabrać?

– Do domu. Przyjdę po nią jutro wieczorem, może pojutrze.

Gdyby się zastanowił, nie byłby w stanie tego zrobić. Przed przyjazdem do Argentyny nawet nie przyszłoby mu do głowy, że pewnego odległego dnia pójdzie do kawiarni z zadaniem kupienia kobiety. Życie bez wątpienia dziwnie się potoczyło, a w ostatnich czasach Nicolau nie ma powodów do dumy, nie takich zasad nauczono go w domu rodzinnym. Nic nie da mówienie, że to sprawy Żydów i niech sami sobie z tym radzą: Miriam to człowiek, a człowieka się nie kupuje ani nie sprzedaje. A mimo wszystko nie waha się: wypełni misję zleconą mu przez Benjamina.

– Proszę wybaczyć, panie Esteve, musimy sprawdzić, czy nie ma pan przy sobie broni.

Te same piękne młode dziewczęta co ostatnim razem, Eva i María, bo chyba tak brzmią ich imiona, jeśli dobrze pamięta, rewidują Nicolau przy wejściu do Café Parisien i w chwilę potem ochroniarze pozwalają mu przejść. Atmosfera w kawiarni bardzo przypomina tę sprzed kilku dni, kiedy przyszedł tutaj z Moszem. Tuż przy wejściu podchodzi do niego Noé Trauman, żeby się przywitać, okazując mu niespotykaną grzeczność.

– Ponownie u nas, Nicolau? Może jest pan zainteresowany którąś z kobiet? Chciałby pan zainwestować w nasze interesy? Wie pan, że uważamy pana za przyjaciela i jesteśmy dumni, że możemy gościć pana u siebie.

Nicolau odpowiada tak, jak pouczył go Mosze, że jest zainteresowany kobietą o imieniu Miriam, z którą był niejeden raz, że na razie chce ją mieć dla siebie, chociaż może w przyszłości urządzi w swoim domu w Boedo miejsce schadzek.

Trauman życzy mu szczęścia w licytacji, by nie zapłacił za lalunię dużo więcej, niż jest warta.

– Miriam to dobra kobieta, żałuję, że muszę się jej pozbyć. Nie wiedziałem, że był pan jednym z jej klientów. Służyła u nas, jest pracowita, ale krnąbrna, za dużo czytała i wyznaje zbyt postępowe idee. Nic, czemu nie można zaradzić, trzymając ją krótko, lecz nie ja to będę robił, w głębi duszy jestem sentymentalny i nie lubię, kiedy kobiety obcują ze mną z niechęcią. Może w przyszłości będzie dobrą burdelmamą. Jest na nią wielu chętnych i będą podbijać stawkę. Jeśli ją pan zdobędzie, niech się pan nią cieszy.

Przechodzi wiele kobiet – młodych i dojrzałych, ładnych i brzydkich, tryskających zdrowiem i wyniszczonych, takich, które budzą żądze obecnych, i takich, które ich nie budzą, które osiągają wysoką cenę, na podium i takich, które w końcu zostają sprzedane za cenę wyjściową, a nawet wracają na zaplecze, gdy nikt nie daje za nie żądanej sumy – aż wychodzi Miriam. Jest najpiękniejsza ze wszystkich, które pojawiły się do tej chwili: ciemnowłosa, wysoka i szczupła, o ślicznych błękitnych oczach. Nicolau doskonale pamięta spędzoną z nią noc, to, jak go namydlała pod prysznicem, jak go wytarła, a później obsłużyła. Przypomina ją sobie w łóżku, wyniosłą, górującą, mimo że klient, który płaci za jej usługi, ma do niej wszelkie prawa. Wychodzi naga na podium i wywołuje pomruk podziwu, ma całkowicie wygolone łono i bardzo małe piersi. Odwraca się wkoło, nie okazując żadnego wstydu i patrząc obecnym w oczy. Kiedy mistrz ceremonii zamierza przemówić, Trauman daje mu znak, taki sam jak wówczas, gdy wycofał z licytacji dziewczynę, którą zamierzał kupić Genaro Monteverdi, skorumpowany polityk aspirujący do tego, by zostać pierwszym prezydentem Argentyny włoskiego pochodzenia.

– Miriam nie będzie wystawiona na licytację.

Rozczarowanie publiczności pozwala się domyślać, że licytacja byłaby zacięta, a dziewczyny nie sprzedano by tanio, bo wielu obecnych było gotowych podbijać stawkę. Nicolau nie ma czasu nawet pomyśleć, co się stało, ani wymyślić żadnej wymówki, by usprawiedliwić się przed Moszem, gdyż natychmiast podchodzi do niego jakiś mężczyzna i prosi, by z nim poszedł. Kilka sekund później na zapleczu za sceną spotyka kobietę i Traumana.

– Panie Nicolau, proszę przyjąć Miriam w prezencie. Z całą życzliwością i najlepszymi życzeniami. Niech będzie pierwszą z wielu, jakie mamy nadzieję panu dostarczyć, aby pański interes świetnie prosperował.

Z całą pewnością Mosze Benjamin nie spodziewał się takiego przebiegu zdarzeń, owszem, brał pod uwagę, że Trauman może podarować Miriam jemu, lecz nie wyobrażał sobie, że ofiaruje ją Nicolau. Czyżby szef „Warszawy" wiedział, jaki los go czeka? Nicolau nie ma pojęcia, jak zareaguje przyjaciel. Wie tylko tyle, że musi zabrać z Café Parisien bardzo piękną kobietę, nie płacąc za nią. Miriam go rozpoznała. Lecz zachowała milczenie.

– Dzisiaj będziesz musiała spać tutaj. W każdej chwili może przyjść Mosze, żeby cię zabrać.

– Traumanowi się nie spodoba, że kupiłeś mnie dla niego. Myślał, że chcesz mnie dla siebie. Byłam z tobą w noc twojego ślubu. Czy twoja żona już przypłynęła?

Nicolau, który nie wie, jak się zachować w stosunku do kobiety, która teoretycznie do niego należy, postanawia być dla niej miły, a nawet czuły. Jedzą na kolację sałatkę z pomidorów i cebuli i panierowany filet mięsny. Miriam nie ukończyła jeszcze dwudziestu lat, lecz w Buenos Aires jest już od dawna, pracuje dla Traumana od siedmiu lat. Wszystkie zarobione pieniądze wysyłała rodzinie w Polsce. Sprzedał ją, ponieważ jakiś klient się w niej zakochał, a ona usiłowała z nim uciec.

– Trauman mi powiedział, że sprawiałeś jakieś problemy.

– Z powodu tych problemów zabrał mnie do jednego ze swoich mieszkań i starał się zarobić na mnie pieniądze, a nie sprzedać. Tam jednak dowiedział się o historii z moim kochankiem. Nie martw się, nie zamierzam uciekać. Zaraz by mnie znaleźli, a nie chcę drugi raz przechodzić tego samego. Przyzwyczaiłam się już do pracy, nie obchodzi mnie, ilu mężczyzn obsługuję. To, co działo się w tych tygodniach, było znacznie gorsze.

– Bili cię?

– Nie chcesz wiedzieć. Nie należysz do „Warszawy", lepiej, żebyś nie znał ich metod.

Nicolau nie należy do „Warszawy", ale też nie jest głupi. Przypuszcza, że bicie może być rutyną, a dziewczęta są do tego po części przyzwyczajone. Zaczyna jednak podejrzewać, że być może prześladowane są także ich rodziny. Dziewczęta nie uciekają ze strachu, że ich rodzice i rodzeństwo umrą w dalekim sztetlu, który opuściły. „Warszawa" ma długie macki.

– Ty także byłaś w nim zakochana?

– Nie mów głupstw, kurwy się nie zakochują.

Klienci kupują u burdelmamy żeton za dwa peso. Muszą oddać go dziewczynie, z którą chcą pójść. Dziewczyny zachowują żetony, a na koniec tygodnia burdel płaci im jedno peso za każdy żeton, to znaczy połowę tego, co zarobią. Od tego należy odliczyć wydatki na jedzenie i mieszkanie, „Warszawa" bierze na siebie sprawy bezpieczeństwa i łapówek. Teoretycznie dziewczęta zatrudnione przez organizację mogą oszczędzać zarobione pieniądze i żyć z nich, kiedy wycofają się z zawodu, lecz rzadko tak się dzieje: wydają je na ubrania, biżuterię, a wiele z nich także na narkotyki, zwłaszcza kokainę, którą dostarcza sama organizacja. Niektórym udaje się uniknąć wszelkich pokus i dorabiają się niewielkiego kapitału, który mogą zachować albo wysłać rodzinie w Europie. Te, które dożyją trzydziestu lub trzydziestu pięciu lat i mają głowę na karku, zwykle zostają burdelmamami w należących do „Warszawy" domach publicznych. Są i takie, które kupują sobie wolność, żeby poślubić zakochanych w nich klientów. Niektóre z dawnych pracownic Towarzystwa Wzajemnej Pomocy otworzyły nawet legalne przedsiębiorstwa w Argentynie, Paragwaju lub Urugwaju i żyją jak szacowne damy. Najczęściej jednak wykańczają je narkotyki, choroby weneryczne i podłe życie, a sama organizacja wykorzystuje spadkobierców, grzebiąc je na własnym cmentarzu.

– Nie wiem, dlaczego Trauman postanowił ofiarować mi ciebie w prezencie.

– Żeby mi pokazać, że pieniądze nie są ważne, że liczy się to, by dziewczyna nagięła się do jego woli. To wiadomość dla pozostałych. Nie spodoba mu się, że wrócę do rąk Benjamina, to taki sam drań jak on.

Mimo zaistniałej sytuacji prowadzą miłą pogawędkę, Miriam jest kobietą, która umie mówić interesująco. Dwie godziny po jej przybyciu resztki kolacji stoją jeszcze na stole, a oni nadal

rozmawiają: o dziewczynach, o Żydach z „Warszawy", o nadcho-
dzącej wojnie między Traumanem a Benjaminem.

– Dlaczego wysyłasz pieniądze rodzinie? Sprzedała cię, kiedy
miałaś trzynaście lat.

– Nie zrozumiałbyś tego, oni mnie nie sprzedali. Przyjecha-
łam, bo chciałam, zakochałam się w Moszem. Uciekłam z domu,
żeby przyjechać do Buenos Aires i być z twoim przyjacielem. Teraz on już nie podróżuje, tylko wysyła innego drania, nazywa się
Max Szlomo. Wtedy Mosze pracował z Traumanem i sprowadził
mnie, żebym pracowała w jego burdelu. W domu w Polsce cier-
pieliśmy głód, mój starszy brat był chory i potrzebował lekarstw...
Doskonale rozumiałam, co muszę zrobić, żeby zdobyć na nie
pieniądze.

– Wyzdrowiał?

– Nie, pieniądze nie dotarły na czas. Posłużyły jednak do innych
celów. Mieli jedzenie, mogli zimą palić w piecu. Moi młodsi bracia
wyemigrowali do Niemiec, teraz mieszkają w Berlinie. Niemcy to
dobry kraj dla Żydów.

– A Argentyna?

– Też, lecz tylko dla niektórych.

Jutro pojawi się Mosze i Nicolau dowie się, co zrobią z Miriam.
Nie czuje się dobrze w jej obecności. Może to jest przyczyną, że
mimo jej urody nawet nie ma ochoty pójść z nią do łóżka.

* * *

– Będę za tobą tęsknił, kiedy wyjedziesz, owieczko.

Raquel zasięgnęła informacji odnośnie do statków wypływają-
cych do Buenos Aires. Mogłaby popłynąć parowcem *Infanta Isabel*,
lecz nie było wolnej kajuty w pierwszej klasie, wszystkie zostały wy-
kupione. To samo w przypadku Kompanii Transatlantyckiej, luksusowe kajuty już wyprzedano: wielu Europejczyków woli płynąć
do Ameryki hiszpańskimi statkami, żeby skorzystać na neutralności tego kraju. Pierwszą wolną kajutę Raquel znalazła na *Príncipe
de Asturias* Kompanii Żeglugowej Pinillos wypływającym z Barcelony w połowie lutego.

– Porozmawiam z Susan. Obiecała, że zawiezie mnie swoim samochodem, będę więc mogła wziąć wszystkie walizki.

– Będę o nią zazdrosny, cały czas o niej mówisz.

Odkąd Raquel zamieszkała u Roberta, kochają się każdego ranka i każdego wieczoru.

– Dlaczego nie robiliśmy tego wcześniej, owieczko? Miło spędzalibyśmy czas.

Nic nie zakłóca im miodowego miesiąca, jak nazywa to Roberto: ani Gerardo, ani don Amando, ani wiadomości od Losady, który błaga Raquel, by wróciła do Salón Japonés, od chwili gdy się przekonał, że Rosa Romana nigdy nie wystąpi w teatrze.

– Kiedy wyjeżdżamy? Wystarczy jedno słowo, pakujemy bagaże do samochodu i ruszamy.

Dla Susan wszystko jest łatwe. Za każdym razem, kiedy się z nią widzi, Raquel zdaje sobie sprawę, że dziewczyna dysponuje ogromnymi pieniędzmi, niemal nieograniczonymi. Nie przejmuje się rezerwowaniem noclegów między Madrytem a Barceloną, gdyż, jak sama mówi, mogłaby kupić całe wioski, które znajdują się po drodze.

– Nie powiesz mi, przed czym uciekasz?

– Nie uciekam, po prostu zamierzam zobaczyć, czy znajdę tam coś dla siebie, sama nie wiem co. Chcę popłynąć do Buenos Aires. Byłaś tam?

– Nie, nigdy. Jeśli zechcesz, przyjadę cię odwiedzić, kiedy już się tam urządzisz.

– A dlaczego nie popłyniesz ze mną?

– Jest jeszcze wiele rzeczy w Europie, którymi chcę się nacieszyć. Wybiorę się tam, kiedy zmęczy mnie pobyt tutaj.

Raquel rzuciła to bez zastanowienia, lecz luksus, w jakim mogłaby się pławić przy Susan, sprawia, że przestaje się przejmować pełnymi wyrzutu spojrzeniami, jakie rzucają kelnerzy, goście w lokalach, a nawet boye hotelowi. Musi nauczyć się od Susan je ignorować.

Wyruszą za kilka dni, będą się zatrzymywać, gdzie przyjdzie im na to ochota, i po tygodniu dotrą do Barcelony.

– Po co ten pośpiech, skoro twój statek wypływa dopiero w połowie lutego?

– Ponieważ mam ochotę zmienić swoje życie, poznać nowe miejsca i twarze, opuścić to miasto, które co prawda dobrze mnie potraktowało, lecz w którym tak trudno żyć.

– Wiesz, że wiele podróżowałam. Byłam w Detroit, Nowym Jorku, Paryżu, Madrycie i jeszcze tysiącu innych miejsc. Wierzymy, że w nowym miejscu wszystko będzie inne. Ale tak nie jest: zmienia się krajobraz, lecz my jesteśmy tacy sami. Ty nadal będziesz Raquel Castro w Barcelonie, w Buenos Aires czy dokądkolwiek pojedziesz, lepiej żebyś do siebie przywykła. Ucieczka nie ma sensu.

– Nie będę Raquel Castro. Raquel Castro zostaje w Madrycie, będę Raquel Chinchillą.

Susan zapewnia ją, że ona sama przywykła do siebie i już nie chce się zmienić, chce jedynie spotykać takie kobiety jak Raquel, żeby się z nimi bawić.

– Susan, nigdy nie byłaś z mężczyzną?

– Nawet mi to przez myśl nie przeszło, nie interesują mnie mężczyźni. Mnie się podobają kobiety, a najbardziej z nich wszystkich ty.

Może kiedyś zdarzy jej się to, co Robertowi, którego nie interesowały kobiety, a teraz pragnie jej cały czas.

Tęskni za Robertem tej nocy, którą spędza w Ritzu z Susan; najpierw były na kolacji w Casa Alberto na ulicy Huertas. Potem poszły znowu grać, lecz tym razem Raquel nie miała szczęścia w ruletce.

W pewnej chwili podszedł do nich pewien mężczyzna, atrakcyjny i bardzo elegancki dżentelmen, Eduardo Sagarmín, markiz de Aroca.

– Proszę wybaczyć, czy to możliwe, że widziałem panią niedawno w szkole fechtunku przy Puerta del Sol?

W ten sposób Raquel dowiaduje się, że Susan doskonale włada floretem, do tego stopnia, że reprezentowała swój kraj na pokazie żeńskiej szermierki podczas Igrzysk Olimpijskich w Sztokholmie w 1912 roku.

– Kobietom nie pozwolono wziąć udziału w zawodach, tylko mężczyznom. Całe szczęście, gdyż Włoszki zmasakrowały nas na planszy. Oczywiście później odegrałam się na jednej z nich w pościeli.

Eduardo Sagarmín – Raquel nie wie, kim jest ten mężczyzna, lecz znajoma kelnerka mówi jej, że to jeden z najbliższych przyjaciół króla – umawia się na spotkanie z Susan następnego dnia w tej samej szkole fechtunku, w której się poznali.

– Byłabym zachwycona móc z panem poćwiczyć, don Eduardo. Lecz niech pan nie sądzi, iż dlatego, że jest pan mężczyzną, okażę panu litość. Będę nieprzejednana.

Markiz zmierzy się z Susan, lecz Raquel zna mężczyzn i ma świadomość, że to ona, Raquel, wpadła mu w oko. Już tak wiele razy widziała to spojrzenie. Na niej także, może dlatego, że w ostatnich dniach jest podatna na miłość, ten mężczyzna zrobił wrażenie: taki wysoki, elegancki, o tak męskim głosie i doskonałych manierach… Dla takiego mężczyzny na zawsze porzuciłaby scenę.

Noc w Ritzu jest tak burzliwa jak poprzednie, które Raquel tam spędziła, a Susan, może dlatego, że jest wybitną sportsmenką, okazuje się niestrudzona jak zawsze, kiedy się kochają. Przed zaśnięciem Raquel myśli o Robercie, żałuje, że nie może się do niego przytulić. Myśli także o markizie de Aroca, zastanawia się, czy go jeszcze zobaczy. Nie może jednak już niczego odwlekać, musi mieć wszystko przygotowane: za dwa, najwyżej trzy dni wyrusza do Barcelony.

* * *

– Nie możemy zrobić tego, o co pan prosi. To wbrew prawu, a gdyby wyszło na jaw, postawiłoby nas w niezwykle niebezpiecznej sytuacji.

Don Antonio Martínez de Pinillos wie, że Kadyks to miasto bez tajemnic. On sam, jak wszyscy inni przedsiębiorcy w mieście, przeznacza część dochodów na to, by wcześniej od innych wiedzieć, co się dzieje. To jedyne znane mu miasto na świecie, gdzie buduje się z myślą o szpiegowaniu: czymże innym są wieże widokowe, które stały się jednym z jego symboli? Odkąd Kolumb odkrył Amerykę, zamorskie towary docierały przez Sewillę i Kadyks, należało zatem mieć baczenie na to, kto przybija do brzegu i jaki przywozi ładunek. Sukcesy odnosili najlepiej poinformowani i nadal tak jest.

– Znajdzie się pan w niezwykle niebezpiecznej sytuacji, jeśli nie zgodzi się pan z nami współpracować w tej sprawie.

Dotychczas spotkania z Niemcami odbywały się w jego gabinecie lub w konsulacie, jawnie. Dzisiaj jest inaczej: siedzą na zapleczu pewnej tawerny w porcie, przy brudnym stole, na którym postawiono dwa kieliszki wina z Sanlúcar. A jego rozmówca nie jest Niemcem, lecz Hiszpanem, tak jak on.

– Skąd mam wiedzieć, że nie jest pan zwykłym oszustem i rzeczywiście pracuje dla Niemców?

– Wie pan to, więc niech pan nie gra na czas, don Antonio. Muszę wyjść z tej tawerny z pańską zgodą, nie będzie innej okazji.

Jego rozmówca oferuje mu coś bardzo atrakcyjnego: ma zapomnieć o niemieckich okrętach podwodnych i pieniądzach, które miał zapłacić za to, żeby nie atakowały jego statków. W zamian za to ma się zgodzić na coś wyjątkowo niebezpiecznego: w Buenos Aires ma wypełnić ładownie bronią i podczas powrotnego rejsu wyładować ją w Las Palmas.

– Jeśli Anglicy się dowiedzą, zatopią nas.

– Jeśli pan się nie zgodzi, my was zatopimy. Anglicy to ryzyko, my dajemy pewność.

– Zawarłem umowę z niemieckim konsulem.

– Jest wojna, wystarczy tylko podłożyć lont, żeby umowy przestały istnieć.

– Dlaczego akurat *Príncipe de Asturias*?

– Kto by podejrzewał, że jeden z najbardziej luksusowych obecnie europejskich parowców, którym podróżują najbogatsi, jadając posiłki na najlepszej porcelanie i śpiąc w najdelikatniejszej pościeli, przewozi broń?

– Anglicy kontrolują załadunek we wszystkich portach.

– To niech pan nam zostawi. Nasi agenci wniosą ładunek na pokład. Nawet kapitan nie będzie wiedział, co wiezie w skrzyniach.

Chociaż don Antonio nalega, nie dają mu czasu do namysłu. Albo wróci do Europy z bronią, albo Niemcy zatopią *Príncipe de Asturias* i wszystkie statki, jakie posiada jego kompania.

– Skąd mam wiedzieć, że po zakończeniu tego rejsu nie poprosicie mnie o przetransportowanie następnego ładunku?

– Powiedziałbym, że dam panu słowo, lecz już pan wie, jak niewiele jest to warte w czasach wojny. Tak czy owak coś panu uświadomię, jeżeli jeszcze nie zdał pan sobie z tego sprawy: pańska sytuacja nie pozwala na prowadzenie negocjacji, a jedynie na wyrażenie zgody.

Od chwili, gdy tutaj usiadł, przez głowę przebiegają mu tysiące myśli, lecz w ostatnich minutach tylko jedna: jak sprawić, by nikt się nie dowiedział o tym porozumieniu.

– Zgadzam się, aczkolwiek niechętnie, i to tylko dlatego, że nie dajecie mi wyboru.

– Cieszę się, że pan to pojął.

Don Antonio poszedł do portu sam, spacerkiem. Lubi Kadyks i lubi takie poranki jak ten, wigilię dnia Trzech Króli, kiedy w środku zimy wstaje jasne słońce.

Jest znany w mieście i chociaż bardzo się stara, nieraz nie może przypomnieć sobie nazwisk niektórych pozdrawiających go ludzi. Jego uwagę zwraca bardzo piękna dziewczyna, która podobnie jak on przyszła do portu, żeby przyjrzeć się stojącemu w doku *Príncipe de Asturias*. Natychmiast ją sobie przypomina: podawała do stołu podczas posiłku, który zjadł z kapitanem Lotiną przed pierwszym rejsem parowca, kiedy demonstrowano mu jakość kuchni.

– Dzień dobry. Pamiętam panią z jadalni *Príncipe de Asturias*. Nie mylę się?

– Nie, panie Pinillos, nazywam się Paula Amaral i jestem stewardesą na tym statku.

– Już pamiętam! To señoritę operowano podczas ostatniego rejsu. Powiedziano mi, że zostaje pani w Kadyksie i nie chce wracać w rodzinne strony, do Vigo.

– Tak, proszę pana.

– Wróciła pani do zdrowia?

– Jak najbardziej, dzięki Bogu i opiece, jaką otrzymałam na pokładzie.

Don Antonio zaprasza ją na kawę do swojego domu jeszcze tego samego popołudnia.

– Czekam na panią o szóstej. Chciałbym usłyszeć o wrażeniach z rejsu na *Príncipe de Asturias* i o operacji przeprowadzonej przez nasz zespół medyczny. Chciałbym także wyrazić pani wdzięczność za poświęcenie dla naszej firmy.

Uśmiecha się, widząc zakłopotaną minę dziewczyny.

– Proszę się nie obawiać, jestem mężczyzną szczęśliwie żonatym, a moja żona będzie nam towarzyszyć. Nie mam wobec pani złych zamiarów.

– Na Boga, ani przez chwilę się nie obawiałam, że mogłoby się wydarzyć coś niestosownego. Myślałam tylko z obawą, w co się ubrać.

– Jest pani doskonale ubrana. Proszę się nie przejmować takimi sprawami. Widzimy się po południu.

Don Antonio ponownie rusza, musi się zastanowić nad propozycją, jaką właśnie złożyli mu Niemcy. W obecności rozmówcy zastanawiał się tylko nad tym, czy na nią przystać, lecz ewidentnie istnieje jeszcze inny problem: czy poinformować Anglików o całej sprawie, żeby to oni chronili jego statki i przygotowali zasadzkę w celu odkrycia nielegalnych dostaw broni z Ameryki Południowej do Europy. Gdzie produkuje się to uzbrojenie, które mają załadować w Argentynie? Z pewnością ich to zainteresuje. Ma trochę czasu, by przemyśleć tę kwestię, przespać się z nią, może porozmawiać o niej z synem, który niebawem przejmie kierownictwo przedsiębiorstwa. Teraz ma ochotę się rozerwać; to szczęście, że spotkał tę dziewczynę i zaprosił ją na kawę, w ten sposób uniknie rozmyślania cały dzień o tym samym.

Pauli pochlebiło, że pan Pinillos ją pamięta, że został poinformowany o operacji, jaką przeszła na statku, i że zaprosił ją do siebie na kawę. Oczywiście nie spodziewała się tego, a dla stewardesy pójście na kawę do pracodawcy, w dodatku właściciela wielkiej kompanii żeglugowej, jest szarpiącym nerwy wyzwaniem. Czy powinna coś przynieść? Czy ma się ubrać w jakiś szczególny sposób? Jak należy się zachowywać? Pochlebia jej to, że ją zaprosił, lecz wolałaby, żeby tego nie zrobił.

Nie minął jeszcze tydzień, odkąd przebywa w Kadyksie, a już przywykła do rytmu życia w mieście – spacery stały się rutyną, poznała kilka gospód, gdzie podają smaczne jedzenie, piła czekoladę w La Marinie na ulicy Libertad. Odwiedziła również sklepy z odzieżą na ulicy Cervantesa i ulicy San Francisco, odkryła plac Flores, park Genovés czy dzielnicę Pópulo, które z każdym dniem coraz bardziej jej się podobają. Teraz, kiedy już postanowiła opuścić Europę i nie wracać, znalazła miasto, w którym mogłaby zamieszkać.

Kilka minut przed szóstą, w swojej najlepszej sukni i skromnym kapeluszu, z tacą marcepanowych ciasteczek z cukierni Viena na rogu ulic Ancha i San Miguel, jak jej powiedziano najlepszych i najwytworniejszych w mieście, puka do drzwi wspaniałego pałacyku przy placu Mina.

– Nie musiała się pani kłopotać przynoszeniem czegokolwiek, chciałem tylko chwilkę z panią pogawędzić, a nie zmuszać jej do wydawania pieniędzy.

Don Antonio jest człowiekiem uprzejmym, należy być wdzięcznym, że ktoś tak zajęty jak on poświęca jej tyle czasu. Spędza z nim blisko dwie godziny, gawędząc o pracy na morzu, codziennym życiu na statku, przerwach w rejsie, kiedy *Príncipe de Asturias* zawija do portów. Armator nie zamierza wyciągnąć z niej informacji ani nie pyta o żadnego pracownika czy oficera. Sprawia wrażenie szczerego w swych zamiarach: chce jedynie lepiej poznać ludzi, którzy pracują w jego firmie, może nawet nie to, może tylko chce spędzić miłe popołudnie lub dowiedzieć się czegoś o statku, by nadrobić swój brak doświadczenia.

– Podobno nigdy nie płynął pan żadnym ze swoich statków.

– Niech Bóg mnie przed tym strzeże. Nie pociąga mnie myśl o tym, żeby znaleźć się pośrodku oceanu na łasce fal, wiatrów i sztormów. Właśnie dlatego staram się, aby moje statki były wyposażone we wszelkie możliwe środki bezpieczeństwa i nowoczesne rozwiązania, na wypadek gdybym pewnego dnia był zmuszony wsiąść na pokład któregoś z nich.

Żona don Antonia – Paula nie pamięta jej imienia – weszła do saloniku, żeby się z nią przywitać i przedstawić, lecz nie usiadła z nimi. Od czasu do czasu wchodzi ktoś ze służby, podaje gospodarzowi liścik na tacy, ten go czyta i wydaje jakieś zwięzłe polecenie, zaledwie „tak", „nie", „jutro się temu przyjrzę".

– Pójdę już, jest pan zajęty, przepraszam, że zabrałam panu tyle czasu.

– Nie, proszę zostać. Napije się pani jeszcze kawy? Ta rozmowa sprawia mi wielką przyjemność. Od czasu do czasu należy zrobić sobie wolne popołudnie, potem podejmuje się lepsze decyzje.

Kiedy już wstali od stołu i don Antonio odprowadza ją do drzwi, nagle zadaje pytanie, na które Paula nie wie, jak odpowiedzieć:

– Czy kapitan powiadamia załogę, co statek przewozi w ładowniach?

– Nie, nigdy. Nie wiem, czy kogokolwiek to interesuje, mnie na przykład zajmują jedynie pasażerowie, a nie przewożony ładunek.

– A o możliwości ataku przez niemiecki okręt podwodny? Ostrzegł was kiedyś?

Kapitan Lotina nigdy nie rozmawiał o tym z załogą, może z oficerami, na pewno nie z szeregowymi pracownikami. Niemniej jednak wszyscy zdają sobie sprawę z zagrożenia. Czytali wszystkie doniesienia, jakie ukazywały się w gazetach po zatonięciu *Lusitanii*, i z pewnością boją się, że jakaś torpeda zatopi *Príncipe de Asturias* i wszystko się skończy.

– Płyniemy pod hiszpańską banderą, nasz kraj nie uczestniczy w wojnie. Czy Niemcy mogą nas zaatakować?

– Nie, oczywiście, że nie. Tylko gdyby doszło do pomyłki. Proszę mi zostawić adres, pod którym mógłbym panią znaleźć, chciałbym ponownie z panią porozmawiać. To była dla mnie wielka przyjemność.

Opuściwszy dom don Antonia, Paula czuje niepokój. Czy to możliwe, że ich zaatakują? Czy bezpiecznie jest popłynąć na *Príncipe de Asturias*? Właśnie teraz, kiedy zamierza odbyć swą ostatnią podróż, nie jest to odpowiednia chwila, by się bać.

* * *

– Gasparze, niech panu nawet do głowy nie przyjdzie, żeby to tak zostawić.

Każdego dnia Mercedes trzykrotnie odwiedza pokój Gaspara, żeby przynieść mu śniadanie, obiad i kolację. Czasami, kiedy ma czas, w porze podwieczorku siada obok jego łóżka i spędza niemal godzinę na pogawędce z nim. To jedyny pozytywny rezultat cięgów, jakie dostał w sylwestrową noc. Nie wrócił do pracy, lecz dyrektor gazety i redaktor naczelny odwiedzili go kilka razy, a nawet przysłali młodego stażystę, żeby mógł mu podyktować cotygodniowy felieton, pierwszy w tym roku.

– Nie oczekujcie, że to zgłoszę. Nie zamierzam nikomu mówić o pobiciu, bo wtedy może będą chcieli wrócić, żeby mnie dobić.

– Niech pan nie przesadza, Medina, to były tylko pieszczoty. Gdyby naprawdę chcieli pana zabić, już by pan wąchał kwiatki od spodu.

Wielorakie obrażenia, pęknięte żebra, podbite oko, takie były konsekwencje tych pieszczot. W końcu Gaspar dał się przekonać. Przyszedł policjant, żeby spisać jego zeznania, a Gaspar musiał stwierdzić, że nikogo nie rozpoznał, że był tak pijany, iż nie potrafiłby zidentyfikować napastników, nawet gdyby ich przed nim postawiono.

– Przyniosłam panu czekoladę i kawałek kołacza z pobliskiej cukierni. Mówi się, że są najlepsze w całym Madrycie.

Fama głosi, że Horno del Pozo, nieopodal pensjonatu, to jedna z najstarszych i najlepszych cukierni w mieście. Poza tym jako jedna z nielicznych przez cały rok sprzedaje specjalne kołacze, które jada się na Trzech Króli. Gaspar nie może zobaczyć tego z łóżka, lecz jest pewny, że dzień przed świętem mieszkańcy Madrytu stoją w kolejce, żeby kupić ciasto.

– Napisał pan list do Trzech Króli*, Gasparze?

---

* W Hiszpanii prezenty dzieciom przynosi nie Święty Mikołaj, lecz Trzej Królowie.

– Nie, a pani?

– Oczywiście, ja zawsze do nich piszę. Zobaczymy, czy tego roku dobrze się spiszą i przyniosą mi to, o co proszę. Szkoda, że nie można tego powiedzieć.

– Nie można powiedzieć, o co się prosi Trzech Króli?

– Cóż, wolałabym tego nie zdradzać, Gasparze. Możemy mówić sobie po imieniu? W końcu znamy się od lat.

– Oczywiście, że pani może. A raczej… możesz.

Do pokoju wchodzi jedna z pokojówek i powiadamia doñę Mercedes, że przyszedł jej narzeczony, major Pacheco. Gaspar się dziwi, widząc wyraz niechęci na twarzy Mercedes. On nie ma ani nigdy nie miał narzeczonej, sądzi jednak, że byłby szczęśliwy, gdyby przyszła go odwiedzić.

– Mam nadzieję szybko się go pozbyć. Jeśli mi się to uda, sama przyniosę ci kolację. I napisz list do Trzech Króli. Sądzę, że dotrze na czas.

Co miałby napisać? Że chce, by nastał już dzień jego wyjazdu do Argentyny i że nie ma ochoty wyjeżdżać, chyba że w towarzystwie Mercedes?

Nieco później przychodzi Mercedes.

– Już się go pozbyłam. Może zjemy razem kolację i poczekamy na przybycie Trzech Królów ze Wschodu?

– Nie mogę jeść z tobą kolacji, leżąc w łóżku.

– Może wstaniesz i ubierzesz się, a ja w tym czasie przygotuję wszystko w moim saloniku?

Kwadrans później Gaspar ma na sobie swój najlepszy garnitur – najnowszy z trzech, które posiada – i wchodzi do niewielkiego salonu przylegającego do sypialni Mercedes. Nakryty jest ten sam okrągły stolik, przy którym gawędzili przed kilkoma dniami, gdy Gaspar powiedział jej, że wyrusza do Argentyny. W odległości kilku kroków, po drugiej stronie drzwi, znajduje się wielkie łoże Mercedes, a Gaspar marzy, żeby się w nim znaleźć.

– Nie zmuszaj mnie, żebym cię torturowała, abyś mi opowiedział wszystko o przyjęciu w Pałacu Królewskim. Umieram z ciekawości, żeby się dowiedzieć, jak tam było. Ostatnio byłeś w tak złym stanie, że nie chciałam cię pytać. Rozmawiałeś z królem?

– Zostałem mu przedstawiony, a on powiedział, że czyta moje felietony, że często go obrażam, ale czasami mam rację.

Mówi jej o sukniach dam, choć nie pamięta ich zbyt wiele, o sławnych osobistościach, które były tam obecne, o spotkaniu z Alvarem Ginerem, dyrektorem Urzędu do spraw Ochrony Jeńców, człowiekiem, którego wielce szanuje i który przedstawił mu Eduarda Sagarmina.

– Popłynie do Buenos Aires tym samym statkiem co ja. Oficjalnie w celu przekazania posągów, lecz sądzę, że powierzono mu jeszcze inną misję. Gdyby chodziło tylko o posągi, nie wysyłano by dyplomaty, lecz jakiegoś figuranta, któregoś z krewnych Jego Wysokości.

– A jak sądzisz, co to za tajna misja?

– Nie mam bladego pojęcia, ale oczywiście spróbuję się tego dowiedzieć.

– To pasjonujące, jakbym jadła kolację ze szpiegiem.

– Moje metody są znacznie mniej niebezpieczne, ograniczam się do konsekwentnego wypytywania tu i tam, ciągnięcia ludzi za język. Gdy uda mi się zdobyć jakieś informacje, ujawniam je.

Mercedes słucha go, jak nikt go wcześniej nie słuchał, jakby był najbardziej interesującym człowiekiem na świecie. Ma świadomość, że nie powinien przeciągać struny, żeby jej nie znudzić, że dochodzą już do deseru, a tylko on mówi, jakby nie ciekawiło go, co ona ma do powiedzenia. A prawdą jest, że bardzo go to ciekawi.

– A ty? Powiedz mi coś o sobie. Nie chcę być niedyskretny, lecz dziwią mnie pewne uwagi pod adresem majora Pacheco, jakie padły z twoich ust.

– Nie cierpię go.

– Przecież to twój narzeczony.

– Powiem ci prawdę: jest moim narzeczonym, ponieważ jest właścicielem połowy tego pensjonatu. Poznałeś mojego ojca, zanim umarł, pamiętasz go?

– Doskonale, to był bardzo przyzwoity człowiek.

– Tak, przyzwoity, ale nałogowy hazardzista. Wszyscy wierzą, że zmarł na skutek ataku serca, lecz tak nie było, popełnił samobójstwo, gdy przegrał w karty rodzinny dom na ulicy Montera, gdzie do tamtej chwili mieszkaliśmy, oraz pensjonat.

– I wygrał je major.

– W rzeczy samej. Matka zamieszkała u siostry, a ja w pensjonacie. Mieszkanie na ulicy Montera należy teraz do mojego rzekomego narzeczonego. A ja musiałam się z nim zaręczyć, żeby zachować połowę interesu. Inaczej matka nie miałaby z czego żyć. Teraz już wiesz wszystko, ale błagam cię, żebyś zachował to dla siebie.

– Nie martw się, jeśli o mnie chodzi, nie musisz obawiać się niedyskrecji. Nie możesz nic z tym zrobić?

– Nie wszyscy możemy wyjechać do Argentyny i wymazać całą przeszłość. Przyznaję, że zazdrościłam ci, mimo tego, co cię spotkało. Gdybym ja także mogła wyjechać… Poza tym smutno mi, bo rozmowa z tobą od czasu do czasu była jedyną rzeczą, która dawała mi radość życia.

Gaspar nie spodziewał się po Mercedes takiej bezpośredniości. Na szczęście to ona podejmuje wszystkie decyzje i przejmuje inicjatywę. To ona go całuje, prowadzi do sypialni, popycha na łóżko, zdejmuje z niego marynarkę, krawat, a nawet spodnie, po czym sama się rozbiera. Decyduje nawet o tym, w jakich pozycjach będą się kochać – starając się oszczędzić Gasparowi bólu – a później po której stronie każde z nich ma spać. Gaspar żałuje, że nie towarzyszył kolegom podczas nocy spędzanych w burdelach i na hulankach, przez co znacznie później poznał przyjemność, jaką daje miłość cielesna, lecz równocześnie czuje dumę, że czekał na to, by ona była jego pierwszą kobietą.

* * *

– Nie musisz zabierać tej starej odzieży, w Barcelonie wszystko sobie kupisz.

Matka ma rację. Po co Gabrieli stare nocne koszule, znoszone halki, prujące się w szwach kubraki, spódnice odziedziczone nie wiadomo po kim i cerowane tysiąc razy? Pozbawiona uroku robocza odzież prostej dziewczyny, której nie będzie już musiała używać. Teraz jest żoną bogatego człowieka i musi się odpowiednio ubierać. Gdyby wiedziała, że jest tak zamożna, wzięłaby ślub w białej sukni, jak bogaczki z Madrytu czy Barcelony. Musi wziąć za przykład Neus, dawną narzeczoną Nicolau, która później wyszła za mąż za właściciela fabryki sukna. Musi pójść do sklepów na Paseo de Gracia i Rambli w Barcelonie, które ta jej poleciła, i wydawać pieniądze na prawo i lewo.

Ponownie spotkała się z Neus u niej w domu, nie mówiąc o tym nikomu, nawet Àngels.

– Jeśli będziesz miała szczęście, Nicolau będzie cię kochał przez kilka lat, będzie miał z tobą kilkoro dzieci, a potem się tobą znudzi. Musisz dopilnować, żeby, kiedy to się stanie, nadal cię szanował. Wiele kobiet uważa, że osiąga się to przez sprawianie im rozkoszy w łóżku, ale to nieprawda. Musi widzieć w tobie matkę swoich dzieci, nie kurtyzanę. Kurtyzan zawsze może poszukać poza domem, lecz ty musisz być tą, która najlepiej wychowa jego dzieci, tego nie zrobi żadna kochanka ani utrzymanka. Nie przejmuj się tym, że później będzie miał kochanki, to dla ciebie lepiej, bo nie będziesz musiała na każde zawołanie wypełniać małżeńskich obowiązków.

Gabriela wypełniła to, co ona nazywa małżeńskimi obowiązkami, tylko dwa razy, oba z Enriqem. Nie wydawało jej się to wcale złe, podobało jej się, chociaż ten raz na plaży, który spowodował tyle kłopotów, nie sprawił jej takiej przyjemności jak pierwszy, nie poczuła tego wybuchu w środku. Nie uważa, by miało to być tak ciężkim doświadczeniem, czymś, co powinna jak najszybciej wyeliminować ze swojego życia.

– Mimo że mój mąż nigdy nie sprawił, bym czuła się wykorzystywana, jestem wdzięczna, iż teraz już prawie nigdy nie domaga się tego ode mnie. Lepiej, że jeździ do Palmy i wraca spokojny, bez wymogów.

– A miłość?

– Nie łudź się, miłość trwa bardzo krótko. Tak krótko, że nawet nie wiem, czy istnieje.

– A my? My nie możemy szukać poza domem tego, czego w nim nie mamy?

– Chyba że chcesz, żeby odesłał cię z powrotem na wyspę z etykietką ladacznicy. Będziesz tu jeszcze tylko dwa albo trzy dni, prawda?

– Tak, wypływam rano w święto Trzech Króli statkiem należącym do Towarzystwa Żeglugowego Isleña Marítima.

– Popłyniesz *Rey Jaime I*?

– Nie, *Miramar*.

– Jest wygodny i szybki, chociaż nie tak jak *Rey Jaime*. Raz nim płynęłam. Przybędziesz do Barcelony późnym popołudniem. Czy Nicolau wysłał ci bilety?

– Nie, kupił je pan Quimet. Nicolau zarezerwował bilet z Barcelony do Buenos Aires na *Príncipe de Asturias*.

– Czytałam o tym statku w jakimś piśmie, podobno jest bardziej luksusowy niż *Titanic*. Wiesz już, w którym hotelu się zatrzymasz?

– W Cuatro Naciones na Rambli.

– Nigdy w nim nie mieszkałam, mój mąż woli Colón, lecz wiem, że jest dobry, niektóre z moich przyjaciółek tam się zatrzymywały. Widać, że Nicolau dobrze się wiedzie w Argentynie i nie zważa na wydatki.

– Wysłał mi pieniądze, żebym kupiła sobie wszystko, co będzie mi potrzebne. Jutro muszę zacząć się pakować.

– Nie zabieraj zbyt dużo rzeczy. Porzuć wspomnienia, na nic ci się nie zdadzą, a w najgorszym wypadku wywołają tylko bolesną nostalgię. Wiem, o czym mówię. Rozpocznij nowe życie, ciesz się nim i nie oglądaj się wstecz.

To samo mówi jej matka, kiedy Gabriela zaczyna się pakować.

– Bieda to już przeszłość, nie zabieraj jej ze sobą pod postacią łachmanów. Kup sobie wszystko nowe, korzystaj z pieniędzy męża.

– Dzisiaj spotkałam się z Neus Moyá. Powiedziała mi, że Nicolau ją porzucił.

Pan Quimet przychodzi do Gabrieli ze skrzynką pełną książek, portretów i dokumentów, które ma przekazać jego synowi w Buenos Aires.

– To nieprawda. Ona wyszła za innego, za bogacza.

Żal jej staruszka mimo tego, co próbował jej zrobić. Nie przestaje przez to być samotnym starym człowiekiem, zależnym od litości syna, który odniósł sukces. Chociaż posiada ogromne sady i wygodny dom, są to tylko okruchy, jakie syn pozwala mu zebrać po uczcie. Stary się boi, że jeśli ona opowie mężowi, co się wydarzyło, ten zakręci kurek z pieniędzmi.

– Jeśli powiesz o wszystkim mojemu synowi, oskarżę cię, że mnie sprowokowałaś.

– Niech się pan do mnie nie zbliża i niech pan pomaga mojej rodzinie w razie potrzeby. Niech pan nie ryzykuje utraty tego, co ma.

Quimet jest starym tchórzem. Do tej pory Gabriela nie zdawała sobie sprawy, jak bardzo słabe są osoby, którymi w życiu rządzi strach. Jeśli ma za coś być wdzięczna Nicolau, to za to, że pozwolił jej wejść w dorosłość. Teraz ma świadomość, jakim błędem jest pozwolenie, by strach dyktował jej, jak ma postępować.

– Córko, niewiele z tobą rozmawiałem.

– Wszystko mówi matka.

Ojciec kłamie, to nieprawda, że niewiele z nią rozmawiał, w cale nie rozmawiał. Nie zapytał jej, czy chce wyjść za mąż ani czy ma ochotę wyjechać do Argentyny. Nie wyjaśnił jej również powodów, dla jakich podjął najwygodniejszą dla siebie decyzję. To zahukany mężczyzna, zdominowany przez żonę, mężczyzna, który dobrze czuje się jedynie na morzu, a z własnej inicjatywy zrobił tylko jedno: nauczył swoje dzieci pływać.

– Chciałbym, żebyś została tutaj z nami, lecz twoja matka ma rację, tam ci będzie znacznie lepiej.

– Skąd to wiesz, ojcze? Nie wiesz, jak tam jest.

Nie zamierza mu tego ułatwiać. Gabriela żywi przekonanie, że jej rodzice sprzedali swoją córkę, żeby stać się jedną z dobrze sytuowanych rodzin w Sóller, że chcą czerpać korzyści z bogactwa jej męża, zamieszkać w wielkim domu w centrum miasta. Jej pomyślność i szczęście są im obojętne.

– Wiem, co słyszałem. Ludzie mówią o Argentynie, że to prawdziwy raj. Nie chcemy, żeby czegokolwiek ci brakowało.

– Ojcze, jesteś o dziesięć lat młodszy od Nicolau. Wydaliście mnie za mężczyznę starszego ode mnie o ponad trzydzieści lat. Sądzicie, że on mnie uszczęśliwi? Wypełnię to, co postanowiliście, lecz nie wymagajcie, żebym była za to wdzięczna ani nawet żebym wam wybaczyła.

Pozostały jeszcze tylko dwa dni. W wigilię Trzech Króli, w noc piątego stycznia, zjedzą kolację w domu. Àngels jest na nią zaproszona, przyjdą też sąsiedzi, żeby się z nią pożegnać, odwiedzą ją wszyscy, którzy ją kochają. Rankiem szóstego, bardzo wcześnie, pojedzie z ojcem tramwajem do Sóller, a tam wsiądzie do pociągu do Palmy. Jasno widzi, że z chwilą, gdy straci z oczu wyspę, wszystko się zmieni, umrze dawna Gabriela, a narodzi się nowa kobieta – kobieta, która sama będzie podejmować decyzje.

6

FOTEL ROZMYŚLAŃ

Autorstwa Gaspara Mediny dla „El Noticiero de Madrid"

PORA WYRUSZYĆ

Nasz korespondent w Barcelonie, pan Dalmau, donosi nam, że w ostatnich tygodniach port w tym cudownym mieście wyraźnie się zmienił. Nadal zawijają do niego wielkie statki, są tam skrzynie, w których różne towary popłyną w świat, dokerzy i dźwigi, są jednak również uciekinierzy, wygnańcy z całej Europy.

Jak powiada pan Dalmau, port wypełnił się prowizorycznymi obozowiskami: rodziny uchodźców, które utraciły wszystko podczas wojny, dezerterzy ze wszystkich armii, awanturnicy pragnący przedostać się do Ameryki i Żydzi z najbardziej nieoczekiwanych miejsc w Europie, poszukujący krajów, gdzie traktowano by ich lepiej niż w tych, które poprzez swą kulturę i pracę pomogli zbudować.

Podjąwszy najgorszą decyzję w swej historii, Hiszpania wypędziła żydowski lud. Tylko ten jeden czyn wystarczyłby, żeby Izabela i Ferdynand, słynni królowie katoliccy, zostali wzgardzeni na wieki, uznani za najgorszych monarchów w historii, a ich imiona doszczętnie zdeptane.

Przez nieco ponad czterysta lat, które upłynęły od owej chwili, Żydzi, którzy opuścili Hiszpanię, zachowali klucze do swych domów, obyczaje i hiszpański język. Teraz niektórzy z nich, nie mogąc dłużej znosić prześladowań, pogromów i niesprawiedliwości, wracają i wykorzystują naszą ojczyznę, żeby udać się w podróż do krajów spoglądających w przyszłość, nie w przeszłość. Obok Żydów uczciwych są i tacy, których oni sami nazywają „nieczystymi". Nasz rząd, roszczący sobie prawa do tylu nienależących mu się prerogatyw, nie może stosować taktyki strusia i chować głowy w piasek. Spoczywa na nim odpowiedzialność za to, co się dzieje w barcelońskim porcie, i to on musi oddzielić ziarno od plew.

Wypływają Żydzi, hiszpańscy, włoscy, francuscy i portugalscy robotnicy, młodzi giną na wojnie, a ziemię uprawia się jedynie za pomocą bomb i trupów. Europa sprawia wrażenie kontynentu, w którym trzeba stać w kolejce, żeby go opuścić. I nie dzieje się tak jak na statkach, szczury nie opuszczają go jako pierwsze: one będą ostatnie.

D laczego sprezentował ci tę kobietę? Nie dał ci żadnego wyjaśnienia?

Tak jak Nicolau przewidywał, Moszego Benjamina zaniepokoił
fakt, że Noé Trauman wycofał Miriam z licytacji i podarował mu
ją. Mógł za nią uzyskać ogromne pieniądze, wielu było nią zainte-
resowanych. Nicolau i Mosze zdawali sobie sprawę, że będą za nią
musieli sporo zapłacić.

— Noé powiedział, że darzy mnie szacunkiem. Myślę jednak,
że to Miriam ma rację. Według niej Trauman chce w ten sposób
dać pozostałym dziewczętom do zrozumienia, że pieniądze nie są
ważne, że istotne jest to, by były mu posłuszne, że jego pragnienia
liczą się o wiele bardziej niż pieniądze.

— Mówiłem ci, że Miriam jest wyjątkowa.

— Uważa też, że kiedy Trauman się dowie, że ona ponownie dla
ciebie pracuje, wpadnie w szał.

— Liczyłem się z tym. Na razie tego nie wie. Mówiłem ci już,
że czekamy, aż wróci Max.

Nicolau już się nieco uspokoił. Rano odstawił Miriam tam,
gdzie kazał mu Mosze, do jednopiętrowego domu na ulicy Defen-
sa w dzielnicy San Telmo. Przyjęła ją starsza kobieta, która przedstawiła się jako Olga. Nie wyglądała na burdelmamę, lecz na jedną
z dam, jakie mija na ulicy. Nie wie, co powiedziały sobie obie kobiety, gdyż cały czas rozmawiały w jidysz, wyglądały jednak na szczęśliwe z tego spotkania. Miriam nie pożegnała się z nim, weszła do
domu, nie odwróciwszy nawet głowy, nie rzuciwszy mu ostatniego
spojrzenia. Nicolau nie wie, czy jeszcze ją zobaczy.

— Jeśli zaraz poślesz ją do pracy, Noé się dowie, że jest u ciebie.

– Miriam ma szczęście i będzie miała kilka tygodni wakacji. Wszyscy muszą myśleć, że zarezerwowałeś ją dla swojej wyłącznej przyjemności.

– To bardzo piękna kobieta, a mimo to ani przez chwilę nie czułem pożądania. Nie było tak jak podczas nocy, którą spędziłem z nią w burdelu.

– Czyżbyś się starzał, przyjacielu?

Nicolau zjadł z Moszem śniadanie, a potem wrócił do Palmesano. Gdy tylko wszedł do środka, szef lokalu Joan wskazał mu mężczyznę siedzącego przy jednym ze stolików. Był to ubrany na czarno siwobrody Żyd w czarnym filcowym kapeluszu na głowie. Gdyby nie fakt, że zamiast pejsów miał niesforne siwe kosmyki, wyglądałby jak jeden z ortodoksyjnych Żydów, jakich niekiedy widuje na ulicach, tak różnych od tych, z którymi zadaje się Nicolau.

– Chce z tobą mówić. Nie chciał się niczego napić, mówi, że nie pije w takich miejscach jak to.

Mężczyzna sprawia wrażenie bardzo poważnego, nie zwraca uwagi na innych klientów ani na hałas panujący w lokalu, siedzi zagłębiony w lekturze książki oprawnej w czarną skórę, napisanej, jak sądzi Nicolau, po hebrajsku. Może mieć z sześćdziesiąt lat, siwe włosy nadają mu groźny wygląd, a chociaż siedzi, daje się zauważyć, że jest bardzo postawny. Nicolau nie wie, gdzie to przeczytał, nawet nie ma pojęcia, czy te słowa cokolwiek znaczą, lecz przychodzi mu na myśl, iż oto stoi przed lwem Judy.

– Podobno chce się pan ze mną widzieć, jestem Nicolau Esteve.

Mężczyzna unosi wzrok, a jego pełne wyrazu, przepełnione gniewem niebieskie oczy burzą spokój, jaki Nicolau jeszcze przed chwilą odczuwał.

– Nazywam się Izaak Kleinmann. Przyszedłem pana ostrzec.

Nicolau wytrzymuje jego spojrzenie, nie po raz pierwszy ktoś rzuca mu wyzwanie. Od czasu, gdy opuścił Sóller, wiele przeżył, znajdował się w różnych sytuacjach i odpierał ataki wszelkiego rodzaju typów.

– Przed czym?

– Nie powinieneś współpracować z nieczystymi. Pewnego dnia ich dopadniemy, a wtedy nie będziesz chciał być jednym z nich. Te kobiety powinny być wolne, ludzi się nie kupuje ani nie sprzedaje. Uwolnij tę kobietę albo będziesz naszym wrogiem.

– Kobieta nie jest moja, nie należy do mnie, pracuje dla Moszego Benjamina.

– Ty tego chciałeś, powinieneś trzymać się tego, co przynosi ci los.

Przez chwilę Nicolau boi się, że będzie musiał się bić na pięści z tym mężczyzną – nie żeby go to przerażało – lecz Izaak wstaje i odchodzi. W drzwiach zderza się z innym klientem, lecz nawet się nie zatrzymuje, żeby go przeprosić.

– Powinieneś uważać z tymi twoimi żydowskimi przyjaciółmi, ci z „Warszawy" w końcu zaczną strzelać do pozostałych.

Joan ma rację, zawsze krzywym okiem patrzył na przyjaźnie Nicolau z Żydami, nie przestaje jednak być pracownikiem wykonującym polecenia szefa, a szefem jest Nicolau. Nie myli się, przewidując, że dojdzie do wojny. I na dodatek nie tylko między samymi Żydami czy między Żydami a chrześcijanami, gojami, jak oni mówią, lecz także między członkami „Warszawy". A z uwagi na przyjaźń z Moszem Nicolau znajduje się po jednej ze stron.

– Będę ostrożny, nie martw się. Zajmijmy się lepiej rachunkami.

Siedząc w pomieszczeniu za kuchnią, przeglądają z Joanem faktury, wydatki, płatności dla dostawców i pensje pracowników – większość kelnerów i kucharzy to Hiszpanie, wielu pochodzi z Majorki – oraz podatki – łącznie z łapówkami dla policji, którą opłacają w celu uniknięcia kłopotów. Kawiarnia, podobnie jak hotel Mallorquín, dobrze prosperuje, jej zyski rosną z miesiąca na miesiąc.

– Jak idą prace w nowej kawiarni?

– Planowo. Wszystko będzie gotowe na koniec lutego.

– Kiedy otwieramy?

– Gabriela, moja żona, wyrusza jutro z Sóller. Musi popłynąć do Barcelony i tam wsiąść na statek. Przypłynie na początku marca na pokładzie *Príncipe de Asturias*. Inauguracja odbędzie się dzień po jej przybyciu, na znak powitania.

Café de Sóller, nowy nabytek Nicolau, mieści się niedaleko stąd, także w dzielnicy Recoleta. Będzie jedną z najlepszych kawiarni w Buenos Aires. To ogromny lokal, na który Nicolau nie szczędzi wydatków: najszlachetniejsze drewno, ogromne lustra, wielkie przeszklone witryny wychodzące na ulicę... Nie osiągnąłby tego bez pomocy Moszego, teraz jednak zaczyna się obawiać, że pomagając mu, wszystko straci.

– Dzisiaj rano miałem w kawiarni pewnego gościa. Niejakiego Izaaka Kleinmanna. Wydaje mi się, że kiedyś mi o nim mówiłeś.

– Tego starego wariata, który nie pozwala ludziom zarabiać na życie?

Mosze zna Kleinmanna i boi się go, mówi, że to jeden z członków żydowskiej społeczności, która z nimi walczy. Udało mu się doprowadzić do tego, że nie wpuszcza się ich do synagogi i nie pozwala na pochówek na żydowskim cmentarzu w Ciudadeli.

– Dziesiątki razy mówiłem Traumanowi, że musimy go zlikwidować, że ten wariat nas wykończy. Ale Noé mnie nie słucha i nie pozwala tknąć go palcem.

– Posłuchasz go?

– Trauman jest inteligentny i dobrze poinformowany, z pewnością ma powody, których ja nie jestem w stanie pojąć.

– I nadal chcesz się mu przeciwstawić? To szaleństwo.

– Nie przejmuj się. Jeśli spotkasz Noego i zapyta cię, co u Miriam, powiedz mu, że wszystko w porządku, że bardzo się nią cieszysz.

Nicolau ma nadzieję, że do tego nie dojdzie, wie, że z takimi ludźmi nie ma przypadków, że jeśli go spotka, to dlatego, że Trauman będzie tego chciał. Nie ma również ochoty na ponowne spotkanie z Kleinmannem. Jego życie, dotychczas tak spokojne, zmienia się właśnie teraz, kiedy z Sóller ma przybyć jego żona.

* * *

– Na pewno chce pan walczyć na florety?

Podczas żeńskich zawodów szermierczych dozwolony jest tylko floret, toteż Susan jest w nim ekspertką. Sagarmín, chociaż jego ulubioną bronią jest szpada, jak wszyscy chłopcy rozpoczynający naukę szermierki poznał również podstawowe zasady fechtunku floretem, toteż uważa, iż zdolny jest stawić jej czoło, a będąc dżentelmenem, jest gotów pozwolić damie błyszczeć. Po raz pierwszy stanie w szranki z kobietą. Ma wrażenie, iż to niemożliwe, by przegrał, bez względu na rodzaj broni, jaką będą walczyć, mimo że Amerykanka kilkakrotnie zwróciła mu uwagę na fakt, iż w 1912 roku miałaby szansę na medal w Sztokholmie, gdyby kobieca szermierka znajdowała się wśród dyscyplin olimpijskich.

– Widzę, że jest pani bardzo pewna siebie.

– Jestem. Przestańmy więc gadać, przebierzmy się i do dzieła.

– Pani przyjaciółka Raquel nie przyjdzie zobaczyć, jak pani walczy?

– Widzę, że masz wielką ochotę ją zobaczyć. Nie, umówiłam się z nią na lunch. Jeśli chcesz się z nami pokazywać, jesteś zaproszony. I mówmy sobie po imieniu. W języku angielskim nie istnieje rozróżnienie na ty i pan, więc mam spore trudności, żeby go prawidłowo używać.

Amerykanka to osobliwa kobieta; nie spotkał wielu przedstawicielek płci pięknej, które zaprosiłyby mężczyznę na lunch, nie czekając, aż on to zrobi. Wczoraj, kiedy ją poznał, wydała się Eduardowi na swój sposób interesująca i uwodzicielska, lecz tak naprawdę jego uwagę zwróciła aktoreczka, która z nią była, Raquel Castro. Uznał, że jest piękna, atrakcyjna i sympatyczna, chociaż bez trudu uświadomił sobie, jaki związek łączy te dwie kobiety. Zetknął się z tym nie po raz pierwszy i uważa, że nikt nie powinien się oburzać ani krytykować: gusta, uczucia i pragnienia to prywatna sprawa każdego człowieka. Nie oznacza to jednak, że jeśli ponownie spotka się z Raquel, nie sprawdzi swoich szans.

Susan jest gotowa do walki. Nie włożyła jednego z tych skomplikowanych kombinezonów z białą spódnicą, jakich używają kobiety podczas zawodów, lecz obcisły męski strój, podkreślający jej atrakcyjną, wysportowaną sylwetkę i silne nogi. Wzrostem niemal

233

dorównuje Eduardowi, który jest wysokim mężczyzną, co zwraca uwagę nielicznych ćwiczących w na wpół pustych o tej godzinie salach szkoły Adelarda Sanza.

– *En garde!*

Sagarmín rychło zdaje sobie sprawę, że jego rycerskość doprowadziła go do popełnienia błędu. Amerykanka lepiej zna tajniki posługiwania się floretem, ma większe doświadczenie i reprezentuje wyższy poziom techniczny niż on, toteż raz za razem przełamuje jego obronę. Chociaż Sagarmín stara się wykorzystać odwagę i siłę fizyczną, przypomnieć sobie zasady walki floretem, jakich nauczył się w młodości, i zastosować je w praktyce, przeciwniczka niweczy wszystkie jego ataki, broni się i kontruje.

– Powiedziałam, że nie okażę ci litości tylko dlatego, że jesteś bezbronnym mężczyzną. Jesteś pewny, że nie chcesz zmienić broni?

– Walczysz też na szpady? Miałbym trochę większe szanse, chociaż jestem pewny, że i tak ci nie sprostam.

– Uwielbiam szpadę, to pierwsza broń, jaką nauczyłam się władać w dzieciństwie.

Okazuje się jednak, że w walce na szpady siły i umiejętności przeciwników są wyrównane, a trening sprawia im obojgu przyjemność. Na pchnięciach i trafieniach mijają więcej niż dwie godziny, jakie zamierzali przeznaczyć na sparing.

– Idziesz z nami na lunch? Ostrzegam cię tylko, że będziesz musiał poczekać. Wpadnę na chwilę do hotelu, żeby się odświeżyć, gdyż nie sądzę, żeby pozwolono mi tutaj skorzystać z prysznica. Wywołałabym skandal.

– Zrobię to z przyjemnością.

Eduardo może się umyć i ubrać na miejscu, Susan jednak nie może tego zrobić, gdyż nie ma tutaj damskiej szatni. Eduardo doprowadzi się do ładu i poczeka na nią w kasynie na ulicy Alcalá. Jeśli panie się zgodzą, zaprosi je na posiłek do Lhardy'ego. Jest zimny dzień, a on zgłodniał po wysiłku, ma ochotę na tradycyjną pieczeń serwowaną w tym lokalu oraz na bulion z okazałego srebrnego samowara.

*

Tuż po wejściu do baru kasyna zauważa, że obecni przyglądają się mu bardziej niż zwykle.

– Podaj mi campari, Olegario.

Olegario, barman w kasynie, jest człowiekiem dyskretnym i znającym się na swojej pracy. W milczeniu podaje Sagarminowi campari, tak jak ten lubi, z kostką lodu i plasterkiem pomarańczy.

– Coś nowego, Olegario?

– Nic, o czym bym wiedział, don Eduardo. Wojna się toczy, a Amerykanie nadal czekają. Wiele mówiono o tym, że po zatopieniu *Lusitanii* na pewno włączą się do walki, a tu nic, cisza. Wydaje mi się, że Amerykanie zawsze włączają się po fakcie: na Kubie przystąpili do wojny z nami, ponieważ byli pewni wygranej, jeszcze zanim oddali pierwszy strzał.

– Pytałem o bardziej krajowe sprawy, widzę, że goście są poruszeni.

– Chyba się panu zdaje, don Eduardo. Nie zajmuję się sprawami, które mnie nie dotyczą i o których nic nie wiem.

Dopiero kiedy wchodzi Álvaro, Eduardo dowiaduje się, że sensacja dnia dotyczy jego. Albo, ujmując to trafniej, jego żony, Beatriz.

– Nie spodoba ci się to, co usłyszysz, Eduardo.

– Nie podoba mi się, że wszyscy na mnie patrzą, a ja nie wiem dlaczego.

– Dzisiaj rano na Castellanie, niedaleko stąd, tuż przed Bankiem Hiszpańskim zderzyły się dwa samochody. Dzięki Bogu nie było rannych. Jednym autem, które zostało doszczętnie rozbite, jechali twoja żona i Sergio. Ci, którzy to widzieli, chociaż nie wiem, czy to prawda, mówią, że to ich poczynania w samochodzie sprawiły, że stracili nad nim kontrolę.

– Czy to znaczy, że uprawiali seks, podczas gdy on prowadził samochód?

– Mniej więcej, tak twierdzą świadkowie, chociaż nie w klasyczny sposób, rozumiesz, co chcę powiedzieć. A ona nie była całkiem ubrana, kiedy wyszła z wraku. Przykro mi, że ja ci to mówię, Eduardo. Powtarzam, że tak słyszałem, i nie wiem, czy ludzie przesadzają, czy faktycznie tak było.

– Wolę usłyszeć to od ciebie, przynajmniej wiem, że opowiadanie mi tego nie sprawia ci frajdy. Było wielu świadków?

– Wystarczająco, żeby o tej porze wiedział już cały Madryt. A przynajmniej cały Madryt, który nas interesuje.

– Król?

– To on mi o tym powiedział.

Przerywają rozmowę, kiedy pojawiają się Susan i Raquel: kuplecistka ubrana dość dyskretnie, Amerykanka w męskim trzyczęściowym garniturze z czarnej wełny, doskonale skrojonym, uszytym prawdopodobnie przez londyńskiego krawca z Savile Row. Sagarmina zaskakuje fakt, że jest ładna, mimo swojego stroju i męskiego wyglądu.

– Znacie don Alvara Ginera?

Eduardo wypija następne campari, Raquel i Álvaro po kieliszku szampana, Susan daje wyraz swojej inności, bez żenady prosząc Olegaria o szkocką whisky, czystą, bez wody i lodu.

– Nie rozumiem manii rozcieńczania whisky. Jeśli ludzie chcą wlewać do czegoś wodę, niech ją wlewają do mleka, ja go nie piję.

Chociaż Eduardo właśnie usłyszał przykrą nowinę i nadal zauważa spojrzenia innych bywalców kasyna, oscylujące między kpiną a współczuciem, w towarzystwie tych kobiet zapomina o zachowaniu swojej żony i o tym, co rzekomo robiła w samochodzie z kochankiem. Po południu, kiedy wróci do domu, porozmawia z nią. A może nie... właściwie wcale go nie interesuje, co ona robi.

– Pójdziesz z nami na lunch, Álvaro?

– Przykro mi, praca wzywa. Proszę pamiętać, że jestem tylko szeregowym pracownikiem Urzędu do spraw Ochrony Jeńców.

* * *

– Zostawimy cię na tej plaży. Do Livorno masz jakieś trzy kilometry, musisz iść cały czas na północ. Niech ci szczęście sprzyja. Koniecznie napisz do rodziców, kiedy znajdziesz się w Argentynie. Twoja matka bardzo będzie cierpieć, dopóki się nie dowie, że dotarłeś tam zdrowy i bezpieczny.

Giulio poznał tego mężczyznę zaledwie przed kilkoma godzinami, lecz jego uścisk pokrzepia go i dodaje mu otuchy. Kilka minut później idzie plażą, znowu sam, znowu w strachu, że ktoś go rozpozna. Nie minęły jeszcze dwa tygodnie, odkąd zdezerterował z frontu. Nie jest pewny, czy zrobiłby to samo, gdyby mógł cofnąć czas.

Słońce stoi już wysoko na bezchmurnym niebie. Dzień jest piękny, chociaż zimny. Giulio wysiadł z łodzi w południowej części miasta. Livorno jest dużym miastem, ma ponad sto tysięcy mieszkańców: kiedy dotrze do centrum, będzie mógł wtopić się w tłum i poszukać Caffè Bardi przy piazza Cavour. Tam musi zwrócić się do najstarszego kelnera, Franca Rissiego. Ojciec powiedział mu, że Franco to ponadsześćdziesięcioletni łysy mężczyzna, bardzo tęgi, ma więc nadzieję, że się nie pomyli. Franco przekaże mu dalsze instrukcje.

Giulio trafia na piazza Cavour, nie pytając nikogo o drogę. Przeciąwszy Fosso Reale, widzi Caffè Bardi na rogu z via Cairoli. Przy placu wznoszą się cudowne pałace, którym kiedy indziej z zachwytem by się przyjrzał, teraz jednak zmierza prosto do kawiarni. Już od wejścia widzi starego, tęgiego mężczyznę – ma ponad metr dziewięćdziesiąt wzrostu i z pewnością waży sto dwadzieścia albo sto trzydzieści kilogramów. Ojciec dobrze go opisał.

– Franco Rissi?

– Jesteś Giulio, co? Usiądź przy stoliku obok drzwi do kuchni, zaraz do ciebie podejdę.

Giulio siada tak, żeby mógł obserwować całą kawiarnię. Przygląda się gościom siedzącym przy stolikach, wypatrując ewentualnego niebezpieczeństwa. Uświadamia sobie, że odtąd tak będzie musiał robić cały czas. Franco przyszedł dopiero po pięciu minutach.

– Jak się ma twój ojciec?

– Nie wiem, wczoraj przyszli po mnie do domu i nie mogłem się pożegnać. Mam nadzieję, że u nich wszystko w porządku.

– Postaram się dowiedzieć i przekazać ci jakąś informację, zanim ruszysz do Barcelony. To nastąpi jutrzejszej nocy, jeśli nic nie stanie na przeszkodzie.

Giulio otrzymuje dalsze instrukcje: musi pójść brzegiem Fosso Reale – fosy, która w średniowieczu otaczała mury obronne miasta – aż dotrze do Mercato delle Vettovaglie – największego krytego targowiska w mieście. Tam, tuż przy wejściu, znajdzie stragan z wędlinami i zapyta w nim o Sitę Aprile. Ona zaprowadzi go do domu, w którym powinien się ukryć aż do czasu, kiedy będzie mógł wsiąść na statek.

– Zrób dokładnie to, co ci mówię, wiele dla ciebie ryzykujemy i nie chcemy kłopotów. Jeśli wpadniesz, nie będziemy mogli pomóc nikomu więcej.

Wychodząc z Caffè Bardi, Giulio myśli o słowach Franca i odpędza pokusę, by pójść zobaczyć Duomo, katedrę znajdującą się na tej samej ulicy. Dociera do hali targowej i natychmiast widzi stragan z wędlinami: drugi po prawej. Pracują tam dwie kobiety, jedna młoda i bardzo ładna, druga starsza. Podchodzi do starszej.

– Sita Aprile?

– To moja córka.

Sita, druga z kobiet na straganie, ma nie więcej niż dwadzieścia lat i jest prawdziwą pięknością.

– Poczekaj na mnie przy bramie, a kiedy wyjdę, idź kilka kroków za mną i nie odzywaj się.

Idą via Buontalenti, aż dochodzą do piazza della Repubblica, a stamtąd, klucząc uliczkami, docierają do niewielkiego budynku na via Sant'Andrea. Sita wchodzi, zostawiając otwartą bramę. Po chwili dziewczyna woła go z pierwszego podestu schodów.

– Wchodź!

Na samej górze znajduje się niewielki strych. W środku jest tylko materac, przykryty kocem, nocnik i dzbanek z wodą.

– Wieczorem przyjdę i przyniosę ci coś do jedzenia oraz świeżą wodę. Nie wychodź i nie hałasuj, żeby nikt się nie zorientował, że tu jesteś.

Minutę później Giulio zostaje sam. Przez ściany budynku docierają jakieś hałasy, lecz nie słyszy żadnego ludzkiego głosu, niczego, co by go rozerwało, ale także niczego, co by go zaniepokoiło. Przez większą część czasu przysypia, przykryty kocem, by chronić się przed zimnem.

Czas mija mu dość szybko, w końcu drzwi się otwierają i pojawia się Sita. Przynosi butelkę wina i jakieś zawiniątko.

– Jak ci minął dzień?

– Dobrze, tylko nudno.

– Przyniosłam ci coś do jedzenia i książkę.

W zawiniątku jest też *Serce* Edmunda de Amicisa, łzawa historia o włoskim chłopcu, Henryku Bottinim, jego rodzinie i kolegach.

– Czytałeś to?

– W dzieciństwie.

Wszyscy czytali tę książkę. Wszystkie włoskie dzieci płakały też nad opowieścią zatytułowaną *Od Apeninów do Andów*, w której chłopiec o imieniu Marco wyrusza do Buenos Aires, żeby szukać swojej matki, udając się w taką samą podróż, jaką wkrótce rozpocznie Giulio.

Za dnia uroda Sity wydawała mu się zjawiskowa. Teraz, w przyćmionym świetle, dziewczyna jest jeszcze piękniejsza. Znacznie piękniejsza niż Francesca.

– Dlaczego zdezerterowałeś?

– Ponieważ dostałem list, z którego się dowiedziałem, że moja narzeczona wychodzi za mąż za innego. Chciałem ją zapytać, dlaczego to robi. Nie odpowiedziała mi.

– Mój narzeczony, Mario, zginął w bitwie nad Isonzo. Najmilszy i najodważniejszy chłopak w mieście. Szkoda, że on także nie zdezerterował, nawet jeśli musiałby wyjechać do Argentyny i miałabym go nigdy więcej nie zobaczyć… Wszystko, byleby żył…

Na chwilę przysiada obok niego na materacu. Pyta go, jak przebiegała bitwa nad Isonzo. Chce wiedzieć, jak wyglądają okopy, w których Mario spędził swoje ostatnie dni, i czy można kochać kobietę, kiedy świat wokół się rozpada. Giulio pociesza ją najlepiej, jak potrafi, mówi o odwadze żołnierzy i utwierdza ją w przekonaniu, że wojna nie jest w stanie wyzuć mężczyzn z miłości. Tej bitwy Niemcy nigdy nie wygrają.

– Jutro wczesnym popołudniem przyjdzie po ciebie Franco Rissi. Oby ci szczęście sprzyjało. Kiedy dotrzesz do Buenos Aires, pomyśl o tych wszystkich ludziach, którzy ci pomogli, i w zamian pomóż innym. Wysiłek w celu ocalenia choćby jednego życia w tej wojnie wart jest zachodu.

* * *

– W całym Madrycie nie ma lepszej pieczeni niż u Lhardy'ego. I ośmielę się twierdzić, że nie zmieni się to nawet za sto lat.

Susan poznała Lhardy'ego przy innych okazjach, lecz Raquel, która nawet mieszkała w pobliżu, w odległości zaledwie kilkudziesięciu metrów od restauracji, nigdy tu nie była. Podczas lunchu Eduardo całkiem zapomina o żonie i skandalu, jaki wywołała tego ranka, i wdaje się z Amerykanką w rywalizację o względy Raquel. Chociaż to Susan zyskuje przewagę i wygrywa, Eduardo cały czas próbuje, aczkolwiek ma niewiele okazji, żeby nad nią górować. Mimo iż Raquel jest powściągliwa, Eduardo ma nieodparte poczucie, że obie kobiety łączy jakiś nietypowy związek, a on nie powinien się między nie wciskać.

Sagarmín nie potrafi powstrzymać się od śmiechu, słysząc anegdotki teatralne opowiadane przez Raquel, kiedy ta przytacza słowa, jakie wykrzykują do niej widzowie, a nawet kiedy opowiada historię swojego słynnego numeru z kotami.

– Czasami miałam ochotę zaśpiewać coś innego, lecz publiczność była niezadowolona i musiałam wrócić na scenę zaśpiewać *Kociaczka*.

– Wybacz mi banalne pytanie. Nie czułaś wstydu, wychodząc tak na scenę?

– Wstyd? Sądzę, że spóźniłam się, jak go rozdawali, i nie wystarczyło dla mnie. I tak zostałam bez wstydu.

Aktoreczka jest zabawną i uwodzicielską kokietką, bohaterką lunchu. Eduardo myśli już tylko o tym, żeby ponownie ją zobaczyć.

– Jeśli zechcecie, pojedziemy jutro zwiedzić Eskurial. Susan, jeśli jeszcze go nie znasz, powinnaś tam pójść, robi wrażenie.

– Widziałam Eskurial kilka razy, ale Raquel z pewnością tam nie była. Moja droga towarzyszka niezbyt lubi wychodzić za dnia.

– Susan, przecież jutro jedziemy do Barcelony, nie możemy pojechać do Eskurialu.

– Do Barcelony? Turystycznie? W takim razie możemy go zwiedzić, kiedy wrócicie.

Eduardo wyczuwa, że w tej podróży jest coś dziwnego, jakiś rodzaj pilnej potrzeby, której nie potrafi rozszyfrować. Rozumie jednak, że na razie nie będzie miał okazji do spotkań z Raquel.

Czasami nawiedza go obraz na wpół ubranej Beatriz wyłaniającej się z wraku samochodu. Gdyby było to możliwe, nie wracałby do domu, nie słuchał zdawkowych wyjaśnień, jakie mu przedstawi. Najchętniej wyruszyłby w podróż do Barcelony z dwiema kochankami, by już nigdy nie oglądać swojej żony. W końcu za kilka tygodni będzie tam musiał wsiąść na statek do Buenos Aires. Szkoda, że nauczono go, iż problemów nie należy unikać, lecz stawiać im czoło.

– Żałuję, że jutro wyjeżdżasz, Raquel, byłbym zachwycony, mogąc lepiej cię poznać.

Eduardo Sagarmín wykorzystał chwilę, kiedy Susan poszła do toalety, by całkiem jasno dać jej do zrozumienia, że chciałby cieszyć się na osobności jej towarzystwem. Przed dwoma tygodniami byłaby to dla niej wspaniała okazja: bogaty mężczyzna, arystokrata – markiz de Aroca – przyjaciel króla Alfonsa XIII, atrakcyjny i miły. Bez najmniejszej wątpliwości znacznie lepsza partia niż bogaci handlowcy, którzy utrzymywali ją dotychczas. Podjęła już jednak decyzję o wyjeździe do Buenos Aires, chociaż teraz myśli, że się pospieszyła, że rozpoczął się dla niej dobry okres. To ostatnia noc, jaką spędzi w Madrycie; chce się pożegnać z Robertem. Jutro rano wyruszą samochodem Susan do Barcelony. Amerykanka już ustaliła trasę, będą po drodze zwiedzać średniowieczne miasteczka i zamki, które chce zobaczyć, a o których istnieniu Raquel nawet nie wiedziała.

– Ja także bardzo chciałabym cię lepiej poznać, Eduardo. Kto wie, może w przyszłości… Życie przynosi wiele niespodzianek.

Wychodzą od Lhardy'ego i żegnają się na Carrera de San Jerónimo. Kończą wymieniać grzecznościowe formułki, kiedy Raquel słyszy głos, którego nie może pomylić.

– Owieczko! Gdzie ty się ukrywasz?

To Manuel Colmenilla, idzie sam, niechlujnie ubrany, sprawia wrażenie, jakby wracał z wielkiej popijawy. Susan i Eduardo patrzą na Raquel, jakby czekali na znak, by ruszyć jej na pomoc.

– Manuelu, to nieodpowiednia chwila. Zostaw mnie w spokoju.

– A te rzeczy, które ukradłaś? Wszystko, co zabrałaś z mieszkania don Amanda, miało należeć do Rosity i do mnie. Gdzie to masz? Wyrzucił nas, ale te rzeczy są nasze, złodziejko.

Manuel traci nad sobą kontrolę, łapie Raquel za ramię i mocno ją ciągnie. Susan nie potrzebuje więcej powodów, żeby interweniować, i wali go pięścią w nos. Cios godny zawodowego boksera posyła Manuela na ziemię. Rozlega się gwizdek policjanta, Colmenilla krwawi z nosa, usiłuje się podnieść, lecz przewraca się, niemal nieprzytomny...

– Musimy iść.

Raquel się boi, nie chce, żeby przez ten incydent musiały opóźnić wyjazd. Eduardo natychmiast przejmuje stery.

– Idźcie, ja się tym zajmę.

Raquel nie czeka, ciągnie Susan, by jak najszybciej opuścić to miejsce. Jest przestraszona i zawstydzona, na szczęście wyjeżdża rano, a sądząc po stanie nosa Colmenilli, który prawdopodobnie jest złamany, Manuel będzie miał ciężką noc. Może to go oszpeci i nie będzie już taki przystojny. Powiedział, że don Amando wyrzucił jego i Rositę: zasłużyli na to.

– Poczekaj, kim był ten mężczyzna?

– Jutro, jutro ci opowiem, Susan. Teraz wybacz, muszę iść.

Rozstaje się z Amerykanką do następnego poranka, nie chce nawet, by podwiozła ją taksówką. Skręca za róg Ventura de la Vega i dochodzi do Atochy, a stamtąd idzie do Lavapiés, do mieszkania Roberta. Idzie szybko, zdenerwowana niefortunnym spotkaniem z byłym kochankiem. Dlaczego pozwoliła, żeby ten mężczyzna wpakował się jej do łóżka? Co jej strzeliło do głowy?

– Po co się tak stroisz? Nie mam ochoty wychodzić, chcę spędzić z tobą popołudnie i noc.

Dotarłszy do mieszkanka w czynszowej kamienicy, zastaje Roberta odświętnie wystrojonego, gładko ogolonego i wyperfumowanego. Jest bardzo atrakcyjnym mężczyzną i Raquel chce się z nim kochać, zanim opuści go na zawsze.

– Och, owieczko, był tu Gerardo, chce, żebym pojechał z nim na kilka dni do Sewilli. Musi tam jechać w sprawie pracy. Zaproponował, że mnie zabierze, że to będzie jakby nasz miodowy miesiąc. Nie masz nic przeciwko temu, co?

– Czyż nie mówiłeś, że nie chcesz go już widzieć, że nigdy mu nie wybaczysz?

– Obiecał, że teraz wszystko będzie inaczej.

A więc spędzi ostatnią noc samotnie. I nie będzie jej tu, kiedy Roberto wróci, raz jeszcze rozczarowany, i będzie potrzebował pomocy, żeby się pozbierać.

– Miałam nadzieję, że będziemy mieć dla siebie tę noc, żeby się pożegnać.

– Nie bądź egoistką, owieczko. Jestem taki szczęśliwy. Sądzę, że Gerardo w końcu sobie uświadomił, że z nikim nie będzie mu lepiej niż ze mną. Przed wyjazdem zostaw klucze u sąsiadki, już ją powiadomiłem.

Przelotny pocałunek w usta i życzenia powodzenia – na tym kończy się noc czułości – a może naprawdę była to miłość – jaką miała nadzieję spędzić z Robertem. Tak wygląda pożegnanie z jedyną osobą, która, jak sądziła, kocha ją ponad wszystko. Kończy zamykać walizki, z których wyjęła wszystko, czego nie będzie potrzebować, a i tak są wypchane, chowa pieniądze w podwójnym dnie neseseru, z którym nigdy się nie rozstaje, i zostawia na stole parę złotych spinek do koszuli, pożegnalny prezent dla Roberta. Zjada na kolację dwa jajka na twardo z kawałkiem znalezionej w spiżarce szynki i samotnie idzie do łóżka. Rankiem rozpocznie podróż, która zawiedzie ją do Buenos Aires i nowego życia.

* * *

– Dlaczego tak się martwisz tym rejsem, José?

Kapitan Lotina wie, że to irracjonalne, że każdy, kto by usłyszał o jego obawach, uznałby je za szaleństwo, lecz żona doskonale go zna i przy niej może być szczery.

– Nie wiem, włoscy i francuscy dezerterzy, rosyjscy Żydzi koczujący w porcie, emigranci bez pieniędzy, którzy nocą wejdą ukradkiem na pokład, niemieckie okręty podwodne, angielskie pancerniki... To wszystko jest coraz bardziej skomplikowane. Wcześniej trzeba było tylko dobrze rozlokować ładunek i unikać sztormów. Dzisiaj, gdy podnosi się kotwicę, zabiera się na pokład problemy całego świata.

– Od kiedy mój mąż jest takim pesymistą? Wcześniej zwykłeś mawiać, że wraz z pocztą zabierasz na pokład całą miłość, całą nadzieję i wszystkie marzenia świata.

– Tak myślałem... Teraz jednak jest inaczej. Świat jest ogarnięty kryzysem. Możliwe, że nie pozostało już na nim ani jedno miejsce, gdzie marzenia się spełniają.

– Kapitanie Lotina! Kiedy się poznaliśmy, nie mieliśmy niczego poza marzeniami i silnym postanowieniem, że je zrealizujemy. Oboje się staraliśmy i zbudowaliśmy to miejsce, nasz maleńki wszechświat, który sprawia, że życie warte jest zachodu. Pokładaj ufność w takich ludziach jak my, oni również będą umieli wydobyć z siebie to, co najlepsze, i odbudować życie na zgliszczach tej wojny.

– Z pewnością masz rację, zawsze ją masz. Przypuszczam, że się starzeję. Coraz trudniej mi spędzać tyle czasu z dala od domu, od ciebie i Amayi. Po powrocie chyba poproszę o zmianę. Może będę pływać na Baleary, a najdalej na Wyspy Kanaryjskie.

– Porozmawiamy o tym, kiedy wrócisz. To twój ostatni rejs do Argentyny, prawda? Odbądź go, a potem się zastanowimy i podejmiemy ostateczną decyzję. Kiedy wypływa *Infanta Isabel*?

– Dzisiaj po południu. Właśnie idę się pożegnać z Pimentelem i życzyć mu dobrego rejsu.

Z balkonu domu Lotiny widać wspaniały statek gotowy do wypłynięcia w rejs. To uprzywilejowane miejsce widokowe – widać stąd wielkie dźwigi przenoszące towary do ładowni statków, a także dokerów z mozołem wypełniających składy węgla i magazyny artykułów spożywczych, stewardów wnoszących bagaże pasażerów pierwszej i drugiej klasy.

– Najważniejsze, żeby wszystko zostało równomiernie rozłożone, a ładunek dobrze umocowany. Podczas sztormu na otwartym morzu najgorsze, co może się wydarzyć, to przemieszczanie się ładunku z jednej burty na drugą. Chociaż wydaje się to niemożliwe, statek może się przechylić. Mimo że nasze statki w porcie wyglądają na wielkie, tam, na środku morza, są jak maleńkie łupinki.

Amaya ma dopiero siedem lat, lecz gdyby była chłopcem, ojciec nie miałby najmniejszych wątpliwości, że pójdzie w jego ślady i zostanie marynarzem. Przysiada na piętach i pyta go o wszystko z niezwykłą jak na swój wiek ciekawością. Statki i oceany to jej pasja.

– Czy ja mogę zostać kapitanem jakiegoś statku?

– Dlaczego nie? Teraz żadna kobieta nie jest kapitanem statku, ale nigdy nie wiadomo, może to ty zostaniesz nią jako pierwsza.

Czy nadejdzie kiedyś taki dzień, że kobiety będą dowodzić wielkimi statkami? Lotina wcale nie uważa, by było to takie złe. Jego córka na pewno na to zasługuje.

– Czy są kobiety piratki?

– Ja nigdy ich nie spotkałem, lecz na pewno są, na wszystkich morzach świata.

– A co zrobisz, jeśli zaatakują cię piratki?

– Będę płynął szybciej od nich. Nie ma takiego pirackiego statku, który by płynął równie szybko jak mój. Tak że nie masz się o co martwić.

– Tatusiu, jeśli uciekasz, jesteś tchórzem. Lepiej zostać i wygrać z nimi bitwę. Uniemożliwić im abordaż i wrzucić je do morza, na pastwę rekinów.

Dni, kiedy wielkie statki wypływają w morze, są świętem w każdym porcie. Niemal trzy tysiące osób krąży wokół nich: marynarze, węglarze, stewardzi, kupcy, którzy wysyłają swoje towary na drugi koniec świata, dokerzy, wszelkiego rodzaju personel…

Infanta Isabel to wspaniała jednostka, bliźniaczy statek *Príncipe de Asturias*, zwodowany w tej samej szkockiej stoczni dwa lata wcześniej. Niewiele jest różnic między nim a statkiem dowodzonym przez Lotinę i trudno je dostrzec na pierwszy rzut oka. Może stąd, z nabrzeża, jedyną różnicą, jaką każdy może zauważyć, są przeszklone pokłady spacerowe pierwszej klasy na *Príncipe de Asturias*, mające zwiększyć komfort pasażerów. Ulepszenie to zasugerował kapitan podczas jednej z podróży do stoczni, kiedy nadzorował budowę statku.

Lotina wymija tłumy zebrane na nabrzeżu, by podejść do trapu. Do wypłynięcia liniowca brakuje jeszcze dwóch godzin i pasażerowie zajmują swoje kajuty i urządzają się w nich. Kapitan Pimentel jest już na swoim stanowisku: sprawdził rozlokowanie ładunku, działanie silników, stan i prezencję personelu.

– Dużo niespodzianek w ładowniach, Pimentel?

– Takie, o jakich mówiliśmy niedawno. Wczoraj w nocy weszła na pokład grupa stu pięćdziesięciu pasażerów. Ulokowano ich na dolnym pokładzie trzeciej klasy.

Kapitan nie zauważył niczego, co mogłoby wzbudzić gniew państw prowadzących wojnę.

– Wprost przeciwnie, wieziemy ładunek rodzimego wina musującego z Penedés. Najwyraźniej wojna uniemożliwia dostawy francuskiego szampana, więc eksportuje się nasze wino, które wcale nie jest złe. Gwarantuję ci, że podczas tego rejsu nie umrzemy z pragnienia.

W drodze na dolny pokład trzeciej klasy Lotina wita się z oficerami, z wieloma z nich pływał na różnych trasach i zna ich tak dobrze, jakby byli członkami rodziny. Na własne oczy chce zobaczyć pasażerów na gapę, którym pozwolono płynąć do Ameryki.

– To ci, umieściliśmy ich tam, w głębi.

Kiedy budowano dwa wielkie parowce kompanii Pinillos, wzięto pod uwagę emigrantów. Postarano się, żeby nie podróżowali w zwykłych ładowniach, jak na angielskich i włoskich statkach, lecz stosunkowo wygodnie, o co zabiegał sam don Antonio Martínez de Pinillos. Umieszcza się ich na międzypokładzie, zwanym także pokładem emigrantów, pomiędzy pokładem drugiej klasy a maszynownią, oraz na dwóch sporych przestrzeniach w pobliżu ładowni dziobowej i ładowni rufowej, wyposażonych w oświetlenie elektryczne i niewielkie pomieszczenia, w których można otworzyć małe bulaje umożliwiające dostęp naturalnego światła i świeżego powietrza. Znajdują się tam łazienki, oddzielne dla mężczyzn i kobiet, jadalnia ze stołami i ławkami, miejsca do zabawy i lektury, a także rozległy pokład, na którym ustawia się wielkie namioty, gdzie pasażerowie mogą się schronić przed słońcem i deszczem. To luksusowe warunki w porównaniu z tymi, jakie oferują emigrantom inne linie.

Podczas gdy hiszpańscy uchodźcy lokują się na pokładzie, Lotina patrzy na tych, którzy wczoraj ukradkiem dostali się na statek. W większości są to młodzi mężczyźni, przypuszcza, że niemal wszyscy są dezerterami, którzy dotarli do Barcelony po strasznych przeżyciach. On na pewno również zabierze wielu takich, już podczas poprzedniego rejsu wiózł kilku. Lotina uważa, że teraz, gdy liczba poległych w okopach całej Europy sięga dziesięciu tysięcy, uratowanie tych ludzi jest aktem miłosierdzia. Gdyby mógł, zapełniłby statek dezerterami, każdy młody mężczyzna wchodzący na pokład *Príncipe de Asturias* to jedno życie wykradzione przeklętemu losowi, jaki zgotowały mu europejskie rządy. Kiedy rozpoczną się przygotowania do rejsu, dopilnuje, żeby załadowano dla nich dodatkowe racje żywnościowe.

W innej części strefy przeznaczonej dla emigrantów ulokowano Żydów. To całe rodziny składające się z mężczyzn w czarnych chałatach i szerokoskrzydłych kapeluszach, z brodami i pejsami, kobiet w jaskrawych sukniach i poważnych chłopców z takimi samymi pejsami jak u ich ojców. Uwagę Lotiny zwracają cztery bardzo piękne młode kobiety stojące razem w pobliżu żelaznych prycz. Zauważa, że pozostali pasażerowie omijają je wzrokiem mimo ich ewidentnej urody.

– A te dziewczęta, Pimentel?

– Pewien niemiecki kapitan pływający na trasie z Hamburga do Buenos Aires określił je kiedyś jako „żony Warszawy". Nakłoniono je do zaręczyn z bogatymi Żydami z Argentyny, lecz ich przeznaczeniem jest praca w domach publicznych całej Ameryki Południowej. Pozostali Żydzi na statku to wiedzą i nie chcą utrzymywać kontaktów z towarzyszącymi im mężczyznami.

Lotina obiecuje sobie, że zwróci na to uwagę i postara się dowiedzieć, czy takie kobiety wsiadły na jego statek. Kto wie, może uda mu się im pomóc, może pozwoli im wysiąść w jakimś porcie, zanim zawiną do celu. Czasami jednak pomoc jest bardzo trudna, a potrzebujący odmawiają jej przyjęcia.

Infanta Isabel wypływa z dwudziestominutowym opóźnieniem. Coś takiego bezgranicznie zdenerwowałoby Lotinę. Kapitan zdążył już wrócić do domu i wraz z córką przygląda się z balkonu, jak piękny parowiec opuszcza port.

– Kiedy skończysz czternaście lat, poprosimy twoją matkę, żeby pozwoliła ci popłynąć ze mną w rejs. Będziesz mogła poznać Amerykę. Chciałabyś?

– A nie mogę popłynąć już teraz, następnym razem, kiedy wypłyniesz? Mogę pracować jako chłopiec okrętowy, mam więcej siły, niż się wydaje, patrz.

Amaya napina muskuł swojego dziecięcego ramienia, a Lotina chwali ją i się śmieje. Będzie musiał kiedyś zabrać ze sobą żonę i córkę. Marzy o tym podczas każdego rejsu... Na pewno jednak nie tym razem. Wbrew temu, co powiedział żonie, ma złe przeczucia.

* * *

– Niedawno powiedziałam ci, że powinnaś zostawić za sobą wszystkie wspomnienia... Widzisz, ja wcale tego nie zrobiłam. To portret Nicolau. Został zrobiony wiele lat temu, a on pewnie bardzo się zmienił, lecz przynajmniej pomoże ci go sobie wyobrazić.

Na fotografii, którą Neus podaje Gabrieli, widnieje atrakcyjny mężczyzna, nieco ponaddwudziestoletni, szczupły, ciemnowłosy, w ciemnym garniturze, jasnej koszuli i z wąskim krawatem, chyba czarnym. Ma szerokie brwi i bardzo krótkie włosy. Jego oczy i mocno zarysowana szczęka świadczą, że jest człowiekiem zdecydowanym.

– Przysłał mi to zdjęcie niedługo po przybyciu do Buenos Aires, prawie trzydzieści lat temu, wtedy jeszcze myślałam, że przyjedzie po mnie albo wyśle mi bilet, żebym do niego dołączyła. Już nawet zapomniałam, że je mam. Jeśli chcesz, możesz je sobie wziąć. Albo podaruj mu, kiedy dotrzesz na miejsce, może będzie mu miło zobaczyć, jak wyglądał za młodu.

Jest wigilia Trzech Króli. Ostatni dzień Gabrieli w Sóller. Tego wieczoru na kolację przyjdą znajomi, ze wszystkimi się pożegna, a jutro skoro świt wyruszy na spotkanie z mężem.

– Nie bój się, Gabrielo, strach nie jest dobry, paraliżuje człowieka. Masz popłynąć do Buenos Aires i musisz skupić na tym wszystkie zmysły. Zapomnij o Enriqu, zapomnij o zdradzie, jakiej w twoim mniemaniu, dopuścili się wobec ciebie rodzice, myśl o wyzwaniach, którym od jutra będziesz musiała stawić czoło. Proszę, kupiłam ci prezent, mam nadzieję, że przyniesie ci szczęście.

To niewielki, zawieszony na złotym łańcuszku medalik z wizerunkiem Matki Boskiej z Lluc, La Morenety, darzonej szczególną czcią przez mieszkańców Majorki.

– Może wyda ci się to głupotą, ale sama zobaczysz, jaką przyniesie ci tam pociechę, gdy poczujesz się samotna.

Nieciekawa czeka ją perspektywa, jeśli znalazłszy się na drugim końcu świata, będzie musiała liczyć na pociechę Czarnej Madonny.

– Chcesz zobaczyć zdjęcie mojego męża? Tak wyglądał trzydzieści lat temu.

Po wizycie u Neus Gabriela spotyka się na placu z Àngels. Idą razem, żeby wsiąść do powrotnego tramwaju do portu.

– Nie jest brzydki.

– Ciekawe, jak wygląda teraz.

Przyjaciółka jest równie smutna jak ona, ponieważ Gabriela wyjeżdża i nigdy więcej jej nie zobaczy, ponieważ zostanie w miasteczku sama, ponieważ nie ma narzeczonego ani tutaj, ani w Ameryce.

– Jak tak dalej pójdzie, będę musiała wstąpić do zakonu.

– No to masz medalik z Matką Boską. Jest twój. Nie zamierzam brać go ze sobą.

Kiedy wracają, cała rodzina jest już w domu, młodsi bracia włożyli najlepsze ubrania, jakby to znowu była wigilia Bożego Narodzenia. Przyszli także sąsiedzi, rodzina Llullów, a matka upiekła *gató*, majorkańskie ciasto z migdałów i cynamonu, które Gabriela lubi od dziecka. Brakuje tylko tego, żeby stryj Pau, brat ojca, zaczął śpiewać, kiedy się upije, lecz tym razem nie przebiera miary w piciu i nie wyrywa się z *Sa Ximbombą*, *Blancaflor* czy inną popularną majorkańską piosenką, które tak lubi.

– Będziesz umiała mi wybaczyć, córko? Chociaż mi nie wierzysz, wszystko to robiłam dla ciebie.

Matka wchodzi do pokoju, kiedy Gabriela kładzie się spać. Nie zamierza jej wybaczyć, ale słucha, co ma do powiedzenia. Matka nie uważa, by sama tak bardzo cierpiała, chociaż spędziła życie daleko od domu, wśród ludzi, których języka nie rozumiała, choć czuła się obca, robiła, co w jej mocy, żeby polepszyć status rodziny.

– Dlatego mówię ci, Gabrielo, że miłość nie jest ważna. Kochałam twojego ojca, nadal go kocham. Mimo to nie mogłam dać wam wszystkiego, co bym chciała. Zapewniam cię, że właśnie tego pragnie kobieta wraz z upływem lat: widzieć, że jej dzieci są dobrze zabezpieczone, że nie będą musiały cierpieć takich znojów jak ona.

– Ja także spędzę życie daleko od domu.

– Tego nie wiesz, może wrócisz, a może twój dom jest w kraju, do którego się udajesz. Może pewnego dnia, za kilka lat, spojrzysz wstecz i ucieszysz się, że podjęłam za ciebie tę decyzję.

O ósmej rano Gabriela wychodzi z domu. Jej bracia jeszcze śpią, rybacy nie wypłynęli w morze, gdyż to święto Trzech Króli; towarzyszą jej rodzice i przyjaciółka. Tramwaj jest prawie pusty. Àngels i matka odwiozą ją tylko na stację kolejową, ojciec pojedzie z nią aż do Palmy i pomoże wnieść kufry na *Miramar*.

Pożegnanie jest chłodne, Gabriela serdeczniej żegna się z Àngels niż z matką. Znalazłszy się już w pociągu, nie ogląda się za siebie nawet po to, żeby zobaczyć, jak machają jej na peronie chusteczkami. Tylko jedno sprawiłoby, że odwróciłaby głowę: głos Enriqa proszącego ją, by nie wyjeżdżała. Wie jednak, że go nie usłyszy. Postanawia, że o nim zapomni, że nie poświęci mu już ani jednej myśli. Wie, że nie zdoła spełnić tego postanowienia, ale za wszelką cenę będzie się starać. Dźwiga brzemię swojej przeszłości i swojej teraźniejszości, lecz nie pozwoli, by przyszłość także była dla niej ciężarem. Podróż do Buenos Aires się rozpoczęła.

* * *

– Nie odzywaj się i nie oddalaj ode mnie.

Sara spędziła cały dzień na czekaniu, po czym Max obudził ją i w środku nocy opuścili dom, w którym się ukrywali. Noc była bezksiężycowa, z trudem dało się dostrzec coś w odległości kilku metrów. Jest jej zimno i nie śmie powiedzieć słowa. Idą do portu w Odessie i podchodzą do statku, który Sarze wydaje się ogromny.

– Musisz wejść po tej drabince.

– Spadnę.

– Jeśli spadniesz, nikt cię nie złapie, więc się trzymaj.

Wspina się ze strachem. Na górze czeka na nią inny mężczyzna, potężny, zupełnie niepodobny do Maxa, o wyraźnie żydowskich rysach. Pomaga jej wdrapać się na pokład. Za nią wchodzi jej mąż. Prowadzą ją do kajuty, w której znajduje się piętrowa koja.

– Którą wolisz, górną czy dolną?

– Wszystko mi jedno, ty wybierz, Max.

– Nie popłynę z tobą.

– Proszę, nie zostawiaj mnie samej.

Boi się znacznie bardziej niż wtedy, kiedy Eliasz wyruszał na front. Nie chce rozstawać się z Maxem, tylko on daje jej poczucie bezpieczeństwa.

On jednak zamyka ją na klucz i odchodzi. Wraca dopiero kilka godzin później. Sara przypuszcza, że już dnieje, lecz w kajucie nie ma okna, przez które wpadałoby światło. Max wraca z inną dziewczyną, którą traktuje dużo gorzej od niej: szturcha ją i krzyczy.

– Właź tutaj, a jak zaczniesz kombinować i cię usłyszę, to pożałujesz.

Pcha ją do środka, dziewczyna potyka się i upada. Sara pomaga jej wstać, myśląc, że jej Max nigdy tak nie potraktował.

Nowa ma na imię Estera i pochodzi ze sztetla w pobliżu Jekatierinosławia nad Dnieprem. Przybyła do Odessy tuż przed wejściem na statek. Wraz z nią przyjechały jeszcze cztery Żydówki, co oznacza, że Max wiezie do Buenos Aires co najmniej sześć kobiet.

– Zabiera nas do Argentyny. Podobno mamy wyjść tam za Żydów, lecz to kłamstwo. Sprzedadzą nas. Nie słyszałaś, co mówią o kobietach, które zabierają do Buenos Aires?

– Oczywiście, że słyszałam. Nie sądzę jednak, żeby życie tam było gorsze niż tutaj. Poza tym ja naprawdę wyszłam za mąż. Max Szlomo to mój mąż, muszę robić, co mi każe.

Nie mówi jej, że nim Max się pojawił, była wdową, i że nikt jej nie sprzedał, że dla niej Max i to, co będą musiały robić w Buenos Aires, nie jest karą, lecz ratunkiem przed życiem w samotności. Sary nie zmuszono do wyjazdu, udaje się na spotkanie z tym, co sama wybrała.

– Max mi powiedział, że w Buenos Aires my, Żydzi, jesteśmy traktowani na równi z innymi, że możemy mieszkać, gdzie chcemy, pracować tam, gdzie nam się podoba, uczyć się.

– Tak mają inni, ty i ja na pewno nie będziemy wolne.

Po godzinie od wypłynięcia do kajuty wchodzi starsza kobieta mówiąca tylko po ukraińsku. Niesie dwie filiżanki rosołu, dwie kromki chleba i kawałek kiełbasy, coś, czego one nie znają.

– Czy to wieprzowina?

– To jedzenie, a jeśli nie zapomnicie o tych głupotach, źle z wami będzie.

Estera odmawia, lecz Sara zjada kiełbasę. Po raz pierwszy kosztuje wieprzowiny, ale bardzo jej smakuje. Podobnie jak piwo. Jest wiele rzeczy, które rzekomo miały ją zaprowadzić do piekła, a teraz uprzyjemniają jej życie.

Widzi Maxa dopiero w południe, kiedy pozwalają im wyjść na pokład, żeby zaczerpnęły świeżego powietrza. Tam spotykają pozostałe kobiety: rzeczywiście jest ich sześć. Czuje się od nich lepsza, strażnik więzienny jest jej mężem i uśmiecha się na jej widok.

Jest piękny, słoneczny, lecz zimny dzień. Jak okiem sięgnąć, widać tylko morze, żadnego lądu, chociaż tu i ówdzie na wodzie unoszą się gałęzie drzew, znak, że zapewne nie odpłynęli zbyt daleko od brzegu.

– Jesteśmy na oceanie? Dopływamy do Buenos Aires?

– Nie, to Morze Czarne, płyniemy do Stambułu, tam wsiądziemy na inny statek, który zawiezie nas do Barcelony, a tam na następny, który zatrzyma się w Walencji, w Almerii, w Kadyksie, na Wyspach Kanaryjskich, w Brazylii... Dotarcie do Buenos Aires zajmie nam ponad dwa miesiące.

Nigdy wcześniej nie słyszała nazw, które Max wymienia. Brzmią egzotycznie i mimo że zmierza do piekła, jak mówi Estera, sprawiają, że roją się jej cudowne przygody.

– Chcę, żebyś ze mną spał, jestem twoją żoną.

– To niemożliwe. Jeśli nie będziesz sprawiać kłopotów, może zrobię to na dużym statku. Może na nim będziesz podróżować ze mną i mówić wszystkim, że jesteś moją żoną. Może nawet będziemy tańczyć w wielkim salonie przy akompaniamencie orkiestry. Lubisz tańczyć?

Sara uwielbia tańczyć i wyobraża sobie, że robi to w jego ramionach. Przez chwilę jest szczęśliwa.

Max nie jest jedynym mężczyzną, który towarzyszy kobietom. Płynie z nimi także Jacob, Żyd, który pomógł jej wspiąć się po drabince, niemal dwumetrowy olbrzym o dobrodusznej twarzy i głosie potwora. Wygląd jego twarzy na pewno jest zwodniczy, dobry człowiek nie może eskortować oszukanych, przeznaczonych na sprzedaż kobiet.

Wszystkie pochodzą z maleńkich ukraińskich wiosek, wszystkie są młode i ładne, wszystkie wiedzą, jaki los je czeka. Niektóre zdawały sobie z tego sprawę, zanim wyruszyły w drogę, inne odkryły to lub nabrały pewności podczas podróży.

– Może uda nam się uciec, na przykład w Barcelonie. Barcelona to wielkie miasto, może nadarzy się tam jakaś okazja. Może natrafimy na kogoś, kto nam pomoże.

– I wrócić do sztetla? Ja chcę poznać Buenos Aires, dowiedzieć się, czy tam naprawdę można jeść mięso, kiedy się tylko chce. Nie głodowałaś w Jekatierinosławiu?

– Czasami.

– Ja nie chcę więcej głodować. To najgorsze, co może być, a odkąd Max się ze mną ożenił, nie zabrakło mi jedzenia ani nie marzłam. Nie bałam się także, że w wiosce pojawią się goje. Z nim jest mi lepiej niż w Nikolewie. I może nie każe mi pracować w burdelu, może się we mnie zakocha.

Estera śmieje się z Sary, kiedy słyszy, że ta pragnie uwieść Maxa, sprawić, żeby się w niej zakochał i uczynił z niej swoją prawdziwą żonę, chociaż nie tknął jej, odkąd wzięli ślub, żeby zarobić pieniądze na jej czystości.

– Chcesz, żeby cię wziął? Więc się przygotuj, ponieważ kiedy już sprzeda twoje dziewictwo, będzie cię brał, kiedy tylko zechce. On i setki innych mężczyzn, tysiące.

– Może nie będzie tak źle. Tak jak z piwem i wieprzowiną. Może pod tym względem także nas okłamywano.

Po trzech dniach rejsu Max wzywa Sarę i każe jej iść, tylko jej, na pokład.

– Chcę, żebyś to zobaczyła. Nie ma nic piękniejszego na świecie. To cieśnina Bosfor. Po drugiej stronie jest Stambuł.

– Będziemy tamtędy przepływać?

– Tak, musimy dotrzeć do morza Marmara, jakieś trzydzieści kilometrów. Zawsze, kiedy tędy przepływam, mam ochotę tu zostać.

Max milknie, Sara nie wie, co powiedzieć, patrzy tylko na ten widok, który tak mu się podoba, i czuje się dobrze w jego towarzystwie. Wezwał ją, swoją żonę, nie żadną inną. Na obu brzegach wznoszą się cudowne budowle, jak Sara sądzi, pałace.

– Po jednej stronie jest Europa, po drugiej Azja. Stambuł leży na dwóch kontynentach, to ogromne i bardzo piękne miasto.

Chciałaby, żeby pozostałe dziewczęta także mogły to zobaczyć i posłuchać Maxa, to by je uspokoiło, uświadomiłyby sobie, że nie jest potworem, za jakiego wszystkie go uważają, chociaż bez wątpienia zdolny jest zabić człowieka. Mogą mu zaufać. Zanim dotrą na miejsce przeznaczenia, jej uda się go rozkochać – jak jemu udało się sprawić, że ona zakochała się w nim – i może zdoła go skłonić, by je wszystkie wypuścił na wolność. Wszystkie prócz niej, ona zawsze będzie żyć u jego boku i urodzi mu tyle dzieci, ile będzie mogła, a to da mu odkupienie i wyrwie z tego świata śmierci i kłamstw.

Mijają różne małe wioski rozrzucone na brzegu morza i przytulone do gór, z domami schodzącymi aż do wody. Są tak inne od jej sztetla.

– Tam to Yeniköy, jesteśmy bardzo blisko Stambułu. Mieszka tu wielu Żydów. W tym rejonie żyje wielu sefardyjczyków, Żydów wypędzonych z Hiszpanii. Jest tutaj także piękna synagoga.

– Chodzisz do synagogi?

– Oczywiście, zawsze, kiedy mogę. W dzieciństwie chciałem być rabinem, lecz wszystko się poplątało. Zdałem sobie sprawę, jaki naprawdę jest świat.

Milczą jeszcze przez chwilę, aż w końcu Max proponuje jej owoc z jednego z półmisków.

– Zjedz coś, teraz będziesz musiała wrócić do twojej kajuty, dopiero za kilka godzin będziecie mogły wyjść, fajgełe.

Fajgełe, ptaszyno, tak się mówi tylko do kogoś, do kogo żywi się uczucie. Max ponownie pokazuje jej, że nie może być pewna, czego się po nim spodziewać, że ma w sobie znacznie więcej czułości, niż może się wydawać. Sara wraca szczęśliwa, wie, że różni się od pozostałych kobiet: jest żoną Maxa Szlomo.

* * *

– Co teraz zrobimy? Nie możesz nadal widywać się z majorem.

Noc święta Trzech Króli, noc, kiedy wyznali sobie, że spełniły się ich życzenia, to, o co prosili w listach, zmieniła układ między Gasparem a Mercedes.

– Nie chcę dłużej z nim być, pragnę być z tobą, ale nie mogę wszystkiego stracić. Nie miałabym grosza przy duszy ani dachu nad głową.

Jakże łatwo przyszło Gasparowi przyzwyczaić się do przyjemnego życia, spokojnego i rodzinnego, do tego, że ma kobietę, która co wieczór na niego czeka z kolacją i łóżkiem, chętna do pieszczot.

Od tej pierwszej nocy – aczkolwiek minęło zaledwie kilka dni, Gaspar ma wrażenie, że jego życie już na zawsze się zmieniło – kiedy po kolacji przespał się z Mercedes, kochali się każdej nocy i każdego poranka, wypróbowali wszystkie pozycje i eksperymentowali

z takimi rzeczami, o których Gasparowi nigdy nawet się nie śni
ło, że można je robić z kobietą, tym bardziej z przyzwoitą, nie jedną
z tych, o których opowiadają jego koledzy prowadzący hulaszcze,
suto zakrapiane alkoholem nocne życie.

– Popłyń ze mną do Argentyny.

– Do Argentyny? W tym celu musielibyśmy wziąć ślub.

– A więc wyjdź za mnie.

To szaleństwo, lecz nie mniejsze niż to, że ona będzie musiała
wyjść za mąż za kogoś, kim gardzi, tylko dlatego, że jej ojciec nie
miał szczęścia w kartach.

– A pensjonat?

– Niech major go sobie weźmie. My będziemy żyć z mojej pracy. A jeśli trzeba będzie wysyłać pieniądze twojej matce, zaciśniemy pasa. W Argentynie będę dość dobrze zarabiał.

Już powiadomiono go o przypuszczalnym terminie wysłania
posągów do Buenos Aires: jeśli nie zajdą nieprzewidziane okoliczności, statek *Príncipe de Asturias* wypłynie z barcelońskiego portu
17 lutego. Gaspar jest pewny, że uda mu się skłonić gazetę do kupienia biletu także dla jego żony.

– Przekleństwa majora słychać będzie nawet w Chinach.

– Czy to oznacza „tak"?

– Oczywiście, oczywiście, że to znaczy „tak". Marzyłam o tym,
że mnie poprosisz o rękę, odkąd zobaczyłam, jak przekraczasz próg
tego pensjonatu. Nie wiem, jakie kroki należy podjąć, nie wiem,
jak to się robi. Czy żeby wziąć ślub, trzeba gdzieś prosić o pozwolenie lub coś takiego?

– Ja także nie wiem. Nigdy nie brałem ślubu, ale wszystkiego
się dowiemy.

To szaleństwo, nawet nie chce myśleć o tym, co powie jego
matka – a tym bardziej ciotka Elvira, której nigdy nic się nie podoba – jednak myśl o poślubieniu Mercedes uczyniła z niego najszczęśliwszego człowieka na świecie. Teraz naprawdę ma odwagę,
jakiej wcześniej mu brakowało, teraz faktycznie nie obchodzą go
groźby wojskowych. Byłby nawet zdolny bić się na pięści z majorem Pacheco.

– Chcesz, żebyśmy mieli dzieci?

– Marzę o tym, jestem pewna, że kiedy wrócimy z Argentyny, już będziemy oczekiwać pierwszego.

– Może będziemy musieli zostać tam przez rok.

– Wobec tego urodzi się w Buenos Aires. Jak nazywają się mieszkańcy Buenos Aires?

– Dowiemy się także tego. Najpierw musimy zdecydować, gdzie weźmiemy ślub. Jestem pewny, że moja matka byłaby zachwycona, gdybyśmy zrobili to we Fuentes de Oñoro.

– Nie mamy na to czasu. Jeśli chcemy wziąć ślub przed połową lutego, będzie musiał odbyć się tutaj. Może weźmiemy go w kościele św. Sebastiana? Jutro pójdę się dowiedzieć.

– Powiem w gazecie, że muszę mieć podwójną kajutę. W pierwszej klasie.

– Jeśli chcesz. Jeśli o mnie chodzi, mogłabym popłynąć trzecią klasą, byle z tobą.

Ją czeka najgorsze: powiadomić o swojej decyzji narzeczonego. Mercedes jest zupełnie inna niż Gaspar, dla niej nie istnieją żadne trudności ani lęki. Jest gotowa to zrobić. Oboje uważają, że najlepiej będzie, jeśli natychmiast opuszczą pensjonat i poszukają innego lokum do dnia wyjazdu do Argentyny.

– W żadnym nie pozwolą nam zamieszkać razem bez ślubu.

– Popytam w redakcji, tam z pewnością znają miejsca, gdzie nie pytają o dokumenty.

– To porządny dom, nie chcę tu żadnych skandali.

– Niech się pani nie martwi, doña Asunción.

Nie jest to pensjonat, lecz wynajęty pokój w mieszkaniu pewnej wdowy, na Claudio Coello, bardzo blisko parku Retiro. Chociaż dama odstawia teatr, prosząc ich o przykładne zachowanie, cztery wolne pokoje wynajmuje parom kochanków, które nie mają innego miejsca, gdzie mogłyby zaspokoić swoje pilne potrzeby. Tylko interwencja jednego z kolegów Gaspara – który przez całe miesiące spotykał się tam z pewną mężatką i zaprzyjaźnił się z właścicielką mieszkania – umożliwiła Gasparowi i Mercedes wynajęcie czwartego pokoju na kilka tygodni, dopóki nie wezmą ślubu i nie wyruszą do Barcelony, żeby tam wsiąść na pokład *Príncipe de Asturias.*

– Jeszcze dzisiaj po południu przywieziemy rzeczy.

Tej nocy, nic nikomu nie mówiąc, po raz pierwszy będą spać w pokoju na ulicy Claudio Coello, a jutro Mercedes powiadomi majora o tym, że z nim zrywa, a także o tym, że się zaręczyła. Gasparowi spędza to sen z powiek, Mercedes jest jednak spokojna.

– Nie należy się bać. Od tej pory ja będę ci mówić, kiedy możesz się bać, a kiedy nie. A te anonimy, które otrzymujesz, nie zasługują ani na strach, ani na uwagę.

– A pobicie?

– Było, minęło, trzeba o tym zapomnieć.

Gaspar chce wierzyć, że to, co mówi Mercedes, jest prawdą, lecz nie jest o tym przekonany. Bardzo by się zdziwił, gdyby czas do wyjazdu minął spokojnie.

* * *

– Paulo, cóż to za radość ponownie panią widzieć. Wiele razy myślałem o tym, by wysłać do pensjonatu zaproszenie na herbatę. Tak miło wspominam tamto popołudnie.

Don Antonio Martínez de Pinillos ponownie spotyka się z Paulą, pożegnawszy *Infantę Isabel*, która wczoraj przypłynęła z Barcelony, a dzisiaj wypływa do Buenos Aires. Nie powiedział kapitanowi Pimentelowi o swoich obawach. Będąc na pokładzie, odwiedził klasę najuboższych emigrantów, którzy nawet nie są w stanie załatwić wiz i muszą opuścić statek, nim zawinie do portu w Buenos Aires, nocą, pod osłoną ciemności.

– Pimentel, niech pan dopilnuje, by niczego im nie zbrakło – polecił kapitanowi. – Ich położenie już i tak jest aż nadto dramatyczne, żebyśmy i my przyczynili się do jego pogorszenia.

Po czym ruszył pieszo do doku, w którym dokonuje się renowacji na *Príncipe de Asturias*. Ta przechadzka nie sprawia mu przyjemności. Jest powszechnie znaną osobą w Kadyksie: wszyscy pozdrawiają go z szacunkiem i interesują się jego sprawami. Jest to miłe, kiedy wszystko dobrze się układa, lecz denerwujące, kiedy chce się pomyśleć. A teraz Pinillos musi wiele przemyśleć i podjąć ważkie decyzje. Nie wolno mu się pomylić, jeśli bowiem popełni błąd, może to wpłynąć na wiele osób: załogi jego statków, pasażerów, a nawet, bez fałszywej skromności, na cały Kadyks. Dobrobyt mieszkańców w dużym stopniu zależy od niego, a inni właściciele wielkich firm przyglądają się podejmowanym przez niego decyzjom. Ilu ludzi zostałoby bez pracy, gdyby Niemcy lub Anglicy zatopili statki Kompanii Żeglugowej Pinillos? Setki osób, wiele rodzin, teraz ich losy zależą od tego, czy po wysłuchaniu propozycji – a może powinien powiedzieć groźby lub szantażu? – wysłannika Niemców uczyni to, co należy.

– Lubię patrzeć na *Príncipe de Asturias*, panie Pinillos. Wiem, że to pan jest jego właścicielem, ale my wszyscy, którzy na nim pracujemy, uważamy go trochę za nasz dom. Poza tym mam na *Infancie Isabel* znajomych i chciałam się z nimi zobaczyć, zanim wypłyną.

Trzeba przyznać, że statek sprawia wspaniałe wrażenie: ma sto sześćdziesiąt metrów długości, wielki komin, kilka pięter kajut i salonów, przestronne pokłady…

– A jednak wyobrażam sobie, że pośrodku oceanu wydaje się bardzo mały, narażony na niebezpieczeństwo.

– Tam, na pokładzie, tak się tego nie odczuwa. Wszyscy wierzymy, że możemy zaufać naszemu statkowi, że kapitan Lotina doprowadzi nas bezpiecznie do celu.

Paula również ma podczas spaceru wiele spraw do przemyślenia – zastanawia się nad drogą, jaką wybrała. Poza tym lubi porty, zawsze mieszkała w pobliżu któregoś z nich. Po pierwszych dniach spędzonych w Kadyksie, podniecona, że otwierają się przed nią drzwi do nowego życia, teraz uświadamia sobie ogrom zmiany, a myśl, że już nie wróci do Hiszpanii, przyprawia ją o zawrót głowy. Zaczyna odczuwać wyrzuty sumienia, że nie pojechała do Vigo, by zobaczyć się z rodziną i osobiście ją o tym powiadomić.

– Ma pani czas, żeby napić się kawy?

– O tej porze? O tej porze w Kadyksie pije się manzanillę.

Niemal natychmiast żałuje, że to powiedziała, lecz uśmiech armatora zapewnił ją, że ma rację, że Pinillos faktycznie ma większą ochotę na kieliszek białego wytrawnego wina z Sanlúcar de Barrameda niż na filiżankę kawy.

– Jest tutaj nieopodal winiarnia, gdzie mają manzanillę i znakomite wędliny. To przytulne miejsce, gdzie nikt nie będzie nam przeszkadzał. Może wstąpimy tam, żeby coś przekąsić?

– Będę zachwycona.

Ludzie z pewnością będą myśleć, że on, zawsze tak rozsądny, wziął sobie kochankę. Tak już jest, kiedy jest się sławnym.

Tak jak podczas ich poprzedniego spotkania, don Antonio Martínez de Pinillos zapomina o problemach i zmartwieniach, gdy z uwagą słucha tego, co młoda Galisyjka opowiada mu o statku, podróżach, odwiedzanych portach i pasażerach. To wszystko tak bardzo go wciąga, że chwilami ma nawet ochotę zaryzykować – wsiąść na *Príncipe de Asturias* i popłynąć do Buenos Aires lub Hawany. Zostawiłby wszystko w rękach kapitana, a on tylko korzystałby z luksusu, którym cieszą się pasażerowie wybierający jego linię.

– Pływanie na statkach było pani marzeniem?

– Nie myślałam o tym, to była rodzinna tradycja. Moi rodzice poznali się na statku. Mama była kucharką, a ojciec pracował w kotłowni. Płynęli wtedy na Antyle. Oboje już dawno porzucili tę pracę i teraz mają restaurację w Vigo, w porcie. Nazywa się La Antillana, dla upamiętnienia owej podróży.

– Dlaczego nie pojechała pani do Vigo? Miała pani darmowy bilet na każdy z naszych statków.

– Czy nie przydarzyło się panu kiedyś, że wiedział pan, co należy zrobić, a zrobił coś przeciwnego?

– Bardzo bym chciał, niestety, zawsze muszę robić to, co powinienem, choć czasem trudno znaleźć właściwą drogę.

Czy ta młoda kobieta jest w stanie zrozumieć jego troski? Jeśli nie przystanie na propozycję Niemców, ich okręty podwodne storpedują *Príncipe de Asturias*. Jeśli ją przyjmie, ryzykuje, że Anglicy dowiedzą się o ładunku, jaki ma przewieźć z Argentyny, i to oni zatopią statek. Obojętnie, którą opcję wybierze, może się ona okazać poważnym błędem. Jeśli nie podejmie żadnej, Niemcy zatopią jego statki w porcie.

– Przypuszczam, że zawsze najlepiej postępować słusznie. Ja wiem, czego chcę, ale wiem też, że jeśli pojadę do Vigo, rodzice mnie przekonają, żebym tego nie robiła. Są takie chwile, kiedy człowiek musi być egoistą. Lepiej, żebym nie opowiadała panu mojej historii, splatają się w niej moje marzenia, narzeczony, który poślubia inną, rozpacz... Wszystko bardzo pospolite, dlatego choć raz chcę być egoistką.

Kiedy spotkał młodą Galisyjkę, nie myślał o tym, żeby być egoistą, myślał o tym, żeby zachować się przyzwoicie. Don Antonio Martínez de Pinillos nie uczestniczy w kawiarnianych pogaduszkach, podczas których wielu jego znajomych dyskutuje o losach wojny, dzieląc się na zwolenników Niemców i zwolenników Ententy, on nie może się w taki sposób określić. Niemniej jednak fakt, że nie wyraża głośno swojego zdania, nie znaczy, że go nie ma. Bliżej mu do Anglików, być może z uwagi na miejscową tradycję: oni są starymi znajomymi, odwiecznymi wrogami, a także przyjaciółmi, którzy w znacznej mierze umożliwili i wspierali rozwój handlu i przemysłu na tym terenie. Wolałby stać na uboczu, lecz skoro nie może, chce mieć na tyle przyzwoitości, żeby dochować wierności swoim ideałom i temu, co uważa za najlepsze dla Kadyksu i dla świata. Skoro już go zmuszają, opowie się po stronie Brytyjczyków. Nie przyjmie propozycji Niemców i porozmawia z Anglikami, żeby go chronili, a w zamian będą mogli przeszkodzić w przetransportowaniu broni z Argentyny do Europy. Tylu ludzi ginie podczas pustoszącej kontynent wojny, że jeśli zrobi coś, by potrwała chociaż o dzień krócej, uratuje życie tysiącom ludzkich istot.

Podjął już decyzję, co było najtrudniejsze; teraz musi wykonać inne, niemal równie niemożliwe zadanie: zrealizować swoje zamiary, nie wzbudzając podejrzeń Niemców. Może przeznaczenie postawiło na jego drodze Paulę Amaral, młodą stewardesę z Galicii, by mu się to udało.

Korzystając z panującej w Kadyksie pięknej pogody, w styczniu, który w jej rodzinnych stronach byłby cudownym początkiem wiosny, Paula siada na placu katedralnym z blokiem i kilkoma węgielkami.

Zawsze miała zdolności rysunkowe – przelewała na papier wymyślone przez siebie stroje, na wzór rysowanych postaci z magazynów mody. Nigdy nie próbowała tego na poważnie, lecz portrety również udatnie jej wychodzą. Jeśli przyjrzy się jakiejś twarzy, potrafi potem z pamięci wydobyć jej główne rysy i naszkicować je na papierze. To właśnie robi, siedząc na placu. Przez kilka minut obserwuje ukradkiem czyjąś twarz, która z jakiegoś powodu przykuła jej uwagę, potem skupia się, odtwarza ją w myślach i rysuje, nie patrząc już na tę osobę. Nie zajmuje jej to więcej niż dziesięć minut. Skończywszy, ponownie patrzy na swój model i porównuje jego twarz z tą narysowaną. Jeśli rezultat ją zadowala, zachowuje rysunek, jeśli jest zły, drze go na strzępy. Kiedy jest wyjątkowo dobry, czuje pokusę, by go podarować modelowi, lecz przeszkadza jej w tym nieśmiałość. Tego popołudnia, siedząc przy swoim stałym stoliku ze szklanką lemoniady, Paula nie przygląda się żadnemu z przechodniów: szuka w pamięci rysów don Antonia. Postanowiła przezwyciężyć opory i podarować mu rysunek, jeśli uzna, że jest udany.

– Chciałabym panu coś podarować, don Antonio. Zrobiłam to tego popołudnia, które spędziłam w pańskim domu. To drobiazg, lecz byłabym zachwycona, gdyby pan go zatrzymał.

Don Antonio z radością przyjmuje portret w ołówku wykonany przez Paulę. Widzi podobieństwo, ze zdziwieniem zauważa, że dziewczyna uchwyciła na nim nawet dręczące go w ostatnich dniach myśli.

– Z czego pani to skopiowała? Przecież ja pani nie pozowałem.

– Rysuję z pamięci. Patrzę na jakąś osobę, a potem szkicuję ją na papierze tak, jak zapamiętałam.

– Czy potrafiłaby pani narysować kogoś, kogo widziała tylko przez minutę?

– Jeśli nie minie zbyt wiele czasu, zwykle mi się udaje. Chciałby pan, żebym kogoś dla pana sportretowała?

* * *

– Giulio, wychodzimy za pół godziny – mówi Rissi. – Po drodze przekażę ci szczegóły dotyczące dalszej ucieczki.

Giulio przeczytał całe *Serce*, książkę Edmunda de Amicisa zostawioną wczoraj przez dziewczynę ze straganu z wędlinami, która przyprowadziła go do kryjówki. Przeczytał ją nie dlatego, by mu się podobała – wydała mu się równie głupia i rzewna jak wtedy, gdy czytał ją pierwszy raz w szkole. Sączący się z książki patriotyzm, pochwała dobroci i rodziny, naiwność utworu wydają mu się godne pożałowania i zwodnicze. Giulio zna prawdziwe Włochy – nie mają nic wspólnego z tą powieścią, wysyłają na śmierć młodych ludzi, źle uzbrojonych i pozbawionych ciepłej odzieży mimo panującego zimna. Pragnie raz na zawsze opuścić ojczyznę, pojechać do Argentyny i przyczynić się tam do zbudowania innego, bardziej sprawiedliwego społeczeństwa.

– Teraz pójdziemy do portu. Wsiądziesz na statek towarowy płynący do Barcelony. Jeden z marynarzy współpracuje z nami i pomoże ci się ukryć. On ci powie, co masz robić, jeśli dojdzie do kontroli. Musisz zrobić dokładnie to, co ci powie, jeśli bowiem cię złapią, ty pójdziesz pod mur, a my stracimy jedną z dróg ucieczki z Włoch. W Hiszpanii już będzie łatwiej. Chcę, żebyś mi to obiecał.

– Oczywiście, obiecuję. Jestem gotów na wszystko, zrobię, co mi każą. Proszę się nie obawiać.

– Pamiętaj, żeby wypełnić polecenia, bez względu na to, o co cię poproszą. Jeśli wybraliśmy ten sposób, to dlatego, że przez wiele miesięcy sprawdzaliśmy, że jest najlepszy. Ostrzegam cię, że nie będzie to miła wycieczka.

Chociaż jest to dopiero jego drugi spacer po Livorno, rozpoznaje niektóre miejsca, ponownie idzie przez piazza della Repubblica, Mercato delle Vettovaglie i Fosso Reale. To ostatnie widoki Włoch, jakie ze sobą zabierze, może na zawsze, chce więc, żeby wryły mu się w pamięć.

Idą do portu, nie ukrywając się, wmieszani w tłum spacerujący po zapadnięciu zmroku. Na miejscu zachowują większą ostrożność: omijają dwóch karabinierów, okrążają plac wypełniony wielkimi pakami przygotowanymi do załadunku na różne statki, zagłębiają się w mało uczęszczane zaułki, do których prawie nie dociera światło. W końcu dochodzą do celu – stojącego na uboczu szynku. Kilka metrów od wejścia jakaś kobieta naprawia sieci rybackie, wygląda jak zwykła staruszka, może wdowa po rybaku, która pracuje, by zarobić kilka groszy i przynieść do domu coś do jedzenia, lecz mijając ją, Rissi pyta:

– Droga wolna?

– Tak, wchodźcie. Poczekajcie w środku, a ja dam znać, że jesteście. *Buona fortuna, ragazzo.*

Te słowa były skierowane do Giulia, a on dojrzał w jej spojrzeniu i w jej uśmiechu, że to, co dla niego robi, przywraca jej młodość. Zazdrości staruszce, wielu młodych ludzi nie ośmiela się robić tego, czego pragną, a ona, kobieta u kresu życia, nadal naraża je dla jakichś ideałów.

Szynk jest niemal pusty, tylko jeden stolik zajmują mężczyźni pijący wino i grający w scopę. Giulio przypomina sobie, jak wiele razy grał w tę grę z towarzyszami podczas spokojnych chwil na froncie, gdy przebywali z dala od okopów.

Gracze na nich nie patrzą, mężczyzna za barem bez słowa otwiera kluczem jakieś drzwi w głębi sali. Daje Giuliowi znak, żeby wszedł.

– Poczekaj w środku. Przyjdą po ciebie. *Fortuna!*

Rissi żegna się pospiesznym uściskiem i Giulio rozumie, że już więcej go nie zobaczy, że nie będzie mógł się odwdzięczyć za to, co dla niego zrobił. Zostawia za sobą ludzi, którym pewnego dnia powinien za wszystko podziękować. Zostaje sam. W niewielkim magazynku jest ciemno. Giulio siedzi na skrzyni z butelkami grappy, słuchając mężczyzn grających w scopę. Po dziesięciu minutach pojawia się jakiś człowiek w marynarskim mundurze.

– Giulio, tak? Chodź ze mną.

Kilka minut później Giulio podąża za marynarzem. Statek, którego szukają, nazywa się *Sicilia* i należy do NGI, Navigazione Generale Italiana. Wczoraj wyruszył z Genui, a jeszcze tej nocy wypłynie do Barcelony. Rejs zajmie dwie doby z okładem.

– Do wybuchu wojny do Nowego Jorku i Buenos Aires pływały wielkie statki należące do Veloce, takie jak *Duca di Genoa* albo *Savoia*. Teraz jednak rejsy są bardzo nieregularne i nie możemy ich wykorzystywać, by pomagać dezerterom w ucieczce. Lepiej podróżować hiszpańskimi parowcami, bezpieczniej.

Żołnierze na froncie nie wiedzą, że wielu cywilów pomaga dezerterom, że nie wszyscy Włosi zgadzają się z oficjalną propagandą i czują się szczęśliwi, wysyłając młodych ludzi na wojnę. Prawdziwe męstwo nie ma nic wspólnego z wojskowymi mundurami, galonami czy defiladami; wszystkie osoby, które mu pomagały, wykazały się większą odwagą niż wszyscy generałowie włoskiej armii razem wzięci. O wielkości Włoch stanowią ich obywatele, a nie generałowie czy Kościół. Myśl o tym, że jego rodacy dokonują tego w Argentynie, budują kraj, gdzie najważniejsi są ludzie, a nie ciężar przeszłości, wzmacnia jego determinację, by podążać dalej.

– To statek towarowy i musisz bardzo uważać, żeby nikt cię nie znalazł. Dlatego będzie to fatalna podróż, przykro mi. Popłyniesz w ładowni, schowany w skrzyni. Pociesz się myślą, że niedługo będziesz miał za sobą najgorszą podróż ze wszystkich, w jakie udasz się w życiu.

– Płynę tylko ja?

– W twojej skrzyni tak, nikt więcej się nie zmieści, ale na statku jest was trzech. Ty wchodzisz jako pierwszy. Nie będę cię oszukiwał, ja nie byłbym w stanie tego zrobić. Skrzynia jest mała i będziesz miał uczucie klaustrofobii, lecz to potrwa tylko kilka godzin. Kiedy będzie bezpiecznie, dam ci znać, że możesz wyjść i rozprostować nogi.

Wchodzą na statek po sznurowej drabince, rzuconej przez człowieka, którego nie widzą z dołu. Niełatwo wspiąć się po niej komuś, kto nie jest do tego nawykły: drabinka kołysze się z boku na bok, a Giulio cały czas się boi, że spadnie do wody, zapewne lodowatej. Kiedy w końcu znajduje się na górze, prowadzą go do luku, którym schodzą do ładowni pełnej większych i mniejszych skrzyń. Giulia ogarnia strach, gdy orientuje się, gdzie ma się ukryć. Wyobrażał sobie, że będzie to zwykła skrzynia, jakich wiele widział na nabrzeżu, tymczasem to jedna z sześciu luksusowych drewnianych trumien w ciemnym kolorze, ze złotym krzyżem na wieku, schowanych w głębi ładowni.

– Nie zamierzam włazić do trumny.

– Dałeś słowo, że zrobisz wszystko, co ci każą. Wiedziałeś, że nie możesz się spodziewać podróży w luksusowej kajucie. Jeśli zmieniłeś zdanie, masz jeszcze czas, możesz zejść ze statku i zapomnieć o wyjeździe. Nie pomagamy tchórzom, tylko tym, którzy są gotowi na wszystko. To jedyne miejsce, gdzie na pewno nikt nie zajrzy. Trumna jest w środku wyściełana fioletowym jedwabiem. Sprawia wrażenie miękkiej. Marynarz wyjmuje kawałek wewnętrznej okładziny w miejscu, gdzie powinna być głowa, z lewej strony.

– W ten sposób będziesz miał więcej miejsca. Jeśli poczujesz mdłości z powodu kołysania statku, odchyl głowę w bok, żebyś się nie udławił własnymi wymiocinami.

Wyściółka jest wygodna, a trumna większa, niż potrzebuje Giulio, jest przeznaczona dla bardzo wysokiego i potężnego mężczyzny. Giulio kładzie się w niej. Gdyby mogła zostać otwarta, byłaby względnie wygodnym łóżkiem. Muszą ją jednak zamknąć.

– Jeśli będziesz musiał załatwić potrzebę fizjologiczną, zrób to. Ci, którzy tak podróżowali przed tobą, mówią, że powstrzymywanie się zwiększa dyskomfort. Choćby nie wiadomo jak nieprzyjemne ci się to wydawało, lepiej jest pobrudzić sobie spodnie, niż starać się powstrzymać. I zachowaj absolutną ciszę, dopóki nie zauważysz, że płyniemy. Zwłaszcza jeśli usłyszysz, że coś się dzieje.

– A jeśli będą chcieli otworzyć trumnę?

– Mamy nadzieję, że tego nie zrobią. Jeśli wszystko dobrze pójdzie, będziesz mógł wyjść z trumny przed świtem, gdy wypłyniemy z portu. Wiem, że będzie ci ciężko, lecz nie ty pierwszy ani nie ostatni to zniesiesz. Odwagi!

Giulio spędza dwanaście najgorszych godzin w życiu: zamknięty, spragniony i przestraszony, nie może nawet poruszyć ręką, żeby się podrapać, kiedy jak na złość swędzi go nos. Próbuje spać, żeby nie myśleć, lecz nie może – po kilku godzinach – chociaż stracił poczucie czasu, równie dobrze mogło to być kilka godzin, jak i kilka minut – z całych sił pcha wieko, żeby otworzyć trumnę, lecz mu się to nie udaje. Jest na skraju załamania nerwowego, kiedy słyszy jakieś głosy.

– Co jest w tej trumnie?

– A co może być w trumnie? Nieboszczyk. Hiszpan, który mieszkał w Livorno. Rodzina chce go pochować w Barcelonie. Tutaj są papiery. Chce pan, żebyśmy ją otworzyli?

Giulio ma ochotę krzyknąć, żeby urzędnik, policjant czy ktokolwiek to jest, usłyszał go i wyciągnął z tej trumny. Ma dosyć tego koszmaru. Jest gotów się poddać. Nie robi tego tylko ze względu na ojca – skoro jemu udało się załatwić wywiezienie syna z Włoch, to on musi uszanować ryzyko, jakie podjął. Musiałby również wydać tych, którzy pomagają takim jak on dezerterom, mężczyznom być może znacznie od niego odważniejszym i naprawdę na to zasługującym. Przypomina sobie słowa stryja o gladiatorze, bohaterze jego powieści: nie może dać się zabić, gdyż życie jest wszystkim, co ma, i nie powinien go odrzucać, chociażby w tym celu musiał zabrać inne. Przygotowuje się więc: jeśli wieko trumny się otworzy, będzie walczył.

– Nie. Kto chce oglądać trupa? Pewnie żrą go już robaki.

Boi się, że dostanie mdłości, przed czym przestrzegł go marynarz. Nigdy wcześniej mu się to nie przydarzyło, nawet na kutrze, którym płynął po wzburzonym morzu z Viareggio do Livorno, lecz teraz kręci mu się w głowie, kiedy statek kołysze się na falach. Czuje, że musi zwymiotować, i przypomina sobie, że powinien odwrócić głowę na lewą stronę. Smród wymiocin powoduje, że jeszcze bardziej go mdli. Ma również ochotę oddać mocz i po chwili czuje na udach ciepłą wilgoć. Dochodzi do wniosku, że lepiej byłoby dać się zabić w okopach. Statki toną, a jeśli spotka to *Sicilię*, pójdzie na dno w trumnie. A może trumna będzie się unosić na wodzie?

Uspokaja go nienawiść. Nienawidzi Franceski, chociaż być może zawdzięcza jej życie, bo to z jej powodu opuścił okopy. Nienawidzi Salvatore Mariniego, mężczyzny, który mu ją odebrał, a tym samym być może dał okazję do znalezienia szczęścia daleko od ojczyzny. Nienawidzi tych, którzy mu pomagają: Franca Rissiego, Sity Aprile i marynarza, który wprowadził go na statek, nie mówiąc, że każą mu na nim spędzić najgorsze chwile życia. Nawet jego chrzest bojowy nie był tak traumatyczny jak podróż w zamkniętej trumnie. Nienawidzi swojego stryja Domenica i złotego zegarka dziadka, na który nie może spojrzeć, ponieważ nie jest w stanie unieść ręki. Nienawidzi matki, z którą nie mógł się pożegnać, i ojca, który nauczył go, że człowiek zawsze powinien robić to, co nakazuje mu sumienie. Nienawidzi także kapitana Carmine, który owej odległej wigilijnej nocy, kiedy wszystko się zaczęło, a od której minęły zaledwie dwa tygodnie, wydał rozkaz rozstrzelania dwóch austriackich żołnierzy. Myśli o ciemnowłosym Austriaku, tym, który uciekł, i pragnie, by jego ucieczka nie była tak niegodna, jak jego własna, chociaż uciekał boso przez śnieg.

– Możesz wyjść. Daj, pomogę ci wstać. Widzę, że kiepsko to zniosłeś. Przyniosłem ci wodę i czyste ubranie. Nie masz się czego wstydzić, w takiej sytuacji nikt nie jest w stanie się kontrolować. Rozprostuj nogi. Żałuję, że nie możesz wyjść na pokład, żeby zaczerpnąć świeżego powietrza.

Giulio się myje, lecz woda nie może zmyć niepokoju, jaki na zawsze zagnieździł się w jego sercu.

– Czy będę musiał tam wrócić?

– Tak, ale nie martw się, za drugim razem nie jest już tak źle. Potrwa to nie dłużej niż dwie lub trzy godziny, kiedy będziemy cumować w barcelońskim porcie. Wyprowadzę cię najszybciej, jak to będzie możliwe. Miałeś szczęście, pozostałych dwóch chłopców, którzy mieli wejść na statek, złapali karabinierzy, zanim dotarli na nabrzeże.

– Przynajmniej nie musieli włazić do tej trumny.

– Nie bądź idiotą. Najprawdopodobniej leżą już w podobnej, tyle że na pewno nigdy z niej nie wyjdą. Najważniejsze to uratować życie, wszystko inne można jakoś przetrzymać.

Giulio rozumie, że jego uwaga była bardzo nie na miejscu, i przypomina sobie, że obiecał posłusznie wykonywać wszelkie polecenia, lecz nie jest pewny, czy da radę ponownie położyć się w trumnie. Jeśli z niej wyjdzie – jeśli uda mu się dotrzeć do Argentyny – sporządzi testament, w którym zażąda, żeby nie grzebano go w trumnie, lecz zawiniętego w prosty całun. Albo niech go spalą, znacznie lepiej zostać skremowanym: niech jego ciało przemieni się w popiół, ponownie stanie się prochem. Nie chce o tym myśleć teraz, jedząc twarde suchary, które przyniósł mu marynarz, i popijając je sporą ilością świeżej wody.

– Nikt nie schodzi do ładowni, dopóki nie zacznie się wyładunek. Kiedy otworzy się luk na górze, schowaj się, aż stwierdzisz, że to ja, albo jak najszybciej wejdź do trumny. Tymczasem możesz zostać na zewnątrz, ale nie hałasuj.

W ciągu następnych godzin, które spędza, chodząc z jednej strony ładowni na drugą, żeby rozruszać zastałe mięśnie, nie może przestać myśleć o tym, że znów będzie musiał położyć się w trumnie i że nie jest w stanie tego uczynić za nic na świecie. Wszyscy się mylą: życie nie jest warte tego, żeby znosić takie sytuacje. Żałuje, że wyruszył w tę podróż, Buenos Aires na pewno nie okaże się rajem, za jaki ludzie je mają. Przynajmniej nie dla niego.

FOTEL ROZMYŚLAŃ

Autorstwa Gaspara Mediny dla „El Noticiero de Madrid"

ODWAGA TCHÓRZY

Przed kilkoma tygodniami, może Państwo to pamiętają, napisałem felieton na temat hiszpańskich generałów, ich nieudolności, tchórzostwa i amoralności. Chcą wciągnąć nas w wojnę, z której tylko oni, a nie naród, odniosą korzyści. Gdyby nie było to żałosne, z rozkoszą można by patrzeć, jak ci mężczyźni z wielkimi wąsami przesuwają urojone wojska na mapach, naprawiając błędy równie nieudacznych europejskich generałów, bez wstydu uzgadniając strategię walki na froncie wschodnim, na froncie zachodnim, na froncie południowym... Ci, którzy przez ostatnie sto lat ponosili klęski we wszystkich wojnach, bawią się jak dzieci, chcąc wygrać największą ze wszystkich.

Od chwili opublikowania owego felietonu bezustannie otrzymuję groźby, jedne anonimowe, inne podpisane, w sylwestra spotkał mnie nawet nieprzyjemny incydent, kiedy próbowano przywołać mnie do porządku. Nie jestem człowiekiem chełpiącym się fałszywą odwagą, gdyby bowiem tak było, być może obrałbym karierę w armii i w rezultacie awansował na generała, lecz mimo to mówię Państwu, tutaj, publicznie, jak czynię to zawsze: nie cofam tego, co napisałem, to, co myślałem o nich wówczas, nadal myślę, może pomnożone razy dwa lub trzy. Śmieszą mnie ich zwyczaje, ich stępione szable u pasa i barwne ozdóbki na piersi. I rozszerzam moją opinię na pułkowników i majorów.

Czy spełnią swoje groźby? Może, nie zamierzam tu zostać, żeby to sprawdzić. Za kilka tygodni wyruszę do Argentyny. Będą Państwo nadal mogli czytać moje felietony, które będę stamtąd wysyłał, będę w nich Państwa informował o sytuacji w tamtym kraju, o życiu naszych rodaków, którzy starają się wypracować tam sobie lepszą przyszłość niż tutaj. Napiszę też o transporcie osławionych posągów na Pomnik Hiszpanów oraz o słynnych rejsach na wielkich hiszpańskich parowcach: popłynę *Príncipe de Asturias* należącym do Kompanii Żeglugowej Pinillos.

A więc tak, uciekam, nie jestem odważny. Jednak na papierze, czarne na białym, moja postawa wobec generałów pozostaje bez zmian: odwaga tchórzy.

A llahu Akbar! Allahu Akbar!

Sarę zaskakuje śpiew muezzina wzywającego do modlitwy przy wejściu do Wielkiego Bazaru w Stambule, które znajduje się nieopodal meczetu Nuru Osmaniye. Nawet w najbardziej słoneczne dni lata sztetl Nikolew nie błyszczy tak jak ulice stolicy Turcji. Minęli pałace tak piękne, że Sara nie uwierzyłaby w ich istnienie, nawet gdyby opisano je na kartach Biblii; domy, gdzie mogliby się pomieścić wszyscy mieszkańcy jej wioski, pomalowane na tak czyste kolory, że lśnią w słońcu, ciepłym, mimo że jest to styczeń, pełnia zimy. Mijają ich luksusowe samochody, a w nich wyniośli i groźnie wyglądający żołnierze w turbanach, uzbrojeni w zatknięte za pasem jatagany, albo piękne kobiety – jedne ubrane na zachodnią modłę, inne całe na czarno, tak że widać tylko oczy, jeszcze inne w pysznych, powłóczystych, niewypowiedzianie pięknych szatach. Wszystko jest kolorowe: domy, powozy, towary wystawione w sklepach i stroje. Sara ma wrażenie, że opuściła świat, w którym widziała jedynie biele, czernie i ochry, i znalazła się w takim, gdzie istnieją wszystkie kolory świata.

Wokół niej, w odległości zaledwie kilku metrów od bramy bazaru, kłębi się więcej ludzi niż w jej wiosce w świąteczny dzień. I stale ich przybywa. Sara lęka się, że zginie, że odłączy się od Maxa, pochłonięta przez tłum, i już nigdy go nie znajdzie; u jego boku czuje się bezpieczna.

– Wiesz, dlaczego bramy są takie wysokie? Muszą takie być, by mógł pod nimi przejść obładowany wielbłąd.

Wielbłądy, cud z innego świata. Gdyby teraz mogła porozmawiać ze swoją przyjaciółką Judytą, doradziłaby jej, by przyjęła propozycję szadchan i zgodziła się bez wahania poślubić pierwszego mężczyznę, który zechciałby ją zabrać z Ukrainy. Powiedziałaby jej, że świat gdzie indziej jest tak odmienny, iż warto go poznać, choćby później miało się zdarzyć to, przed czym wszyscy ją przestrzegali. Nie może tkwić zamknięta w nędznej wiosce, kiedy gdzieś tam istnieją wszystkie te cuda – należy wykorzystać każdą okazję, by je zobaczyć.

– Są tutaj wielbłądy?

– Na pewno można je tu kupić, nie ma takiej rzeczy, której nie kupi się i nie sprzeda na Wielkim Bazarze. To jeden z największych na świecie, jeśli nie największy. Odwiedzam go zawsze, kiedy tu przyjeżdżam.

Wszystko można kupić i sprzedać. Sara czuje nagły przypływ strachu, że właśnie to ją spotka i dlatego odłączono ją od pozostałych kobiet.

– Nie sprzedasz mnie tutaj?

Przez chwilę nie wie, czy Max jej nie uderzy, lecz on wybucha głośnym śmiechem, tak że ludzie przechodzący w pobliżu odwracają się w ich stronę.

– Miałbym cię tutaj sprzedać? W Stambule jest aż nadto kobiet dla tych, którzy mogą za nie zapłacić. Nie, tutaj cię nie sprzedam. Mam zamiar kupić ci ubranie, także twoim towarzyszkom. Powiedziałem ci, że płyniemy do Argentyny. Jako że bogaty muzułmanin może mieć kilka żon, mógłbym sprzedać cię do haremu i dostać spore pieniądze. Twoje rude włosy zwracają uwagę, mógłbym ich przekonać, że są ze złota. Żyłabyś na pustyni i obsypaliby cię bogactwami. Ale w Buenos Aires zarobię na tobie znacznie więcej.

Raz po raz Sarę ogarnia niepokój, przeżywa jedną wątpliwość, potem następną, jeden ból przechodzi w inny.

– Ty także masz wiele żon jak bogaci muzułmanie?

– Nie, my Żydzi nie mamy wielu żon, a ja tylko ciebie poślubiłem.

Sara jest pewna, że Max żenił się już wiele razy, stąd jego swoboda przy skomplikowanych obrzędach żydowskich zaślubin. Czy robił to, żeby wywozić kobiety do Buenos Aires, czy może ma kobietę, którą naprawdę kocha? Kobietę, która dała mu dzieci i czeka na niego w normalnym domu, w domu, gdzie codziennie jada się mięso, owoce i słodycze, gdzie szanuje się szabat i żydowskie święta religijne? Sara go okłamała, nie wyjawiwszy, że raz już była zamężna, może on także to uczynił.

Dlaczego Max się tym zajmuje, dlaczego zabija z taką radością? Może gdyby zdołała skłonić go do wyznań, postanowiłby się zmienić? Przychodzi jej do głowy myśl: żeby go uwieść, musi go poznać. Powoli, bez pośpiechu, okazywać mu zainteresowanie, wykorzystywać każdą sposobność, każde powstałe pęknięcie, by przebić się przez chroniący go pancerz. Jest mężczyzną i jak wszyscy mężczyźni jest dzieckiem, musi tylko dotrzeć do jego prawdziwej osobowości i pokierować nim jak matka.

Sara jest dla Maxa wyjątkowa, nie musi jej tego mówić. Jako jedyna z sześciu sprowadzonych do Odessy Żydówek po opuszczeniu statku wyszła z domu, w którym je zamknięto. Tego ranka Max kazał jej sobie towarzyszyć, a ona poczuła się wyróżniona i szczęśliwa. Tylko ona spaceruje z nim pod rękę i słucha jego wyjaśnień.

– Tutaj, na bazarze, pracuje niemal dwadzieścia tysięcy ludzi, a nikt nie wie, ile osób codziennie przychodzi tu kupować i jakimi pieniędzmi się obraca.

– W Buenos Aires nie ma podobnego bazaru?

– Nie. Są targowiska, lecz ani nie są tak wielkie, ani nie oferują tylu towarów.

– Bardziej podoba ci się Stambuł niż Buenos Aires?

– Stambuł podoba mi się najbardziej na świecie, dlatego chciałem, żebyś go poznała. Czasami marzy mi się, że kiedy wycofam się z interesów, zamieszkam tu z kobietą, która da mi dzieci.

To będzie ona, bez wątpienia. Jeśli Maxowi tak bardzo podoba się Stambuł, od tej chwili także dla niej nie będzie nic piękniejszego i bardziej pożądanego. Zamieszkać tutaj, urodzić mu dzieci, spacerować po ulicach jak jedna z tych kobiet.

Wśród Arabów Sara dostrzega kilku Europejczyków, widzi sporo czarnoskórych mężczyzn – nigdy wcześniej takich nie widziała i budzą w niej strach – ale jest również zaskoczona, widząc Żydów, bardzo podobnych do mężczyzn z jej wioski, z brodami i pejsami.

– Są tutaj Żydzi?

– Nas, Żydów, nigdzie nie chcą, ale jesteśmy wszędzie. Mówi się, że szczury wszystko przetrwają, ale o nas można powiedzieć to samo. Nikt nie zdoła zgładzić naszego ludu.

Na Wielkim Bazarze jest mnóstwo straganów, a na nich wszystko, co tylko można sobie wyobrazić: biżuteria, odzież, wyroby ze skóry, najpiękniejsze kobierce, barwne i luksusowe, które mogłyby ozdabiać pałacowe podłogi, naczynia, przybory kuchenne... Sara staje zafascynowana przed straganem, na którym sprzedaje się sztuki jedwabiu. Przesuwa dłonią po jednej z nich – dotyk materii przyprawia ją niemal o rozkosz. Podchodzi do niej sprzedawca i bardzo szybko mówi coś w obcym języku. Jest zachwycona, widząc, jak Max swobodnie się z nim porozumiewa. To najbardziej pewny siebie mężczyzna, jakiego kiedykolwiek znała, wręcz sprawia wrażenie, że nie ma dla niego nic niemożliwego.

– Podoba ci się jedwab?

– Jest taki miękki...

– Kupię jedną sztukę, w Buenos Aires będziesz mogła sobie uszyć z niej koszulę lub elegancką bieliznę. Pomoże ci uwodzić mężczyzn.

– Mężczyzn? Będę musiała chodzić w bieliźnie w obecności obcego mężczyzny?

– Jeśli wszystko pójdzie dobrze i zarobię na tobie sporo pieniędzy, w obecności wielu mężczyzn. Ile postawisz na to, że kupimy tę sztukę za połowę tego, co on żąda?

Sprzedawca i Max zaczynają się targować, czemu Sara uważnie się przygląda, zafascynowana, chociaż niczego nie rozumie. Równocześnie czuje się rozczarowana słowami Maxa: będzie się pokazywać wielu mężczyznom, powiedział jej to bez ogródek, że chce tylko na niej zarobić, chce, żeby uwodziła innych. Z jednej strony okazuje jej uczucie, z drugiej mówi z pogardą o jej przyszłości. Który Max jest prawdziwy? Sara kocha tego Maxa, którego zna.

Targowanie się trwa nadal, a ona zapomina o zniewadze. Uwodzi ją słowna szermierka między sprzedającym a kupującym, zachwycają ją nie tylko słowa, lecz także pozy obu: obrażają się, wyzywają, śmieją się, krzyczą... Sara uświadamia sobie, że to teatr, że w tym przedstawieniu żaden z nich nie zwycięży. W końcu ściskają sobie ręce.

– Za połowę tego, co zażądał, tak jak powiedziałem. Idziemy tam, na Aynacılar.

To ulica wytwórców luster. Są tutaj zwierciadła wszelkiego rodzaju, wielkości i kształtu, w ramach z każdego materiału, jaki tylko można sobie wyobrazić. Sara nigdy nie pomyślała, że można wytworzyć równie piękne przedmioty.

– Pomóż mi wybrać jedno, obiecałem matce, że jej przywiozę.

– Masz matkę?

Max patrzy na nią, jakby była niespełna rozumu.

– Oczywiście, że mam matkę, co za głupie pytanie. To stara nieznośna Żydówka, która uważa, że może krytykować wszystko, co robi jej syn.

W końcu kupują wielkie owalne lustro w mosiężnej ramie, które Sara wybrała z taką miłością, jakby było przeznaczone dla jej własnej matki. Max wynajmuje chłopaka z wózkiem, by zawiózł zwierciadło, sztukę jedwabiu oraz pozostałe przedmioty, które kupili, pod wskazany adres.

– Teraz kupimy ubrania dla ciebie i pozostałych. Urzędnicy nie mogą podejrzewać, kim jesteście, musicie wyglądać jak młode dziewczęta, które udają się do Argentyny, żeby wyjść za mąż. Nie mamy czasu, żeby wrócić, zjemy na bazarze.

Zatrzymują się na jednej z krytych uliczek Wielkiego Bazaru, gdzie spotykają się z jasnowłosym mężczyzną w białym garniturze. Witają się i rozmawiają w jidysz, a Max przedstawia ją jako swoją żonę. Sara jest dumna z wizerunku, jaki jej zdaniem tworzą: przechadzającego się młodego małżeństwa, robiącego zakupy i posilającego się w wąskich uliczkach Wielkiego Bazaru w Stambule.

– On także mieszka w Argentynie? Tam go poznałeś?

– Nie, Adriel załatwia dla was paszporty i pilnuje, żeby tureckie władze nie robiły nam kłopotów. Sukinsyn zarabia pieniądze, niczego nie ryzykując.

Serwują im kawałki bardzo mocno przyprawionej jagnięciny na opiekanym chlebie, polanej z wierzchu sosem pomidorowym, oraz sałatkę z jogurtem i ogórkami, a potem tacę z bardzo słodkimi ciastkami. I herbatę, dużo słodkiej herbaty. Sara woli piwo.

– Opowiedz mi o swojej matce, Max. Czy ona także mieszka w Argentynie? Poznam ją?

– Moja matka by tobą gardziła. Wiele osób czuje niechęć do dziewczyn, które przybywają do Buenos Aires, by robić to co ty. Wolą, żebyście pozostały w sztetlu, cierpiąc głód i znosząc pogromy, to ich nie obchodzi, ponieważ nie muszą was oglądać. Drażni ich to, że mogą się z wami spotkać, że muszą stawić czoło dwóm tysiącom lat, od jakich nasz lud z pokorą pochyla głowę, nie podejmując walki. Boją się przyznać, że byliśmy tchórzami, a teraz niektórzy postanowili się zbuntować. Wielu mężczyzn, którzy publicznie nas obrażają, potem płaci nam, żeby kłaść się z wami. Inni płacą nam, żebyśmy ich bronili, kiedy mają jakiś problem w interesach, a dopóki nie potrzebują pomocy, potępiają nas za używanie siły. Wszyscy są wielkimi hipokrytami: mój ojciec nadal prowadzi zakład krawiecki i nie chce szyć mi garniturów. Matka także potępia to, co robię, lecz wydaje moje pieniądze, a siostra prosi mnie o nie, żeby dać je tym, którzy chcą mnie wykończyć. Powinienem kazać jej pracować w jednym z burdeli Moszego, żeby wiedziała, jak ciężko je zarobić.

Po raz kolejny ją zaskakuje. Mężczyzna, który zabija bez mrugnięcia okiem, który okłamuje kobiety i ich krewnych, przejmuje się pogardą własnej rodziny. Chce sprawić, by jego niegodny sposób zarabiania na życie uchodził za pokaz walki jego narodu.

– Dlaczego pracujesz z Moszem? Dlaczego go nie zostawisz?

– Mosze będzie bogaty, a przy nim ja także. Zbyt wiele już lat przeżyłem w biedzie, widząc, jak ojciec traci wzrok na szyciu, a i tak zarabia za mało, żeby wyżywić rodzinę. Ja nie jestem taki jak on, nigdy nie będę, nigdy nie dam się zdeptać. I przestańmy o tym mówić, nie podoba mi się życie biednych i słabych Żydów, którzy nie uświadamiają sobie, że narodzili się nowi Żydzi, którzy są przyszłością.

Po posiłku, mimo że kupili wszystko, czego potrzebowali, kontynuują przechadzkę po bazarze. Max się śmieje, wszystko jej pokazuje i czeka za każdym razem, gdy Sara chce się zatrzymać i przyjrzeć, gdyż znalazła jakiś drobiazg, który ją zauroczył. Opowiada anegdoty, a czasami, kiedy chce jej coś pokazać, nawet ujmuje ją pod rękę, ściskając delikatnie i czule. W końcu, gdy mają już wracać, zatrzymuje się przy niewielkim straganie bardzo starego łysego złotnika i kupuje jej srebrną bransoletkę. A potem jeszcze dwie takie same: dla matki i siostry.

– To dla mnie? Jest bardzo piękna, nigdy nie miałam nic tak ślicznego.

Był to bardzo szczęśliwy dzień – dzień, kiedy Sara czuła się bardziej jego żoną niż więźniem. I dostała pierwszą w swoim życiu biżuterię, którą z miłością zachowa – srebrną bransoletkę podarowaną przez męża.

– Musisz się jasno opowiedzieć, czy trzymasz z Maxem czy z nami.

Szczęście się kończy, kiedy Sara wraca do domu, w którym przebywa jej pięć towarzyszek niedoli, i ponownie zostaje zamknięta z Esterą, Żydówką z Jekatierinosławia. Nie podobają im się sukienki, które Sara z taką pieczołowitością wybrała dla nich na bazarze.

– To mój mąż, przysięgłam mu posłuszeństwo.

– Jesteś wariatką! Nie wiesz, co cię czeka?

– Wiem, co mnie czekało, zanim go poznałam.

W czasie, gdy Sara przechadzała się po Wielkim Bazarze, kiedy jadła posiłek, obsługiwana przez uprzejmych tureckich kelnerów, pozostałe pięć kobiet cierpiało z pragnienia i głodu – nikt się nimi nie zajął przez cały dzień – i strachu – Jacob, chociaż może wygląda na Żyda, pije jak goj. Pijany przez całe popołudnie śpiewał piosenki i ubliżał im, zamkniętym w ponurym domu na obrzeżach Stambułu. Przyznaje, że niewiele o nich myślała, wierząc, że ją czeka odmienny los, nawet jeśli nie było to prawdą.

– Sprzeda cię, jak wszystkie. Kiedy dotrzemy do Buenos Aires, zmuszą cię do pracy w burdelu i będziesz musiała spać z dwustoma mężczyznami tygodniowo. Wiesz, kiedy będziesz odpoczywać? Wtedy, kiedy nie będą chcieli z tobą obcować, ponieważ będziesz krwawić. Nie wierzysz mi? Każda może ci to powiedzieć, nigdy o tym nie mówiono w twojej wiosce?

Sara wzrusza ramionami. Oczywiście, że jej wierzy. Nie wie, czy wszystkie szczegóły są prawdziwe, czy będzie to dwustu mężczyzn czy kilku mniej lub więcej, lecz owszem, zdaje sobie sprawę, że czeka ją taka przyszłość, jaką przepowiedziała jej Estera.

– No to z kim trzymasz, z nim czy z nami?

– Już ci powiedziałam: z moim mężem. Zawsze będę z nim trzymać.

– Będziesz nieczysta, nikt i nic nie zdoła ci pomóc. Jeśli nadarzy się okazja, nie będziesz godna, żeby uciec z nami.

* * *

– O której godzinie wyszła moja żona?

Kiedy Eduardo Sagarmín wraca do domu, nie zastaje Beatriz. Jest siódma wieczór. Służba powiadamia go, że żona wyszła z domu rano, kilka minut po jego wyjściu, i jeszcze jej nie ma. Eduarda niepokoi jedynie niepewność, co powinien zrobić, kiedy Beatriz wróci. Wolałby zachować się jak każdego innego dnia, nie może jednak zignorować tego, czego dowiedział się w kasynie: o wypadku i o zachowaniu Beatriz. Czasami trudno przymknąć oczy, a jego żona wcale mu tego nie ułatwia.

Po lunchu, kiedy Raquel i Susan już odeszły, Sagarmín musiał zostać, żeby wyjaśnić policjantowi incydent z pijanym mężczyzną, który ich zaczepił. Susan wymierzyła mężczyźnie – pospolitemu sutenerowi – tak potężny cios, że złamała mu przegrodę nosową. Eduardo musiał uciec się do swojej pozycji arystokraty i statusu dyplomaty w służbie króla Alfonsa XIII, by obyło się bez wniesienia oskarżenia i innych nieprzyjemnych kłopotów i by puszczono całe zajście w niepamięć. Ofiara napaści, niejaki Manuel Colmenilla, któremu udzielono pomocy medycznej, wrócił do domu z rozbitym nosem i niezadowolony, ba, jeszcze gorzej, upokorzony, gdyż został pokonany przez kobietę, i to jednym ciosem.

– Będę w swoim gabinecie, proszę mnie powiadomić, kiedy przyjdzie.

Czy służba zna już nowinę dnia? Czy do ich uszu doszły wieści o tym, że ich pani jechała samochodem niekompletnie ubrana?

Oczywiście doskonale wiedzą, co łączy Beatriz i Sergia, z pewnością wiedzieli o tym znaczenie wcześniej niż on sam. Może śmieją się z niego za jego plecami, jak bez wątpienia właśnie teraz czyni mnóstwo ludzi w całym Madrycie.

– Jestem, powiedziano mi, że czekasz na mnie i chcesz ze mną mówić.

– Właściwie nie chcę, lecz muszę. Podobno dałaś niezłe przedstawienie na środku Castellany.

– Świetnie, że już o tym wiesz. Co za pech, że wpakowała się w nas ta furgonetka, bo wierz mi, że doskonale się bawiliśmy. Znacznie lepiej, niż kiedykolwiek bawiłam się z tobą. Czy już opowiedziano ci ze szczegółami, co robiliśmy?

Podejrzewał, że Beatriz zaatakuje go i obrzuci zniewagami, ale nie myślał, że ucieknie się do prowokacji.

– Czy przychodzi ci do głowy jakiś sposób zakończenia tej sytuacji?

Ma zamiar rozmawiać spokojnie, nie dać się ponieść wściekłości.

– Nie mam najmniejszego zamiaru tego robić. Wszyscy już wiedzą, już nas ocenili. Będę umiała żyć z opinią cudzołożnicy, teraz chodzi o to, czy ty potrafisz z tym żyć. Wyobrażasz sobie chyba, jak będą cię nazywać.

– Nie sądzę, bym miał się przyzwyczaić do życia z kobietą tak bezwartościową jak ty. A skoro ty nie widzisz rozwiązania, ja będę musiał ci jakieś zaproponować.

Istnieje możliwość anulowania małżeństwa, Sagarmín najchętniej by to uczynił, mimo skandalu, jaki by to wywołało.

– Nie będę miała nic przeciwko, Eduardo, jeśli tylko scedujesz na mnie cały wspólny majątek. Nazwijmy to sprawiedliwym podziałem, dla mnie wszystko, dla ciebie nic.

Wspólny majątek jest znaczny: to, co Eduardo odziedziczył po rodzinie, i jeszcze większy spadek, który ojciec Beatriz, wzbogacony na Kubie, zostawił jej przed rokiem, a którego jeszcze nie dostali, uwikłani w spory adwokatów.

– Dostaniesz cały spadek po ojcu.

– Powiedziałam: c a ł y wspólny majątek, nie tylko część.

To nie do zaakceptowania i Beatriz o tym wie. W ten sposób daje mu do zrozumienia, że nie zgodzi się na unieważnienie małżeństwa.

– A więc nie masz mi nic do zaproponowania?

– Żyjmy dalej tak jak dotąd. Świadomość, że ludzie wytykają cię palcami, sprawia mi przyjemność. Nawet twój przyjaciel król musiał się nieźle uśmiać, usłyszawszy całą tę historię z wypadkiem. Opowiedziano ci, że byłam na wpół naga? Jak te artystki kabaretowe, które tak bardzo się wam podobają. Cóż, w rzeczywistości jestem od nich piękniejsza. Pokazanie się tak publicznie sprawiło mi wielką radość i sądzę, że to nie był ostatni raz.

– Dlaczego to robisz?

– Z nienawiści, wyłącznie z nienawiści. Nie dałeś mi takiego życia, jakiego oczekiwałam, i to jest moja zemsta.

Eduardo nie czuje do żony nienawiści. A może czuje, lecz nigdy nie ośmielił się tego pomyśleć, a tym bardziej powiedzieć. Rozumie, że ona nie zgadza się na takie wyjście z sytuacji, jakie on zaproponował. Sagarmín wolałby, żeby podzielili się majątkiem – koniec końców to ona wniosła znacznie większy, pozwoliłby jej zatem go zabrać – i zapomnieli o sobie.

Myśli o tym w nocy. Może udałoby im się dojść do porozumienia, gdyby to nie oni toczyli spór, lecz adwokaci obu stron. Zapomina o tych nocnych rozmyślaniach, kiedy rano widzi żonę gotową do wyjścia.

– Wychodzę. Wrócę dopiero wieczorem, jeśli w ogóle. Zamierzam spędzić cały dzień, uprawiając seks z kochankiem. Będziemy o tobie pamiętać.

Żeby go jeszcze bardziej upokorzyć, powiedziała to w obecności pokojówki podającej śniadanie. Wie, że dwie minuty później będzie o tym wiedzieć cała służba, a przed południem wszyscy znajomi. A co gorsza, będą także wiedzieć, że nie zareagował na czas, pozwolił jej wyjść, dając do zrozumienia, że się na to zgadza.

I nie może się nikogo poradzić, jak powinien zareagować w takiej sytuacji. Eduardo Sagarmín czułby się znacznie swobodniej, gdyby można było działać zgodnie z regułami szermierki.

W jego głowie zaczyna kiełkować pewna myśl: kochanek jego żony również jest znakomitym szermierzem. Chociaż od wielu lat pojedynki są nielegalne, czasami do nich dochodzi. Teraz są domeną burżuazji, nie jak wcześniej arystokracji. Burżuje nie umieją posługiwać się szpadą, pojedynkują się więc na pistolety. Eduardo jednak będzie się bił z Sergiem w tradycyjny sposób, inaczej byłby to dyshonor.

Wyzwie Camarga na pojedynek, zgodnie z regułami, jakie wyznaje przez całe życie. W ten sposób oczyści swoje dobre imię.

* * *

– Córko, mam nadzieję, że jeszcze kiedyś cię zobaczę.

Tylko ojciec towarzyszy Gabrieli do Palmy. Jest oczywiste, że nie potrafi przebić się przez mur, jaki wokół siebie wzniosła, że nie potrafi wyrazić swoich uczuć. Gabriela mu nie pomaga, zacięta w postanowieniu, żeby czuł się niezręcznie, żeby odniósł wrażenie, że wyszła za mąż z musu, i żeby miał wyrzuty sumienia.

Dopiero po przybyciu do portu, kiedy kufry Gabrieli są już na statku, patrząc sobie w oczy, oboje przeżywają chwile słabości. Przez kilka sekund Gabriela pamięta tylko czas spędzony z ojcem na plaży, kiedy uczył ją pływać, pokazywał, jak prawidłowo poruszać rękami, zanurzać i wynurzać głowę dla zaczerpnięcia oddechu, obejmował, by ją ogrzać po wyjściu z wody, opowiadał jej stare rybackie legendy i śpiewał piosenki, jakie według niego śpiewają syreny. W ciągu tej ulotnej chwili dziewczyna nie pamięta ani o matce, ani o teściu czy o mężu, tylko o chwilach szczęścia z ojcem.

– Wiecie przecież, że nigdy mnie nie zobaczycie, że nigdy nie wrócę. I dałam już matce tysiąc peset, które przysłał mi mąż. Tego chcieliście, prawda?

– Nie mów tak, córko, chcieliśmy dla ciebie tego, co najlepsze, pieniądze były nieważne. Chociaż może ty tego nie widzisz, może się pomyliliśmy.

Nie chce, żeby ojciec widział, jak płacze, chce sprawiać wrażenie twardej kobiety, która nie zważa na to, co jej uczyniono, która stawi czoło przeznaczeniu, która będzie szczęśliwa i potężna w kraju, o którym zaledwie słyszała.

– Kiedy minie ci złość i zapomnisz o dumie, kiedy zdasz sobie sprawę, że wyjazd i zostawienie Enriqa to było najlepsze, co mogłaś zrobić, napisz do nas. Powiadom nas, jak ci się wiedzie, i nie zapomnij o swoich braciach.

Kiedy ogłaszają, że należy wsiąść na statek, obejmuje go po raz ostatni, najmocniej jak może.

– *Adéu, pare.*

– *Adéu, filla. Fins aviat.*

– *Fins sempre.*

Do rychłego spotkania, żegnaj na zawsze, z pewnością już nigdy się nie zobaczymy, myśli, tak się bowiem stanie. Gabriéla opiera się o reling na pokładzie, a ojciec nadal stoi, machając ręką na pożegnanie. Dopiero wówczas pozwala łzom napłynąć do oczu. Dopiero wówczas znowu widzi ojca takiego, jaki jest, zacnego człowieka, który nie potrafił sprostać własnym zasadom, małego człowieka oddalającego się od osoby, którą kocha najbardziej na świecie, od niej.

Kiedy statek opuszcza port i ojciec wymachujący chusteczką na nabrzeżu znika Gabrieli z oczu, z pokładu widać Palmę z jej majestatyczną katedrą. Nie jest to jednak jej miasto, ona jest z Sóller, to miejsce będzie pamiętać nawet po upływie wielu lat.

Gabriela już od rana źle się czuła, lecz przypisywała to nerwom. Kiedy statek zaczyna kołysać się na falach, jej stan się pogarsza: kręci jej się w głowie, czuje nudności. Wiele razy pływała na kutrze rybackim ojca i nigdy nic się nie działo, lecz teraz wyraźnie jest jej niedobrze. Nie udaje jej się powstrzymać mdłości na tyle, żeby zdążyć do łazienki, i wymiotuje na pokładzie.

– Proszę pójść za mną, niech się pani nie przejmuje, zaraz ktoś to posprząta.

Zaraz ktoś to posprząta… Musi się przyzwyczaić do tego, że nie jest już wiejską dziewczyną, tylko damą, zawsze znajdzie się jakaś służąca, która po niej posprząta. Stewardesa, która przyszła jej z pomocą, prowadzi ją do pomieszczenia, gdzie może usiąść i odpocząć. Proponują jej jakiś napar i idą po lekarza. To przywileje bycia pasażerką pierwszej klasy.

– Czy czuła się pani źle już przed wejściem na statek?

– To prawda, nie czułam się dobrze, miałam kłopoty żołądkowe, lecz sądzę, że to z powodu rozstania. Byłam bardzo zdenerwowana: wyjeżdżam z kraju na zawsze i już nigdy więcej nie zobaczę rodziny. Z Barcelony wypłynę do Buenos Aires, gdzie czeka na mnie mąż.

– Być może przywozi mu pani dobrą nowinę. Należy wykonać badania, lecz możliwe, że nudności nie są wywołane kołysaniem statku. Czy istnieje możliwość, że jest pani w ciąży?

Czy istnieje możliwość? Oczywiście, że tak. Ma jednak nadzieję, że tak nie jest, to byłoby największe nieszczęście, jakie mogłoby ją spotkać, najgorszy prezent pożegnalny, jaki Enriq mógłby jej dać.

– Nie, nie ma takiej możliwości. To niemożliwe. Na pewno pan się myli, doktorze.

– Tak jak powiedziałem, konieczne są badania. Po prostu przyszło mi to na myśl, gdy panią zobaczyłem. Oczywiście, zapewne się pomyliłem, skoro twierdzi pani, że to niemożliwe.

Chce przekonać samą siebie, że lekarz nie ma racji, sam jej powiedział, że może się mylić. To tylko zwykłe przypuszczenie, a nie pewność: przecież jedynie zwymiotowała. Wiele osób ma mdłości po wejściu na statek, nieprawdaż?

Po dłuższej chwili do pomieszczenia wchodzi wysoki, mniej więcej sześćdziesięcioletni mężczyzna w marynarskim mundurze: kapitan Bennasar.

– Poinformowano mnie, że źle się pani poczuła. Proszę się nie martwić, to się często zdarza na statku. Jeśli zdoła pani dobrze się wyspać dzisiejszej nocy, jutro poczuje się jak nowo narodzona.

– Czuję się znacznie lepiej.

– Cieszę się, a więc to nic poważnego. Ma pani zarezerwowany hotel w Barcelonie? Czy możemy pani w czymś pomóc?

– Nie, dziękuję, mam pokój w hotelu Cuatro Naciones na Rambli.

– Ja także będę w nim nocował. To dobry hotel, zawsze się tam zatrzymuję. Zna pani miasto?

– Po raz pierwszy opuszczam Majorkę.

– Wobec tego mam dla pani propozycję: ponieważ hotel wysyła po mnie samochód, jeśli pani zechce, może pojechać ze mną. W ten sposób nie zgubi się pani w obcym mieście i szybciej będzie pani mogła odpocząć.

Gabriela cieszy się z tej wspaniałej propozycji. Podróż rozpoczęła się niepomyślnie z powodu nudności, lecz nie musi się już martwić: czuje się lepiej i w dodatku znalazł się ktoś, kto pomoże jej dotrzeć do hotelu.

Dwie godziny później, w porze kolacji, czuje się znakomicie i umiera z głodu. Ma się tak dobrze i jest w tak dobrym humorze, że postanawia opuścić kajutę i udać się do jadalni pierwszej klasy. Po drodze zatrzymuje się na pokładzie, by popatrzeć. Jak okiem sięgnąć wokół widać tylko morze.

– Lepiej się pani czuje?

To lekarz, z którym rozmawiała wcześniej.

– Dziękuję, czuję się znakomicie. To zwykła choroba morska, ale teraz już przywykłam do ruchu statku.

– Bardzo krótko to trwało jak na chorobę morską.

– W końcu jestem córką rybaka.

– Wiem, że twierdzi pani, iż ciąża jest wykluczona. Na wszelki wypadek dam pani jednak adres mojego kolegi w Barcelonie, który w razie konieczności wykona wszystkie konieczne badania.

Kto go prosi, żeby wtrącał się w jej życie? Jak on śmie tak ją niepokoić?

Przybycie do Barcelony byłoby fascynujące, gdyby nie dręczące ją wątpliwości. Gabriela wychodzi na pokład, żeby zobaczyć w oddali ogromne miasto. Myśli o tym, jak by to było, gdyby tutaj zamieszkała. Brakuje jej Àngels. Mogłyby odwiedzić najlepsze sklepy, pójść do teatru – nigdy nie była w teatrze – spacerować po ulicach, a może zakochać się w jakimś młodym, eleganckim, przypadkowo spotkanym mężczyźnie.

Patrzy na marynarza ustawiającego skrzynie. Przez chwilę myśli, że to Enriq, lecz kiedy ten się odwraca, uświadamia sobie, że to nie on. Trwało to tylko sekundę, lecz zawarły się w niej całe jej życie i wszystkie marzenia. Jak by to było, gdyby Enriq nie okazał się tchórzem, za jakiego wszyscy go uważają, gdyby wsiadł na ten sam statek co ona, lecz pokazałby się jej dopiero po przybyciu do Barcelony? Poprosiłby ją, żeby nigdy się z nim nie rozstawała, zaproponowałby jej szczęśliwe życie, z dala od Sóller i Buenos Aires. Ona nie martwiłaby się, że jest w ciąży, tylko by mu o niej powiedziała. „Enriq, będziemy rodzicami".

To jednak nie on, tylko jakiś podobny do niego mężczyzna. Enriq jest tchórzem. A może nie, może po prostu nigdy jej nie kochał. Jeśli okaże się, że Gabriela jest w ciąży, nie będzie mogła o nim zapomnieć, jeśli jednak nie jest, nie poświęci mu już ani jednej myśli.

* * *

– Pojedynek? To absurd. Oczywiście, że nie zamierzam być twoim sekundantem w pojedynku.

Eduardo wiedział, że tak będzie brzmieć pierwsza odpowiedź Alvara Ginera, lecz ma nadzieję znaleźć argumenty, które go przekonają. Po wyjściu żony Sagarmín spędził poranek, studiując książkę markiza Cabriñany, *Spory między dżentelmenami*, i dociekając, czy zaszły wszelkie okoliczności, które umożliwiają wyzwanie na pojedynek Sergia Sancheza-Camargo. Obaj są arystokratami i należą do tej samej klasy społecznej – jeden jest markizem de Aroca, a drugi hrabią Camargo – obaj biegle władają szpadą, a despekt, jaki spotkał Eduarda Sagarmina, można bez wątpienia uznać za niezmiernie poważny.

– Camargo dopuścił się zachowania uwłaczającego mojemu honorowi. Jeśli będę to tolerować i nie podejmę żadnych kroków, dam do zrozumienia, że miał prawo mnie obrazić. Gdybym miał innego przyjaciela, którego mógłbym o to poprosić, nie zwróciłbym się do ciebie.

Przemyślał to i wie, że ma tylko dwóch przyjaciół, którzy mogliby mu towarzyszyć w takiej decydującej chwili: jednym z nich jest Álvaro, drugim Jego Królewska Mość król Alfons XIII. Z oczywistych powodów udział monarchy jest całkowicie wykluczony.

– To potworna głupota, w dodatku zakazana prawem. Nie przekonasz mnie do wzięcia udziału w takim szaleństwie.

– Honor stoi ponad prawem. Wiesz o tym. Jeszcze dzisiaj po południu wyzwę Camarga na pojedynek. Chcę się z nim zmierzyć jak najszybciej, jutro rano, jeśli jest gotów. Jeśli wygram, wyjadę do Barcelony, żeby przygotować się do wypłynięcia do Buenos Aires. Jeśli przegram, co się nie wydarzy, król będzie miał czas, żeby zlecić zadanie komuś innemu.

– Nie mów mi, że w dodatku chcesz pojedynku na śmierć i życie.

– Czy istnieje jakiś inny sposób zmycia plamy na honorze? Zaproponuję mu, żebyśmy użyli rapiera, szpady hiszpańskiej. Obaj umiemy nim walczyć.

– A jeśli Camargo wybierze pistolety?

– Przestudiowałem zasady: to ja zostałem obrażony, ja mam zatem prawo wybrać broń, jeśli tylko nie chcę nadużyć swojej przewagi w posługiwaniu się nią. Zresztą jest mi to obojętne. Jeśli chce pistoletów, niech będą pistolety.

– Może odmówić pojedynkowania się z tobą. I to właśnie zrobi, jeśli ma odrobinę rozsądku.

– Sprawię, że wszyscy się o tym dowiedzą. Nie będzie miał innego wyboru, jak przyjąć wyzwanie, chyba że chce, by uznano go za tchórza.

– To szaleństwo. Powtarzam ci, że nie będę twoim sekundantem. Ponadto dołożę starań, by nie doszło do tego pojedynku, jeśli się dowiem, gdzie i kiedy ma się odbyć.

Zawsze podczas honorowego starcia lepiej mieć u boku przyjaciela, jeśli jednak Álvaro Giner nie chce zostać jego sekundantem, znajdzie innego. Z pewnością jeden z mężczyzn, z którymi ćwiczy kilka razy w tygodniu w szkole fechtunku, będzie gotów towarzyszyć mu w tym pojedynku, zwłaszcza jeśli się dowie, że jego przeciwnik fechtuje w Kasynie Wojskowym. Decyzja została podjęta. Beatriz z pewnością nie będzie taka pewna siebie, kiedy się o tym dowie.

– Rzucisz mu rękawicę?

– Tak, przeciwnik musi ją podnieść. Stąd wzięło się to powiedzenie.

– Na pewno ma to symboliczne znaczenie, nie trzeba tego robić, wystarczy to powiedzieć.

Ustalenie zasad, zgodnie z którymi należy postąpić w celu wyzwania przeciwnika na pojedynek, jest sprawą skomplikowaną. Tym bardziej, jeśli jest to naprawdę sprawa honorowa, a nie zwykła strzelanina z oddali, by nie stanąć twarzą w twarz, jak to czyni wielu hipokrytów bez ikry. Każdy z uczestników pojedynku powinien mieć dwóch sekundantów, którzy ustalą warunki walki, począwszy od pory spotkania po rodzaj broni. Oni również podejmą decyzję co do interesującej Sagarmina sprawy: w której chwili uzna się, że zadośćuczyniono obrazie.

– W żadnym wypadku nie zgodzimy się na pojedynek na śmierć i życie.

– Nie uważam, by walka do pierwszej krwi wystarczyła do zmycia plamy na moim honorze.

– Zaproponujemy, żeby pojedynek uznano za zakończony, kiedy jeden z uczestników odniesie poważne rany.

Zamierza się sprzeciwić, lecz takie warunki stawiają jego koledzy szermierze, jeśli mają się zgodzić na reprezentowanie go jako sekundanci. Później, w miejscu pojedynku, spróbuje zabić Camarga, a przynajmniej zostawić mu bardzo bolesną pamiątkę po tym spotkaniu.

– Mówi pan poważnie?

Sagarmín chce, żeby wszyscy jego znajomi dowiedzieli się o pojedynku bez względu na jego wynik. Chce, by opublikowano to w gazetach, żeby wszyscy pojutrze obudzili się z wiadomością, że albo on, albo jego rywal zginęli w wyniku honorowego starcia.

Żadne tam kilka pchnięć zadanych sobie przez dwóch fircyków, lecz dwóch znakomitych szermierzy krzyżujących szpady z powodu damy. Damy, która, to oczywiste, na to nie zasługuje. W tym celu zjawił się w redakcji „El Noticiero de Madrid", proponując Gasparowi Medinie, dziennikarzowi, który ma popłynąć z nim do Argentyny, sposobność opisania całego wydarzenia, a ten z pewnością nada mu znacznie bardziej heroiczny wymiar, niż będzie miał w rzeczywistości.

– Niech pan nie mówi, że to pana nie interesuje. Pan bardzo dobrze pisze, może pan z tego uczynić wspaniałą historię dla swojej gazety.

– Nie mówię nie, ale uważam, że pewne kwestie wykraczają poza dziennikarstwo, a postęp jest jedną z nich. Nie uważam pojedynków za formę postępu.

– Jeszcze dzisiaj po południu zamierzam wyzwać na pojedynek Sergia Sancheza-Camargo i proponuję panu, by mi pan towarzyszył. Niewielu dziennikarzy piszących dla rubryk towarzyskich miało taką okazję. Wolałbym, żeby to pan to opisał, jeśli jednak odrzuci pan moje zaproszenie, powiadomię kogoś innego. Wie pan, że bez trudu znajdę chętnego.

Opór Gaspara jest słabszy niż opór Alvara i dziennikarz w końcu się godzi. Będzie obecny przy wszystkich etapach wydarzenia. Pierwszy nastąpi za kilka minut, kiedy obaj, w towarzystwie sekundantów Eduarda, udadzą się do Kasyna Wojskowego na placu Ángel, by rzucić Camargowi w twarz rękawicę.

– Cieszyłem się, że udaję się w podróż do Buenos Aires w pańskim towarzystwie, panie Sagarmín. Widzę jednak, że to mało prawdopodobne, by wsiadł pan na ten statek, nigdy bowiem nie wiadomo, co może się wydarzyć podczas takiego starcia.

– Pojedynek z panem? Będę zachwycony. Jeśli jest to dla pana dogodne, za godzinę moi sekundanci mogą się spotkać z pańskimi. Czy może się to odbyć w Café de Pombo?

Eduardo nie może być obecny przy negocjacjach między swoimi sekundantami a sekundantami Camarga, czeka zatem na ich wynik, siedząc w towarzystwie dziennikarza przy jednym ze stolików Café de la Montaña.

Gaspar Medina jest gotów pozwolić, by umknęła mu wielka historia.

– Nie zdaje pan sobie sprawy, że pojutrze może pan już nie żyć? Ta sprawa z pojedynkiem to szaleństwo. Miałem nadzieję, że pański adwersarz odmówi. Jesteście, panowie, szaleni.

Eduardo Sagarmín wcale się nie boi, że zginie w pojedynku, nawet nie przychodzi mu to do głowy. Jest zadowolony, gdy pojawiają się sekundanci, by poinformować go o warunkach.

– Rapier, trzyminutowe ataki z dwuminutowymi przerwami na odpoczynek, liczba ataków nieograniczona. Pojedynek zakończy się w chwili, gdy jeden z dwóch uczestników zostanie poważnie ranny. Będzie obecny lekarz i to on ustali, w którym momencie należy przerwać walkę. Hrabia Camargo wysunął tylko jeden warunek, a mianowicie, by żonę poinformować dopiero po skończonym pojedynku.

– Czyją żonę ma na myśli? Swoją czy moją?

– Hrabia jest kawalerem, panie Sagarmín.

– Ośmiela się mi dyktować, co mogę wyjawić swojej żonie, a czego nie?

– To zasady, które uzgodniliśmy, i powinny zostać uszanowane.

Eduardo przyjmuje je, nic nie powie Beatriz i postara się zabić Camarga. Zada mu ranę, która uniemożliwi mu dalszą walkę, śmiertelną ranę.

– W porządku. Kiedy zaczynamy?

– Jutro o świcie, w Casa de Campo.

Sekundanci wszystko uzgodnili, Eduardowi pozostaje jedynie udać się na spoczynek i przygotować do tego, co ma nastąpić nazajutrz.

– Nie mogę uwierzyć, że nadal myślisz o tej głupocie, jaką jest pojedynek z Camargiem.

Álvaro zjawił się wieczorem w domu Sagarmina. Ktoś mu powiedział, że wszystko jest przygotowane, aby o świcie dwóch przeciwników stanęło naprzeciwko siebie.

– Nie wtrącaj się, Álvaro, to sprawa między mną a Camargiem. Ty wiesz, co zaszło, sam mi o tym opowiedziałeś. Nie dbam o honor żony, w istocie znam niewiele osób tak niehonorowych jak ona, niemniej jednak mój własny nadal jest dla mnie ważny.

– Nic nie mogę zrobić, żebyś zmienił zdanie?

– Nic.

– W porządku. Walczyłeś kiedyś z Camargiem?

– Nie.

– Ja owszem. Jest bardzo dobry, zimny, umie zachować spokój, nie daje wskazówek co do swoich reakcji i trzyma dystans. Prawdopodobnie zaatakuje cię w rękę. Ma jednak pewną naturalną skłonność: jeśli znajdzie się pod wielką presją, najczęściej odparowuje cios, wykonując atak w trzecią, i robi to bardzo dobrze. Tylko tyle mogę ci powiedzieć. Mam nadzieję, że to ci pomoże.

Álvaro nie chciał zostać sekundantem, lecz ta informacja może pomóc Eduardowi odnieść zwycięstwo.

* * *

– Nie wiem, czy te walizy zmieszczą się do samochodu. Zamierzasz pozostać za granicą na zawsze?

Raquel spakowała swoje życie do trzech wielkich walizek i neseseru, w którym schowała pieniądze i z którym nie rozstaje się nawet na chwilę. Chociaż Amerykanka ma tylko jedną walizkę, niełatwo jej będzie pomieścić to wszystko w bagażniku czerwonego buicka.

– Będziemy musiały złożyć część bagażu na tylnym siedzeniu.

Niektórzy mieszkańcy ulicy Tribulete podeszli do luksusowego pojazdu i pomagają dwóm kobietom zapakować bagaże. Takie wielkie samochody nieczęsto się widuje na ulicach Lavapiés, toteż buick jest wielką atrakcją dla dzieciaków – dotykają go, oglądają ze wszystkich stron, wypytują o prędkość i inne szczegóły techniczne, a co odważniejsze wchodzą nawet na stopień. Raquel i Susan wzbudzają natomiast zainteresowanie dorosłych.

– Jeśli chcecie, pojadę z wami i będę wam służył jako mechanik. Nie znam się na silnikach, ale was będę oliwić i utrzymywać w formie.

Raquel przywykła do takich wypowiedzi w Salón Japonés i nie robią na niej wrażenia. Susan się śmieje i poklepuje po plecach mężczyzn, którzy wygłaszają takie komentarze. Ma na sobie brązowe spodnie, sweter i skórzaną kurtkę, a na głowie skórzaną pilotkę. Stroju dopełniają gogle bardziej przypominające okulary lotnika niż kierowcy. Raquel wybrała na podróż suknię w kolorze ochry, mając nadzieję, że na tym praktycznym kolorze nie będzie widać ewentualnych plam z kurzu i sadzy.

– Cóż za piękny słoneczny dzień, doskonały na podróż. Jedziemy. Pierwszy postój w Alcalá de Henares.

Kiedy Susan uruchomiła już silnik, Raquel zauważa Roberta. Idzie sam, bez tego pośpiechu, z jakim wczoraj opuszczał dom. Wygląda na zmartwionego. Raquel każe przyjaciółce się zatrzymać.

– Co się stało?

– To samo co zawsze, owieczko. Gerardo znowu mnie okłamał.

– Musisz pogodzić się z myślą, że to kanalia, a ty raz za razem dajesz się nabrać. Chcesz, żebym z tobą została?

– Nie, owieczko, musisz jechać. Życzę ci, żeby twoje plany się powiodły. Szczęśliwej drogi, może któregoś dnia zobaczymy się w Buenos Aires.

Susan milczy, kiedy ci dwoje wymieniają uścisk, najczulszy, jakim Raquel kiedykolwiek kogoś obdarzyła. Cieszy się, że Amerykanka pożyczyła jej ciemne okulary, bo dzięki temu nie widać, że płacze, kiedy odjeżdżają.

Szosa do Alcalá de Henares jest niezła, z dość dobrze utwardzoną nawierzchnią. Dalej będą miały problem – drogi są jeszcze nieprzygotowane do szybkości, jaką rozwijają nowoczesne samochody.

– Czytałam w gazecie, że planuje się wybudować sieć specjalnych utwardzanych dróg, że asfaltowe szosy będą prowadzić z Madrytu do wszystkich zakątków Hiszpanii. Szkoda, że jeszcze ich nie ma, podróż byłaby znacznie wygodniejsza.

Do Barcelony podążą tą samą drogą, która w roku 1701 zawiodła króla Filipa V na zaślubiny z Marią Ludwiką Sabaudzką: Alcalá, Guadalajara, Sigüenza, Medinaceli, Calatayud, Saragossa, Fraga i Lérida.

– W każdym z tym miast będziemy nocować?

– Nie, tylko w Sigüenzie i w Saragossie. Być może także w Medinaceli, jeśli bardzo się nam spodoba. Potem spędzimy razem kilka dni w Barcelonie.

W hotelu Ritz przygotowano dla Susan kosz piknikowy. Jest wypleciony z wikliny i wyłożony materiałem w kratkę, z jakiego robi się obrusy. W środku znajdują się lniana serweta, srebrne sztućce, kryształowe kieliszki i porcelanowe talerze. Prócz tego butelka pierwszorzędnego francuskiego wina oraz blaszane pudełka z potrawami, których nie trzeba podgrzewać: zupa *vichyssoise*, rostbef, sałatka jarzynowa… Na deser będą miały kandyzowane owoce.

– Nieźle, ale to tylko na dzisiaj. Potem będziemy musiały poszukać restauracji.

Raquel bardzo chce już dojechać do Alcalá, lecz Susan woli zatrzymać się na brzegach Henaresu, w przepięknym miejscu, w którym już była, i tam zjeść posiłek.

– W końcu wyruszyłyśmy z dużym opóźnieniem, więc już pora na posiłek. A to miejsce bardzo mi się podoba.

Raquel jest pewna, że wiosną to miejsce byłoby idealne na postój. Niemniej jednak w styczniu, chociaż dzień jest bardzo słoneczny, jest zimno i wilgotno.

– Naprawdę, Susan, nie wolisz, żebyśmy dotarły do jakiegoś hotelu z kominkiem, gdzie dostałybyśmy coś ciepłego do jedzenia?

Amerykanka odmawia, użala się, że Hiszpanie nie umieją się cieszyć świeżym powietrzem, narzeka, że mają zakodowaną w genach pracę na roli i nie rozumieją, że można przebywać na dworze wyłącznie dla przyjemności. Aczkolwiek po kwadransie musi przyznać, że chłód jest nie do zniesienia i absurdem jest nadal go znosić. Nawet nie spróbowawszy zawartości kosza, wracają do samochodu i ruszają w kierunku Alcalá de Henares.

Zasięgnąwszy języka u kilku spotkanych w centrum miasta osób, w końcu ogrzewają się przy ogniu kominka w gospodzie usytuowanej przy uliczce wychodzącej na plac z kościołem o nazwie Santos Niños Justo y Pastor. Podają im ser z La Manchy z kiełbasą i pieczonego labraksa, przyrządzonego, jak twierdzi karczmarz, zgodnie z przepisem zaczerpniętym z *Don Kichota*.

– Czytałaś *Don Kichota*?

– Nie.

– Ja także nie, ale kupię go sobie po powrocie do Madrytu. Jeśli nie znajdę w nim przepisu, wrócę tutaj, żeby oddali mi pieniądze.

Zaraz po posiłku wyruszają do Sigüenzy, znacznie gorszą drogą niż ta, którą jechały dotychczas. W Guadalajarze uświadamiają sobie, że zmrok nie pozwoli im dotrzeć na noc do Sigüenzy i muszą poszukać pokoju. Znajdują go w zajeździe na ulicy Carmen. Muszą wnieść wszystkie walizki, gdyż z obawy przed kradzieżą nie mogą zostawić ich w samochodzie.

– A może zamiast wyjść na kolację, zjemy w pokoju to, co zostało w koszu?

Dwie godziny później, zaspokoiwszy apetyt, leżą już obie w łóżku, nagie, ciesząc się swoimi ciałami. Raquel wolałaby spać, lecz Amerykanka ma szczególną ochotę na miłość tej pierwszej nocy i we wszystkie pozostałe, które razem spędzą. Jest też bardziej niż zwykle nieopanowana. Raquel zdaje sobie sprawę, że krzyki rozkoszy Susan z pewnością dają się słyszeć w innych pokojach zajazdu, a nawet na ulicy, na którą wychodzą okna. Nie spodziewała się jednak tego, że drzwi otworzą się znienacka i pojawi się w nich dwóch policjantów. Wezwała ich właścicielka zajazdu, zła, iż w tym pokoju dochodzi do czynów uwłaczających moralności.

– Są panie aresztowane.

– Co takiego?

– Proszę się ubrać.

Spędzają noc w areszcie. Wychodzą dopiero rano dzięki pieniądzom Amerykanki. Susan udaje się również załatwić, by cała sprawa nie została odnotowana w dokumentach, inaczej Raquel mogłaby mieć problemy z otrzymaniem paszportu.

Kiedy w końcu wracają do zajazdu i Raquel upewnia się, że jej neseser nadal znajduje się w pokoju i nikt nie położył na nim łapy, nie mają już chęci podróżować po Hiszpanii.

– Wracajmy do Madrytu. Lepiej, żebyś pojechała do Barcelony pociągiem. Do tego kraju nie dotarła jeszcze cywilizacja.

I tak w dzień po wyjeździe Raquel puka do drzwi maleńkiego mieszkanka na ulicy Tribulete, a Roberto wita ją, jak zawsze, z otwartymi ramionami.

– Moja podróż zaczęła się pechowo, ale to nie oznacza, że nie skończy się dobrze. Przyjmiesz mnie znowu do siebie na kilka dni?

* * *

– Gdzie one są?! Gadaj, gdzie one są?! Obudź się!

Krzyki Maxa i Jacoba mogłyby obudzić całe miasto, a ich wściekłość przerazić najodważniejszego człowieka, a tym bardziej Sarę, która nie wie, co się dzieje, lecz uświadamia to sobie, gdy tylko otwiera oczy. Estera, jej towarzyszka z pokoju, zniknęła. Z dobiegających z zewnątrz krzyków Jacoba wnioskuje, że pozostałe także uciekły.

– Gdzie są? Mów!

Max trzyma ją za koszulę nocną, a jego pięść znajduje się kilka centymetrów od jej twarzy. Jest gotów ją uderzyć. Ona płacze, nie wie, gdzie są, nie ostrzegły jej, że zamierzają uciec, spała i nawet nie słyszała, jak wychodzą…

– Nie wiem. Przysięgam.

Zostaje sama na kilka godzin, pełna niepokoju, nie mając pojęcia, co się dzieje i co ją czeka. Max musi jej uwierzyć, o niczym nie wiedziała, nie jest wspólniczką pozostałych dziewcząt, niczego przed nim nie ukrywała. Gdyby jej powiedziały, nie przyłączyłaby się do nich. Gdzie może pójść pięć Żydówek w takim mieście jak Stambuł? Czy ktoś pomógł im w ucieczce, czy tylko wykorzystały pijaństwo Jacoba? Czy się im uda i wrócą do swojego sztetla na Ukrainie, czy też wpadną w ręce kogoś takiego jak Max i jego wspólnik, mityczny Mosze, który czeka na nie w Buenos Aires?

Kiedy zaczyna już świtać, ponownie słyszy hałas. Nagle drzwi się otwierają i Jacob wpycha Esterę do pokoju, po czym drzwi ponownie się zamykają. Sara biegnie, żeby pomóc Esterze, która ma podbite oko i rozciętą wargę.

– Pobili mnie. Rut nie żyje…

Dziewczyna nie przestaje płakać i Sara niezbyt dobrze rozumie, co mówi. Tyle tylko, że Rut, drobna blondynka o niebieskich oczach, została zabita i że zrobił to Max. Sary to nie dziwi, wie przecież, że on jest zdolny zabić, sam jej powiedział, że zabijał mężczyzn i kobiety, bez różnicy.

– Taki jest twój mąż. Nadal chcesz z nim być?

– Teraz bardziej niż kiedykolwiek. Nie widzisz, że nie zdołamy się uwolnić?

Przez cały dzień siedzą zamknięte w pokoju. Nie dostają jedzenia ani wody. Sara zaczyna czuć urazę do swoich towarzyszek. Kto wie, może gdyby nie próbowały uciec, Max znowu wziąłby ją na spacer, pokazał jeden z pałaców lub meczetów, które widzieli w trakcie przechadzki do Wielkiego Bazaru. Zamiast tego, zamiast nadal go poznawać, rozmawiać z nim i cieszyć się jego towarzystwem, siedzi w ciemnym pokoju, głodna i spragniona, słuchając szlochów głupiej towarzyszki niedoli.

– Zmuszą nas do sypiania z dwustu mężczyznami na tydzień, a ciebie oprócz tego jeszcze pobiją. Która z nas jest głupia?

Dopiero późnym wieczorem Jacob przynosi dwie szklanki wody i dwa kawałki chleba.

– Do rana nic więcej nie dostaniecie.

– Jacobie, proszę, powiedz Maxowi, żeby mnie nie karał, ja nie chciałam uciec. Jestem jego żoną.

Nie ma odpowiedzi. Całą noc spędza w niepewności, czy mąż się na nią pogniewał, czy kiedykolwiek obdarzy ją uczuciem, czy też straciła wszelką okazję, by odmienić swój los.

Następnego ranka każą wszystkim pięciu dziewczynom – teraz, kiedy Rut nie żyje, jest ich tylko pięć – czekać w pokoju. Wchodzi Max. Nawet nie patrzy na Sarę, która nade wszystko pragnie, by dał jakiś znak, że jej wybaczył.

– Płyniemy do Barcelony. Za chwilę udamy się do portu i wsiądziemy na statek. Nawet nie myślcie o ucieczce. Widziałyście, co spotkało Rut. Wolę zabić was wszystkie i wrócić na Ukrainę po następne kobiety, niż pozwolić wam uciec. Zbierzcie swoje rzeczy.

Odwraca się i wychodzi, nie słuchając zawodzeń i nie zwracając uwagi na prośby Sary, która błaga go, żeby jej wysłuchał, i zapewnia, że nigdy nie będzie chciała uciec, że zostanie z nim do śmierci.

*

– Rozlokujcie się, spędzicie tutaj cały rejs. Może to nauczy was rozumu.

Statek, który zabierze je do Barcelony, jest znacznie większy od tego, którym płynęły z Odessy do Stambułu, ale tym razem nie będą podróżować w kajucie, lecz w niewielkim pomieszczeniu w ładowni, bez naturalnego światła ani mebli. Tylko podłoga i jeden nocnik. Rejs potrwa prawdopodobnie około tygodnia.

– To wasza wina, to wszystko wasza wina… Mogło nam być dobrze, mogłyśmy wygodnie podróżować, a teraz będziemy musiały znosić ten koszmar. Dokąd zamierzałyście uciec, głupie, dokąd? Chciałyście, żeby znalazł was jakiś muzułmanin i zabrał do haremu na pustyni?

Sara nienawidzi swoich towarzyszek tak bardzo, jak one nienawidzą jej. Nie boi się, że coś jej zrobią, są przerażone, wszystkie widziały, jak Max zabił Rut. W obecności pozostałych zadźgał ją nożem, bezlitośnie, zadając jej ogromne cierpienie.

– Tego właśnie chcecie? Jeszcze raz mnie zdenerwujecie, a zabiję was wszystkie, jedną po drugiej. Myślicie, że mam z tym jakiś problem, że nie będę mógł spokojnie spać? Mylicie się! Nawet się cieszę, że próbowałyście uciec, już myślałem, że to będzie kolejna nudna podróż. Przynajmniej mam jakąś rozrywkę. Jesteście tanimi dziwkami. Mogę wrócić na Ukrainę, a wasi rodzice sprzedadzą mi wasze siostry, wasi bracia zaproponują mi wasze matki, śmierć każdej nie kosztuje więcej niż kilka rubli.

Muszą się zorganizować, żeby móc spać i korzystać z nocnika. Jacob opróżnia go tylko od czasu do czasu. Próbują tak się ulokować, by nie przeszkadzać sobie nawzajem, i racjonować wodę i pożywienie, jakie dostają. Najgorszy jest nocnik, nie dość, że muszą korzystać z niego na oczach pozostałych, to jeszcze nie mogą go opróżnić ani umyć. Nie wiedzą, jak uda im się przeżyć tę podróż.

Nocą – dla nich noc trwa teraz nieustannie – rozmawiają. Sara stopniowo dowiaduje się, jak przebiegła ucieczka. Wszystko przygotowały, a jedna, Sara nie wie która, przespała się z Jacobem, żeby ukraść mu klucz do domu. Poczekały, aż wszyscy zasną, i wyszły. Jednogłośnie postanowiły nic nie mówić Sarze.

Nie wiedziały, co zrobić, dokąd pójść, nie rozumiały języka, nie znały miasta. Chodziły bez celu, aż spotkały na ulicy jakiegoś Żyda – poznały po stroju – poprosiły go o pomoc, a on zabrał je do siebie. Myślały, że zwyciężyły, że są wolne i wrócą do swoich wiosek. Chwilę później pojawili się Max i Jacob. Mężczyzna je zdradził i tak skończyła się ich wolność.

– Znowu uciekną, rzucę się do morza, zanim dopłyniemy do Barcelony. Albo później, kiedy wypłyniemy do Argentyny. Nie pozwolę, żeby mnie sprzedali i robili ze mną, co chcą.

Estera nadal jest zdecydowana, lecz pozostałe zaczynają akceptować swój los tak jak Sara.

– Lepiej, żebyś rzuciła się do wody. Poproszę Maxa, żeby traktował cię gorzej niż każdą inną. Jesteś głupia i doprowadzisz tylko do tego, że my będziemy cierpieć. Skocz do morza i nie ciągnij nas za sobą – mówi Sara.

* * *

– Giulio, za kilka godzin dopłyniemy do Barcelony. Musisz się ukryć.

Paraliżuje go myśl o ponownym wejściu do trumny, nie może tego zrobić: niepokój, strach, odraza do samego jej odoru, lęk przed uduszeniem…

– Nie, nie mogę. Nie ma innego sposobu, żeby się tam dostać?

– Jeśli nie chcesz wyskoczyć ze statku i popłynąć… Umiesz pływać?

– Umiem. Wolę to.

– Musiałbyś przepłynąć trzy lub cztery kilometry. Teraz, w styczniu, woda jest bardzo zimna. Jeśli nie jesteś doskonałym pływakiem, nie masz żadnych szans na przeżycie. Zresztą nie ujdziesz z życiem, nawet jeśli dobrze pływasz. Skok do wody to samobójstwo. Nie po to tyle ryzykowaliśmy, żebyś teraz odbierał sobie życie, kiedy Hiszpania jest w zasięgu ręki.

– Popłynąłbym szybciej niż kiedykolwiek w życiu. Cokolwiek, byle nie wchodzić do tej trumny.

Marynarz nie zdołał go przekonać. Giulio woli umrzeć w wodzie, niż spędzić kilka godzin w trumnie.

– Widzę, że jesteś zdecydowany.

– To nie tchórzostwo, przysięgam, po prostu bym tego nie wy- trzymał. Wolałbym się zabić, byle nie musieć znowu tego robić.

– Nie pozwolę ci płynąć, spróbujemy spuścić łódź. Ale pamię- taj, że odpowiedzialność za wszystko, co od tej pory się zdarzy, spoczywa na tobie.

Nocą Giulio wychodzi na pokład. Jak na styczeń panuje łagodna temperatura. Przyjemny powiew świeżego powietrza chłodzi mu twarz, czuje, że żyje: wszystko jest lepsze niż zaduch trumny. W od- dali widać światła Barcelony. Marynarz dał mu instrukcje, co ma zrobić, kiedy dotrze bezpiecznie na ląd.

– Musisz poszukać pewnej tawerny w chińskiej dzielnicy, na- zywa się El Lombardo, ale na drzwiach nie ma szyldu. Mieści się na ulicy San Rafael. Prowadzi ją pewien Lombardczyk, Leonar- do Fenoglio. Jeśli tam dotrzesz, zapytaj o niego i powiedz mu, że czekają na ciebie w czynszówce w Boca, to hasło. Potem rób, co ci każe.

Wskazuje mu miejsce, do którego ma się kierować, plażę Barce- lonety, i radzi, by postarał się dotrzeć na nią przed świtem.

– Teraz wydaje ci się to głupstwem, widzisz ją z boku, lecz kiedy znajdziesz się już w łodzi, stwierdzisz, że nie tak łatwo nią kierować. Jeśli cię złapią, trzymaj gębę na kłódkę. Powodzenia!

Pakuje trochę jedzenia i picia do plecaka owiniętego w nieprze- makalny, nasmołowany materiał i schodzi po drabince do niewiel- kiej łodzi.

Mimo że używa znacznej siły i bardzo się stara wiosłować, po- konuje niewielką odległość. Mija sporo czasu, nim statek, na któ- rym płynął, znika mu z oczu w mroku nocy. Ma wrażenie, jakby morze nie chciało pozwolić mu na dotarcie do plaży, a prąd zabie- rał każdy metr, który udało mu się wywalczyć. Po dwóch godzi- nach mordęgi jest o krok od poddania się, lecz przypomina sobie wszystkich, którzy dla niego ryzykowali, Sitę, dziewczynę, która straciła narzeczonego na froncie, i czuje, że nie może ich zawieść, toteż nadal wiosłuje, mimo że ból ramion przyprawia go o płacz.

Uświadamia sobie, jakim szaleństwem był zamiar uczynienia tego wpław, i wdzięczny jest bezimiennemu marynarzowi, że mu na to nie pozwolił.

Zaczyna już dnieć, kiedy zauważa, że łódź przesuwa się szybciej: albo on się nauczył wiosłować, albo morze nagrodziło jego wytrwałość i postanowiło pozwolić mu dopłynąć do plaży. Kiedy stawia stopę na piasku, zapomina, że musi uciekać, i pada wyczerpany. Nie spał od popołudnia spędzonego w kryjówce w Livorno i dłużej już nie może wytrzymać.

– Kim pan jest?

Giulio budzi się w łóżku, nie wie, która jest godzina, a ręce bolą go tak, jakby ktoś mu je wyrywał.

– Proszę mówić powoli, nie rozumiem zbyt dobrze po włosku.

W końcu przypomina sobie, że jest w Hiszpanii, że udało mu się tutaj dotrzeć i musi mówić po hiszpańsku, w języku, który słabo zna, mimo że się go uczył. Szuka w pamięci słów przeczytanych w książkach, piosenki, którą śpiewała mu matka, gdy był dzieckiem, a której ona z kolei nauczyła się od swojej matki, o żołnierzu wysłanym na wojnę. Krąg się zamyka, jego babka przybyła do Włoch z rodzinnej Malagi, nigdy dobrze nie wiedział dlaczego, a teraz on wraca do kraju przodków, choć nigdy ich nie poznał. Kobieta mówi mu, że jej mąż znalazł go rankiem na plaży w Barcelonecie i przyniósł do domu, żeby odpoczął. W drzwiach pojawia się siedmio-, może ośmioletnia dziewczynka z psotną miną.

– Ja mam na imię Amaya. A ty?

– Giulio.

– Jesteś rozbitkiem? Tata powiedział mi, że jesteś rozbitkiem jak Robinson, lecz zamiast dotrzeć na bezludną wyspę, dotarłeś do Barcelony.

– Nie przeszkadzaj, Amayo, pan musi odpocząć. Przyniosę coś do jedzenia. Mój mąż będzie tutaj za dziesięć minut.

– Proszę się nie kłopotać.

Giulio usiłuje wstać, lecz mu się to nie udaje, czuje ostry ból mięśni i odrętwienie w całym ciele.

– Nie może się pan ruszać, nawet niech pan nie próbuje, proszę odpocząć, a potem opowie pan mojemu mężowi, kim pan jest i dlaczego znalazł się pan na plaży. Niech się pan nie martwi, gdyby chciał pana wydać policji, już by to zrobił. Och, musieliśmy zdjąć panu ubranie, było kompletnie przemoczone. Wyprałam je, niedługo będzie pewnie suche. Przyniosę je panu, kiedy będzie wyprasowane.

Nawet nie zauważył, że ma na sobie wygodną i ciepłą piżamę. Kobieta przynosi mu rosół, który pachnie lepiej niż cokolwiek, co jadł wcześniej w życiu. Potem znowu zasypia.

Kiedy się budzi, za oknem zapada noc. Przespał kilka godzin. Nie wygląda na to, by został zadenuncjowany, zatem winny jest tej rodzinie wolność, może życie.

– Dobry wieczór. To ja znalazłem pana na plaży. Jestem kapitan Lotina, José Lotina.

Ze wszystkich osób, które mogłyby mu pomóc, musiał trafić na wojskowego. To najmniej odpowiednia osoba do ukrywania dezertera. Wątpliwe, by ktoś taki mógł zrozumieć jego obawy i motywy.

– Kapitan? Wojskowy?

– Nie, marynarki handlowej. Jestem kapitanem *Príncipe de Asturias*, parowca należącego do Kompanii Żeglugowej Pinillos.

Kapitan Lotina mówi poprawnym włoskim, lecz po chwili przechodzą na hiszpański. Ta sama dziewczynka, która wcześniej z nim rozmawiała, Amaya, wślizguje się do pokoju i siada ojcu na kolanach, by z zafascynowaniem przysłuchiwać się rozmowie.

– Widziałem łódź, którą pan przypłynął, i pana stan. Założyłem, że nie przypadkiem znalazł się pan na plaży. Uciekł pan ze statku. Powinienem zgłosić to na policję, lecz wcześniej chciałem usłyszeć, co pan ma na ten temat do powiedzenia. W tych czasach niczego nie można brać za pewnik, ludzie tracą zmysły z powodu wojny, a niektórzy szukają po prostu sposobu na przeżycie.

– O to właśnie chodzi, kapitanie Lotina. Wiele osób ryzykowało życie, żebym ja mógł przeżyć, i nie mogę ich zdradzić. Jestem tutaj przejazdem, chcę dotrzeć do Buenos Aires i spotkać się tam z kuzynem mojej matki, który wyemigrował przed laty. To wszystko, co mogę panu powiedzieć. Wy, ludzie morza, dobrze rozumiecie, co to znaczy honor i lojalność.

Przez następną godzinę Amaya siedzi jak zaczarowana i słucha, jak Giulio opowiada Lotinie o wszystkim, co przeżył, począwszy od listu Franceski po podróż w trumnie, od pomocy, jakiej udzieliła mu kobieta w wiejskim domu w pobliżu Castrezzato, po zmagania z morzem, które zakończyły się przed kilkoma godzinami. Nie wymienia imion osób, które mu pomogły, niemniej jednak czuje, że ten człowiek, kapitan Lotina, rozumie cierpienia, jakich przysparza tocząca się w wielu krajach wojna.

— Muszę dotrzeć do Buenos Aires, kuzyn matki wyemigrował tam przed laty, zamierzam rozpocząć nowe życie.

— Załóżmy, że uda ci się wejść na statek, bo przypadek sprawił, iż osobą, która znalazła cię na plaży, jest kapitan marynarki, kapitan parowca wypływającego do Buenos Aires za niecały miesiąc. Załóżmy następnie, że pozwoli ci wsiąść na statek jako pasażerowi na gapę, chociaż to dość sporo założeń. Co z argentyńskimi władzami? Słyszałeś o Hotelu Imigrantów? Niektórzy docierają do Buenos Aires i argentyński rząd odsyła ich z powrotem do kraju.

— Wiem tylko, że muszę pójść do pewnej tawerny w chińskiej dzielnicy i spotkać się tam z człowiekiem, który powie mi, w jaki sposób dotrę do Buenos Aires.

— Kim jest ten człowiek?

— Nie mogę panu tego powiedzieć, kapitanie. Wolałbym wszystko stracić, niż narazić na niebezpieczeństwo ludzi, którzy czynią tyle dobrego.

— Skąd wiesz, że ci pomoże? Naprawdę wierzysz, że może to zrobić?

— Mam taką nadzieję. Nie wiem, co będzie, przypuszczam, że on mi powie, w jaki sposób przechytrzyć władze i uniknąć losu, o jakim pan mówi. Z tego, co wiem, w Argentynie są ludzie, którzy nam pomagają. Dowiem się, co mam zrobić. Wielu osobom się udało.

— Odpocznij przez noc. Moja żona przyniesie ci solidną kolację, powiedziała mi, że zjadłeś tylko rosół. Porozmawiamy rano i pomyślimy, jak najlepiej postąpić. Śpij spokojnie, nie wydam cię, jeśli prawdą jest to, co powiedziałeś.

Przed pójściem spać Giulio szuka w swoim plecaku egzemplarza *Serca*, żeby podarować go Amayi.

– W ten sposób nauczysz się włoskiego. Nie wierz jednak w to, co napisano w tej książce, to wszystko mrzonki na temat nieistniejącego miejsca.

Kiedy zostaje sam, wracają myśli, które dręczyły go przez ostatnie dni; nieufność nie pozwala mu zasnąć. Chwilami myśli o ludziach, którzy postawili na szali własne życie, by pomagać innym; czasami zaś myśli, że może ufać tylko sobie. I to uczucie każe mu o świcie wstać, ubrać się, schować resztę rzeczy do plecaka i ukradkiem opuścić dom, gdzie udzielono mu schronienia, nie zostawiając nawet liściku z podziękowaniem za pomoc.

Dom kapitana Lotiny stoi nad morzem. Giulio idzie w stronę portu, a wśród zacumowanych statków widzi *Sicilię*, która przywiozła go do Barcelony. Następnie rusza w stronę budzącego się już miasta. Spokojnie przechodzi przez Ramblę – nic nie wzbudza większej uwagi niż próba ukrywania się – kiedy rozkładają się stragany z gazetami, kwiatami, ptakami… Szybko znajduje tak zwaną chińską dzielnicę, Barrio Chino, ulicę San Rafael i tawernę, którą mu wskazano.

– Czekają na mnie w czynszówce Boca.

– Nie ma Leonarda, wróci wieczorem.

Giulio nie spodziewał się, że będzie musiał przez cały dzień chodzić bez celu; nie ma nawet hiszpańskich pieniędzy, żeby kupić sobie coś do jedzenia, a nie ośmiela się wymienić lirów, zresztą nie wie nawet, jak to zrobić. Wraca do portu i widzi tam coś, co wygląda na obozowisko bezdomnych. Koczują tam całe żydowskie rodziny, francuscy żołnierze w obdartych mundurach, mężczyźni palący papierosy wokół ogniska ułożonego z odpadków drewna.

– Włosi? Wiecie, gdzie są Włosi?

Jakiś Żyd pokazuje na burtę statku. Giulio podchodzi i poznaje swoich rodaków.

– Jesteś dezerterem? Skąd pochodzisz? Ja jestem z Turynu.

Jest wielu takich jak on, około trzydziestu, może czterdziestu mężczyzn przyjmuje go jak swojego, dają mu tytoń do palenia, kawałek chleba z salami, trochę taniego wina, a przede wszystkim towarzystwo. Dzięki nim czuje się częścią grupy, przestaje być samotnym wilkiem czekającym na śmierć.

* * *

– Włoch odszedł wcześnie rano, kiedy spaliśmy. Mam nadzieję, że nas nie okradł. Przynajmniej w salonie nie zauważyłam, by czegoś brakowało.

José Lotina leży jeszcze w łóżku, kiedy żona przekazuje mu tę wiadomość. Kapitan jest pewny, Giulio niczego nie wziął, wie, że uciekł ze strachu, nie dlatego, że jest złodziejem.

– Żal mi go. Już wczoraj postanowiłem, że pomogę mu dotrzeć do Buenos Aires. Mam nadzieję, że mu się uda.

Najsmutniejsza jest Amaya, zapałała sympatią do młodego Włocha.

– Tatusiu, jeśli go spotkasz, wybacz mu i powiedz, że jeśli któregoś dnia popłynę z tobą do Buenos Aires, poszukam go, żeby oddać mu książkę.

Idąc ulicą, Lotina patrzy na koczowisko uchodźców. Może znajdzie tam młodego Giulia – czy to aby jego prawdziwe imię? Nie wie jednak, co miałby mu powiedzieć, jeśli faktycznie uda mu się go znaleźć: człowiek powinien być wolny i móc samodzielnie podejmować decyzje, choćby błędne. Giuliowi łatwiej jednak byłoby dotrzeć do Argentyny z jego pomocą.

W porze lunchu idzie do hotelu Cuatro Naciones na Rambli, żeby spotkać się z kapitanem Bennasarem, który poprzedniego wieczoru przypłynął z Majorki na *Miramarze*.

– Przedstawię ci pewną młodą kobietę. Przypłynęła moim statkiem i także zatrzymała się w tym hotelu. Sądzę, że płynie do Buenos Aires na *Príncipe de Asturias*. Nazywa się Gabriela Roselló.

Gabriela to bardzo piękna młoda kobieta, która niedawno wyszła za mąż i płynie do Buenos Aires na spotkanie z mężem. Czuje się zagubiona w Barcelonie, miasto ją przytłacza, mimo to odrzuca zaproszenie kapitanów, by zjadła z nimi lunch.

– Dziękuję, zjem w hotelu, a potem przespaceruję się po centrum Barcelony. Jestem bardzo zmęczona, ale mam wielką ochotę na pierwsze spotkanie z tym miastem. Mam nadzieję, że nie liczyli panowie na moje towarzystwo.

Lotina jest zadowolony z takiego obrotu sprawy. W obecności tej kobiety nie mógłby swobodnie rozmawiać z Bennasarem ani prosić go, żeby zaprowadził go do dzielnicy Somorrostro. Nie tylko z powodu Francuzów, którzy nie martwią go aż tak bardzo, lecz z uwagi na historię opowiedzianą przez młodego Włocha.

– Nie ma żadnej pewności, że spotkamy tam tych Francuzów.

– Pomyśl, że zabierasz na wycieczkę kogoś, kto mieszka w Barcelonecie, najwyżej dwa kilometry od tej Somorrostro, a nigdy tam nie był.

– Jeśli chcesz iść na wycieczkę, to gwarantuję, że znacznie ładniejszy jest park Ciudadela.

Somorrostro rozciąga się od szpitala zakaźnego aż do ścieków Bogatell. Jest to dzielnica slumsów, bezładne, gęste skupisko domów zbudowanych byle jak z materiałów znalezionych na śmietniskach lub skradzionych na budowach. Lotina odnosi wrażenie, że budy, w których tłoczą się całe rodziny, zostały zbudowane ze śmieci.

– Podobno jako pierwsi osiedlili się tutaj marynarze przybyli z twoich stron, z Baskonii. To było ponad czterdzieści lat temu. Teraz mieszkają tutaj przeważnie Cyganie lub ludzie, którzy przybyli z południa kraju w poszukiwaniu pracy.

Dzielnica, a raczej góra nieczystości, dochodzi do samego brzegu morza. Przywożą je liczne ciężarówki z miasta i tutaj wysypują. Trudno powiedzieć, czy to wysypisko, na którym żyją ludzie, czy dzielnica, gdzie inni wyrzucają odpadki. Co jakiś czas fale wszystko zalewają i niektóre rodziny tracą cały swój dobytek, a przecież nie ma tego wiele.

– Życie tutaj, w Somorrostro, jest bardzo ciężkie, zapewniam cię. Jest to jednak miejsce, gdzie można usłyszeć najlepsze flamenco w całej Barcelonie, dlatego przychodzę tutaj, ilekroć jestem w mieście. Już prawie uważają mnie za tubylca.

Niektórzy pozdrawiają Bennasara, dzieci proszą go o drobne, a on szczodrze je rozdaje. Po kilku minutach stają się atrakcją dla najmłodszych i cała gromada dzieciaków podąża za nimi krok w krok.

– Czy tutaj jest niebezpiecznie?

– To jedno z najbardziej niebezpiecznych miejsc w Barcelonie. Ale ze mną nic ci nie grozi.

W domach nie ma żadnych udogodnień, ani światła, ani bieżącej wody: ludzie żyją tutaj niemal jak zwierzęta, odtrąceni, poza zasięgiem dobrobytu, jakim można się cieszyć w innych dzielnicach miasta.

– Nie jest to jedyna dzielnica slumsów, jest ich więcej: na Montjuïc, na Carmelu, w Camp de la Bota… Któregoś dnia miasto będzie należeć do mieszkańców tych slumsów, a ich dzieci będą mówić po katalońsku, na razie jednak Barcelona nie przyjmuje ich z otwartymi ramionami.

Gnieżdżą się tutaj bandyci, prostytutki, pijacy, żebracy, zbieracze złomu, uliczni sprzedawcy, kombinatorzy i ci, którzy niedawno przybyli do Barcelony i którzy za nędzną zapłatę pracują w fabrykach na niekończących się dniówkach. Dzieciaki bawią się pośród śmieci, kobiety dźwigają wielkie wiadra wody z publicznej studni w pobliżu szpitala zakaźnego, chłopcy palą i bezczelnie przyglądają się przychodzącym, mężczyźni ogrzewają się przy płonących na plaży ogniskach. To małomówni ludzie, wszyscy w Somorrostro wiedzą, jak ważne jest milczenie, nie mówią za dużo, żeby nie napytać sobie kłopotów. W tym porzuconym przez Boga miejscu normy obowiązujące w innych częściach miasta nie mają wielkiej wartości.

– Przy każdym z tych ognisk może się pojawić gitara, ktoś, kto zaklaszcze w dłonie, a jeśli będziemy mieć szczęście, dobry śpiewak flamenco lub Cyganeczka, która zatańczy dla wszystkich. Nie martw się, nie zapomniałem, po co tu przyszliśmy, zanim będziemy cieszyć się śpiewem, poszukamy pana Paco.

Jak zapewnił Lotinę Bennasar, pan Paco kontroluje wszystko, co dzieje się w dzielnicy, i może powiedzieć im coś na temat Francuzów.

– Bennasar!

W rzeczywistości pozdrowienie starego Cygana zabrzmiało raczej jak „Benaza". Pan Paco nie jest bardzo stary, Lotina sądzi, że nie ma więcej niż czterdzieści pięć, pięćdziesiąt lat, lecz zachowuje się i porusza jak starzec. Napotykani ludzie okazują mu szacunek, jakim zwykle obdarza się osobę w zaawansowanym wieku. Ma na sobie stary garnitur, a na głowie śmieszny czerwony kapelusz, w ręku trzyma zaś laskę zakończoną rzeźbioną głową lwa, możliwe że z kości słoniowej.

– Lew dużo obserwuje i mało walczy, lecz kiedy już to robi, jest niepokonany. Gdy byłem młody, wielu z moich mówiło, że ja też taki jestem. Może i tak, zawsze lubiłem sobie wyobrażać, że jestem potężny.

Wszyscy trzej stoją przy ognisku, w którym płoną pozostałości jakiejś drewnianej skrzyni. Zostawiono ich samych na plaży; Lotina widzi w oddali budynki Barcelonety. Jest tam także jego dom – kapitan fizycznie znajduje się niedaleko, a jednocześnie jest odległy o lata świetlne od możliwości, dobrobytu, bezpieczeństwa... Nieopodal stoi kilku chłopaków, nie spuszczając ich z oczu, może są kimś w rodzaju ochroniarzy Cygana.

– Jest pan szefem tego wielkiego statku? Któregoś dnia nim popłynę. Albo nie, po co mam opuszczać Hiszpanię, kiedy tu jest tak dobrze.

Lotina pozwala, by to Bennasar, który zna zwyczaje dzielnicy, prowadził rozmowę. Ten rozpaczliwie powoli porusza wszelkie poboczne tematy, zanim w końcu przechodzi do pytania, które przywiodło ich do Somorrostro.

– Francuzi często tutaj przychodzą. Jedni kupować, inni sprzedawać. Jest ich więcej, odkąd w Europie wybuchła wojna. Niektórzy przychodzą w interesach związanych z bronią. Sporo broni używanej na wojnie kończy tutaj, a potem wraca na wojnę, bo to jej miejsce, może nawet do tych samych okopów, w których już była, a może do strony przeciwnej. Inni robią interesy na narkotykach. Są i tacy, którzy kupują muły dla wojska. Wszystko to przechodzi przez te slumsy. Są tutaj także dezerterzy. Mówią, że na froncie giną jak szczury. Są też Włosi, jest ich mniej niż Francuzów, ale są. A tam dalej, gdzie kończy się Somorrostro, na plaży, kręcą się anarchiści, czasami zapuszczają się w głąb dzielnicy. Tutaj wszystko można znaleźć, trzeba tylko wiedzieć, czego się szuka. Jeśli powie mi pan, czego szuka, Benaza, może będę mógł panu pomóc.

– Nie wiemy dokładnie. Jakichś Francuzów, którzy mają jakieś zamiary względem posągów przewożonych do Buenos Aires. Mamy płynąć tym statkiem i chcemy wiedzieć, co oni planują, czy zamierzają je ukraść, czy coś w nich przemycić.

– Buenos Aires jest zbyt daleko stąd, żebym to wiedział.

– A uchodźcy wojenni? Włosi?

– Są, oczywiście, ale więcej jest Francuzów. W każdym razie niech im pan nie ufa. Skąd można wiedzieć, czy ktoś, kto podaje się za uchodźcę wojennego, w rzeczywistości nie ucieka przed czymś innym? Mogę się założyć, o co pan chce, że pośród rzekomych dezerterów ukrywają się najgorsi mordercy.

– Umiałby pan ich rozróżnić, panie Paco?

– Wrzuciłbym wszystkich do jednego wora. W ten sposób bym się nie pomylił.

Czy ten cygański król może mieć rację? Czy Lotina zachował się jak naiwniak, ufając temu młodemu Włochowi?

Nie dowiadują się niczego więcej. Bennasar tłumaczy Lotinie, że to nie oznacza, iż Paco nie wie, a jedynie, że nie ma żadnego powodu, by im to powiedzieć.

– Po co więc tutaj przyszliśmy?

– Żeby cię poznał. Przyjdziemy jeszcze kilka razy, może któregoś dnia ci zaufa i coś powie.

– Do ciebie ma zaufanie?

– To nie ja chcę się czegoś dowiedzieć. Pan Paco nie jest wykształcony, prawdopodobnie nawet nie umie czytać, lecz jest bystrzejszy od nas obu razem wziętych.

Przy wyjściu, niedaleko szpitala, znajdują to, po co Bennasar tutaj przychodzi: grupę ludzi klaszczących w dłonie. Akompaniują niespełna dziesięcioletniej dziewczynce. Lotina nie zna się na flamenco i nie wie, czy dziewczynka tańczy dobrze czy źle, a nawet zbytnio go to nie interesuje.

– Ta dziewuszka zrobi karierę, pod warunkiem że nie utyje i się nie stoczy.

– Kiedy znowu tu przyjdziemy? Muszę dowiedzieć się czegoś więcej.

– Rano wypływam na Majorkę. Wrócę za trzy dni i wtedy możemy ponownie odwiedzić pana Paco.

– Myślisz, że mogę przyjść tu sam?

– Nie radzę. Na to jeszcze za wcześnie.

* * *

– Jutro o świcie będę uczestniczył w pojedynku. Zostałem zaproszony przez jednego z walczących.

Gaspar nie jest pewny, czy chce napisać o tym pojedynku. Żołądek mu się wywraca na samą myśli: jutro o tej porze ktoś może nie żyć z powodu zdrady, która w rzeczywistości nikogo by nie obeszła, gdyby nie była sprawą honoru.

– Prawdziwy pojedynek, na pistolety?

– Nie, to ludzie z zasadami, na szpady. Markiz i hrabia.

– Zarezerwuję miejsce, żebyś mógł o tym napisać. Masz wolną rękę.

– Nie wiem, czy zajdzie taka potrzeba. Jeśli naprawdę dojdzie do tego pojedynku, a ja uznam to za stosowne, poświęcę temu felieton.

Dyrektor rozumie Gaspara i nie naciska go, żeby napisał artykuł na pierwszą stronę, taką bowiem pozycję dziennikarz wypracował sobie po latach wiernej służby „El Noticiero de Madrid".

– Mój były narzeczony nie przyjął tego zbyt dobrze, sądzę jednak, że nie przedsięweźmie żadnych kroków.

Mercedes rozmawiała z majorem Pacheco i jasno przedstawiła mu, jak się sprawy mają: nie wyjdzie za niego, lecz za innego mężczyznę, z którym wyjedzie z Hiszpanii.

– Myślałam, że wyciągnie pistolet, lecz w końcu pewnie doszedł do wniosku, że to dla niego dobry interes: zachowa pensjonat i nadal będzie odwiedzał burdele, co z pewnością bardzo lubi.

Zatem wszystko ruszyło, nie ma odwrotu.

*

– Chcesz zabrać żonę do Argentyny? Oczywiście, nie ma najmniejszego problemu. Od kiedy jesteś żonaty, Medina?

Wszystko nabrało tempa, Mercedes i Gaspar już ustalili datę ślubu. Ceremonia, w której weźmie udział tylko garstka zaproszonych, odbędzie się za kilka dni w kościele św. Sebastiana na ulicy Atocha, nazywanego w dzielnicy kościołem Muz.

– Żenię się za kilka dni, jeszcze przed wyjazdem do Barcelony. Mam nadzieję, że zaszczyci nas pan swoją obecnością, jutro każę przysłać panu zaproszenie.

Tuż przed wejściem do gabinetu dyrektora Gaspar otworzył następny list z pogróżkami. Uświadomiwszy sobie, co w nim jest, nawet go nie przeczytał i wyrzucił do kosza na śmieci. Po raz pierwszy tak zareagował: zanim związał się z Mercedes, na pewno by go zachował, odruchowo wyciągał go z kieszeni, czytał po wielokroć, sparaliżowany strachem. Ona dała mu odwagę, jakiej mu brakowało.

Dzień spędza na studiowaniu książki markiza Cabriñany, *Spory między dżentelmenami*, tej samej, którą czytał Eduardo, zanim wyzwał Camarga. Gaspar jest zdania, że pojedynek to barbarzyństwo, aczkolwiek z zasadami. W końcu jest to bardziej honorowy sposób załatwiania porachunków niż lanie, jakie jemu spuszczono.

Wyobraża sobie, że major Pacheco mógłby wyzwać go na pojedynek – za to, że skradł mu narzeczoną, i nie wydaje mu się to takie niebezpieczne. Gaspar nie potrafi posługiwać się szpadą, musiałby zatem zdecydować się na pojedynek na pistolety. Sądzi, że byłby w stanie wystrzelić, jeśli wcześniej nogi nie zawiodłyby go ze strachu.

Pewna myśl od wielu dni nie daje mu spokoju, przypomina sobie mężczyznę z zasłoniętą twarzą, który wysiadł z samochodu napastników. Nikomu o tym nie powiedział, nawet Mercedes, lecz jest pewny, że był to Pacheco. Uspokaja go to, przecież to tchórz, który ukrywa twarz. Na pewno nie stanąłby do pojedynku.

* * *

– Już czas.

Rankiem na Cerro de Garabitas w Casa de Campo, w miejscu wybranym na pojedynek, jest bardzo zimno. Mężczyźni wykonali po kilka ćwiczeń, żeby rozgrzać mięśnie – zamierzają wykorzystać wszystkie swoje umiejętności, a obaj są wytrawnymi szermierzami. Każdą ze stron reprezentuje dwóch sekundantów, obecny jest dziennikarz „El Noticiero de Madrid" oraz lekarz, który zadecyduje, czy odniesiona rana uniemożliwia kontynuowanie walki. Jest także sędzia, major, który będzie czuwał nad czystością pojedynku. Eduardo i Sergio mają na sobie lekkie stroje, które zapewniają swobodę ruchów, nie chronią jednak przed zimnem. Sędzia prosi do siebie obu przeciwników.

– Obaj panowie stawili się w wyznaczonym miejscu i wykazali się odwagą oraz prawością, zatem proszę panów, byście tym samym uznali dzielące was różnice za nieistniejące i odstąpili od pojedynku. Odstępuje pan, don Eduardo?

– Nie.

– Odstępuje pan, don Sergio?

– Nie.

– A zatem znacie już zasady, według których odbędzie się pojedynek. Za broń!

Jeden z sekundantów podchodzi z piękną drewnianą skrzynką: znajdują się w niej dwie identyczne szpady – sekundanci dopilnowali, by tak było – ażeby każdy z walczących wybrał sobie jedną. W skrzynce jest także pistolet, który ujmuje sędzia.

– Jeśli któryś z panów złamie zasady, wystrzelę. Kiedy rozkażę panom przerwać walkę, uczynią to panowie. Jesteście, panowie, dżentelmenami, więc nie muszę chyba mówić, że w walce nie wolno używać lewej ręki. Niech panowie nie zmuszą mnie do użycia pistoletu, gdyż niechybnie to uczynię.

Sędzia wyrysował na ziemi miejsce potyczki i uprzedził, że jeśli walczący zbliżą się za bardzo do zewnętrznej krawędzi, wyda im polecenie, by wrócili na środek. Tutaj nie chodzi o zdobycie punktów, to walka na śmierć i życie.

Camargo jako pierwszy wybiera szpadę, robi to na chybił trafił. Sagarmín chwyta drugą, jest mu obojętne, którą będzie walczył, chce tylko jak najszybciej zacząć. Są to rapiery, tradycyjna hiszpańska biała broń o skromnym zdobieniu, z prostą gardą – takie właśnie nosili mężczyźni do cywilnego ubrania. To dawny model szpady, właściwej dla Złotego Wieku, bardzo piękny, acz zabójczy. Ostrze ma blisko osiemdziesiąt centymetrów długości, a waga przekracza kilogram. Rapier jest znacznie cięższy niż broń używana w szermierce sportowej. To się podoba Sagarminowi: cały czas pragnie pamiętać, że nie walczy, żeby utrzymać się w formie, lecz żeby zabić i uratować życie. Rapiery są nowe, wykute w najlepszej wytwórni: Fabryce Broni w Toledo, a przyniósł je major, na prośbę sekundantów pełniący rolę sędziego.

Pozostaje tylko wysłuchać słów zachęty sekundantów i poczekać na polecenie sędziego.

– *En garde!* Gotowi! Naprzód!

Od pierwszej chwili widać, że przeciwnicy stosują odmienną taktykę. Sagarmín dąży do krótkiej i gwałtownej walki, toteż atakuje, usiłując zbliżyć się do rywala. Camargo woli techniczne rozegranie, w którym niemal nie dochodzi do walki z bliska. Kiedy Sagarmín atakuje, Camargo krzyżuje szpady i zadaje cios w ramię – jak ostrzegał Giner – po czym się cofa. Już nie czują chłodu bijącego od ziemi, tylko chęć zwycięstwa, wszystko przestało dla nich istnieć oprócz tego kręgu, w którym walczą.

Camargo chce ranić rywala w ramię – lub żeby rywal ranił jego – to skłoniłoby lekarza do przerwania walki, musiałby on bez wątpienia stwierdzić, że w tym stanie szermierz nie może utrzymać broni. W ten sposób zbytnio by się nie naraził, musiałby natomiast uznać, że obraza została zmazana, a spór rozstrzygnięty.

Sagarmina nie satysfakcjonuje widok krwi, ani swojej, ani przeciwnika: chce poważnie zranić Sergia. On został obrażony i przyszedł tu albo zginąć, albo zabić. Ta determinacja jest niebezpieczna w walce tak technicznej jak szermierka, tym bardziej jeśli walczy się z kimś, kto doskonale potrafi się posługiwać szpadą. Każdy błąd może doprowadzić do niespodziewanego pchnięcia. Kochanek jego żony nie chce go zabić, lecz nie znaczy to, że tego nie uczyni, jeśli nadarzy się okazja.

Przez pierwszą minutę Sagarmín atakuje i robi wypady do przodu, a Camargo się broni i cofa. Na razie wszystko przebiega zgodnie z tym, co powiedział Álvaro: Camargo jest dobrym szermierzem, zachowuje spokój i nie ryzykuje. Sagarmín wykonuje natarcia proste, a przeciwnik odpowiada mu zasłonami prostymi w drugą, czwartą i siódmą, starając się następnie zranić przeciwnika w ramię, nie zadając sobie przy tym zbytniego trudu, by chronić swoje, gdyż jest już oczywiste, że Sagarmín nie zamierza dać lekarzowi pretekstu do przerwania pojedynku. Sergio zaczyna zdawać sobie sprawę, że mąż jego kochanki nie chce zwykłej satysfakcji za plamę na honorze, lecz walczy na śmierć i życie. Camargo nie jest tchórzem, przyszedł tu gotów na wszystko. Jeśli będzie mógł, przerwie walkę przy pierwszej krwi; jeśli jednak tamten nie da mu wyboru, zabije go.

Szermierze są przyzwyczajeni do masek, które chronią przed zranieniem twarzy, ale też przeszkadzają patrzeć sobie w oczy. Na ogół skupiają wzrok na broni przeciwnika. Dzisiaj jednak mogą obserwować zamiary, strach, zmęczenie, frustrację – wszystkie te następujące po sobie uczucia. Pocą się mimo chłodu, podczas gdy obserwatorzy otulają się płaszczami. Zaczynają czuć zmęczenie, bardziej z powodu napięcia niż trudów walki. Myślą, że w każdej chwili sędzia każe im przerwać, a wówczas odzyskają oddech.

Podczas jednego z natarć Camargowi w końcu udaje się osiągnąć cel i rani go w nadgarstek nad gardą.

– Stać!

Sędzia przerywa walkę, żeby lekarz mógł obejrzeć ranę. Obaj mężczyźni posłusznie wycofują się do swoich sekundantów.

– Rana nadgarstka nie jest poważna, don Eduardo. Można ją opatrzyć. Aczkolwiek jeśli pan chce, może pan przerwać pojedynek.

– Nie ma mowy.

Lekarz zakłada prosty opatrunek i Eduardo ponownie podchodzi do sędziego.

– Nic mi nie jest, mogę kontynuować.

Camargo także wraca, z niechętną miną, na środek wyznaczonego terenu.

– Nie chcę nadwerężać zdrowia mojego przeciwnika. Jest pan pewny, że może dalej walczyć?

– Lekarz obejrzał ranę i uznał, że mogę kontynuować walkę. *En garde! Prêts! Allez!*

Walka toczy się podobnie jak przedtem, lecz Sagarmín podjął już decyzję: wykorzysta to, co Giner powiedział mu o przeciwniku, że jego ulubiona zasłona to kontra z cięciem w trzecią, że zada je, by odnieść zwycięstwo. Wykorzysta zręczność i siłę wroga, żeby z nim skończyć. Jeśli czegoś się nauczył przez te wszystkie lata uprawiania szermierki, to tego, że na każdą zasłonę istnieje riposta. Postara się zastosować coś, czego nauczył go Ciriaco González, Mańkut: na bezpośrednie natarcie można odpowiedzieć kontruderzeniem trzecim i tak zrobi Camargo. To bardzo dobry ruch, lecz istnieje również inny, którym można odpowiedzieć na zasłonę w trzecią: pchnięcie w pierwszą. Nigdy tego nie robił, lecz okazja zasługuje na to, by spróbować. Może dopisze mu szczęście i Camargo nie będzie umiał skontrować jego pchnięcia.

Jest to bardzo ryzykowne: musi wykonać proste, ale gwałtowne natarcie w okolicę brzucha. Camargo ma dwie opcje, obie dobre: albo sparuje w czwartą, albo zrobi to, co Sagarmín chce, żeby zrobił: wykona swój ulubiony unik w trzecią, a wówczas zwiąże jego szpadę gardą i górną częścią ostrza. Uwierzy, że zwyciężył i że może wykończyć przeciwnika. Tutaj nastąpi prawdziwy ruch, pchnięcie w pierwszą: zamiast się cofnąć, starając się osłonić, Sagarmín nadal będzie nacierał, osłaniając pierś przed atakami przeciwnika. Obudzi jego instynkt zabójcy i rywal przestanie uważać, przekonany, że go zabije, że jednym pchnięciem wykończy męża kochanki. I może to zrobi, jeśli Sagarmín nie będzie szybki i w ułamku sekundy nie wykona uniku w bok. Ich twarze znajdą się w odległości kilku centymetrów od siebie i dopiero wówczas kochanek jego żony zda sobie sprawę z popełnionego błędu.

Wszystko toczy się tak, jak Sagarmín chce: jego proste i bezpośrednie natarcie, zasłona z kontruderzeniem Camarga, chwila, w której wydaje się, że Sagarmín został pokonany i umrze, unik w bok, twarze tuż obok siebie i szpada markiza wbija się w ciało hrabiego, od góry w dół, w podbrzusze, powyżej genitaliów.

Walka się skończyła.

FOTEL ROZMYŚLAŃ

Autorstwa Gaspara Mediny dla „El Noticiero de Madrid"

CO ZMYWA PLAMĘ NA HONORZE

Miałem okazję wziąć udział w pojedynku odbywającym się w XX stuleciu. Niebawem zostanie opublikowany szczegółowy zapis zajścia, w którym ujawnię nazwiska, miejsce, zasady i przebieg. Dzisiaj, z tego fotela, chcę się jedynie podzielić wrażeniami.

Czy jest coś bardziej przestarzałego niż pojedynek? Tak, przypuszczam, że ucięcie ręki złodziejowi, spalenie czarownicy na stosie lub zebranie się całego plemienia w celu polowania na diplodoka, lecz niewiele więcej. Przestarzałe, dzikie, prymitywne, irracjonalne, a ponadto nieskuteczne.

Zapoznajmy się z sytuacją. Pojawia się plotka, że lekkomyślna żona pewnego arystokraty potajemnie spotyka się z innym. Dochodzi do wydarzenia, które dowodzi, że plotka miała realne podstawy, wydaje się, że prawdą jest, iż zachodzi okoliczność określana w tawernach jako „rogi". Sprawa dociera do uszu oszukanego małżonka, który dochodzi do wniosku, że jedynym sposobem zmycia plamy na honorze jest walka na ubitej ziemi z mężczyzną, z którym żona go zdradziła. Przypadek sprawia, że obaj są znakomitymi fechmistrzami, toteż postanawiają spotkać się o świcie w Casa de Campo, z widocznym w tle Madrytem. Tam zacięcie walczą na szpady, aż jeden z nich nie jest w stanie kontynuować walki. I bardzo się boję, z uwagi na umiejscowienie rany, że nie będzie również w stanie dalej zabawiać się z żoną adwersarza.

Po pierwsze, wybaczą mi Państwo mój pragmatyzm: czyj honor ucierpiał? Według mnie mąż niczego złego nie zrobił, jego honor jest nienaruszony, natomiast zdecydowanie ucierpiał honor jego żony i jej gacha, niezdolnych do godnego zachowania. Po drugie: kto powiedział, że krew jest mydłem dla honoru? Szukałem potwierdzenia w dokumentach i nie znalazłem żadnego tekstu na poparcie tej idei. Po zakończeniu pojedynku nadal mamy zdradzonego męża, cudzołożną żonę i pewnego arystokratę, który nie będzie mógł przekazać potomkom swego nazwiska.

Honor, najdrożsi Czytelnicy, to coś innego: honor to bycie dobrą osobą i podawanie posiłku na stół.

P roszę poczekać w gabinecie, doktor Escuder nie przyjmuje bez wcześniejszego umówienia wizyty, uczyni jednak
dla pani wyjątek, gdyż skierował panienkę doktor Martínez de
Velasco.

Nie tak wyobrażała sobie Gabriela swój pierwszy dzień w Barcelonie. Żadnego odwiedzania sklepów ani poznawania miasta;
zamiast spędzać czas w jednym z luksusowych domów mody na
Paseo de Gracia, siedzi w gabinecie jakiegoś lekarza na vía Layetana, blisko placu Urquinaona.

Po południu, kiedy statek zawinął do portu, kapitan Bennasar
dotrzymał słowa i zawiózł ją do hotelu. Tam czekał na nią zarezerwowany pokój i list od męża na nocnym stoliku. Po raz pierwszy
miała porozumieć się z mężem, chociaż tylko listownie, ale bez po-
średnictwa innych osób, gdyż wcześniej jego słowa najpierw czytał
Wikary Fiquet, a dopiero potem przekazywał jej, jej matce i panu
Quimetowi. Gabriela z drżącym sercem otwiera kopertę, lecz znajduje w niej tylko chłodne pozdrowienie i listę zadań, jakie musi
wykonać, nim wsiądzie na statek do Buenos Aires, począwszy od
rzeczy, jakie ma kupić, po osoby, które powinna odwiedzić, oraz
starania, jakie powinna podjąć.

Pokój jest bardzo luksusowy, ma osobny salonik, łazienkę i wielkie szafy, w których pokojówka umieściła tę niewielką ilość odzieży,
jaką przywiozła z Sóller. Po wyjściu pokojówki Gabriela uświadomiła sobie, że jest sama: po raz pierwszy w życiu będzie mogła wyjść na
ulicę, nikt nie będzie kontrolował planu jej dnia, może spacerować
nierozpoznana przez nikogo, a nawet usiąść w kawiarni, nie mar-
twiąc się, że ktoś ją zobaczy. Po raz pierwszy byłaby wolna, gdyby

nie niepokój związany z mdłościami, jakie dopadły ją na statku, gdyby nie ten prezent, jaki może zostawił jej Enriq.

Kiedy już zaczęło się ściemniać, po raz pierwszy wyszła na Ramblę. Na ulicy było jeszcze wiele osób, wezbrane rzeki ludzi płynęły z jednego krańca na drugi. Jedni spacerowali, inni siedzieli w kawiarniach lub wchodzili do cudownych cukierni i wychodzili z nich z tacami pełnymi pączków, *panellets, orelletes, pa de pessic, carquinyolis*...

Tylu zamożnych ludzi, wystawy pełne kosztownych towarów... Podczas godzinnego spaceru, przed powrotem do hotelu i zjedzeniem ze smakiem kolacji w luksusowej jadalni, zdołała zapomnieć o podejrzeniach, jakie wzbudził w niej lekarz ze statku. Po kolacji, sama w pokoju, napełniła wannę ciepłą wodą, zdjęła ubranie i siedziała w niej, dopóki woda nie ostygła. Potem stanęła naga przed dużym lustrem i zaczęła bacznie się sobie przyglądać. Stwierdziła, że nic się nie zmieniło, że nie przytyła, że to niemożliwe, by była w ciąży. Po raz pierwszy w życiu oglądała swoje ciało, nie obawiając się, że do pokoju wejdą matka lub jeden z jej braci. Jest ładna, ma piękne ciało, ten widok sprawia jej przyjemność i myśli, że to absurd tak je ukrywać. Potem zaczęła się pieścić, lecz tym razem nie chowała się pod kołdrą i nie zakrywała ust poduszką, by nikt jej nie usłyszał. Zrobiła to na łóżku, patrząc na siebie w lustrze, pragnąc, by Enriq, którego nie zdołała znienawidzić, jej się przyglądał. Potem zasnęła, pokonały ją emocje dnia. Nie pamiętała o Sóller, swojej rodzinie ani o mężu. Nawet o lekarzu ze statku. Tylko o Enriqu i zaznanej przed chwilą rozkoszy.

Niemniej jednak rankiem koszmar powrócił: takie same zawroty głowy i takie same mdłości jak poprzedniego dnia. A tym razem nie było statku, który mogła o to obwiniać. Dwie godziny później poczuła się normalnie, lecz Gabriela nie mogła się już dalej oszukiwać.

Wychodząc z hotelu, natknęła się na kapitana Bennasara, który przedstawił ją mężczyźnie nazwiskiem Lotina, mówiąc, że to kapitan statku, którym Gabriela popłynie do Argentyny. Zaprosili ją na posiłek, ona jednak wymówiła się, podając pretekst, którego teraz nawet nie pamięta. Musiała pójść do tego lekarza.

– Proszę wybaczyć, że kazałem pani czekać. Miałem bardzo zajęte popołudnie, odnoszę wrażenie, że wszystkie kobiety w Barcelonie równocześnie zaszły w ciążę. Czy to także pani przypadek?

– Nie, to znaczy, nie wiem. Miałam mdłości na statku, którym przypłynęłam z Majorki, a doktor Martínez de Velasco polecił mi, bym udała się do pana.

– Nie znam lekarza z bardziej rozwiniętym zmysłem diagnostycznym. Skoro przysłał panią do mnie, jest więcej niż pewne, że jest pani w ciąży.

– To niemożliwe...

– Pani mi powie, czy to możliwe czy nie. Utrzymywała pani kontakty seksualne z mężem bądź z inną osobą?

– To było tylko raz i zaledwie przed tygodniem.

– Zaledwie przed tygodniem? Na ogół mdłości pojawiają się nieco później, zwykle po dwóch tygodniach.

– Był jeszcze jeden raz, nieco ponad miesiąc temu.

– Zna więc pani datę tego szczęśliwego zdarzenia. Tak czy owak, nie będziemy się spieszyć. Trzeba zrobić badanie krwi i po kilku dniach zyskamy pewność. Teraz moja pielęgniarka pobierze pani krew i poda termin, kiedy będzie pani mogła przyjść po wyniki.

Co robić, jeśli się potwierdzi, że zaszła w ciążę? Wrócić do Sóller? Popłynąć do Buenos Aires? Nie wsiąść na statek i zostać w Barcelonie? Nikogo tu nie zna, nikt jej nie pomoże. Poczeka, aż informacja się potwierdzi: do tego czasu będzie robić to, co miała zaplanowane, jakby nic się nie stało. A jeśli się potwierdzi, zastanowi się; jeśli się potwierdzi, odbierze sobie życie.

Poranne nudności i złe samopoczucie po południu, noce pełne niepokoju – tak mijają Gabrieli dwa dni do chwili, gdy ponownie udaje się do gabinetu na vía Layetana.

– Otrzymaliśmy wyniki analizy krwi, jest pani w ciąży. Sądząc po pani minie, nie wiem, czy powinienem pani gratulować.

Gabriela jest przygotowana na taką informację, od dwóch dni jest pewna, że taki będzie wynik. A jednak wybucha płaczem i lekarz musi wezwać pielęgniarkę, by podała jej krople na uspokojenie.

– Nie uszczęśliwia pani myśl o potomku? Rozmawiała pani o tym z mężem?

– Nigdy w życiu nie widziałam męża, poznam go dopiero w przyszłym miesiącu. Nie mogę pojawić się przed nim w takim stanie.

– Rozumiem. Dziecko nie jest jego?

– Nie, oczywiście, że nie. Czy wynik badania nie może być błędny?

– To najnowocześniejsze i najbardziej wiarygodne badanie, jakie istnieje. Wykonuje się je zaledwie od czterech lat. Szuka się obcych białek we krwi matki zgodnie z metodą opracowaną przez doktora Abderhaldena, zwaną „reakcją Abderhaldena". Mało prawdopodobne, by wyniki były błędne.

– I co ja teraz zrobię?

– W tym pomóc pani nie mogę. Sama będzie pani musiała zdecydować, jak rozwiąże tę sytuację. Gdyby była pani moją córką, zaleciłbym, żeby wzięła pani odpowiedzialność za swoje błędy, lecz nie jest nią pani, zatem nie mogę niczego radzić.

Kiedy opuściła już gabinet i uiszcza rachunek za wizytę, pielęgniarka, która przyniosła jej krople, podaje jej karteczkę.

– Doktor Escuder nie może wiedzieć, że udzieliłam pani tej informacji. Tam mogą pani pomóc.

Na karteczce widnieje tylko adres jakiegoś mieszkania na ulicy Riereta. Pielęgniarka nie mówi nic więcej, lecz Gabriela wie, czego może się spodziewać w tym miejscu, jakiego rodzaju pomocy tam udzielają.

Przed powrotem do hotelu idzie pod wskazany adres. To rozsypujący się budynek, w którego bramie kilkoro dzieci strzela kamykami z procy do kartonowego pudła.

– Wchodzi pani? To na drugim piętrze.

Z pewnością codziennie widują takie jak ona kobiety, których to nie przeraża i które wiedzą, dokąd idą. Gabriela zagląda do środka, czuje smród gotowanej kapusty i zbiera jej się na wymioty. Zawraca i idzie do hotelu.

* * *

– No, pospiesz się, musimy już iść. Spóźnisz się na pociąg.

Po nieudanej próbie dotarcia samochodem Susan do Barcelony Raquel kupiła bilet na pociąg i zarezerwowała pokój w hotelu Cuatro Naciones na Rambli. Wykupiła także bilet w pierwszej klasie do Buenos Aires na *Príncipe de Asturias*.

– Nie rozumiem, po co ten pośpiech, statek wypływa dopiero w połowie lutego.

– Powiedziałam ci już, nie zdziwiłoby mnie, gdyby Manuel mnie szukał. Sądzę, że Susan złamała mu nos.

Wczoraj się z nią widziała. Nie uprawiały seksu, wciąż jeszcze miały w pamięci ostatni raz, kiedy przerwała im policja, wpadając do pokoju w zajeździe, a one resztę nocy spędziły w areszcie.

– Powiedziałam ci, że będę szczodra. Masz.

Wręczyła jej dwa tysiące peset – to dla Hiszpanki fortuna, a dla bogatej Amerykanki jałmużna. Raquel będzie umiała dobrze wykorzystać te pieniądze w swoim nowym życiu.

– Odnajdę cię, jeśli któregoś dnia znajdę się w Buenos Aires.

– Mam nadzieję. Było mi z tobą bardzo dobrze.

Kiedy wróciła do mieszkania Roberta w czynszówce – w końcu pożegnają się tak, jak na to zasługuje ich przyjaźń – przyrządził dla niej ziemniaczaną tortillę, taką samą, jaką przygotował na wieczerzę wigilijną.

– Chciałbym podać ci coś bardziej wyszukanego, owieczko, ale tylko to potrafię zrobić.

– Nie martw się, i tak najbardziej ją lubię.

Noc jest cudowna, jak wszystkie, które ze sobą spędzili. Roberto jest jedyną osobą, za którą Raquel będzie tęsknić, kiedy znajdzie się daleko od Hiszpanii. Szkoda, że nie spotkała się ponownie z Sagarminem, tym arystokratą, który tak się jej podobał. Może za nim także by tęskniła, gdyby lepiej go poznała.

– Co będziesz robił, kiedy wyjadę?

– Nie zamierzam sypiać z żadną kobietą, owieczko, jeśli o to pytasz. Tylko z tobą mi się to podoba.

Cała noc mija im na kochaniu się, odpoczywaniu, ponownym kochaniu się i rozmowach, w których wyznają sobie miłość.

– Tam, w Buenos Aires, odniesiesz sukces. Tam będą umieli docenić twoją sztukę, nie jak w tym kraju, który na ciebie nie zasługuje.

– Kiedy się wzbogacę, napiszę do ciebie, żebyś do mnie przyjechał. Nie rozstaniemy się do końca życia. Będziemy razem do późnej starości.

– Ależ nie, owieczko, ty i ja nigdy się nie zestarzejemy. Będziemy młodzi do setki…

Pociąg opuszcza stację Atocha o drugiej po południu. Dopiero o ósmej rano następnego dnia przybędzie na dworzec França w Barcelonie. Ponadto z powodu awarii nie ma wagonu sypialnego i Raquel musi spędzić całą noc na niewygodnym siedzeniu w swoim przedziale.

– Nie odchodź, dopóki pociąg nie zniknie ci z oczu.

– Obiecaj mi jedno, owieczko. Kiedy będziesz w potrzebie, pomodlisz się do Matki Bożej z Pilar, żeby nie zostawiła cię bez opieki. Nie bardzo w to wierzę, ale także będę się modlił, żeby ci pomogła.

– Obiecuję.

Roberto stoi na peronie, machając chusteczką. Raquel, ze łzami w oczach, zostaje sama w pustym przedziale. Po kilku minutach pojawia się jakiś ksiądz.

– Przepraszam, wydaje mi się, że zajęła pani moje miejsce.

Kapłan ma rację i Raquel musi usiąść na siedzeniu przeciwnym do kierunku jazdy. Potem wchodzi młode małżeństwo, świeżo poślubiona para. Cała czwórka podróżuje w ciszy, aż w końcu ksiądz zwraca się do Raquel:

– Proszę wybaczyć śmiałość, ale pani twarz wydaje mi się znajoma. Czy to możliwe, że jest pani moją parafianką?

Raquel krzywo na niego patrzy, odkąd musiała się przez niego przesiąść.

– Bardziej możliwe jest, że to ksiądz jest moim parafianinem. Może ksiądz mnie sobie przypomni, jeśli powiem, że mam futerko, które zdejmuję i wkładam.

Nienawistne spojrzenie i milczenie duchownego utwierdzają Raquel w przekonaniu, że trafiła w dziesiątkę. Jej twarz wydaje mu się znajoma, bo bywał w Salón Japonés. Ukradkowy uśmieszek świeżo upieczonego małżonka zdradza, że on również ją widział.

Kiedy przychodzi konduktor, ksiądz prosi go, by znalazł mu miejsce w innym przedziale. Para nowożeńców wdaje się z Raquel w rozmowę.

– Wracamy z podróży poślubnej, chcieliśmy jechać do Paryża, lecz nie odważyliśmy się na to z powodu wojny. Zostaliśmy więc w Madrycie. Jesteśmy z Barcelony. Zna pani nasze miasto?

– Nie. Poza tym zostanę tam tylko kilka dni, potem płynę do Buenos Aires.

Panna młoda jest ładna i miła, a z panem młodym dobrze się rozmawia, w ich towarzystwie, bez księdza, podróż będzie przyjemniejsza. Gawędzą podczas jazdy, razem jedzą kolację w wagonie restauracyjnym, rozmawiają o podróży, w jaką udaje się Raquel – przed kilkoma laty pan młody płynął statkiem do Hawany i wie, czego można się spodziewać.

– Każdy rejs jest taki sam: dokoła tylko woda i woda. My mieliśmy dużo szczęścia i nic złego się nie przytrafiło. Hawana to cudowne miejsce. Niech pani nie sądzi, że w Ameryce poziom życia jest niższy niż w Hiszpanii, wprost przeciwnie, tam znajdzie pani większy postęp niż tutaj.

– Miło mi to słyszeć.

Noc mija monotonnie. Młoda mężatka natychmiast zasypia mimo niewygodnych siedzeń. Mężczyzna, Marcos, daje Raquel znak, żeby wyszli na korytarz.

– Chciałem pani tylko powiedzieć, że przed dwoma laty, podczas jednej z podróży do Madrytu, kiedy jeszcze byłem kawalerem, widziałem panią w teatrze. Śpiewała pani *Kociaczka*.

– Wiem. Zauważyłam pański uśmiech, kiedy rozmawiałam z księdzem.

– Bardzo dobrze mu pani przygadała. Będzie pani występować w Barcelonie?

– Nie, jeśli mi się powiedzie, już nigdy więcej nie wrócę do teatru.

– Jeśli zmieni pani zdanie, jeśli jest pani zainteresowana jednym występem w Barcelonie, proszę do mnie zadzwonić. Dobrze zapłacimy. Zaśpiewałaby pani dla moich przyjaciół, tyle im opowiadałem o pani numerze w Japonés, że bardzo by się ucieszyli, gdyby mogli panią zobaczyć.

Podaje jej wizytówkę, której początkowo Raquel nie zamierza przyjąć, później jednak bierze ją i chowa. Jeden dobrze opłacony występ to nie tragedia. Może z decyzją, żeby całkiem zmienić swoje życie, poczeka do chwili, gdy wsiądzie na statek.

O wpół do dziewiątej – z półgodzinnym zaledwie opóźnieniem w stosunku do planowego przyjazdu – pociąg wjeżdża na dworzec França. Raquel żegna się z towarzyszami podróży i bierze taksówkę, która wiezie ją do hotelu Cuatro Naciones. Myśli tylko o tym, żeby wziąć kąpiel i się przebrać. Chwila wyjazdu do Buenos Aires jest coraz bliżej.

* * *

– Wyjdź ze mną na pokład.

Po trzech dniach spędzonych w jednym pomieszczeniu ze wszystkimi pozostałymi kobietami, kiedy odór odchodów, wymiocin i brudu staje się już nie do zniesienia, kiedy Sara traci nadzieję, że mąż okaże jej ponownie swoje względy, Max prosi Sarę, żeby wyszła z nim na pokład.

– Obrzydliwie cuchniesz, zdejmij ubranie i umyj się. Masz tu wiadro wody i czyste ubranie.

– Oni patrzą.

Jest tam trzech marynarzy, którzy zobaczą ją nagą. Sara jest przestraszona i szuka pomocy Maxa. Jest jego żoną, jemu da wszystko, czego zechce, lecz nie może pozwolić na to, żeby ci obcy mężczyźni byli świadkami jej upokorzenia.

– Chcesz wrócić do pozostałych? Pospiesz się, zanim pożałuję i ponownie odeślę cię do tego chlewu.

Marynarze nie spuszczają z Sary wzroku, kiedy zdejmuje przez głowę sukienkę. Pod nią ma bieliznę, strasznie brudną po wszystkich spędzonych w zamknięciu dniach.

– No prędzej, bo śmierdzi nie do wytrzymania.

Kiedy jest już całkiem naga, sam Max wylewa na nią wiadro wody.

– To słona woda.

– A czego byś chciała? Słodka woda jest do picia.

Maxa nie zraża fakt, że inni mężczyźni widzą ją bez ubrania. Przeciwnie, cieszy się, gdy go proszą, żeby się odwróciła, żeby podniosła ręce. Mówi jednemu z nich, najmłodszemu, żeby to on wylał na nią kolejne wiadro wody.

– Podoba ci się? Więc przyjedź do Buenos Aires, tam będziesz mógł się nią nacieszyć. Tyle że będziesz musiał za to zapłacić, jak wszyscy, którzy jej zapragną. Widziałeś jej łono z tym rudym puszkiem? Może jest gorące jak ogień, dowiesz się tego, jeśli się z nią prześpisz.

Kiedy Max wybucha głośnym śmiechem, Sara uświadamia sobie, że jest pijany; wybacza mu więc i nie jest na niego zła. To wina jej towarzyszek, tych niewdzięcznic, które nie zdają sobie sprawy, że dzięki jej mężowi codziennie mają co jeść i nie muszą bać się pogromów. To one wszystko zepsuły swoją ucieczką, a i tak na nic się im to zdało, tylko jedna z nich straciła życie. I teraz tkwią tam, w tej nędznej dziurze.

– Chcesz piwa? Pij, wiem, że lubisz.

Zmusza ją do picia, nagą, w obecności marynarzy. Piwo jest ciepłe, ale i tak lepsze niż woda, którą Jacob przynosi w wiadrze dla pięciu kobiet zamkniętych w ładowni.

– Jesteś pijany, Max?

– Jesteś teraz moją matką, żeby mnie pytać, czy jestem pijany? Czy to tak trudno zauważyć? Oczywiście, że piłem. Lubię pić, fajgełe.

– Dlaczego mi to robisz, Max? Wiesz, że cię kocham.

Max, być może zamroczony alkoholem, śmieje się z niej, nazywa ją szaloną Żydówką, mówi jej, że dobrze pozna, co to miłość, kiedy zaliczy już pierwszy tysiąc mężczyzn, że jedynym dowodem miłości, jakiego od niej chce, są pieniądze, które dzięki niej zarobi…

– Będę dla ciebie dobry, dam ci coś do spróbowania. Będzie ci się podobało, tobie wszystko się podoba, nawet to, że ci wymyślam.

Max usypuje dwie cienkie kreski białego proszku – Sara nigdy wcześniej takiego nie widziała.

– To jest kokaina. Dzięki niej dni staną się dla ciebie krótkie i nie będziesz cierpieć. Jest bardzo droga, lecz nie musisz się martwić, zarobisz wystarczająco dużo, żeby kupić sobie tyle, ile zechcesz, całe kilogramy.

Wyciąga z kieszeni cienką srebrną rurkę i przez nią wciąga jedną z kresek do nosa.

– Teraz ty. Uważaj, nie kichnij i nie zdmuchnij wszystkiego.

Sara robi to samo co Max. Początkowo ma jedynie nieprzyjemne wrażenie, że wciągnęła coś przez nos, ale po niespełna minucie czuje, że zmęczenie, głód, zimno i złe samopoczucie znikają, morze mieni się tysiącem odcieni zieleni i błękitu, chmury przybierają kapryśne kształty, a szum fal brzmi jak najwspanialsza muzyka.

– Tamte dziewczyny tego nie znają. Jeśli im to dasz, nie będą chciały uciekać.

– Jeśli im to dam, nie będą m o g ł y uciec. One także tego spróbują, ale ty jesteś pierwsza, będziesz pierwsza we wszystkim.

Sara czuje się wyzwolona, znowu go prosi, żeby ją wziął, żeby w końcu uczynił z niej swoją żonę, choćby nawet miało się to stać tutaj, w obecności marynarzy. Proponuje mu, że odda się jednemu z nich, żeby zacząć zarabiać pieniądze, jakich się po niej spodziewa.

– Gdybym chciał, już bym cię wziął. Ale najpierw ktoś musi bardzo dużo zapłacić za twój pierwszy raz.

On nadal odmawia, a Sara coraz bardziej się boi. Co powie, kiedy Max odkryje, że ona była już z mężczyzną, że szadchan go okpiła? Przecież przyjechał do Nikolewa, by znaleźć dziewicę, a wciśnięto mu wdowę, której inaczej nie udałoby się stamtąd wyjechać.

Stoi z nim długą chwilę, nic nie mówiąc, gdyż za każdym razem, gdy się odzywa, on każe jej milczeć. W pewnej chwili w oddali pojawia się ląd.

– Czy to Barcelona?

– Nie, to Włochy. Sycylia. Zatrzymamy się tylko na kilka godzin, żeby zabrać słodką wodę i jedzenie. Nie wychodźcie z ładowni.

– Zabierz mnie, tylko mnie. Pokaż mi Sycylię, jak pokazałeś mi Stambuł. Tak jak pokazałbyś żonie.

– Zastanowię się.

Po godzinie, kiedy ląd jest już tak blisko, że można rozróżnić domy i dojrzeć pojedyncze osoby, każą Sarze wrócić do ładowni. Kiedy tam wchodzi, czuje ohydny smród i stwierdza, że jej towarzyszki niedoli są bardziej nieszczęśliwe niż wcześniej. Działanie białego proszku, który dał jej Max, jeszcze nie minęło, więc jest jej to obojętne: przetrwa, choćby musiała patrzeć, jak wszystkie toną za burtą.

– Jesteśmy już w Barcelonie?

– Nie, za kilka minut dopływamy do Sycylii.

– Gdzie to jest?

– We Włoszech.

– Pozwolą nam wyjść?

– Wam nie, tylko mnie. Wy nadal musicie płacić za próbę ucieczki.

– Naprawdę nie chcesz uciec?

– Oczywiście, że nie chcę, kocham męża i nigdy nie było mi lepiej niż podczas tej podróży.

Gardzi nimi wszystkimi, sama wrzuciłaby je do morza. Stwierdza, że nie chce, by dotarły żywe do Argentyny. Nie chce widywać ich do końca życia. W miarę jak mija działanie kokainy – trwało to tylko dwie godziny – nienawidzi ich coraz bardziej i czuje do nich coraz większą urazę.

Pilnie baczy na wszystko od chwili, gdy zauważa, że statek zacumował w porcie. Na zewnątrz słychać głosy w obcym języku – to dokerzy wnoszący ładunki na statek. Sara czeka, ma nadzieję, że w każdej chwili drzwi się otworzą, pojawi się Max i zabierze tylko ją na spacer, żeby poznała Sycylię. I da jej do picia wielki kufel bardzo zimnego piwa. Chce znowu zasiąść z nim przy stole, chce, żeby dalej opowiadał jej o swojej matce, o Buenos Aires, o czekającym ich wspólnym życiu. Jest przekonana, że koszmar się skończy, nim dotrą do Argentyny, i oboje zejdą ze statku pod rękę, a Max nigdy nie sprzeda jej innemu mężczyźnie.

– Nie mówiłaś, że po ciebie przyjdzie?

– Mąż cię porzucił, dla niego jesteś tylko jeszcze jedną kurwą, najżałośniejszą ze wszystkich.

Pozostałe kobiety śmieją się z niej, a ona nawet nie ma ochoty się bronić. Chwilami nienawidzi Maxa, lecz potem zaczyna myśleć, że pewnie miał jakiś powód, żeby po nią nie przyjść. Może bał się, że znajdą je włoskie władze i uniemożliwią wyjazd do Buenos Aires, do miejsca, gdzie będą tak szczęśliwi, ona i jej mąż.

Sara nie opuszcza ładowni ani nie widzi się z Maxem, a Jacob nie zwraca na nią najmniejszej uwagi, kiedy prosi go, żeby przekazał mu wiadomość od niej. Kilka dni później wyprowadzają wszystkie kobiety na pokład.

– To Barcelona.

– Oddalamy się. Nie płyniemy tam?

– Statek przybije do portu w Barcelonie, dopiero gdy wysadzą nas na ląd. Zejdziemy do barkasu, którym popłyniemy do Sitges, które jest mniej pilnowane. Pojedziemy do Barcelony w dniu, kiedy będziemy mieli wsiąść na statek do Buenos Aires.

* * *

– Jeśli przyjadą twoi rodzice, w piątek wieczorem zjemy kolację z nimi i moją matką. Po ceremonii będziemy musieli wydać przyjęcie dla zaproszonych gości.

Gaspar zamierza zaprosić na ślub tylko redaktora naczelnego i Gonzala Fuentesa, redakcyjnego kolegę, oraz dwóch lokatorów pensjonatu, którzy mieszkają tam dłużej niż on. Wysłał telegram do rodziców i ma nadzieję, że będą mogli przyjechać tego dnia do Madrytu. Mercedes także zaprosiła niewiele osób: swoją matkę, wujostwo mieszkające w pobliżu areny walk byków, siostrę, choć nie wie, czy ta przyjdzie, oraz koleżankę ze szkoły. Gaspar zamierzał zawiadomić Eduarda Sagarmina, lecz potem się zawahał: to bardzo ważna osobistość, jaki miałby interes uczestniczyć w ślubie zwykłego dziennikarza?

– Zaprosiłem sześć osób.

– A ja pięć. Razem z nami to trzynaście. Albo zaprosimy jeszcze jedną osobę, albo musimy kogoś poprosić, żeby nie przychodził.

– Jesteś przesądna?

– Nie.

– Ja także nie. Jeśli będzie nas trzynaścioro, to dobrze, niech będzie trzynaścioro. Z tego powodu na pewno się nie rozstaniemy.

– Synu, skąd taki pośpiech. Nawet nie znamy kobiety, z którą, jak powiadasz, chcesz się ożenić.

Rodzice Gaspara przyjechali pociągiem na Dworzec Północny. Początkowo się opierali, woleli, żeby to syn wybrał się do Fuentes de Oñoro, jak zawsze. Musiał wysłać im aż trzy telegramy, żeby nakłonić ich do przyjazdu.

Przysięgał i zaklinał się, że narzeczona nie jest w ciąży i że nie da im wnuka z nieprawego łoża. W końcu, żeby ich przekonać, musiał im powiedzieć o swoim rychłym wyjeździe do Buenos Aires, chociaż zamierzał im to wyjawić dopiero wtedy, gdy będą już w Madrycie.

– Posłuchaj, jeśli twoja narzeczona jest w odmiennym stanie, wolimy nie brać udziału w ślubie. Nie wyrzekniemy się wnuka, lecz nie chcemy jechać na ślub.

Rodzina matki Gaspara zajmuje ważną pozycję w miasteczku, ma posiadłości po obu stronach granicy oraz wielki dom, w którym mieszka od pokoleń. Dzięki temu on mógł studiować literaturę w Salamance i znaleźć w Madrycie pracę jako dziennikarz – wbrew woli matki. Gdyby wybrał prawo i pracował jako adwokat, uzyskałby od rodziny pomoc, lecz jako dziennikarz musi radzić sobie sam.

– Dzisiejszej nocy nie możemy spędzić razem. Jutro zostanę twoim mężem.

Dla obojga jest to czysta formalność. Są mężem i żoną od tamtego wieczoru, gdy spali ze sobą po raz pierwszy. Postąpią jednak zgodnie z tradycją i uszanują rodzinny obyczaj. On zostanie w wynajętym pokoju, a ona w domu wujostwa.

– Nie będziemy się widzieć przez całą noc? Będę za tobą tęsknić.

Jedzą wczesną kolację w Café de Pombo, nieopodal placu Sol, niedaleko pensjonatu, żeby jego rodzice i jej matka się poznali. Wcześniej Gaspar ma chwilkę na rozmowę z rodzicami.

– A zatem to prawda? Nie zobaczymy się przez cały rok?

– Tak, mamo. To tylko rok. Szybko minie.

Kolacja przebiega spokojnie, nawet matka nie czyni mu wyrzutów z powodu jego pracy. Rano się ożeni, po południu odwiezie rodziców na dworzec, a wieczorem odzyska spokój i rutynę zwykłego życia.

Gaspar idzie ulicą – narzeczoną i jej matkę odprowadził do samochodu, który ma odwieźć je do wujostwa, a rodziców do hotelu París na rogu Alcalá i Puerta del Sol. Tym razem nie jest zaskoczony, że zatrzymuje się przed nim auto, widział, jak za nim jedzie od poprzedniego skrzyżowania. Jest zdenerwowany, lecz myśli o Mercedes. Co by powiedziała, gdyby zobaczyła, że ucieka? Jest tchórzem i wie o tym, lecz gotów jest żyć tak, jakby nim nie był.

To ten sam samochód, który zajechał mu drogę w noc sylwestrową. Wysiadają z niego ci sami czterej mężczyźni. Gaspar rozpoznaje teraz czwartego z nich, tego, który wtedy miał zasłoniętą twarz: to major Pacheco, były narzeczony Mercedes. Rozgląda się wokół, lecz nie ma nikogo, byłoby bardzo dziwne, gdyby pojawił się nocny stróż i ponownie uratował mu życie.

– Nie posłuchał nas pan, Medina.

Ta sama wściekłość, która go ogarnia, gdy pisze swoje artykuły, skłania go do odpowiedzi – po raz pierwszy nie korzysta w tym celu z klawiatury maszyny ani pióra.

– Nie upoważniłem panów, by zwracali się do mnie per ty. Napisałem, że są panowie tchórzami, i podtrzymuję to. Wiedzą panowie, że skradłem majorowi Pacheco narzeczoną? Gdyby był mężczyzną, jakiego udaje, zapomniałby o niej. Wiem już, że nim nie jest, lecz chowanie się za plecami trzech kolegów, żeby mnie dopaść, to wyjątkowe tchórzostwo, nawet jak na niego.

Napastnicy są zaskoczeni, wręcz sparaliżowani reakcją dziennikarza. Nie byli przygotowani na to, że stawi im czoło. Mogliby spuścić mu łomot, nawet go zabić, ale teraz muszą przyznać, że jest od nich znacznie odważniejszy. Patrzą z zakłopotaniem na majora Pacheco, którego nabiegłe krwią oczy przepełnia wściekłość.

Medina jest spokojny, niepokoi się jedynie tym, że za dziesięć godzin się żeni i nie wie, czy tego dożyje.

– Coś ci powiem, Pacheco. Kiedy pierwszy raz się z nią kochałem, była jeszcze z tobą. Czy muszę ci mówić, kim w związku z tym jesteś? Przed kilkoma dniami pewien mój znajomy z takiego samego powodu pojedynkował się na szpady. Ja zgodziłbym się na pistolety. Ośmielisz się? Pistolet da nam obu równe szanse, obaj możemy zginąć. Jesteś gotów to uczynić? Nie sądzę. Myślę, że jesteś tchórzem i dlatego nie przyszedłeś sam.

– Powiadomię cię.

– Jesteś zwykłym tchórzem, umiesz być odważny tylko w towarzystwie przyjaciół. Nie boję się ciebie.

Major Pacheco i jego towarzysze wracają do samochodu. Medina nie wie, czy jego sekundanci odwiedzą go i wyzwą na pojedynek, ale sądzi, że nie. Tymczasem wywinął się z sytuacji, z której w innym wypadku nie uszedłby z życiem.

* * *

– Proszę mi wybaczyć, że pozwoliłem sobie przyjść do pani pensjonatu. Zapewniam panią, że nie mam nieuczciwych zamiarów.

Don Antonio Martínez de Pinillos ma syna, który jest gotowy przejąć po nim schedę i objąć stery firmy, ma też na swych usługach adwokatów i wszelkiego rodzaju doradców, lecz intuicja podpowiada mu, że powinien zwierzyć się Pauli Amaral, prostej stewardesie pracującej na jednym z jego statków.

– Potrzebuję pani pomocy w bardzo ważnej sprawie.

Właścicielka pensjonatu przy placu Mentidero była tak zdumiona, widząc znamienitego gościa, że nawet nie wspomniała o tym, iż zakazała mieszkającym tu kobietom przyjmowania mężczyzn.

– Proszę mi powiedzieć, w czym mogę panu pomóc, don Antonio.

Pinillos przemyślał sobie wszystko przed wyjściem z domu i teraz, wypijając kolejne filiżanki kawy, opowiada Pauli o spotkaniu z niemieckim wysłannikiem, o jego propozycji, o niebezpieczeństwie, jakie zawisło nad *Príncipe de Asturias*, o targających nim wątpliwościach...

– Dlaczego pan mi to wszystko opowiada? Co ja mogę zrobić?

– Postanowiłem nie ugiąć się przed szantażem. Rozmawiałem z Anglikami i poprosiłem ich o ochronę.

– Nadal nie wiem, jaka jest w tym wszystkim moja rola.

– Potrzebne mi są pani umiejętności jako rysowniczki. Anglicy są gotowi nam pomóc, niemniej jednak stawiają jeden warunek. Musimy pomóc im w zlikwidowaniu niemieckiej siatki szpiegowskiej w Kadyksie. Chcą, żebyśmy zidentyfikowali Hiszpana, który złożył mi propozycję w imieniu Niemiec.

– Wie pan, kim on jest?

– Nie, lecz zamierzam ponownie się z nim spotkać i przekonać go, że będziemy z nimi współdziałać, a tymczasem pozwolić Anglikom zrobić swoje. Zamierzam panią prosić, żeby wykonała pani jego portret.

– Co takiego?

– Chcę, żeby mu się pani przyjrzała i wykonała najlepszy portret w swoim życiu, taki, który pozwoli Anglikom go zidentyfikować.

– Spróbuję, lecz nie jestem zawodowcem, tylko amatorką.

– Nie będzie to łatwe. Nie powiedziano mi jeszcze, gdzie odbędzie się spotkanie. Nie znam nawet godziny. Poproszono mnie, żebym wieczorem udał się pieszo do portu i tam poczekał. Nie wiem, czy nie każą mi wsiąść do samochodu, czy będą ze mną rozmawiać tam na miejscu, czy też zrobią coś innego. Mam jednak pewne podejrzenia.

– A dlaczego Anglicy nie mogą pana pilnować? Mogliby złapać tych ludzi.

– Niemcom także przyszło to do głowy. Zagrozili śmiercią mojej żonie. Jeśli zobaczą choćby jednego angielskiego agenta, zabiją ją. Zamierzam poinformować Brytyjczyków o spotkaniu dopiero po jego zakończeniu. Nie chcę, żeby narazili moją żonę na niebezpieczeństwo. Nie ufam Niemcom, lecz jeszcze mniej Anglikom.

– Jeśli wsadzą pana do samochodu, nie będę mogła przyjrzeć się tej osobie. Nie będę miała możliwości jej narysować.

– Sądzę, że wiem, dokąd mnie zabiorą. Zna już pani Kadyks, tu wszyscy wiedzą wszystko o wszystkich, dostałem więc informację, że w jednej z gospód zbierają się cudzoziemcy. Przeczucie mi mówi, że tam mnie zaprowadzą. Bywa tam wielu mieszkańców Kadyksu i nikt na nikogo nie zwraca uwagi. Są tam też zaciszne gabinety, gdzie można rozmawiać, nie będąc narażonym na ciekawskie spojrzenia. Zaryzykujemy i sądzę, że trafnie przewidzimy. Pani będzie musiała tam czekać i obserwować wchodzących, może będzie pani miała tylko kilka sekund, żeby przyjrzeć się ich twarzom.

– A jeśli się pan myli?

– Nie wiem, Paulo, co będzie, jeśli się mylę. Jeśli nie uzyskam pewności, że pasażerowie dotrą żywi na miejsce, a statkowi grozić będzie zatopienie przez którąś z walczących stron, nie zezwolę na jego wypłynięcie. Nie obarczę takim ciężarem swojego sumienia.

Paula nie wyznała don Antoniowi, że nie wróci na *Príncipe de Asturias*, że kiedy opuści pokład w Buenos Aires, wręczy dymisję kapitanowi Lotinie i zostanie w stolicy Argentyny, by tam zamieszkać. Jej nic nie grozi, nawet nie będzie wiedzieć, czy w ładowni umieszczono broń, a kiedy dotrze do niej wiadomość o zatopieniu statku lub jego szczęśliwym powrocie do Hiszpanii, jej życiem nie będzie już obsługiwanie kajut pierwszej klasy, lecz naparstki, igły, nożyczki, wykroje i szwy. Nie może się jednak wymówić: jeśli statek zatonie, wraz z nim na dno pójdzie wielu z jej towarzyszy, tych, którzy byli jej przyjaciółmi, jej rodziną w ostatnich miesiącach. Postanowiła, że jeśli dotrą do Buenos Aires i nie będzie gwarancji, że wrócą cało i zdrowo, sama ich ostrzeże, by nie wsiadali na pokład.

*

– Jest pani sama?

– Czekam na kogoś. Mogę poprosić o lemoniadę?

– Tutaj pije się albo manzanillę, albo fino. Nie mamy nic innego.

– A zatem fino.

Ubrała się tak, by nie zwracać na siebie uwagi. Siada w kącie, w miejscu, z którego może obserwować całą salę. Zaczyna się rozglądać, żeby stwierdzić, czy przy którymś ze stolików siedzą cudzoziemcy.

– Oto pani fino. Samotne kobiety zwykle tutaj nie przychodzą.

– Mówiłam już, że na kogoś czekam.

– Proszę mi powiedzieć, gdyby któryś z mężczyzn narzucał się pani. Ja jestem do tego przyzwyczajona.

– Dziękuję.

Kelnerka zostawia na stole całą butelkę wina. Knajpa mieści się w La Linei; to tak zwana kawiarnia flamenco, Café del Burrero, lecz w rzeczywistości dość duża tawerna. Po kilku minutach, kiedy Paula rozgląda się dyskretnie, mając nadzieję, że zobaczy wchodzącego pana Pinillosa w towarzystwie jakichś nieznajomych, na niewielkiej scenie pojawiają się gitarzysta i śpiewak, bardzo młody chłopak. Jakiś mężczyzna siada przy jej stoliku, a ona nie jest w stanie zareagować. Mężczyzna przyniósł własny kieliszek i nalewa sobie z butelki Pauli.

– Zdrowie.

Gość z uwagą przygląda się śpiewającemu chłopcu, lecz po chwili traci zainteresowanie.

– Jeśli raz przyszło się do Burrero, żeby posłuchać Zapałeczki, później wszystko wydaje się słabe.

– Zapałeczki?

– Cygańskiego śpiewaka, Francisca Lemy, Zapałeczki albo Starej Zapałeczki, tak go nazywają. Teraz jest w Madrycie i nie przyjeżdża już w swoje strony. Stał się sławny i ważny, ale nikt nie śpiewa jak on. No, może z wyjątkiem Starego z Wyspy albo Miguela, którego nazywają Wieżą z powodu jego wzrostu.

Paula próbuje obserwować, co dzieje się na sali, nie wie, co zrobić, żeby pozbyć się natręta, który już opróżnił kieliszek i nalewa sobie następny.

– Nie zna pani żadnego z nich?

– Jestem z Galicii.

– Mnie tak naprawdę podoba się tylko *seguiriya**. To jest prawdziwe flamenco. Nie mogłem go zobaczyć, bo umarł, kiedy byłem mały, ale dziadek mówił mi o Silveriu Franconettim, który pochodził z Sewilli. Oddałbym dziesięć lat życia, żeby usłyszeć, jak śpiewa *Nie pochodzę z tej ziemi*.

Mężczyzna nuci cicho, tak że tylko Paula to słyszy. Rozprasza jej uwagę na kilka sekund, ale to wystarczy, żeby nie zauważyła, jak wchodzi Pinillos w towarzystwie dwóch mężczyzn. Zdenerwowana zaczyna notować w głowie ich twarze. Mężczyzna przy jej stoliku zauważa, że się nimi zainteresowała.

– Znasz braci Ferreirów?

– Tak się nazywają?

– Uważaj na nich, to Portugalczycy, sąsiedzi zza miedzy, ale cały czas tutaj się kręcą. Źli ludzie, uwikłani w paskudne interesy. Nazywają ich Krawcami, z uwagi na zawód ich ojca czy może dziadka.

– Mieszkają w La Linei?

– Nie, w Kadyksie. Ale często tu przychodzą. Chociaż są Portugalczykami, lubią flamenco. Starszy, Miguel, nawet dobrze śpiewa. Młodszy, João, czy jakoś tak, gra na gitarze, ale niezbyt dobrze.

Paula pilnie przygląda się ich twarzom, kiedy rozmawiają z Pinillosem, który ani razu nie dał po sobie poznać, że ją zauważył. Narysuje ich, ale przede wszystkim będzie mogła przekazać armatorowi znacznie ważniejszą informację: to Miguel i João Ferreira, Krawcy, Portugalczycy mieszkający w Kadyksie… Mając te wszystkie dane, Anglicy będą mogli zlikwidować szpiegowską siatkę Niemców.

Don Antonio poszedł jak zwykle pożegnać *Príncipe de Asturias*, który wypłynął do Barcelony. Wcześniej życzył szczęścia Pauli i zapewnił ją, że kiedy za niecały tydzień wrócą do Kadyksu, sprawa z Anglikami będzie już załatwiona i że już zlokalizowano braci Ferreirów.

---

* Rodzaj śpiewu flamenco, jeden z najstarszych jego rodzajów.

– Życzę pani dużo szczęścia, Paulo, zawsze będę miał wobec pani dług za pomoc. Kiedy wrócisz z tej podróży…

– Nie wrócę, panie Pinillos. Zostaję w Buenos Aires.

– Z powodu zagrożenia? Zapewniam cię, że statek nie wypłynie, jeśli nie będzie bezpieczny…

– To nie ma z tym nic wspólnego. Podjęłam tę decyzję jeszcze przed przybyciem do Kadyksu. Jeśli któregoś dnia postanowi pan wejść na pokład statku i przypłynie do Buenos Aires, będą miała przyjemność i zaszczyt pana powitać.

Don Antonio zostaje na nabrzeżu, przyglądając się manewrom parowca opuszczającego port. Jest spokojny: wie, że jego statek uniknie wojennych zagrożeń.

* * *

– Joan, znasz jakąś wytwórnię, gdzie produkują tak wielkie lustra?

Życie toczy się dalej, więc w oczekiwaniu, aż rozstrzygnie się wojna między Noem a Moszem, Nicolau Esteve zajmuje się urządzaniem Café de Sóller. Pragnie czegoś wyjątkowego, spektakularnego, toteż wpadł na pomysł, by w głębi sali zamontowano ogromne lustro z jednego kawałka.

– Nie mam pojęcia, czy w ogóle gdzieś je produkują. I po co panu coś takiego? Nikt tego nie doceni, będzie kosztowało mnóstwo pieniędzy, a kiedy się rozbije, nie wystarczy wymienić jednej części, trzeba będzie kupić drugie.

– Dlaczego miałoby się rozbić?

– Ponieważ wszystko, co może się zepsuć, się psuje. Niech pan popatrzy na Europę, don Nicolau. Myśleli, że nigdy więcej nie dojdzie do wojny, a wszędzie do siebie strzelają. A jeśli Brazylia rozpocznie wojnę z Argentyną? Wie pan, co zniszczą w pierwszej kolejności? Pańskie lustro.

Nicolau śmieje się ze słów Joana, lecz ostatecznie bierze pod uwagę jego zdanie. Po co miałby podejmować takie ryzyko?

– To powinno być coś wyjątkowego, musimy pomyśleć. Kawiarnia, którą otworzymy z okazji przyjazdu mojej żony, nie może być po prostu jeszcze jednym lokalem, jakich są setki. Chcę, żeby poczuła się dumna, że za mnie wyszła. Nie po to przebędzie pół świata, żeby stwierdzić, iż ją oszukano i poślubiła jakiegoś dziada.

– Wątpię, by odniosła takie wrażenie. Z tego, co sobie przypominam, mówił mi pan, że to córka jakiegoś rybaka z wyspy. Wiele musiałoby się zmienić w naszych stronach, żeby pana nie poważała.

– A gdyby tak obsługiwały kobiety? Ubrane jak mężczyźni, w taki sam uniform z czarnymi spodniami, białą koszulą, z kamizelką i krawatem… Przynajmniej byłoby to coś innego.

Dopiero teraz przyszło mu to do głowy, wcześniej o tym nie pomyślał, musi się nad tym dobrze zastanowić, ma jednak wrażenie, że to dobry pomysł.

– Znajdą się ludzie, którzy pomyślą, że to dom schadzek.

– Damy jasno do zrozumienia, że tak nie jest. Café de Sóller będzie miejscem, gdzie samotne kobiety będą mile widziane i nikt nie będzie im się narzucał, gdzie pracować będą wyłącznie kobiety, gdzie będzie się urządzać wystawy malarskie, wieczory autorskie…

– Może to i dobry pomysł… Zastanawiał się pan już, kto będzie szefem nowego lokalu? Trzeba znaleźć kogoś, kto będzie mógł się zapoznać z działalnością Palmesano. Czeka pana mnóstwo pracy, jeśli chce pan zatrudnić tyle kobiet.

Nicolau już od kilku tygodni myśli o znalezieniu jakiegoś Majorkanina, który by do nich dołączył. Pewnego popołudnia rozmawiał nawet w Klubie Hiszpańskim z kelnerem pochodzącym z Inki, lecz nie udało mu się go przekonać.

– Jeśli cały personel Café de Sóller miałby się składać z kobiet, szefem także musi być kobieta. Jestem pewny, że kogoś znajdziemy.

– Z całym szacunkiem, nie wiem, czy aby nie postępuje pan pochopnie. Lepiej się z tym przespać.

– Wydaje mi się, że mam już odpowiednią kandydatkę. Wykonam kilka ruchów i wrócimy do tej rozmowy.

– Miriam miałaby zarządzać kawiarnią? Oszalałeś, Nicolau. Miriam to prostytutka.

– Żadna kobieta nie jest prostytutką, pracuje jako prostytutka, ale nią nie jest.

Tak, to szaleństwo, Nicolau to wie. Nagle jednak wszystko ujrzał jasno. Wieczorem, kiedy przyprowadził Miriam do domu, kiedy ją kupił – a raczej kiedy mu ją podarowano – podczas licytacji w Café Parisien, sprawiła na nim wrażenie kobiety inteligentnej. Sam Noé Trauman powiedział mu, że jednym z jej problemów było to, że przeczytała za dużo książek i że ma postępowe poglądy. Według „Warszawy" ta kobieta do niego należy i może kazać jej pracować, gdzie zechce, w burdelu, w kawiarni albo w każdym innym miejscu, jeśli tak mu się spodoba. Może się nawet z nią ożenić, jeśli tego właśnie pragnie. Dlaczego nie dać jej takiej szansy? Poza tym w ten sposób zrzuci z serca ciężar, że kupił ludzką istotę: kupił ją, żeby dać jej wolność, a to jest znacznie uczciwsze. Może w ten sposób przestanie się również martwić groźbą tego starego Żyda, Izaaka Kleinmanna. Po pierwsze, nie tak trudno przyjdzie mu przekonać Moszego, ponieważ potrafi go przekonać niemal do wszystkiego. A po drugie, to szaleństwo, a Mosze lubi szaleństwa, chociaż się do tego nie przyznaje.

– Zwariowałeś. Kiedyś mi powiedziałeś, że na twojej wyspie wieje wiatr, który przyprawia was o szaleństwo. Więc ciebie ten wiatr walnął w głowę i od tego czasu przestałeś myśleć.

– Może i masz rację, ale powiedz, oddasz mi Miriam? Koniec końców to mnie Trauman ją podarował.

– Oddam, ale ona ucieknie. Zobaczysz.

– Wolna? Mam zostać szefową kawiarni? Dostawać miesięczną pensję? Co wypiłeś, fajgełe? To bardzo okrutne, dać mi nadzieję, że wyrwę się z tego świata, a potem mi ją odebrać.

– Nie oszukuj się, nie robię tego dla ciebie, Miriam, robię to, bo sądzę, że możesz mi pomóc zarobić pieniądze.

Nie jest przekonany, że taki był powód, lecz ani Miriam, ani Mosze, ani nikt inny nie powinien usłyszeć tego z jego ust. Nie mogą wiedzieć, że od chwili, gdy Miriam spędziła noc w jego domu, jemu nie udało się przespać spokojnie ani jednej. Wiele lat temu, po opuszczeniu Sóller, zrozumiał, że na pewno będzie musiał robić rzeczy niezgodne z zasadami, w jakich go wychowano, i gotów był sprostać temu wyzwaniu, lecz teraz, po licytacji, podczas której Trauman podarował mu tę kobietę, uświadomił sobie, iż przekroczył granice, jakie gotów był przekroczyć, i musi zawrócić. A poza tym jest to kobieta, z którą spędził noc poślubną, i nagle wydaje mu się to ważne.

Jego żona Gabriela ma za kilka tygodni przybyć do Buenos Aires, a on musi okazać się człowiekiem na poziomie – nie pozbawionym wszelkich skrupułów emigrantem, lecz uczciwym mężczyzną, który opuścił wyspę, walczył i odniósł sukces; człowiekiem, który niesie nazwę swojego miasteczka niczym herb, dokądkolwiek podąża.

– Kawiarnia, w której pracują wyłącznie kobiety? Wszyscy pomyślą, że to burdel.

– Będziemy musieli ich przekonać, że tak nie jest. Musi być bardzo elegancka, żeby kobiety czuły się tam swobodnie, ponieważ będą naszymi najlepszymi klientkami. Będziemy serwować torty, ciastka, naleśniki, różne rodzaje herbat, czyli wszystko, co wy, kobiety, tak lubicie. Rozmawiałem już z Moszem i jeśli się zgodzisz, przez te pierwsze miesiące, nim otworzymy kawiarnię, pomogę ci opłacać mieszkanie.

– Zamieszkam sama?

– Jeśli wolisz wynająć pokój w pensjonacie, możemy jakiegoś poszukać.

– Nie, nie… Będę mogła chodzić sama po mieście? Pójść do sklepów? Spacerować po ulicy? Nie boisz się, że ucieknę?

– Jeśli uciekniesz, to stracisz znacznie więcej niż ja. Nie, nie boję się, że to zrobisz.

– A Trauman? On nic nie powie?

– Trauman pomyśli, że jestem głupcem, ale to mnie nie obchodzi. On i tak już uważa, że my wszyscy, goje, jesteśmy głupi, a więc tylko utwierdzi się w tym przekonaniu.

Miriam śmieje się nerwowo, zadaje mnóstwo pytań na temat lokalu, boi się, a równocześnie w jej oczach pojawia się nadzieja, snuje marzenia i czyni plany, wycofuje się, kiedy zaczyna wątpić, i znowu się śmieje, gdy odzyskuje wiarę w przyszłość. Miriam jest szczęśliwa, a to jest dla Nicolau rekompensatą za wiele spraw, z których nie czuł się dumny w swoim życiu. Myśli o Neus i żałuje, że jej nie sprowadził, chociaż jej to obiecał. Chce, żeby przyjechała Gabriela, ta dziewczyna nie będzie żałować, że przyjęła propozycję małżeństwa, jaką w jego imieniu złożył jej Wikary Fiquet.

* * *

– Co zrobiłeś Sergiowi? Morderca!

Sergio Sánchez-Camargo nie umarł, toteż nazwanie Eduarda mordercą jest przesadą, chociaż rozumie on oburzenie swojej żony. Gdyby to on zginął w tym pojedynku, to także nie byłoby morderstwo. Teraz ona cierpi, a on czuje się szczęśliwy.

– Nie spocznę, dopóki nie zobaczę cię w więzieniu, przeklęty morderco.

Rapier przebił podbrzusze Camarga, tuż nad genitaliami. Hrabia uszedł z życiem tylko dlatego, że na miejscu był lekarz i natychmiast przewieziono go do szpitala. Jeden z jego sekundantów, który udał się do szpitala, by dowiedzieć się o zdrowie rannego, powiedział Sagarminowi, że jego życiu nic nie zagraża. Camargo już nigdy nie przyprawi rogów żadnemu mężczyźnie, bo nie będzie zdolny do utrzymywania kontaktów seksualnych.

– Kochana żono, nie podniecaj się tak bardzo tym, że wpakujesz mnie za kratki, bo ci się to nie uda. Nie wsadzą mnie do więzienia. Uważasz, że tylko ty możesz robić, co chcesz, kochanie?

Fakt, że jego żona nie będzie miała z kochanka żadnej pociechy, cieszy go bardziej, niż gdyby tamten poniósł śmierć.

– Podobno darzysz go uczuciem. Chyba ci nie przeszkadza, że nie będzie mógł się z tobą kochać od rana do wieczora? Teraz możesz mu pokazać, jak bardzo go kochasz, i trwać przy nim w nieszczęściu.

Jeśli wszystko dobrze się ułoży, jeśli król nie odwoła jego podróży, dowiedziawszy się o pojedynku, Eduardo za kilka dni wyruszy do Barcelony i zapomni o żonie i o tej historii z Camargiem. Nie będzie mu jednak łatwo. Wczoraj w kasynie podszedł do niego jakiś mężczyzna i podziękował mu – jego żona również miała romans z hrabią. Powiedział: „Nie ośmieliłem się wyzwać go na pojedynek. Można powiedzieć, że pan w jakiś sposób przywrócił mi honor".

Nikt już nie patrzy na niego z uśmieszkiem na ustach. Przywrócił właściwy porządek rzeczy. Choćby jego żona zechciała mieć jeszcze dwa tuziny kochanków, już nikt nie będzie go uważał za tchórza.

– Przykro mi, Wasza Królewska Mość. Zrozumiem, jeśli Wasza Królewska Mość uzna, że powinien wysłać do Buenos Aires kogoś innego. Żałuję jedynie, że zawiodłem zaufanie Waszej Królewskiej Mości.

Mimo łączącej ich przyjaźni król Alfons XIII jest bardzo zagniewany. Álvaro Giner, który także jest zaproszony na spotkanie, pogratulował mu przed wejściem do gabinetu monarchy:

– Mówiłem, że ma skłonność do zasłony trzeciej.

– Zabiłby mnie, gdyby nie twoja rada.

Król Alfons nie ma jednak zamiaru gratulować mu zwycięstwa; jest wściekły.

– Nie chcę wysłać nikogo innego, oczekuję tylko odrobiny inteligencji i zdrowego rozsądku. Pojedynek na śmierć i życie w tysiąc dziewięćset szesnastym roku? Co to za pomysł?

– Miałem powody, Wasza Królewska Mość.

– Wiem, że miałeś powody, znał je cały Madryt. Jesteś jednak moim przyjacielem, piszą o tym wszystkie gazety! Poza tym zleciłem ci poufną misję. Nie mogłeś zostawić spraw honoru do czasu powrotu?

– Wasza Królewska Mość wie, że nie mogłem.

– A czyj to był pomysł, żeby zaprosić tego dziennikarza, Medinę?

– Musiałem nagłośnić tę sprawę. Podobał mi się jego felieton, chociaż nie ukazał mnie w dobrym świetle.

Stopniowo królowi mija złość i pozwala sobie nawet na żarty:

– Nie mów mi, że nie obmyśliłeś tego wcześniej. Omal go wykastrowałeś. To pchnięcie powinno się od teraz nazywać cięciem Sagarmina.

– Nie chciałbym zostać zapamiętany dzięki temu. Wiem, że rychło nadadzą mu inną nazwę: cięcie rogacza.

– Wątpię, by po tym, co zrobiłeś, ktoś chciał się zbliżyć do twojej żony.

Trzej przyjaciele spożywają razem posiłek w jednej z prywatnych jadalni króla Alfonsa XIII. Od kiedy wybuchła wojna, nie mają już wielu okazji, żeby wyjść się zabawić, jak bywało wcześniej. Álvaro i król nadal razem polują, od czasu do czasu chodzą po polach, by strzelać do zajęcy, lecz Eduardo nie jest myśliwym i nie bierze w tym udziału.

– Podobno Buenos Aires to jedno z tych pozaeuropejskich miast, gdzie toczy się najbardziej ożywione nocne życie. Są tam wspaniałe kabarety i luksusowe teatry, w których każdy znajduje to, czego szuka.

– Niech Wasza Królewska Mość pozwoli mi spędzić tam kilka miesięcy na rozpoznaniu terenu, a potem przybędzie z oficjalną wizytą. Wtedy pokażę Waszej Królewskiej Mości kilka wyjątkowych miejsc.

– To by mi się podobało, owszem… Kiedy wyjeżdżasz?

– Za dwa dni. Zatrzymam się u Marcosa Roiga. Był w Madrycie w podróży poślubnej, ale już wrócił do Barcelony. Przez całe to zamieszanie z pojedynkiem nie mogłem się z nim zobaczyć. Spotkałeś się z nim, Álvaro?

– Tak, przed kilkoma dniami jadłem kolację z nim i jego żoną. Ona jest bardzo ładna i sympatyczna, doprawdy urocza.

– Ładniejsza od Blanki? Opowiedz nam coś o tym, Álvaro.

– Nie ma nic do opowiadania. Wasza Królewska Mość zna Blankę i wie, że ona myśli tylko o pracy.

Lunch przebiega wśród żartów. To jedyne chwile, kiedy król zapomina o swoich obowiązkach, i chociaż on mówi do nich po imieniu, a oni zwracają się do niego Wasza Królewska Mość, zachowuje się jak normalny człowiek spędzający czas z przyjaciółmi.

Sagarmín odbył już kilka spotkań w pałacu Santa Cruz, podczas których uzyskał wszystkie potrzebne informacje dotyczące negocjacji, jakie ma przeprowadzić z argentyńskim rządem. Nie pozostało nic do omówienia w tym względzie, musi tylko dogłębnie przestudiować otrzymane materiały. Wykorzysta na to trzy tygodnie rejsu. Nie ma potrzeby poruszać tego tematu podczas posiłku. Od kilku już dni nie może się opędzić od myśli o Raquel, lecz to nie on o niej napomyka, lecz Álvaro Giner.

– Pamięta Wasza Królewska Mość, jak poszliśmy do Salón Japonés? Wasza Królewska Mość przyprawił sobie wtedy sztuczną brodę dla niepoznaki.

– Śmieszne, i tak wszyscy mnie rozpoznali. To tam występowała ta kobieta z wachlarzami?

– Nie, ta śliczna, która śpiewała numer o kocurku.

– Ach tak, pamiętam ją.

– Niedawno przedstawił mi ją nasz przyjaciel Eduardo.

– Widziałeś jej występ? Nie mówiłeś mi o tym, Álvaro.

– I to mają być przyjaciele! Mnie nie zabieracie do takich miejsc…

Nadal opowiadają sobie anegdotki, żartują – mają do siebie zaufanie. Na szczęście pojedynek tego nie zniweczył.

Po lunchu, pożegnawszy się z królem, Eduardo i Álvaro wychodzą na plac Oriente. Zapada już zmierzch, na dworze jest zimno i nieprzyjemnie, więc zatrzymują się tylko na chwilę, żeby się pożegnać.

– Myślałem, że będzie gorzej. Cieszę się, że zwyciężyłeś. Camargo to dobry szermierz, mógł cię zabić.

– Istniała taka możliwość, lecz nie miałem wyjścia. Zobaczymy się jeszcze, zanim wyjadę? Przyjedziesz do Barcelony?

– Chyba nie, niedługo wyjeżdżam do Paryża w sprawach Urzędu do spraw Ochrony Jeńców.

– Zatem życzę ci powodzenia.

– Ja tobie także.

Nikt nie żegna Eduarda przed wyjazdem: jego żona opiekuje się Sergiem i od kilku dni nie pojawia się w domu.

W Barcelonie czeka na niego przyjaciel, Marcos Roig.

– Nie masz pojęcia, kto jechał w naszym przedziale, gdy wracaliśmy z Madrytu. Ta tancerka od *Kociaczka*!

– Raquel Castro?

– Znasz ją? Dałem jej wizytówkę. Może uda mi się ją namówić, żeby dała nam prywatny pokaz. Oczywiście jeśli do mnie zadzwoni.

– Zapłacę, ile będzie trzeba, muszę znowu zobaczyć tę kobietę.

Nie widział się z nią od dnia, gdy jedli obiad u Lhardy'ego, kiedy ta Amerykanka jednym ciosem powaliła naprzykrzającego im się mężczyznę. Być może przypadek sprawi, że spotka się z nią w Barcelonie. To bardzo miła niespodzianka, w ostatnich dniach sporo o niej myślał.

* * *

– Czekają na mnie w czynszówce w Boca.

Giulio kieruje te słowa do lombardzkiego oberżysty, który, tak jak mu powiedziano, późnym popołudniem stoi za barem swojego lokalu.

– Idź na Ramblę i poczekaj na mnie przed teatrem Liceo. Postaraj się nie zwracać na siebie uwagi. Przyjdę tam, kiedy będę mógł.

Godzinę później idzie za Lombardczykiem do pewnego domu na ulicy Aviñón. Wchodzą przez wąską i ciemną bramę, po czym wdrapują się na drugie piętro. W mieszkaniu jest jeszcze czterech innych mężczyzn.

– To jest Giulio, pochodzi z Viareggio, wczoraj rano przybył do Barcelony.

Przedstawia go czterem mężczyznom, chociaż Giulio natychmiast zapomina ich imiona. Każdy z nich pochodzi z innego regionu Włoch, wszyscy byli na froncie, nad Isonzo. Pewnego dnia uznali, że wojna się dla nich skończyła, i uciekli: dzisiaj są w Barcelonie. Wszyscy musieli przeżyć traumę podróży w trumnie, żeby móc opuścić swoją ojczyznę, wszyscy marzą, by dotrzeć do Buenos Aires.

– Poszukamy parowca, na którym będziecie mogli bezpiecznie popłynąć. To trudne, ponieważ wielu Francuzów, Żydów i Włochów przybywa do portu w Barcelonie. Są gotowi na wszystko, byle tylko opuścić Europę. Wypełniają statki, dają się oszukiwać i uniemożliwiają negocjacje z załogami.

– Mają takie samo prawo uciec jak my.

– Nikt nie ma do niczego prawa, wszyscy muszą walczyć o swoje szczęście. Oni i wy także. Nikomu nie będzie łatwo.

W mieszkaniu na ulicy Aviñón będzie mu znacznie lepiej niż dezerterom, których poznał – i którzy mu pomogli – w porcie. Można by sądzić, że są oni jego wrogami i będą utrudniać mu ucieczkę. Nie będzie protestował, chce tylko, by to wszystko się już skończyło, mimo to uważa, że nie powinno być uciekinierów pierwszej i drugiej kategorii. Wszyscy mają takie samo prawo ratować się przed szaleństwem, a jemu jest łatwiej tylko dlatego, że miał szczęście, bo jego ojciec pociągnął za odpowiednie sznurki.

– Umiesz gotować? Żaden z nas nie umie i mamy już dość sardynek z puszki.

Ostatni raz gotował w Wigilię, pamiętne gnocchi z tych niewielu składników, które jego towarzyszom udało się znaleźć na froncie. Chce powtórzyć przepis w ten sobotni wieczór, a choć gnocchi nie są może najodpowiedniejszym daniem na kolację, wszyscy są młodymi ludźmi, którym niestraszna jest noc z ciężkim żołądkiem. Tym razem ma do dyspozycji wszystko, co potrzebne: ziemniaki, mąkę, twaróg, szpinak... I sos ze śmietany i aromatycznego sera roquefort, kupionego na targowisku Boquería, który zastępuje włoską gorgonzolę.

Udają mu się, są bardzo smaczne, podane z mocnym hiszpańskim winem. Towarzysze cieszą się z jego przybycia, wznoszą toast na jego cześć, opowiadają o miejscach, z których pochodzą, o swoich rodzinach, o tych, którzy czekają na nich w Argentynie, i o tym, co mają nadzieję tam znaleźć.

– Sądzisz, że kiedyś wrócimy do Włoch?

– Nie, nigdy. Poza tym wcale nie mam ochoty tam wracać. Nie chcę, żeby mnie okłamywano. Płynę do Argentyny, bo chcę być wolny, zapomnieć o tym, jak zgniłe jest wszystko, co znałem, nie zamierzam wybaczyć tym, którzy wysłali mnie na wojnę.

Giulio ma z nich wszystkich najbardziej radykalne poglądy, może dlatego, że najkrócej przebywa poza ojczyzną. Może upływ czasu i spokój, jaki panuje w tym domu, sprawią, że złagodnieją.

To bezpieczna noc, po raz pierwszy od długiego czasu nie boi się, że policja przerwie mu sen. Po wielu godzinach rozmów kładzie się na łóżku, które mu wskazano, wąskim, lecz wygodnym. Przed snem czuje wyrzuty sumienia, że w taki sposób opuścił dom kapitana Lotiny. Jeśli będzie miał okazję, odszuka go, przeprosi i podziękuje za pomoc, jakiej udzielili mu on i jego rodzina.

– Możesz chodzić po mieście, ile chcesz, nikt ci niczego nie zabrania, to twoja sprawa.

– Policja się w to nie miesza?

– Nie, jeśli nie naruszysz prawa. Hiszpanię zaczynają zalewać uchodźcy, więc władze przymykają oko. Jeśli nie wejdziesz im w drogę, nie będą cię nękać. Jeśli jednak wdasz się w jakąś awanturę, nie okażą litości: odeślą cię do Włoch, a wiesz, co cię tam czeka.

– Rozumiem. Ktoś pójdzie ze mną zobaczyć Ramblę?

W końcu wszyscy postanawiają wyjść. Jest niedziela, jedenasta rano. Rambla wygląda zupełnie inaczej niż wtedy, gdy Giulio był tu poprzednim razem, niemal o świcie, kiedy sprzedawcy dopiero rozkładali swoje kramy. Teraz wszystko jest otwarte i barwne: spacerują całe rodziny, stają w cukierniach po słodycze, które chcą zabrać do domu, wychodzą z mszy i przygotowują się do wypicia aperitifu.

– Nie różni się zbytnio od Włoch.

– Której części Włoch? Okopy na północy raczej tego nie przypominały.

Barcelona to bardzo ładne miasto, zadbane. Daje się odczuć, że mieszkańcy je kochają i cieszą się nim, traktują jak własny dom, schludny i pięknie przyozdobiony. Po południu, po lunchu, na który zjedli makaron z mięsem, Giulio namawia jednego z towarzyszy na kolejny spacer. Tak bardzo brakowało mu swobodnego przechadzania się po mieście, bez oglądania się za siebie, że nie chce tracić ani minuty.

– Tyle tutaj ładnych kobiet. Kiedy ostatnio byłeś z dziewczyną?

– Dawno, jeszcze przed wyjazdem na front. Była moją narzeczoną. Miała na imię Francesca.

– Czeka na ciebie?

– Nie, teraz pewnie już wyszła za mąż za innego, za kulawego handlarza ryb.

– W okolicznych zaułkach nocą kręci się wiele kobiet, z którymi możesz się dogadać. Robiłem to już kilka razy.

– Nie tego szukam. Jeśli chcesz, nie krępuj się, poczekam na ciebie, ale nie mam zamiaru układać się z żadną.

– Nie, przyjdę kiedy indziej.

Całe ożywienie poranka i wczesnych godzin popołudniowych znika, kiedy pierzchnie światło dnia, a miasto zmienia się w smutne miejsce, podobnie jak tyle innych w niedzielne wieczory. Giulio ma kilka hiszpańskich monet, i choć to ledwie parę peset, proponuje towarzyszowi, by weszli do kawiarni i przez kilka minut poczuli się jak zwykli ludzie, którzy zwlekają z powrotem do domu i udaniem się na spoczynek, zanim rozpocznie się kolejny tydzień pracy.

* * *

– Od jak dawna jesteś przy nadziei?

Poprzedniego popołudnia Gabriela wróciła do mieszkania na ulicy Riereta. Ośmieliła się pójść do zapuszczonego budynku i wejść na drugie piętro. Drzwi otworzyła jej starsza, bardzo nieprzyjemna kobieta. Nawet się z nią nie przywitała.

– Słucham?

– Czy wiesz, od jak dawna jesteś przy nadziei?

– Wiem o tym od wczoraj. Powiedział mi lekarz.

– Więc od niedawna. Ostrzegam cię, że jeśli minęły ponad trzy miesiące, nie da się już nic zrobić.

– Nie, znacznie krócej. Nie dłużej niż pięć albo sześć tygodni.

– Wobec tego przyjdź jutro późnym popołudniem, około ósmej wieczór. Jeśli wszystko pójdzie dobrze, będziesz mogła spędzić tutaj noc. Lepiej, żebyś z kimś przyszła.

– Nie mam w Barcelonie nikogo, kto mógłby mi towarzyszyć.

– No to przyjdź sama, ale jeśli coś pójdzie nie tak, odeślemy cię na ulicę. Aha, i przynieś sto peset.

Teraz jest wpół do ósmej i Gabriela siedzi w kawiarni na plaza Real, zapłaciła rachunek i przez kilka minut ociąga się z pójściem do tego mieszkania, kartkując magazyn z modą. Do ulicy Riereta jest bardzo blisko, dojście tam spacerkiem nie zajmie jej więcej niż dziesięć minut. Idąc, nie może powstrzymać łez, a także pohamować nowego dla siebie uczucia: nienawiści do Enriqa. Nie tylko nie dał jej szczęścia, lecz zostawił jej także chyba najgorszy prezent, który uniemożliwia jej również znalezienie szczęścia gdzie indziej.

– Wejdź. Przyniosłaś pieniądze?
– Proszę.
Starucha, ta sama co wczoraj, chciwie łapie pieniądze i chowa je w kieszeni brudnego fartucha.
– Wejdź do tego pokoju, rozbierz się i połóż na kozetce.
W środku znajduje się krzesło, gdzie można położyć ubranie, i kozetka, okryta prześcieradłem, chyba świeżo wypranym, lecz zniszczonym. Jest także komoda z obdrapanym lustrem, tapicerowane krzesło obite zielonym, zszarzałym materiałem i obrazek z Matką Boską, lecz Gabriela nie potrafi jej zidentyfikować. To przygnębiające miejsce, z którego ma się ochotę uciec.
Gabriela posłusznie wypełnia polecenia i naga kładzie się na plecach na kozetce. Jako że nie ma drugiego prześcieradła, którym mogłaby się osłonić, przykrywa się własnym ubraniem. Przypomina sobie noc, która ją tutaj przywiodła, noc, gdy pierwszy raz oddała swoje ciało Enriqowi. Stało się to po odwiedzinach Wikarego Fiqueta, kiedy lato już się kończyło, a jesień dopiero próbowała narzucić swoją władzę.
– Enriq, chcą, żebym wyszła za mąż za pewnego starszego mężczyznę. Ksiądz proboszcz odwiedził moją matkę, a ona zamierza się zgodzić.
Enriq nawet się nie rozgniewał, przyjął tę wiadomość z rezygnacją, która powinna wydać jej się obraźliwa. To Gabriela, może po to, by zmusić go do jakiejś reakcji, zaprowadziła go na plażę, w miejsce, w którym zawsze rozgrywały się najważniejsze chwile jej życia, i na jego oczach się rozebrała.

– Jestem twoja i zawsze będę należeć do ciebie, a nie do jakiegoś bogacza z Ameryki, choćby nie wiem ile pieniędzy zarobił, ile miał kawiarni i hoteli.

Już wcześniej widzieli się nago, dotykali się, pieścili i całowali po całym ciele. Nigdy jednak nie doszli do końca. Teraz on przez chwilę się opierał.

– Nie robię tego dla przyjemności, robię to, żeby należeć do ciebie.

Teraz potrafi tylko myśleć o bólu i rozkoszy tamtej chwili. O spełnieniu, kiedy po wszystkim weszła naga do morza, mając nadzieję, że Enriq przyłączy się do niej i znowu ją weźmie. On jednak tego nie uczynił; czekał na nią, a kiedy wyszła z wody, był już ubrany.

– Nie podobało ci się?

– Ależ tak, czekałem na to od lat.

Nie chciała o nim myśleć, odtwarzała tylko w głowie tę chwilę, może ostatnią, kiedy była w pełni szczęśliwa. Po kilku minutach do pokoju wchodzi jakiś mężczyzna. Wyobrażała sobie, że będzie miał na sobie biały kitel, jak lekarz, który poinformował ją o ciąży, lecz on jest w wyjściowym ubraniu, w wyświechtanej marynarce i kraciastej czapce.

– Już jesteś? Potrzebuję jeszcze pięciu minut i zaczynamy.

Mówiąc to, kładzie jej na kolanie szorstką dłoń o brudnych paznokciach.

Gabriela nie zastanawia się dłużej. Kiedy mężczyzna wychodzi, dziewczyna wstaje i się ubiera. W przedpokoju natyka się na kobietę, która ją wpuściła.

– Dokąd idziesz?

– Rezygnuję.

– Nie oddam ci pieniędzy.

– Nieważne. Niech je pani zatrzyma.

Wychodzi na ulicę i jak najszybciej wraca do hotelu. Idzie do swojego pokoju i kładzie się na łóżku. Nie zrobi tego. Nie wierzy, by nosiła w sobie dziecko, nie wie, co to jest, lecz to nie jej dziecko, jeszcze nie. Jedno wie na pewno, że nie zrobi tego. Nie chce, żeby jakiś mężczyzna o brudnych paznokciach grzebał w jej wnętrzu.

– Cieszę się, że ponownie panią widzę, nie byłem pewny, czy ustaliła pani godzinę następnej wizyty.

– Nadal mam poranne nudności i zawroty głowy, doktorze Escuder. Czy jest jakiś sposób, żeby temu zaradzić?

– Są krople, które pani pomogą. Wypiszę pani receptę. Nadal chce pani płynąć do Argentyny?

– Tak, nie zamierzam zmieniać planów.

Gabriela wsiądzie na ten statek, a kiedy dotrze do Buenos Aires, zobaczy, co będzie dalej.

9

FOTEL ROZMYŚLAŃ
Autorstwa Gaspara Mediny dla „El Noticiero de Madrid"

NOWY ŚWIAT

Być może wyda się Państwu zarozumialstwem, kiedy powiem, że jestem niczym Kolumb w przeddzień wypłynięcia. Dobrze, przyznaję Państwu rację, owszem, jest to trochę pyszałkowate: Krzysztof Kolumb nie wiedział, co znajdzie, ja natomiast płynę na spotkanie Buenos Aires, miasta z milionem sześciuset tysiącami mieszkańców, w przeważającej części z elektrycznym oświetleniem, z kilkoma dworcami kolejowymi, szpitalami, a nawet jednym nowoczesnym drapaczem chmur — jak obecnie nazywa się wielkie budynki, które zda się, przebijają chmury — z ponad stu pięćdziesięcioma tysiącami uczniów i studentów, a także z oszałamiającą liczbą siedemdziesięciu jeden tysięcy przedstawień teatralnych wystawionych w ubiegłym roku. Ruszam w drogę do miasta, gdzie powstają teatry, kina, sale koncertowe, w których można posłuchać wielkich orkiestr, gdzie są kawiarnie i związki zawodowe robotników usiłujące poprawić życie swoich członków...

Krótko mówiąc, opuszczam Europę, kolebkę kultury, by dotrzeć do Nowego Świata, kontynentu Indian, tropikalnych lasów i dzikich zwierząt. A może jest na odwrót?

Nie twierdzę bynajmniej, że Argentyna jest rajem. Od czasu, gdy zbieram informacje na temat tego kraju, spotkałem się z wieloma godnymi ubolewania sytuacjami, począwszy od brutalnego tłumienia walk robotników, przez trudne warunki imigrantów czy seksualne wykorzystywanie kobiet sprowadzanych z Europy w tym tylko celu, po eksterminację całych plemion tubylców przez kacyków z interioru. Nie, Argentyna nie jest rajem, lecz Europa jest piekłem. Uważam, iż udaję się do lepszego miejsca.

A Hiszpania? Poza światem, jak od stu pięćdziesięciu lat. Nie jest tutaj tak źle jak w krajach prowadzących wojnę ani tak dobrze, jak powinno być. Dręczona tym smutnym panowaniem króla Alfonsa XIII.

Jutro wyruszam do Barcelony i czuję się jak dziecko w wigilię Trzech Króli: marzę i czekam. Mając nadzieję, że otrzymany podarek będzie tym, o który prosiłem, i znajdę nowy świat. Dbajcie, Państwo, o siebie, oczekuję, że po powrocie zastanę was w lepszej kondycji.

Nie, nie musicie robić tego dokładnie. Cała sztuka polega na tym, byś to zrobił źle, żeby widzowie mogli mnie zobaczyć.

Gdyby wiedziała, że po raz ostatni ma zatańczyć i zaśpiewać *Kociaczka*, sprowadziłaby do Barcelony Roberta, płacą jej na tyle dobrze, że byłoby to możliwe. Teraz musi nauczyć dwóch aragońskich tancerzy o zjawiskowych ciałach, lecz pozbawionych wyobraźni, jak powinni poruszać pluszakami. Po dziesięciu minutach umiejętniej i z większą skutecznością osłaniają nimi jej ciało, niż udawało się to Juanowi i Robertowi po latach.

– Nie, nie chodzi o to, żebyście mnie zasłaniali, chodzi o to, żebyście udawali, że mnie zasłaniacie, lecz pozwolili, by wszyscy widzieli mnie nagą. No, jeszcze raz.

Marcos Roig zapłaci jej trzy razy tyle, ile dostawała za spektakl w Salón Japonés. W obecności ośmiu widzów ma wystąpić w prywatnym domu – dworku, jak tutaj mówią – w okolicach Pedralbes. Powiadomiono ją, że otrzyma dodatkowe wynagrodzenie, jeśli przyjdą jeszcze cztery osoby – nie licząc kelnerów i dziewcząt, które będą się zajmowały gośćmi. Raquel upewniła się, że nie oczekuje się od niej takiej pracy.

– Pani jest artystką i ma dla nas zaśpiewać, nic więcej.

Uzgodniono, że wykona trzy numery: z kociakiem, z ogródkiem i z Poliszynelem. Jej gospodarz przygotował cały spektakl, na który przyjdą ważni ludzie. Prócz niej wystąpi pewien magik i kilka tancerek wykonujących modny ostatnio lesbijski numer. Ona jest jednak daniem głównym tego spotkania.

– Chcesz więc, żebyśmy nie zasłaniali cię dokładnie?

– Właśnie tak, widzom jest obojętne, czy śpiewam dobrze czy źle, tak naprawdę chcą widzieć mój *arrière garde*.

– Twój tyłek…

– Tak jest, mój tyłek.

Zaledwie tydzień dzieli ją od wejścia na pokład *Príncipe de Asturias*, a ten prywatny pokaz to jej ostatnie zobowiązanie w Hiszpanii. W chwili zakończenia występu Raquel Castro zniknie na zawsze, a pojawi się Raquel Chinchilla.

– Czy publiczność już jest?

– Pełna sala, ostatecznie przyszło dwanaście osób. To ważne osobistości. Niektórzy dobrze znani w Barcelonie. A także przyjaciele don Marcosa, którzy przyjechali z Madrytu.

Jej występ jest bardziej oczekiwany niż każdy z tych, które dała w Madrycie. Niewielu widzów, lecz doborowych.

– Występ magika potrwa jeszcze minutę, a potem kolej na nas.

– No to chodźmy tam.

W końcu, na prośbę Marcosa, w ostatniej chwili postanowiła wykonać cztery numery: zacznie ubrana i zaśpiewa piosenkę, która tak bardzo podobała się widzom w Oberży Gaditany, *Relikwiarz*. Potem, w bardzo krótkiej sukni, pod którą nic nie będzie miała, zaśpiewa *Walc ogrodniczki*, a następnie, jedynie częściowo osłonięta tiulem, *Poliszynela*. Na finał wykona *Kociaczka*.

Reflektor świecący jej prosto w oczy nie pozwala dojrzeć twarzy gości, ledwie dostrzega zarys ich głów. Sądząc po oklaskach i komplementach – mimo że widzowie tutaj należą być może do wyższej klasy społecznej, komplementy niezbyt się różnią od tych, do których przywykła – wie, że dobrze się bawią. Dopóki nie wychodzi na scenę naga i nie zaczyna śpiewać *Kociaczka*, nie zdaje sobie sprawy, że na fotelu w środku drugiego rzędu siedzi Eduardo Sagarmín, mężczyzna, z którym w towarzystwie Susan jadła lunch u Lhardy'ego.

*

– Witam, nie spodziewałem się pani tutaj zobaczyć.

Zaraz po zakończeniu występu Eduardo odwiedza Raquel w jej zaimprowizowanej garderobie. Ona ma na sobie ten sam szlafrok, ten więcej pokazujący niż zakrywający, którego używała w Salón Japonés: tylko to zabiera ze sobą do Argentyny na pamiątkę czasu, gdy była artystką.

– Przed dwoma dniami przyjechałem do Barcelony, a kiedy mój przyjaciel Marcos powiedział mi, że zorganizował pani występ, nie mogłem go przegapić.

– I podobał się panu?

– Bardzo. Zostanie pani na kieliszek szampana?

– Nie stanowię części zaplanowanych rozrywek na tę noc, przyszłam tylko na występ.

– Nie chciałem, żeby tak to zabrzmiało. Jeśli pani zechce, wyjdziemy stąd. Zjemy coś i wypijemy za nasze spotkanie.

Taksówka zostawia ich na rogu Paseo de Gracia i plaza de Cataluña, przy hotelu Colón, najbardziej ekskluzywnym w mieście. Restauracja jest znacznie bardziej elegancka niż te, w których dotychczas bywała Raquel.

– Proszę wybaczyć, czy to złoto?

– Podobno tak. Jeśli mam być szczery, nie wiem.

Na stole leżą złote sztućce, a to nie jedyna oznaka luksusu i wyrafinowania.

– Co podać szanownej pani?

– Poproszę o homara, homara thermidor.

– A dla pana?

– To samo. I proszę przynieść kartę szampanów.

Eduardo przeszedł dziecinną próbę, której Raquel poddaje swoich ewentualnych kochanków. Płynie do Argentyny, nie musiała tego robić, lecz dała się ponieść ciekawości. Czy to możliwe, by ten mężczyzna został jej kochankiem, gdyby nie podjęła decyzji o opuszczeniu Hiszpanii?

– Co cię sprowadza do Barcelony?

– Podróż. Za kilka dni wyruszam do Buenos Aires.

– Nie mów mi, że płyniesz na *Príncipe de Asturias*. Ja także płynę tym parowcem.

Zaledwie to powiedział, Raquel podejmuje decyzję: nie zostanie jego kochanką. Będzie zwlekać, poczeka, aż znajdą się na statku, i tam go uwiedzie. Nie chce okruchów, zamierza zgarnąć wszystko. Jeśli Eduardo Sagarmín chce się z nią przespać, musi najpierw stanąć przed ołtarzem. Jeśli tego nie zrobi, sprawa nie jest warta zachodu.

* * *

– Wróciłeś?! Martwiliśmy się o ciebie. Mój mąż i Amaya bardzo się ucieszą.

Giulio musiał przezwyciężyć wstyd, żeby pojawić się w domu kapitana Lotiny. Nie powinien był odejść, nie pożegnawszy się z nim i jego rodziną po tym wszystkim, co uczynili, żeby mu pomóc.

– Przyszedłem prosić go o wybaczenie. Także panią, Carmen. Gdyby nie państwa rodzina, nie wiem, gdzie bym dzisiaj był, może umarłbym tamtego dnia.

– Nie bądź melodramatyczny i nie wyobrażaj sobie najgorszego. Wchodź.

Kapitan Lotina siada z nim w salonie, jakby nic się nie stało, jakby nie wyszedł w środku nocy, nie podziękowawszy za okazaną mu gościnność.

– Amaya niezmiernie się ucieszy, że wróciłeś, chciała, żebyśmy cię szukali, aby zwrócić ci książkę.

– To prezent dla niej.

– Zaraz przyjdzie, więc sam jej to powiedz.

Giulio relacjonuje kapitanowi swoje przeżycia z ostatnich dni, ale podobnie jak za pierwszym razem nie wyjawia mu szczegółów, zataja nazwiska tych, którzy mu pomagali, by nie narazić ich na niebezpieczeństwo.

– Nie wiesz, kiedy wyruszysz?

– Nie. Według moich towarzyszy powiadamiają człowieka w ostatniej chwili. Ma tylko tyle czasu, żeby zebrać swoje rzeczy i ruszyć do portu. Teraz jednak widocznie zajmuje to więcej czasu, wielu ludzi chce opuścić Europę bez papierów, a marynarze niektórych statków potajemnie sprzedają bilety na własny rachunek.

– Mam nadzieję, że nie dzieje się to na mojej jednostce. Zostaniesz na obiedzie? Powiem żonie.

Po kilku sekundach po wyjściu kapitana, który idzie powiadomić żonę, że gość zostanie na obiedzie, do salonu wbiega Amaya.

– Giulio! – Skacze na niego i całuje go ze śmiechem. – Wiedziałam, że nie odejdziesz, nic nie mówiąc, że tylko się ukryłeś, żeby cię nie znaleziono. Pomożesz mi przekonać mojego tatę, żeby pozwolił mi popłynąć na swoim statku?

Rodzina kapitana Lotiny potrafi sprawić, że Giulio czuje się dobrze i bezpiecznie. Kiedy jest z nimi, zapomina o żołnierzach rozstrzelanych w wigilię Bożego Narodzenia, o Francesce i jej zdradzie, o swojej ucieczce w trumnie. Wspomina z czułością swoją rodzinę. Myśli też o Argentynie i o tym, że może znajdzie tam szczęście.

Podczas obiadu, na który podano wyborny ryż z owocami morza, kapitan daje mu nową nadzieję.

– Zorganizuj mi spotkanie z tym Lombardczykiem. Może uda mi się zabrać kilku z was na *Príncipe de Asturias*.

Po południu, korzystając ze wspaniałego słonecznego dnia, Giulio towarzyszy kapitanowi w przechadzce po porcie. Lotina opisuje mu charakterystyczne cechy każdej jednostki pływającej, da się zauważyć, że to jego pasja, że wie o nich wszystko, począwszy od kutrów rybackich po statki handlowe i wycieczkowe. Podchodzą do strefy, w której tłoczą się uchodźcy.

– Barcelona wypełnia się ludźmi ze wszystkich części Europy.

– Uciekają przed wojną. Czy był pan kiedyś na wojnie, kapitanie?

– Dzięki Bogu, nie. Kilka razy musiałem płynąć na Kubę, kiedy wyspa walczyła o niepodległość, lecz nie z misjami wojskowymi. Zawsze pływałem w marynarce handlowej.

– Oby nigdy nie musiał pan jej oglądać i oby Amaya nigdy nie musiała cierpieć z jej powodu.

– Oby. Poczekaj, wydaje mi się, że znam tę dziewczynę.

Kapitan Lotina podchodzi do pięknej, młodej, ciemnowłosej kobiety, która również przyszła oglądać statki.

– Przepraszam panią. Jeśli się nie mylę, kapitan Bennasar przedstawił nas sobie niedawno w hotelu. Jestem José Lotina, kapitan *Príncipe de Asturias*.

Dziewczyna przedstawia się jako Gabriela Roselló, z Majorki, płynie do Buenos Aires, by tam spotkać się z mężem.

– Przedstawiam pani Giulia Bovenziego. Jeśli wszystko dobrze pójdzie, będzie jednym z pani towarzyszy podróży.

Gabriela pragnie tylko zostać sama, lecz nie ośmiela się odrzucić zaproszenia kapitana Lotiny i jego włoskiego towarzysza, którzy proponują jej kawę. Chce w spokoju pomyśleć o swoich sprawach, o tym, co ją czeka za kilka godzin.

Tego poranka wróciła do mieszkania na ulicy Riereta, żeby oddać się w ręce mężczyzny o brudnych paznokciach, zakończyć ciążę, wrócić do normalnego życia i zrobić to, co musi: dotrzeć do Buenos Aires, być uległą żoną, dać dzieci mężowi, raz na zawsze zapomnieć o Enriqu, nigdy więcej nie myśleć o Sóller ani o wyspie, którą opuściła na zawsze.

– Jeśli chce pani usunąć ciążę, musi pani ponownie zapłacić. Doktor przyjdzie dopiero wieczorem.

Mężczyzna nie wyglądał na lekarza, tylko na jakiegoś rzeźnika. Co może skłonić człowieka, który studiował medycynę – jeśli faktycznie to robił – by robił skrobanki w nędznym mieszkaniu, w warunkach urągających podstawowym zasadom higieny? Z pewnością jego historia jest co najmniej tak dramatyczna jak historia Gabrieli.

Ponownie umówiono ją na ósmą wieczór i przelękniona dziewczyna cały dzień chodzi po Barcelonie. Od rana nic nie jadła, żołądek ma skurczony z nerwów. Wróci tam tego wieczoru, jeśli znowu się nie rozmyśli. Niemal całą godzinę spędziła, siedząc na ławce przy plaży, płacząc i przyglądając się grupie młodych ludzi grających w szmacianą piłkę. Potem doszła aż do portu, miejsca pełnego ludzi równie bezradnych jak ona.

*

Kapitan Lotina to interesujący człowiek, dobry rozmówca, który wie wszystko o rozpościerającym się przed nimi morzu. Z pasją mówi im o swoim statku i o tym, czego mogą się spodziewać podczas rejsu, o sztormach, które przeżył, i, co dla nich najważniejsze, o czymś, co sprawia, iż Gabriela na kilka chwil zapomina o swoich kłopotach, o mieście, do którego zmierzają, o Buenos Aires.

— Jeśli sądzicie, że płyniecie do małego miasteczka, zapomnijcie o tym. Buenos Aires jest tak duże jak Madryt czy Barcelona, a pod wieloma względami znacznie nowocześniejsze. Są tam dzielnice przypominające Paryż, są teatry, kawiarnie, ludzie ze wszystkich stron świata. Mnóstwo Włochów. Sądzę, że w wielu miejscach częściej słychać włoski niż hiszpański.

— Kuzyn mojej matki wyemigrował przed dwudziestu laty. Mam nadzieję się z nim spotkać... Oczywiście, jeśli uda mi się dotrzeć do Argentyny.

— Uda ci się, Giulio, zrobimy, co w naszej mocy, żeby ci pomóc. Czym się zajmuje twój mąż, Gabrielo?

— Jest właścicielem kawiarni i hotelu. Café Palmesano.

— Tam są setki kawiarni, to cudowne miasto.

Gabriela poznaje również historię Giulia, dowiaduje się o jego dezercji z frontu i ucieczce przez całe Włochy. Czuje do niego sympatię, postanowił uciec przed swoim przeznaczeniem, miał dość odwagi, żeby to uczynić, podczas gdy Enriqowi zawsze jej brakowało.

— Przykro mi, ale muszę was opuścić, żona zaprosiła dziś na kolację kilkoro swoich krewnych.

Kapitan odchodzi, a oni zostają sami, jest dopiero piąta po południu. Do dwudziestej zostały jeszcze trzy godziny.

— Masz ochotę na spacer?

Chociaż Gabriela mogłaby się rozerwać w towarzystwie Giulia, nie ma na to ochoty. Włoch ma życzliwy uśmiech i dziewczyna czuje się źle, że odrzuca jego zaproszenie, lecz to nie jest najlepszy dzień na zawiązywanie przyjaźni.

— Nie chciałabym być nieuprzejma, ale muszę pobyć sama. Mam nadzieję, że to zrozumiesz.

– Oczywiście, rozumiem to. Ja też czasami mówię, że wolę być sam, lecz są takie chwile, że bardzo potrzebuję, by ktoś przy mnie był. Nie chcę ci się wydać natrętem, lecz widzę po twoich oczach, że coś cię martwi. Potrafię to zauważyć, ponieważ sam wiele wycierpiałem.

Po chwili wahania Gabriela zgadza się na spacer z Giuliem. Przez cały czas bije się z myślami i wylicza powody, dla których chce przerwać ciążę. Co by zrobiła, gdyby nie znalazła się w Barcelonie? Powiedziałaby o tym matce? Neus? Możliwe, że nie ośmieliłaby się powierzyć tego sekretu nawet Àngels, chociaż w tej chwili bardziej niż kiedykolwiek potrzebuje przyjaciela, kogoś, z kim mogłaby dzielić strach. Kiedy idą Ramblą, Gabriela opowiada Giuliowi o mdłościach, badaniach lekarskich, o wizycie na ulicy Riereta, o bawiących się w bramie dzieciach, o brudnych paznokciach tego mężczyzny, który miał zrobić jej skrobankę, o swoim strachu, o ucieczce... Włoch jej słucha i sprawia wrażenie, jakby z jednymi rzeczami się zgadzał, a z innymi nie. Gabrieli jest to obojętne, czuje tylko wielką ulgę, że wszystko z siebie wyrzuciła.

– Pójdziesz tam dziś wieczorem?

– Co innego mogę zrobić?

– Jest szósta, zostały nam dwie godziny, by wszystko przemyśleć.

Ten młody Włoch sprawił, że jej zmartwienie nagle stało się ich wspólnym problemem. Gabriela uświadamia sobie, że to głupota, ale czuje, jakby zrobiło jej się lżej na duszy. Przez większość pozostałego czasu spacerują po mieście, rozmawiając o innych sprawach: o wojnie, od której on ucieka, o Sóller i Viareggio, o Enriqu i Francesce... Przede wszystkim jednak o Argentynie. Z powodu ciąży Gabriela boi się tam płynąć; Giulio wiąże z emigracją wszystkie swoje nadzieje. Siadają, dopiero gdy ponownie znajdują się w porcie. Gabriela powtarza swoje pytanie:

– Co innego mogę zrobić, jeśli nie pójść na umówione spotkanie?

– Myślę o tym przez cały czas. Chciałbym, żeby ten problem nie istniał.

– To niewykonalne. Niewiele się w życiu nauczyłam, ale wiem, że za błędy trzeba płacić, a zegara nie da się cofnąć.

Uspokaja ją świadomość, że nie będzie musiała sama wracać do tego obskurnego mieszkania, że będzie ktoś, kto poda jej rękę i powstrzyma, jeśli znowu będzie chciała uciec, kto po wszystkim zawiezie ją do hotelu, kto zostanie przy niej, jeśli zajdzie taka konieczność. Ledwie znany Włoch może się okazać jej zbawcą, boją, której można się uchwycić pośrodku wzburzonego morza.

– Co robimy?

Jest wpół do ósmej. Nie zostało dużo czasu.

– Idziemy. Pójdziesz ze mną?

Przez kilka chwil myślał, że Gabriela zrezygnuje, lecz ona sprawia teraz wrażenie bardziej zdecydowanej niż wcześniej. Giulio nie ocenia tego z moralnego punktu widzenia, nie myśli o tym, że nowo poznana przyjaciółka zabije ludzką istotę, po prostu czuje, że jest to dla niej dramat.

– Oczywiście, przecież ci powiedziałem.

– Jestem ci wdzięczna. I za coś jeszcze muszę ci podziękować: przez cały dzień nie pomyślałam o Enriqu. O mężczyźnie, który jest ojcem dziecka.

Budynek wygląda dokładnie tak, jak opisała Gabriela, jest brudny i cuchnący. Przed nim bawią się dzieci, jakby stanowiły część niezmiennej dekoracji, a niemyte schody z marnego drewna są odrapane i wytarte…

– Zdecydowała się pani? Wszystko już pani wie, proszę przejść do pokoju i się rozebrać. Ale najpierw zapłacić.

To ten sam pokój co ostatnim razem, z brzydką komodą, z obłażącym lustrem i nierozpoznawalną dla niej Matką Boską. Ktoś postawił przed obrazem kwiat w butelce, tylko jeden. To niewiele, lecz ten widok dodaje Gabrieli otuchy, kiedy się rozbiera; czuje się mniej samotna.

Widząc, jak zdejmuje ubranie, Giulio wstydzi się niemal bardziej niż ona, toteż wygląda przez okno wychodzące na wewnętrzne podwórko, na którym suszy się rozwieszone pranie.

Kiedy się odwraca, Gabriela jest już naga, leży na plecach na kozetce. Jej ciało jest bardzo piękne, niemal tak piękne jak ciało Franceski, a jednak Giulio nie odczuwa żadnego pożądania. Kiedy czekają na przyjście lekarza, okrywa ją swoją kurtką.

– Daj mi rękę, boję się.

Chciałby zapytać ją po raz ostatni, czy jest pewna tego, co zamierza zrobić, lecz uważa, że nie ma do tego prawa. Czemu miałoby to służyć? Jedynie temu, że ponownie zaczęłaby się wahać. Decyzja została podjęta i na zawsze to zapamiętają.

– Dobrze, zaczynamy.

Oboje pragną, by wiedza lekarza i jego doświadczenie były lepsze niż jego nędzny wygląd.

* * *

– Miriam już uciekła?

Ale ona nie tylko nie uciekła, jak wieszczył Mosze, ale w dodatku jest najlepszą współpracownicą, jaką Nicolau miał kiedykolwiek. W ciągu zaledwie kilku dni od Joana, kierownika Café Palmesano, nauczyła się prowadzenia rachunków i wykazała się charakterem, pertraktując z robotnikami przeprowadzającymi remont lokalu...

– Nawet sobie nie wyobrażasz, jaki jestem z niej zadowolony. Dzięki niej zarobię w kawiarni tyle pieniędzy, ile ty zarobiłeś, mając ją w burdelu.

– Cieszę się, że twój interes także prosperuje.

– Może powinieneś zmienić działalność, hotelarstwo jest znacznie spokojniejsze i nie prowadzimy między sobą wojen.

– Wojna jeszcze się nie zaczęła. Porozmawiamy o tym, kiedy nadejdzie ta chwila.

Mosze dostał z Odessy list od Maxa Szlomo. Pisze w nim, że ma sześć wspaniałych kobiet, na których dużo zarobią.

– W tej chwili pewnie są na statku, który płynie ze Stambułu do Barcelony, może już tam dotarli. Max pisze, że wiezie jedną zjawiskową rudowłosą dziewczynę o imieniu Sara. I zapewnia mnie, że w dodatku jest dziewicą, a to prawdziwy rarytas w tym biznesie. Co za szkoda, że kobieta tylko raz traci dziewictwo. Gdybyśmy mogli oferować je kilka razy, zarobilibyśmy mnóstwo kasy.

Nicolau nie wie, czy to z powodu Gabrieli, Miriam, czy może z uwagi na rychłe starcie z Traumanem, ale czuje się coraz niezręczniej, kiedy Mosze przedstawia mu szczegóły swojego interesu. Żywi do przyjaciela takie samo poważanie, oddanie i wdzięczność co zawsze, niemniej jednak nie podziela już jego poglądów na zarabianie pieniędzy. Te kobiety nie zasługują na życie, jakie wiodą, kiedy już wpadną w szpony „Warszawy".

– Nie wszystko jednak poszło dobrze podczas tej podróży. Miał nieprzyjemne spotkanie z jednym z ludzi Traumana, z niejakim Władimirem. Musiał załatwić jednego z jego współpracowników.

– Zabił go? To szaleństwo.

– To przykre, ale od czasu do czasu nieuniknione. Wiesz, co to oznacza, prawda?

– Co?

– Wiadomość dotrze do Traumana, jeśli już nie dotarła, i będziemy mieć kłopoty, to już od nas nie zależy. Szkoda, że nie możemy wybrać chwili rozpoczęcia walki. Czy to prawda, że wynająłeś Miriam swoje mieszkanie?

– Tak. Jak się o tym dowiedziałeś?

– Dowiaduję się o wielu rzeczach, a tym bardziej o tych, które mnie interesują. Rób, co chcesz, ale zobaczysz, ta dziewczyna ci ucieknie. Nie będę potem wysłuchiwał twojego biadolenia.

– Jak mi się podoba? Jest cudowne!

Chociaż mieszkanie na alei Santa Fe, w pobliżu placu Italia, jest małe, stare i ciemne, Miriam jawi się jako najbardziej luksusowe miejsce, w jakim można zamieszkać. Ma przynajmniej dom dla siebie, bez burdelmamy przy drzwiach, bez mężczyzn stojących w kolejce, by oddać jej swój mosiężny żeton i cieszyć się jej miłosnymi umiejętnościami.

– Trzeba będzie je pomalować i kupić jakieś meble.

– Sama się wszystkim zajmę, chcę się tutaj wprowadzić już teraz.

– Nie ma nawet łóżka.

– Będę spać na podłodze, tylko proszę, pozwól mi zostać.

Miriam wyjaśnia mu, że będzie to jej pierwsza noc na wolności w całym życiu, które spędziła najpierw pod kontrolą rodziny w żydowskiej dzielnicy, gdzie wyrosła, a później pilnowana przez

Moszego na statku wiozącym ją do Argentyny. Powiedziała mu, że pracowała w różnych burdelach Traumana i Moszego w Buenos Aires, zażywała narkotyki i je rzuciła, musiała chodzić do łóżka z tysiącami mężczyzn, była bita i nagradzana, lecz nigdy, nawet przez jeden dzień w życiu, nie była wolna.

– Tylko pomyśleć, że mogę wyjść na spacer, mogę kupić coś na kolację i przygotować ją, mogę otworzyć książkę i czytać... Niczego więcej nie pragnę.

– Mam w domu zbędne łóżko. Zostań tu, a ja w ciągu dwóch godzin przyślę ci je furgonetką.

Miriam ściska go uszczęśliwiona i przez kilka sekund jej szczęście udziela się Nicolau. Nigdy się tak nie czuł, nawet wtedy, kiedy otworzył Café Palmesano i zaczął nieśmiało dostrzegać możliwość wydostania się z biedy, która kiedyś zmusiła go do opuszczenia rodzinnej wyspy i udania się do Buenos Aires. Tyle lat później uświadamia sobie, że prawdziwe szczęście osiąga się, uszczęśliwiając innych.

– Idę, łóżko musi do ciebie dotrzeć przed nocą. Nie ruszaj się stąd, dopóki nie wrócę.

– Powinnam kupić jakieś środki czystości.

– Chodź ze mną, na dole jest sklep. I weź klucze, są twoje.

Po zrobieniu zakupów rusza w swoją stronę; Miriam biegnie za nim.

– Jeszcze raz dziękuję za wszystko. Muszę ci coś powiedzieć: uważaj nie tylko na Noego, ale też na Moszego. Zrób, co w twojej mocy, żeby cię za sobą nie pociągnęli.

– Wiesz coś?

– Nic nie wiem, ale przez te wszystkie lata nauczyłam się wyczuwać kłopoty. A teraz coś śmierdzi.

Kiedy Nicolau wraca do domu tramwajem, zadowolony mimo ostrzeżenia Miriam, jakiś mężczyzna wsiada i zajmuje miejsce obok niego. To ponaddwumetrowy Żyd, z brodą, pejsami, ubrany w surdut, czarne spodnie, w białą koszulę bez krawata i tradycyjny szerokoskrzydły filcowy kapelusz.

– Noé Trauman chce z panem rozmawiać.

– W tej chwili to niemożliwe. Jeśli powie mi pan, kiedy i gdzie będę mógł do niego przyjść, zrobię to z ochotą.

– Pan Trauman powiedział mi, że jest pan jego przyjacielem. Przyjaciel nigdy nie odmawia. Jeśli pan ze mną nie pójdzie, może pomyśleć, że coś się w waszej przyjaźni zepsuło, i zmieni dotychczasowe nastawienie do pana.

Nie powiodła się jego próba zyskania na czasie i porozmawiania z Moszem przed spotkaniem z Traumanem. Nie ma wątpliwości, że musi pójść z tym człowiekiem, dokądkolwiek ten go zaprowadzi.

– Jak się pan nazywa?

– To nieważne, jestem tylko posłańcem. Ważne są tylko dwa nazwiska, pańskie i pana Traumana.

* * *

– Już płynie twój statek, tatusiu! – woła Amaya, biegnąc do sypialni rodziców.

Dziewczynka jako pierwsza dostrzegła w oddali *Príncipe de Asturias*. Od siódmej rano, ciepło ubrana i z lornetką ojca, czuwa na tarasie, a jej podniecenie jest tak wielkie, że nie pozwala kapitanowi ociągać się ze wstaniem nawet przez minutę.

– Chodźcie go zobaczyć. To twój statek, jestem pewna.

Kapitan wychodzi na taras i musi jej pogratulować:

– Masz dobry wzrok, córeczko. Jest jeszcze daleko, dopiero za dwie godziny zacznie manewry wchodzenia do portu.

– Wiesz, jak go odróżniłam, tatusiu? Przez komin! Ma na nim wymalowany czerwony krzyż.

– To krzyż świętego Jerzego. Wyjątkowo dobrze pełnisz wachtę. Kiedy popłyniesz ze mną do Ameryki, będziesz pierwszą, która powiadomi mnie, że dopływamy do lądu. Ubiorę się i go przywitamy, dobrze?

– Mogę pójść z tobą?

– Tak, majtku. Tylko nie biegnij tak szybko, bo mamy jeszcze dość czasu, żeby się umyć, ubrać i zjeść śniadanie.

– Tatusiu, co marynarze jedzą na śniadanie?

– Mleko i herbatniki. Jak wszyscy. To, co ty zjesz dzisiaj.

– Ależ ten twój statek jest wielki, tatusiu. Znasz go całego?

– Do ostatniego centymetra, córeczko. Ty także go poznasz, kiedy zostaniesz kapitanką.

Trzymając Amayę za rękę, kapitan Lotina w mundurze, którego nie miał na sobie od przybycia do Barcelony, obserwuje zbliżający się statek. Dopiero za trzy dni *Príncipe de Asturias* ponownie wypłynie w morze. Te trzy dni wypełni intensywna praca: ważenie ładunków i rozplanowanie równomiernego rozłożenia ich w ładowniach, załadunek węgla dla kotłowni, przegląd instrumentów nawigacyjnych i środków bezpieczeństwa – w tym łodzi i kamizelek ratunkowych, które muszą być w pełni sprawne – ocena remontów przeprowadzonych na statku, załadunek zapasów wody pitnej i żywności na trzy tygodnie rejsu… Lotina na powrót staje się tym, kim lubi być najbardziej na świecie: kapitanem statku. Gdyby nie ciągłe rozstania z żoną i córką, byłby naprawdę szczęśliwym człowiekiem.

Starszy oficer, Félix Rondel, który dowodził statkiem podczas rejsu z Kadyksu, po wojskowemu staje na baczność przed kapitanem, z uśmiechem, który nigdy nie schodzi mu z twarzy.

– Na pańskie rozkazy, kapitanie. Przekazuję panu statek, jest dla mnie zbyt wielki, ja zadowolę się mniejszym.

– Jak przebiegł rejs?

– Wspaniale. Nie przedstawi mnie pan ten pięknej panience? Wie pan, że szukam żony…

– Znasz mnie aż za dobrze, Felixie. Jesteś nudny. Tatusiu, powiedz mu, żeby przestał.

Zawsze tak samo z niej żartuje – udaje, że jej nie zna, i zachwyca się jej urodą.

– Mogę wejść na pokład, tatusiu?

– Możesz, ale bądź ostrożna i niczego nie dotykaj.

Kiedy Amaya przebiega po trapie – bardzo stabilnym, odpowiednim dla luksusowego transatlantyku – Lotina i Félix spokojnie gawędzą; kapitan pozdrawia napotykanych marynarzy.

– Jaka atmosfera panuje w Kadyksie?

– Wie pan, że tam, tak blisko Gibraltaru, cały czas widujemy angielskie okręty, a podobno niemieckie okręty podwodne bez przerwy wpływają i wypływają przez cieśninę, toteż wojnę widać z bliska.

– Czy Pinillos was pożegnał, kiedy wypływaliście?

– Tak, on i jego syn. Przyszli na nabrzeże.

– Żadnego polecenia dla mnie?

– Nie, panie kapitanie. Tylko tyle, że zobaczy się z panem za kilka dni, kiedy ponownie zawiniemy do Kadyksu.

Lotina dostrzega zmiany dokonane przez miesiąc, który statek spędził w stoczni. Po południu przeprowadzi inspekcję, żeby przyjrzeć się wszystkiemu dokładnie.

Nagle widzi Paulę.

– Cieszę się, że widzę panią na pokładzie. Dobrze się pani czuje?

– Tak, kapitanie. Jestem już zdrowa i pragnę podjąć swoje obowiązki.

Kiedy Lotina pojawia się na mostku kapitańskim, widzi, że Amaya stoi za sterem.

– Czy to ty trzymasz ster, tatusiu?

– Jeśli mam być szczery, od dawna nawet się do niego nie zbliżam. Spędzam dzień w kajucie, robiąc obliczenia i przeglądając mapy. Być kapitanem dzisiaj to nie to samo co kiedyś.

– Leonardo Fenoglio?

– *Capitano* Lotina? Giulio Bovenzi mówił, że przyjdzie pan się ze mną zobaczyć.

– Możemy porozmawiać gdzie indziej?

Tawerna El Lombardo nie jest najodpowiedniejszym miejscem do omawiania spraw, które sprowadziły tutaj Lotinę. To podła knajpa w podejrzanej dzielnicy, ze stałymi bywalcami: portowymi tragarzami, prostytutkami, pijakami… Chociaż kapitan jest po cywilnemu, nie chce, by go tutaj widziano, zna go bowiem wiele osób w Barcelonie.

– Dzisiaj jest zbyt zimno, żeby rozmawiać na ulicy. Przejdźmy do magazynu.

W magazynie jest wszystko, nie tylko alkohol, który podaje się w lokalu, ale też meble, obrazy, lampy... Lotina podejrzewa, że są to przedmioty pochodzące z kradzieży.

– Za dwa dni wypływamy do Argentyny, w noc przed opuszczeniem portu na pokład wejdzie kilka osób bez dokumentów. Możemy zabrać sześciu z pańskich chłopców, a jednym z nich powinien być Giulio Bovenzi.

– Ile pan za to weźmie?

– Nic. Nie chcę pieniędzy, ale chciałbym pomóc tym młodym ludziom uciec z Europy. Nie mogą jednak wysiąść w Buenos Aires, władze by ich deportowały.

– Niech pan zostawi to nam, kapitanie. Nie pierwszy raz przemycamy do Argentyny dezerterów. Kiedy statek przybije do Buenos Aires, nawet pan nie będzie wiedział, jak go opuścili. Nigdy więcej ich pan nie zobaczy.

Lotina wraca zadowolony do domu, do żony. Jeszcze tylko przez dwa wieczory będzie mógł się cieszyć jej towarzystwem, a tego wieczoru ma coś ważnego do załatwienia i wróci późno.

– Dziękuję, że mi towarzyszysz, Bennasar.

– Nawet nie przyszło mi do głowy, żeby pozwolić ci samemu chodzić po Somorrostro, i to nocą.

Kapitan Bennasar nie przychodzi tu tak późną nocą, toteż nie czuje się pewnie. Nie może jednak zostawić kolegi i przyjaciela samego.

Z okna kuchni swojego domu kapitan Lotina widuje nocami ogniska płonące na plaży w Somorrostro. Z bezpiecznej przystani domu nie widać ogrzewających się przy nich ludzi. Tego wieczoru nie ma klaskania ani pieśni. Jest bardzo zimno.

– Dobry wieczór, Caracortá, szukamy pana Paco.

Cygan siedzi przy jednym z ognisk na plaży. Patriarcha jest w dobrym humorze, sprawia wrażenie odprężonego.

– W tym roku jest nietypowo zimno jak na Barcelonę. Chyba niedługo wyjadę szukać cieplejszego i bardziej suchego klimatu. Kiedy człowiek osiąga pewien wiek, musi się chronić przed wiatrami i wilgocią.

– Jest pan jeszcze młody, panie Paco.

– Człowiek nosi wiek w sobie. A ja wiele przeżyłem. Powinienem wsiąść na pański statek i popłynąć do Argentyny, jak te posągi.

– Wie pan coś o nich?

– Tylko tyle, że może pan spokojnie płynąć. Chyba że wierzy pan w klątwy. Słyszałem, że te rzeźby są przeklęte. Mówią, że to my, Cyganie, jesteśmy przesądni, lecz ja nie wierzę w takie rzeczy. To żywych należy się bać, nie zmarłych.

– Będę z panem szczery: słyszałem, jak jacyś Francuzi rozmawiali tutaj o nich, zaledwie kilka metrów od miejsca, w którym jesteśmy – mówi Bennasar.

– Tak, Francuzi. Niestety, nie ma ich już wśród nas.

– Wrócili do swojego kraju?

– Nie, nie, chodzi mi o to, że nie ma ich już na tym świecie. Chcieli przemycić do Ameryki Południowej złoto w skrzyniach z posągami.

A zatem Bennasar miał rację, nie chodziło o to, by je ukraść, lecz wykorzystać.

– Liczyli na to, że marynarze, którzy boją się klątwy, nie tkną tych rzeźb.

– I zrezygnowali?

– Złoto jest już daleko stąd. Pomoże mi się przenieść w to ciepłe miejsce, do którego wzdycham. Niech się pan nim nie martwi. Jedynymi osobami, na które posągi ściągnęły klątwę, byli ci dwaj biedni Francuzi.

Kapitana Lotiny nie obchodzi ani przeznaczenie złota, ani jego pochodzenie, komu zostało skradzione ani ile osób straciło życie z ich powodu. Pan Paco może je sobie zatrzymać. Interesuje go jedynie to, żeby nie znalazło się na *Príncipe de Asturias*. Popłynie spokojniejszy, wiedząc, że go tam nie ma.

– Czy w tych skrzyniach są te słynne posągi, kapitanie?

– Tak jest, Felixie. Nie chcę od nikogo z załogi słyszeć tej śpiewki o klątwie. Rozumiemy się?

– Nie usłyszy pan, ale one naprawdę, że przynoszą nieszczęście.

Nie sposób przekonać marynarza, a zwłaszcza pochodzącego z Kadyksu, że pech nie istnieje i że jedynym sposobem sprowokowania nieszczęścia jest nieprzykładanie się do pracy. To, co działo się w związku z posągami, to przypadek, a pech nie ma z tym nic wspólnego.

– A ten drugi ładunek, który wieziemy, ten, co ma tak dużą objętość, a tak niewiele waży?

– Korek. Chyba na zatyczki do butelek.

– Jedno za drugie: posągi są przeklęte, ale korek unosi się na wodzie. Będą się równoważyć.

W ładowniach statków przecinających Atlantyk znajduje się wszystko, od korka, przez traktory i wszelkiego rodzaju maszyny wysyłane do Ameryki, po pszenicę i inne zboża przywożone do Europy. Od ostatniego rejsu na statku kapitana Lotiny zainstalowano również ogromne chłodnie służące do przewożenia wspaniałej argentyńskiej, urugwajskiej i brazylijskiej wołowiny. Tym razem prócz posągów i korka najosobliwszym towarem jest kompletny wagon tramwajowy angielskiej produkcji.

– A w jaki sposób sprowadzono go tutaj z Anglii?

– Nie mam pojęcia. Z tego, co wiem, nie ma tam nawet służyć jako tramwaj, to kaprys jakiegoś argentyńskiego milionera, który chce go mieć w swojej posiadłości.

– Świat oszalał, kapitanie.

– A zwłaszcza milionerzy.

– Dzisiejszej nocy na statek wsiądą pasażerowie, którzy nie figurują na listach, kapitanie. Chce pan być przy tym?

Trzysta takich osób zajmie najniższy pokład, w większości tej nocy, lecz także podczas postojów w Walencji, Almerii i Las Palmas.

– Ty się tym zajmujesz, Rondel?

– Tak, mam listy i rozkazy. Rozmawiałem już z właściwymi ludźmi z policji portowej. Nie będzie żadnego problemu.

– Dzisiejszego wieczoru mam do załatwienia ważną sprawę i nie będę mógł być tutaj. Dopilnuj, żeby potraktowano tych ludzi jak najlepiej. Widziałem ich na nabrzeżu, oni naprawdę wiele wycierpieli.

– Będzie im lepiej niż w kajucie pierwszej klasy, kapitanie.

– A szczególnie zajmij się sześcioma Włochami z listy, którą ci przekazałem. Znam jednego z nich. Jeśli po opuszczeniu Las Palmas będziemy mieć wolne kajuty w drugiej klasie, umieścimy ich tam.

– Według rozkazu, kapitanie.

* * *

– Jeśli pozwolisz, wstąpię po ciebie do hotelu i razem pojedziemy do portu.

Raquel i Eduardo widywali się od tego wieczoru, kiedy zaśpiewała *Kociaczka* dla przyjaciół Marcosa Roiga. Podtrzymała swoją decyzję, by nie iść z nim do łóżka, dopóki się nie upewni, że się z nią ożeni – co będzie trudne, wie już bowiem, że jest żonaty – a on bez skrępowania pokazywał się z nią, a nawet przedstawił ją na kilku przyjęciach wyższych sfer barcelońskich.

Eduardo postanowił okazać cierpliwość i poczekać, aż znajdą się na statku. Zwłoka mu nie przeszkadza, ponieważ powziął już decyzję, która właściwie jest szaleństwem. Podoba mu się ta kuplecistka. Miał już za żonę damę z towarzystwa, jedną z tych, która w każdej chwili ma dostęp do królowej, jest piękna i pochodzi z bogatej rodziny. A mimo to jego małżeństwo okazało się fiaskiem. Jest mu całkowicie obojętne, co powiedzą znajomi, jeśli się dowiedzą, że obecnie widuje się go z artystką z podrzędnego teatru. Jemu się podoba i tylko to go obchodzi. Jego reputacja nie ucierpi bardziej niż wtedy, gdy cały Madryt dowiedział się o romansach Beatriz. Kiedy uznał, że nie musi podtrzymywać pozorów, spadł mu z serca wielki ciężar.

W prasie, najpierw w „El Noticiero de Madrid", a później w innych gazetach, pojawiła się wiadomość o pojedynku i o jego dramatycznych konsekwencjach dla Sergia: hrabia nadal przebywa w Szpitalu Powszechnym w Atocha, a pewnej chwili obawiano się nawet o jego życie, gdyż doszło do zakażenia rany odniesionej podczas starcia. Jedni krytykowali Sagarmina, inni przestali nawet się z nim witać, lecz na ogół uznano go, przynajmniej w jego kręgu, za mężczyznę, który potrafi bronić swego honoru i oczyścić swoje dobre imię.

– Nie boisz się, że ten człowiek może umrzeć?

– Bać się? Nie, wcale się nie boję, wbiłem w niego szpadę po to, żeby go zabić. Chciałem, żeby to był pojedynek na śmierć i życie.

– Zabiłeś już kogoś?

– Nie. I mam nadzieję, że już nigdy nie znajdę się w takiej sytuacji.

Raquel nie rozumie, że można być gotowym kogoś zabić albo umrzeć z miłości lub zazdrości. Nigdy nie była wierna i nigdy nie oczekiwała, by ktoś był wierny jej. Owszem, czuła zazdrość, na przykład w dniu, gdy zobaczyła Manuela z Rosą, albo wtedy, gdy Roberto zostawił ją, wyjeżdżając z Gerardem w przeddzień jej nieudanej podróży z Susan, nigdy jednak nawet nie przyszło jej do głowy, żeby z tego powodu zrobić komuś krzywdę.

– Nie walczyłem z Camargiem ani z miłości, ani z zazdrości, było mi obojętne, co robią on i moja żona, lecz z powodu honoru: nie powinni byli robić tego publicznie. Gdyby zachowali pozory, nie doszłoby do tego. Moje małżeństwo definitywnie się skończyło, zapewniam cię, Raquel.

To stwarza Raquel pewne możliwości. Kto wie, może uwodząc Eduarda Sagarmina, odbędzie podróż tam i z powrotem.

– Czy ty i Susan jesteście…? Chodzi mi o to, że wtedy, kiedy jadłem z wami lunch, odniosłem wrażenie, że łączy was szczególny związek.

– Pytasz, czy uprawiamy seks?

– Tak. Skoro już jesteś tak bezpośrednia, to tak, o to właśnie pytam.

– Spędziłyśmy razem wiele nocy.

– Czy to oznacza, że nie lubisz mężczyzn? Jesteś lesbijką?

– Co za bzdura, oczywiście, że lubię. Lubię mężczyzn, kobiety, a nawet rośliny. Lubię być szczęśliwa.

*

Stało się już zwyczajem, że w porze drugiego śniadania Eduardo przyjeżdża po Raquel do hotelu i idą do jednej z wytwornych restauracji w mieście, a potem znowu odwozi ją do hotelu i wraca wieczorem, by zabrać ją na jakieś przyjęcie – Sagarmín ma mnóstwo znajomości w najwyższych sferach barcelońskiej socjety – bądź też na jakieś przedstawienie teatralne. Obejrzeli *Panią dziedziczkę* w teatrze Novedades, *Jaskółki*, sztukę wystawioną przez trupę Sagi-Barba w Cómico, i operę *Pajace*, która najbardziej podobała się Raquel, z udziałem wielkiego włoskiego śpiewaka, Titty Ruffa, w teatrze Liceo.

– Uwierz lub nie, ale kiedy przybyłam do Madrytu, chciałam zostać śpiewaczką. Nie wiem, czy nie miałam dość talentu czy odpowiednich patronów.

– Zaszłabyś daleko, śpiewałabyś w Liceo albo w La Scali.

– Możliwe… To nudziarstwo. Zabierz mnie któregoś wieczoru gdzie indziej. Przecież muszą tutaj być teatry podobne do Japonés.

– Więcej niż w Madrycie, zapewniam cię.

Idą do Excelsioru na Rambli, do Villa Rosa de Barcelona, winiarni z flamenco na ulicy Arcos del Teatro, do Bar del Centro, gdzie modne już są argentyńskie tanga i gdzie mogą posmakować tego, co czeka ich w Buenos Aires; do Eden Concert na Nou de la Rambla, gdzie, mimo iż to lokal słynny w świecie flamenco, wystawia się też przedstawienia podobne do tych, w jakich Raquel występowała w Salón Japonés. Tam, w barcelońskim Eden Concert, z powodu pewnego mężczyzny doszło przed laty do bójki między pewną kuplecistką, Zariną, a dwoma tancerkami, siostrami Conesa, zakończonej zabiciem jednej z sióstr przez brata kuplecistki…

– To są najbardziej występne lokale w Barcelonie? Tyle o tym słyszałam, pomyślałam więc, że dla świętoszków będzie tutaj coś na wzór przedsionka piekła.

– To są miejsca, gdzie może pójść dama, droga Raquel, oczywiście, że istnieją inne.

– Takie właśnie chcę poznać, zanim odpłyniemy. Kto wie, czy kiedykolwiek wrócę do tego miasta?

*

Na Arcos del Teatro, tej samej ulicy, na której znajduje się Villa Rosa, na przyległym budynku wisi na drzwiach dyskretny szyld z jednym słowem PETIT.

– Jesteś pewna, że chcesz tam wejść? Nie chciałbym, żebyś potem protestowała.

– Przez lata występowałam nago na scenie. Czy sądzisz, że coś jeszcze może mnie zbulwersować?

Nazwa, pod którą wszyscy znają lokal, brzmi Madame Petit i działa tam, pod tym samym adresem, od dobrych czterdziestu lat. Wszyscy barcelończycy, którzy lubią nocne życie, i szukający rozrywki przybysze znają te dyskretne drzwi. W lokalu bywają głównie mężczyźni, chociaż trafiają tu także kobiety. Madame Petit ma nawet własną walutę, żetony, na które przy wejściu należy wymienić pesety. Można je przeznaczyć na dowolne przyjemności dostępne w tym przybytku.

Raquel stoi przy wejściu zafascynowana, ale także szczęśliwa, że nie skończyła swojej kariery w takim miejscu. W środku znajduje się wielu mężczyzn ze wszystkich klas społecznych i sporo kobiet – przeważnie tu pracują, chociaż jest także kilka występnych albo zwyczajnie ciekawych jak Raquel; są pornograficzne obrazy i witraże, udający Amerykanina pianista, wielkie półki z wszelkimi napojami, jakie można sobie wyobrazić, kelnerzy w liberiach… Gdziekolwiek się spojrzy, wzrok przyciągają sceny, niektóre nie do pomyślenia w innym miejscu: jest starsza, dobrze ubrana kobieta pieszcząca i całująca młodzika, a także starszy jegomość z młodym efebem. Jakaś para postanowiła na oczach wszystkich dać upust swojej namiętności, podczas gdy otaczająca ją grupa osób przygląda się i dopinguje, a naga od pasa w górę dziewczyna przechadza się po lokalu z wielkim wężem otaczającym jej szyję.

– Chciałam, żebyś przyprowadził mnie właśnie w takie miejsce. Byłeś tu wcześniej?

– Przychodzę tu za każdym razem, kiedy jestem w Barcelonie. Ale poczekaj, to dopiero początek. Cały budynek służy temu samemu. Są tutaj kobiety ze wszystkich stron świata: Francuzki, Niemki, Kubanki, Arabki, oczywiście Hiszpanki… Jest nawet kilka amatorek. Podobno pewna kobieta z najwyższych sfer Barcelony przychodzi raz na tydzień i obsługuje tych, którzy nie mają pieniędzy, żeby zapłacić za inną… To jej sposób okazywania miłosierdzia potrzebującym. Są także mężczyźni, którzy zaspokoją każde pragnienie.

– Możemy to wszystko zobaczyć?

– Nasz wspólny przyjaciel, Marcos Roig, skontaktował mnie z szefową tego miejsca. Na pewno pozwoli nam wszędzie wejść. Pozwól, że pójdę z nią porozmawiać.

Drzwi w wielkiej sali, udekorowanej kotarami i licznymi kolumnami, prowadzą do prywatnego salonu zarezerwowanego dla najbardziej dyskretnych i zamożnych klientów. Kiedy Eduardo idzie poszukać szefowej, kelner podaje jej kieliszek szampana.

– Zaproszenie od tego pana opierającego się o kolumnę.

Raquel bierze kieliszek i gestem pozdrawia mężczyznę. Na szczęście ratuje ją wracający Sagarmín.

– Obawiam się, że to zbyt niebezpieczne miejsce, żebym przebywała tutaj sama.

– Nie podoba ci się? Jeśli chcesz, pójdziemy stąd.

– Przeciwnie, jest tyle możliwości, że nie wiedziałabym, którą wybrać.

– Więc do dzieła. Możemy wejść wszędzie, jeśli tylko drzwi nie są zamknięte na klucz.

Przechodzą przez piętra, gotowi wszystko zobaczyć. Patrzą na ogromne łóżko, na którym sześć par równocześnie uprawia miłość, wszyscy ze wszystkimi, oglądają również miniprzedstawienia w pokojach urządzonych jak niewielkie teatry…

– Gdyby nie zatrudniono mnie w Japonés, kto wie, może skończyłabym w takim miejscu.

– Ty dobrze śpiewasz.

– Wiele z nich prawdopodobnie także. A może skończyłabym jako służąca w jakimś domu i wpuszczałabym pana domu do łóżka za darmo, żeby nie stracić pracy.

– Zawsze masz tak negatywne myśli?

– Wręcz przeciwnie: cieszę się, że uniknęłam takiego losu. Teraz życie czeka na mnie z otwartymi ramionami.

W Madame Petit przygotowano miejsce do kręcenia filmów pornograficznych, jako że teraz, z powodu wojny, prawie nie docierają filmy z Paryża. Na ostatnim piętrze trafiają na zamknięte drzwi.

– Co tam może być? Dzieci?

– Obawiam się, że chodzi o coś równie nagannego: zwierzęta.

– Okropność. Nie mam najmniejszego zamiaru tam wchodzić. Może zejdziemy do głównego salonu i wypijemy za naszą podróż?

Kelner otwiera butelkę szampana nieznanej im marki i niezbyt dobrej jakości, ale to jedyny, jaki jeszcze został.

– Przyprowadziłbyś swoją żonę do Madame Petit?

– Nie zdziwiłbym się, gdyby przyszła tutaj beze mnie. Jak możesz sobie wyobrazić, nie łączą nas zbyt serdeczne stosunki.

– Nie możesz unieważnić małżeństwa?

– Próbowałem to zrobić przed pojedynkiem, ale nie udało mi się. Mam nadzieję, że po tym, co zaszło, kiedy wrócę z Buenos Aires, Beatriz będzie bardziej skłonna do ugody, przynajmniej jeśli nie chce, żeby jej kochankowie kończyli nabici na szpadę.

– Ty także masz kochanki.

– Nigdy się nie sprzeciwiałem, by miała kochanków, wprost przeciwnie, czynili moje życie znośniejszym. Prosiłem ją tylko o dyskrecję. To jej brak roztropności doprowadził nas do tej sytuacji. A ty nigdy nie byłaś zamężna?

– Nie będę cię okłamywać, miałam kochanków i byłam dyskretna.

– Kochanków, którzy płacili za twoje wydatki?

– Tak.

– Czy myślałaś o tym, że mógłbym być jednym z nich?

– Nie, Eduardo, mam to już za sobą. Myślałam o tobie, ale nie jako o kochanku, lecz mężu. Wybacz mi bezpośredniość, tego nauczyłam się na scenie: nigdy nie okłamywać publiczności.

Nie uciekł. Już to było dobrym znakiem.

– Dziękuję ci za szczerość, cenię to. Na statku będzie mnóstwo czasu, żeby pomówić o tej sprawie. Teraz jest już późno, a jutro wyruszamy na drugi koniec świata. Powinniśmy się udać na spoczynek.

– Tak, to była naprawdę wyjątkowa noc.

O jedenastej przed południem hotelowi boye znoszą bagaż do prowadzonego przez szofera samochodu Marcosa Roiga. W aucie czeka Eduardo.

– Jedźmy! Lepiej, żebyśmy się nie spóźnili, bo statek wypłynie bez nas.

Na statku Eduardo i Raquel się rozdzielają: ona ma kajutę pierwszej klasy, on tak zwany luksusowy apartament: przez cały rejs dwadzieścia cztery godziny na dobę będzie miał do dyspozycji kamerdynera. To królewski apartament, a Eduardo udaje się do Argentyny jako przedstawiciel monarchy.

– Panno Chinchilla, nazywam się Paula Amaral, jestem stewardesą. Pomogę pani rozpakować bagaż i umieścić go w szafach. Chce pani, byśmy to zrobiły już teraz?

– Tak, jak najszybciej.

Podczas gdy stewardesa rozpakowuje walizki, Raquel spotyka się z Eduardem na pokładzie pierwszej klasy. Obserwują poruszenie panujące na nabrzeżu: tragarzy, podróżnych, gapiów... Już niedługo rozpoczną podróż życia.

– Patrz, tam idzie Gaspar Medina, dziennikarz, o którym ci mówiłem. Przedstawię ci go dzisiaj wieczorem. Mówiłem ci już, że będziemy jedli kolację przy stoliku kapitańskim?

– Ja także?

– Oczywiście. Musiałem dopilnować, żeby nie posadzono mnie obok jakiejś nieznośnej wdowy, i zasugerowałem, że ty byłabyś miłym towarzystwem.

Życie się zmienia i sprawia niespodzianki. Choćby nie wiedzieć jak piękna była – a jest, to nie ulega wątpliwości – to do pierwszego stycznia, kiedy to podjęła decyzję o porzucenia Japonés, Raquel była jedynie jeszcze jedną kuplecistką z sprośnych spektakli. Teraz je kolację przy kapitańskim stoliku na największym hiszpańskim transatlantyku: faktycznie, przebyła długą drogę.

Raquel patrzy na Barcelonę, lecz nie będzie to ostatnie wspomnienie z Hiszpanii, statek zacumuje jeszcze w kilku miastach. To dopiero początek zmian w jej życiu.

* * *

– Jutro wsiądę na statek i znowu będziemy razem. Uważaj na siebie, Giulio.

Nie rozstają się od dnia, kiedy się poznali, a Giulio postanowił towarzyszyć Gabrieli na ulicę Riereta. Z każdą godziną rozumieją się coraz lepiej, spędzają wiele czasu na rozmowach, kiedy ona, wolna już od niepokoju, wypełnia polecenia męża przekazane w liście.

– Ty także na siebie uważaj. I nie martw się, to będzie dobra podróż.

W ostatnich dniach Giulio miał sporo zajęć. Kilkakrotnie widział się z Lotiną i doprowadził do spotkania kapitana z Fenogliem, podczas którego uzgodnili, że Giulio wraz z pięcioma towarzyszami wypłynie parowcem do Argentyny. Lombardczyk obawiał się, że kapitan statku, zamiast im pomóc, będzie się starał zlikwidować siatkę przemycającą dezerterów na statki jego armatora.

– Zapewniam cię, że nie ma takiego niebezpieczeństwa, to uczciwy człowiek i chce współpracować. Mój przypadek najlepiej o tym świadczy.

Do końca jednak nie był pewny, czy obaj mężczyźni dojdą do porozumienia, i dopiero wczoraj dowiedział się, że popłynie tym samym statkiem co Gabriela. Było to dla obojga święto, które uczcili obiadem w jednej z kawiarni na placu Cataluña.

– Może mógłbyś podróżować ze mną, w mojej kajucie.

– A jeśli twój mąż się dowie? Jak mu wyjaśnisz, że wzięłaś do swojej kajuty włoskiego dezertera? Nie sądzę, by mu się to spodobało.

– Nie wiem, pomyślimy o tym. Jestem pewna, że w pierwszej klasie lepiej ci będzie niż na pryczy w trzeciej.

– Cóż, obawiam się, że będę musiał jakoś to wytrzymać.

*

Giulio i jego towarzysze z mieszkania na ulicy Aviñón spakowali swój bagaż: jest skromny, każdy ma tylko niewielki plecak. Tego popołudnia otrzymali polecenia i instrukcje, jak dotrzeć do portu i wejść na statek. Wyjdą już po zapadnięciu zmroku, około wpół do dziewiątej, jeden po drugim, w dziesięciominutowych odstępach. Kolejność ustalili losowo i Giulio będzie trzeci. Powinni pokonać trasę bez zatrzymywania się. Na nabrzeżu przejmie ich Leonardo Fenoglio, Lombardczyk, anioł stróż włoskich żołnierzy uciekających przed okrucieństwem wojny. Gdy już znajdą się na statku, ktoś zaprowadzi ich na dolny pokład trzeciej klasy, na którym płyną emigranci.

Przed przybyciem do Buenos Aires otrzymają instrukcje, jak uniknąć Hotelu Imigrantów. Argentyński rząd umieszcza tam przybyszów na tydzień, aby upewnić się, że nie mają chorób zakaźnych, a ich papiery są w porządku. Nie chce, żeby kraj wypełnił się przestępcami, a w świetle prawa dezerterzy nimi są.

– Wiem, jak unikniemy Hotelu Imigrantów. Mój brat także wyjechał do Argentyny i czeka tam na mnie. Nie dopłyniemy do Buenos Aires, lecz opuścimy statek w Montevideo. Tam przepłyniemy rzekę rybackim kutrem.

– Tylko rzeka oddziela Montevideo od Buenos Aires?

– Rzeka, lecz wielka jak morze, z jednego brzegu nie widać drugiego.

Wydaje się niemożliwością, by istniało coś takiego. Ale w końcu płyną do miejsca całkiem odmiennego od wszystkiego, co dotychczas znali. Silvio, który z nich wszystkich najwięcej wie o Argentynie, brat bowiem opisywał mu ją w listach, opowiada im, że w głębi kraju są posiadłości niemal tak rozległe jak połowa Włoch, że nadal żyją tam plemiona tubylców, a emigrantom, którzy tego chcą, w celu zaludnienia kraju przydziela się ziemię w interiorze.

– Od Buenos Aires w głąb kraju rozciąga się niemal pustkowie: setki kilometrów, gdzie nikt nie mieszka, gdzie są tylko krowy i gauczowie.

– Gauczowie?

– Ludzie pampy, którzy poruszają się konno, wolni ludzie. Chcę zostać jednym z nich.

Opowieści Silvia, w większości zmyślone, umilają im czas ocze-kiwania. Nie powiedziano im, czy na statku dostaną coś do je-dzenia, toteż ugotowali ostatnią wspólną kolację, makaron na ubo-go: z resztkami kiełbasy, sera i z jajkiem. Przygotowali także po kanapce dla każdego.

– Brakuje nam wina. Zabiłbym za możliwość zabrania ze sobą butelki wina na tę noc. Czy na statku jest wino?

– Na pewno jeszcze tej nocy wzniesiemy toast.

Najkrótszą słomkę wyciągnął Andrea, mediolańczyk, i to on wy-chodzi pierwszy. Andrea przed wojną studiował medycynę i marzy o tym, by wrócić na studia, gdy już dotrze do Argentyny.

– Boisz się, Andrea?

– Bardziej niż podczas pierwszej nocy w okopach.

Giulio nie boi się bardziej niż podczas swojej pierwszej nocy w okopach, przypuszcza, że tak samo, tyle tylko, że tamten strach już minął, a ten jest nowy.

– Wychodzisz za pięć minut. Powodzenia.

Wszyscy żegnają Andreę uściskiem. Jeśli dobrze pójdzie, za niedługo znowu się spotkają, tym razem na statku, który dowie-zie ich do wolności.

– Twoja kolej, Giulio.

Żegna się z trzema, którzy muszą wyjść po nim. Jednym z nich jest Silvio.

– Uważaj na siebie, Silvio, gauczowie na ciebie czekają.

Noc jest zimna, ciemna i deszczowa. Widoczność sięga zaledwie kilku metrów. Giulio najbardziej boi się tego, że Leonardo nie zdo-ła go zobaczyć. To nieuzasadniony lęk. Nadal nie jest w stanie do-strzec zarysów statków, kiedy nagle słyszy swoje imię:

– Giulio, tutaj.

Podąża za głosem. Po raz kolejny od opuszczenia Viareggio musi zaufać komuś, kogo ledwie zna. Wraca myślą do podróży w trum-nie i przebiega go zimny dreszcz. Gdyby musiał znowu to zrobić, odmówiłby. Wolałby oddać się w ręce policji.

Statek robi wrażenie, jest największy ze wszystkich jednostek cumujących w porcie. Podeszli od strony magazynów, by uniknąć dwójki policjantów odbywających patrol, po czym Leonardo zostawia go przy wejściu na trap.

– Na górze czekają na ciebie. Powodzenia.

Dotarcie tutaj okazało się łatwiejsze, niż sobie wyobrażał. Już jest na statku. Przypomina sobie, że w Livorno było sześć trumien, a tylko jego była zajęta podczas rejsu, a zatem pięciu innych dezerterów zostało złapanych przez karabinierów w porcie. Uświadamia sobie, jak wielkie miał wówczas szczęście. Dzisiaj także jest ich sześciu, ma nadzieję, że historia się nie powtórzy. Z każdą mijającą minutą jest o krok bliżej do osiągnięcia celu.

* * *

– Macie dziesięć minut na zebranie rzeczy. Idziemy.

Chociaż buntują się, gdy tylko zostają same, Estera i pozostałe kobiety przyzwyczaiły się do monotonnych dni spędzanych w domku nieopodal miasteczka Sitges w masywie Garraf. Rozciągał się stamtąd widok na morze, było znacznie lepiej i spokojniej niż podczas poprzednich etapów podróży. W ciągu dnia miały nawet trochę swobody: jeśli tylko nie oddalały się od domu, mogły siedzieć na świeżym powietrzu i zażywać słońca. Jakże bardzo różniła się ta łagodna zima od nieustannego śniegu w ich ukraińskich wioskach. Max i Jacob zachowywali się powściągliwie, jedynie Sara zamartwiała się, że któraś z jej towarzyszek zechce uciec, co spowoduje, że znowu je zamkną.

– Nie, Saro, ty nie idziesz z pozostałymi, zostajesz w domu.

– Dlaczego?

– Nie zadawaj pytań i posprzątaj tutaj.

Ponownie zostaje sama, zamknięta na klucz, jak wówczas, gdy w Odessie Max wychodził nocami, a ona na niego czekała, pragnąc, by się z nią kochał. Ile czasu minęło od tamtej pory? Nie więcej niż pięć tygodni. A jednak tyle przeżyła, więcej niż w ciągu wszystkich tych lat spędzonych w Nikolewie. Dziwi ją, kiedy dzisiaj o tym myśli, jak niewiele pamięta ze swojego dawnego życia, swoją przyjaciółkę Judytę, jej brata Ejtana, rodziców, młodszych braci, szadchan, nieżyjącego męża, staruszki z wioski. Jak szybko wszystko to stało się przeszłością, gdy wpadła w wir chwil przeżywanych z Maxem, wir strachu, ciekawości i nadziei na inne życie w Buenos Aires.

Dokłada starań, żeby posprzątać dom, jakby był tym, który będzie dzielić z Maxem i dziećmi, które mu urodzi. Nie rozmawiała z miejscowymi i wie tylko tyle, ile opowiedział jej Max, że znajdują się w miejscu zwanym Katalonią, oddalonym o niewiele kilometrów od Barcelony, i że pobliskie małe, śliczne miasteczko nazywa się Sitges. Spodobało jej się, marzyła, że w takim miejscu stworzy z Maxem rodzinę. Wierzy w to, że jej się uda, chociaż towarzyszki śmieją się z niej, kiedy mówi o tym głośno.

Po kilku godzinach słyszy hałas przy drzwiach: to Max.

– Gdzie dziewczyny?

– Na statku.

– My nie płyniemy?

– Jutro rano. Jesteś moją żoną i popłyniesz ze mną. Zamieszkamy razem w kajucie pierwszej klasy.

To szczęśliwa noc, począwszy od jutra będzie się pokazywać całemu światu jako żona Maxa, będzie spacerować z nim po pokładzie, pozdrawiać innych pasażerów, może również płynących w towarzystwie swoich żon, będzie sypiać z nim w jednym łóżku. Zostanie najlepszą z żon, nauczy się zachowywać, przyglądając się innym kobietom podróżującym pierwszą klasą, nikt nie będzie podejrzewał, że jest tylko zwykłą Żydówką z ukraińskiej wioski.

– Mogę spać z tobą dziś w nocy?

– Tak, począwszy od dzisiaj wiele nocy prześpimy razem.

Max leży już w łóżku, kiedy ona zaczyna się rozbierać, przy zapalonych świecach, w domu nie ma bowiem elektryczności. Sara nie czuje wstydu. Kładzie się naga obok niego, w końcu jest przecież jego żoną.

– Nie masz koszuli nocnej?

– Chcę leżeć przy tobie naga. Chcę, żebyś mnie wziął.

– Powiedziałem ci, że nie!

– Pragniesz tego. Możemy okłamać Moszego i powiedzieć mu, że jestem dziewicą, chociaż nie będę krwawić.

– Gdybyśmy sprzedali komuś twoje dziewictwo, a ty byś nie krwawiła, nie zapłaciłby nam i uznał za oszustów. Wtedy źle by było z tobą. Zadbaj o to, by krwawić, choćbyś miała wbić w siebie nóż. Albo ja go w ciebie wbiję.

Nie powinni byli okłamać Maxa, nie powinna była posłuchać swatki i ukryć przed nim faktu, że jest wdową. Czy zabrałby ją do Argentyny, czy ożeniłby się z nią, wiedząc, że miała już męża? Musi doprowadzić do tego, by to on był pierwszy, i musi krwawić, aby potem pomógł jej okłamać Moszego Benjamina, swojego groźnego wspólnika.

Ma trzy tygodnie podróży statkiem, żeby to osiągnąć, lecz teraz jest z nim, leży nago w łóżku, a Max jest bardzo podniecony jej bliskością, chociaż stara się opanować. Sara sięga dłonią do jego członka i pieści go.

– Nie możesz się ze mną kochać. Ale może mogłabym zrobić coś, żeby dać ci rozkosz.

– Jest coś, co lubią robić Francuzki…

– Mogę być dla ciebie Francuzką.

Sara wie, o co on ją prosi. Zrobi to nie pierwszy raz: w noc przed udaniem się na wojnę Eliasz także o to poprosił, a ona się zgodziła, jakby przeczuwała, że on nigdy nie wróci.

Sara klęka na łóżku i odsłania członek Maxa, który pieściła przez pościel. Jest bardzo pobudzony.

– Chcesz, żebym lizała twojego szmoka. O to chodzi, tak?

Zaczyna pieścić go ustami, przytrzymując członek ręką. Nie ma nic przeciwko temu. Czuje osobliwy zapach, zapach mężczyzny. Najpierw przesuwa językiem wokół podstawy. Max milczy. W pewnej chwili, trzymając członek w ustach, Sara spogląda w górę i ich wzrok się spotyka. Teraz Max nie jest zabójcą, jest posłusznym jej mężczyzną. Czuje się potężna – porusza językiem, wargami, naciska…

– Przestań.

Przerywa przestraszona. Patrzy na niego z lękiem.

– Dlaczego chcesz, żebym przestała? Robię coś nie tak?

– Nie, robisz to bardzo dobrze, nie chcę tylko, żeby to tak krótko trwało. Chodź do mnie.

Sara kładzie się obok niego i ośmiela się pocałować go w usta. Max nie wzdraga się przed jej pocałunkiem.

– Będę ci to robiła, kiedy tylko zechcesz, podoba mi się. Mam cię pieścić dalej?

– Poczekaj.

Nauczyła się, że są takie chwile, kiedy nie powinna okazywać posłuszeństwa. Sprawianie mu przyjemności jest jedną z nich, toteż wraca do tego, co robiła wcześniej. Teraz Max już nie milczy – jęczy coraz szybciej i coraz głośniej. W końcu osiąga orgazm, a usta Sary wypełniają się nasieniem: nie wie, co robić, w dniu, kiedy zrobiła to z Eliaszem, miała obok łóżka nocnik i mogła wszystko wypluć. Dzisiaj nie, więc połyka. Potem kładzie się obok niego.

– Było cudownie.

– Na statku będę ci to robiła co noc, żebyś wreszcie mnie zechciał. Będę najlepszą żoną, jaką mógłbyś sobie wymarzyć, Max.

Rano w pośpiechu ładują walizki do samochodu, który Max sam ma poprowadzić. Jest prawie pora obiadu, kiedy docierają do portu w Barcelonie, a Max wskazuje jej statek, którym popłyną.

– *Príncipe de Asturias*. Podobno to najbardziej luksusowy statek w Hiszpanii, fajgełe.

– Jest ogromny.

– Chodźmy, muszę znaleźć tragarza, żeby wniósł walizki. Od tej chwili jesteś panią Szlomo. Nie zapomnij o tym.

Wszystko jest dla niej nowością: wielka kajuta z własną łazienką, ogromna biblioteka z książkami we wszystkich językach, salony z tak pięknymi dywanami jak te, które widziała na bazarze w Stambule, jadalnie, salony…

– To sala balowa, Saro. Mówiłaś mi, że lubisz tańczyć. Tu będziemy przychodzić wieczorami, żeby tańczyć przy dźwiękach orkiestry.

– Pozostałe dziewczyny także tutaj są? Mają taką kajutę jak my?

– Nie, one płyną trzecią klasą, w wielkiej sali pełnej prycz, oddzielnie mężczyźni, oddzielnie kobiety.

– Nie boisz się, że Estera może uciec?

– Próbowała to zrobić wczoraj, kiedy przyjechaliśmy do Barcelony. Teraz jest tam, gdzie powinna być, w miejscu, z którego nigdy się nie wydostanie: na dnie morza.

Raz jeszcze chłód Maxa robi na niej wrażenie. Wie, że on taki nie jest, zna go z innych chwil, takich jak wczorajsza. Wczoraj był jak dziecko. Nie żal jej Estery, sama jest sobie winna, zasłużyła na to. Bez wątpienia podróż będzie lepsza bez niej, jej wieczne użalanie się było nieznośne.

* * *

– Biegnij, bo nie zdążymy.

Gaspar i jego żona biegną przez port, gotowi rzucić bagaż, pozbyć się ciężaru i popłynąć w tym, co mają na sobie. Ich pociąg spóźnił się cztery godziny i mogą nie dotrzeć na czas – za kilka minut *Príncipe de Asturias* odbije od nabrzeża. Jego kapitan cieszy się sławą człowieka, który wypływa i przypływa punktualnie co do minuty. To cnota, o jakiej Gaspar mówił z podziwem, kiedy wsiadł do pociągu, i mania, jak stwierdził, kiedy pociąg zbyt długo stał na stacji w Saragossie i dziennikarz zaczął zdawać sobie sprawę, że się spóźnią.

– Gdybyśmy mogli wcześniej wyjechać z Madrytu.

– Nic już na to nie poradzimy, biegnij.

Właściwie mieli wyruszyć z Madrytu kilka dni wcześniej, żeby Gaspar poznał atmosferę portu, lecz w ostatniej chwili król Alfons XIII Burbon udzielił mu wywiadu, by opowiedzieć o posągach i związkach z Argentyną, przez co młodzi małżonkowie, teoretycznie w podróży poślubnej, musieli przełożyć wyjazd. Gaspar spędził całą podróż na pisaniu ręcznie wywiadu, który oddał na stacji, w kopercie i bez poprawek, pracownikowi gazety, żeby ten wysłał go do redakcji w Madrycie.

– Najważniejszy wywiad w moim życiu, a nawet nie mogłem przeczytać go dwa razy. Co za katastrofa!

Król przyjął dziennikarza w swoim prywatnym gabinecie. Ktoś poinformował go o niedawnym ślubie Gaspara, więc nawet przygotował dla niego prezent, pióro wieczne marki Waterman, którego dziennikarz jeszcze nie odważył się użyć.

– Życzę ci wszystkiego najlepszego. Czy twoja żona płynie z tobą do Argentyny?

– Tak, Wasza Królewska Mość.

– To dobrze, to wielki kraj. Zapewniam cię, że chętnie bym się z tobą zamienił i udał w tę podróż. Podobno *Príncipe de Asturias* to niezwykły statek.

Czuł się niezręcznie, że osoba, wobec której musi przestrzegać wszelkich zasad etykiety, już w pierwszym zdaniu zwraca się do niego per ty. To jednak król i taki obowiązuje zwyczaj, musi o tym zapomnieć i skupić się na wywiadzie.

Przyznaje, że spotkanie okazało się miłe, pogawędka swobodna, a król ani razu nie wspomniał o wielu krytycznych uwagach, jakie Gaspar wyrażał na jego temat w swoich felietonach. Nie uchylał się przed żadnymi pytaniami, nawet przed tymi dotyczącymi neutralności Hiszpanii podczas wojny i stanowiska armii.

– Zostałeś monarchistą?

– Nie, Mercedes, co to, to nie.

– To dobrze. Przy tym całym zamieszaniu nie mieliśmy czasu, żeby porozmawiać o polityce, a ja jestem republikanką.

– Nie zamierzam dyskutować z tobą o polityce, nigdy. Tylko o miłości…

– O miłości się nie dyskutuje, miłość się uprawia…

Tydzień po zawarciu małżeństwa był najlepszym w życiu Gaspara. Ślub okazał się sukcesem, rodzice zaakceptowali jego wybór, matka i teściowa od pierwszej chwili przypadły sobie do serca, a noce były jeszcze lepsze niż wcześniej, choć przecież sypiali ze sobą już przed ślubem. Jeśli miałby wysunąć jakieś „ale", byłaby to praca: musiał napisać kilka felietonów, które zostaną opublikowane w ciągu tygodni, jakie spędzi na statku, przeprowadzić wywiad z królem, zebrać dokumentację odnośnie do kwestii, jakimi będzie się zajmował w Argentynie, odbyć kilka spotkań w związku z książką na temat traktowania kobiet, którą ma zamiar napisać, załatwić drobne sprawy urzędowe, niezbędne przed wyruszeniem w podróż...

Zakończyli już wszystkie przygotowania, teraz tylko pozostaje wsiąść na statek. Gdy docierają na miejsce, marynarze już zaczynają podnosić trap.

– Och, proszę poczekać. Mamy kajutę w pierwszej klasie.

– Proszę się pospieszyć. Państwo pozwolą, że wezmę walizki. Cudem państwo zdążyli...

Nie mają nawet czasu, żeby zanieść bagaż do kajuty. Zostają na pokładzie, patrząc na kłębiących się na nabrzeżu ludzi. Gaspar byłby zachwycony, gdyby miał kilka dni na poznanie Barcelony. Nigdy wcześniej tu nie był. Chciałby także odwiedzić port i zapoznać się z sytuacją uchodźców z ogarniętej wojną Europy, którzy tam rozbili obóz. Może będzie miał po temu okazję na statku. Ma nadzieję, że znajdzie na *Príncipe de Asturias* jakąś ciekawą historię, którą będzie mógł opisać.

Major Pacheco okazał się takim tchórzem, jak Gaspar podejrzewał, i nie przysłał swoich sekundantów, by próbować odzyskać dobre imię w pojedynku. Gaspar nie powiedział o tym Mercedes, nie chciał jej niepotrzebnie martwić podczas ostatnich dni w Hiszpanii. Wie, że nie jest człowiekiem odważnym, niemniej jednak czuje, że w wieczór poprzedzający ślub zachował się tak, jakby nim był.

* * *

– Pani Esteve, jest do pani pilny list.

Gabriela nie spodziewała się listu z Majorki, a tym bardziej pilnego i to w dniu, kiedy ma wsiąść na statek, który zawiezie ją na spotkanie z mężem, w chwili, gdy hotelowi boye znoszą już jej walizki do recepcji, a ona zaraz wyruszy do portu. W liście jest informacja o śmierci pana Quimeta. List napisał ksiądz proboszcz, oznajmiając, że zawiadomił już jego syna i może lepiej by było, żeby nie wsiadała na statek i poczekała na odpowiedź. Może Nicolau postanowi przybyć na Majorkę, a wówczas spotkają się w Sóller, po czym razem wrócą do Buenos Aires.

– Kiedy przyszedł list?

– Przed pięcioma minutami.

– Proszę sobie wyobrazić, że daję panu dziesięć peset. Mógłby pan go zwrócić i powiedzieć, że kiedy list przyszedł, ja już opuściłam hotel?

– Za dziesięć peset nie, ale za piętnaście owszem, nie miałbym z tym problemu.

Gabriela nie może zostawić Giulia samego na statku, a jeśli kosztuje to tylko piętnaście peset, nie zawaha się ich zapłacić. Toteż boye taszczą jej dwa kufry – ten, który zabrała z Majorki, teraz pełny po brzegi, i drugi, z ubraniami, które kupiła w eleganckich sklepach na Paseo de Gracia – i ładują je do samochodu, który zawiezie ją do portu.

Pasażerowie pierwszej klasy nie wsiadają na statek w tym samym miejscu co pasażerowie trzeciej klasy, a przynajmniej nie o tej samej godzinie. Gabriela widzi jedynie dobrze ubranych ludzi z okazałymi bagażami. Niektórych zna z widzenia, z hotelu, na przykład bardzo piękną i elegancką kobietę, artystkę, jak jej powiedziano, na którą się natknęła pewnego dnia. Kilkakrotnie przyjeżdżał po nią bardzo wysoki i atrakcyjny mężczyzna, który, jak szeptano, pojedynkował się z kochankiem żony i omal go nie zabił...

Na trapie zderza się z innym osobliwym małżeństwem. Nie mówią po hiszpańsku, nie wie, w jakim języku rozmawiają. Gabriela tylko czytała o takich sprawach, lecz mężczyzna wygląda na kogoś, kogo Francuzi nazywają *maquereau*, sutener, mężczyzna żyjący z kobiet. Ładna, rudowłosa kobieta ma na sobie nową suknię, mimo to wygląda na wieśniaczkę. Gabriela zadaje sobie pytanie, czy ona sama też robi takie wrażenie w swojej kosztownej odzieży.

– Czy odprowadzić panią do kajuty, pani Esteve?

– Tak, proszę. Czy mogę przekazać wiadomość pewnemu pasażerowi, który podróżuje trzecią klasą?

– Trzecią? Nie wiem, proszę pani. Jeśli mam być szczera, nigdy nie musiałam przekazywać wiadomości z pierwszej klasy do trzeciej. Kiedy wypłyniemy, sprawdzę, jak mogłabym to zrobić.

W kajucie na toaletce znajduje kopertę z zaproszeniem od kapitana na kolację przy jego stoliku, pierwszą podczas rejsu.

– Co powinnam na siebie włożyć?

– Kolacje z kapitanem zawsze są uroczyste. Jeśli pani chce, mogę przyjść i pomóc pani się ubrać.

– Dziękuję, chętnie skorzystam z pomocy. Jak się pani nazywa?

– Paula Amaral. Proszę mi mówić po imieniu.

– Dziękuję.

– Czy to pani pierwsza podróż statkiem?

– Pochodzę z Majorki, więc płynęłam już statkiem. Lecz owszem, takim jak ten płynę po raz pierwszy.

– Zachęcam panią do wyjścia na pokład, za niecały kwadrans podnosimy kotwicę. Ci wszyscy ludzie na nabrzeżu i oddalające się miasto to doprawdy wspaniały widok.

Wszyscy pasażerowie robią to samo co Gabriela, wychodzą na pokład i spoglądają na ląd. Niektórzy żegnają się z krewnymi, machając chusteczkami. Nabrzeże to istne mrowisko ludzi ubranych w stroje we wszystkich możliwych kolorach. Paula ma rację: widok jest wspaniały. Gabriela nie czuje żalu, ma złe wspomnienia; jeśli to możliwe, nigdy nie wróci, ani do tego miasta, ani do Hiszpanii, ani na swoją wyspę. Pragnie dotrzeć do Argentyny.

17 lutego 1916 roku parowiec *Príncipe de Asturias*, wielka duma Kompanii Żeglugowej Pinillos i hiszpańskiej marynarki handlowej, rozpoczyna swój szósty rejs na drugi koniec świata. Na pokładzie płynie ponad pięćset osób, a podczas kilku przystanków w hiszpańskich miastach – 18 lutego w Walencji, 19 w Almerii, 21 w Kadyksie i 23 w Las Palmas – wsiądzie dalszych czterysta, chociaż oficjalnie liczba pasażerów nie przekroczy sześciuset, wliczając w to dwieście osób załogi; pozostali nie figurują w spisie. Pochodzą ze wszystkich stron świata, najliczniejsi są Baskowie i Katalończycy, lecz są także Argentyńczycy, Brazylijczycy, Urugwajczycy... Ładownie statku są pełne, a wśród pięciu tysięcy ton

ładunku wniesionego na statek w ciągu ostatnich dwóch dni znajdują się posągi na Pomnik Hiszpanów. Specjalny wysłannik króla Hiszpanii, Eduardo Sagarmín, zajmujący luksusowy apartament, ma za zadanie oficjalnie przekazać je argentyńskiemu rządowi. Nie jest to jedyna ważna osobistość na pokładzie: pierwszą klasą płynie także mister Deichmann, nowy amerykański konsul w Santosie, jak również państwo Aguirre i państwo Pérez Gardey, hiszpańscy milionerzy mieszkający w Ameryce Południowej… Nie należy się zatem dziwić, że w sejfie na statku przechowywana jest warta miliony peset biżuteria, złożona tam przez pasażerów pierwszej klasy.

28 lutego *Príncipe de Asturias* spotka się na środku oceanu z *Infantą Isabel*, bliźniaczym statkiem odbywającym rejs w przeciwnym kierunku. Pierwszym portem, do którego zawinie w Ameryce Południowej, będzie Santos, rankiem 5 marca. Przypadkowo noc z 4 na 5 to ostatnia sobota karnawału, w salonach wszystkich klas na statku odbędą się wielkie bale. Niektórzy pasażerowie mają nawet przygotowane na tę okazję stroje. Potem statek zawinie do Montevideo, a podróż zakończy w Buenos Aires 12 marca.

Tuż przed wypłynięciem marynarze, przesądni jak nikt, odprawiają swoje rytuały: całują medaliki, odmawiają modlitwy, wkładają jakieś szczególne elementy odzieży… Kapitan Lotina jedynie po raz ostatni rzuca okiem na swój dom i patrzy na rodzinę żegnającą go na tarasie. Czuje jakiś dziwny niepokój, może z powodu tych przeklętych posągów.

Słynny ze swojej punktualności *Príncipe de Asturias* uruchamia maszyny i odbija od nabrzeża dokładnie o pierwszej po południu.

10

FOTEL ROZMYŚLAŃ
Autorstwa Gaspara Mediny dla „El Noticiero de Madrid"

Z PEŁNEGO MORZA

Jeśli wszystko dobrze poszło, a niniejsze słowa zostały opublikowane, należy założyć, iż znajduję się na pokładzie *Príncipe de
Asturias* w towarzystwie posągów przeznaczonych na Pomnik
Hiszpanów, królewskiego wysłannika don Eduarda Sagarmina
i kilkuset innych osób, w drodze na półkulę południową. Choćby nie wiem jak wielki wydawał się Państwu ten statek, mnie —
znającemu jego wymiary — wydał się mały, a teraz mam serce
w gardle i podróżuję ze strachem, kto wie, czy nie zamknięty w kajucie, nie mając dość odwagi, by wyjść na pokład i spojrzeć na morze. Statki toną, wszyscy to wiemy.

Czy wyobrażają sobie Państwo, czym musiało być dla naszych przodków przemierzenie tego oceanu? *Pinta, Niña* i *Santa
María* nie były parowcami wyposażonymi we wszelkie luksu-
sy, lecz małymi stateczkami, których dzisiaj używalibyśmy jedynie do pływania po stawie w parku Retiro. Niemniej jednak
to na nich odkryto Amerykę, na innych, podobnych, podbito
kontynent lub po raz pierwszy opłynięto świat. Dzięki wątłym
statkom zbudowano imperium, a posiadając te jakże luksusowe
i zaawansowane technicznie maszyny, trudno nam ocalić choćby
resztki naszej dawnej potęgi.

Co się zmieniło w naszym kraju? Tylko ludzie, którzy podążali naprzód, czy także ci, którzy zostawali w tyle, w ojczyźnie? Przed wiekami wielu czekało na to, by ich krewniacy opuścili Hiszpanię i podbili świat; dzisiaj patrzą, jak odpływają, by zarobić kilka peset, i czekają, aż przy odrobinie szczęścia przyślą im bilety, tak aby reszta rodziny także mogła je zarobić.

Czy to nasza wina, czy tych na górze? Czy ówcześni władcy byli lepsi od teraźniejszych? Sądzę, że byli mniej więcej tacy sami, ani tamci, ani obecni nie potrafią płynnie przeczytać skomplikowanego tekstu. To my skończyliśmy się jako naród.

Och, byłbym zapomniał, przeprowadziłem wywiad z królem Alfonsem XIII, który niebawem się ukaże. Wbrew temu, co moglibyście, Państwo, pomyśleć, był dla mnie dość miły. Rozmawialiśmy o upadku Hiszpanii jako państwa, może więc znajdziemy przyczynę tego problemu, albowiem nie sądzę, byśmy znaleźli rozwiązanie.

R ozpoczynamy manewry. Kurs na Buenos Aires.
  Załoga *Príncipe de Asturias*, wybrana spośród najlepszych
pracowników Kompanii Żeglugowej Pinillos, jest doskonale przygotowana i każdy jej członek zna swoje zadania. Kapitan Lotina
musi jedynie dopilnować, żeby wszyscy je wypełniali.

Przed wejściem na trap pożegnał się z żoną i córką. Amaya pła-
kała, bo bardzo pragnęła mu towarzyszyć. Nim wypłynie z portu, zobaczy je jeszcze raz, jak żegnają go z tarasu ich domu. Może
popłyną razem w następny rejs do Hawany. Starzeje się, a rozłą-
ka z każdym dniem więcej go kosztuje. W głębi duszy jest dumny z namiętności córki do morza, przypomina mu to, co sam czuł
w dzieciństwie. Będzie walczył o to, by została kapitanem statku,
chociaż jest kobietą.

Jego najbliżsi współpracownicy czekają na niego na pokładzie,
żeby wydał ten prosty rozkaz, który pozwoli im wyruszyć do Buenos Aires.

– Czy zadbano o naszych pasażerów na gapę?

– Mają najlepsze warunki, jakie były możliwe, kapitanie.

Starszy oficer, Félix Rondel, skutecznie zajął się tym nieco nie-
typowym zadaniem, tak samo jak wszystkim, co wchodzi w za-
kres jego obowiązków.

– Pójdę do nich, kiedy wypłyniemy. Działo się coś ważnego?

– Tylko to, o czym już wiemy, że pierwszą klasą płynie z nami
przedstawiciel Jego Królewskiej Mości. Będzie pan musiał zjeść
z nim dzisiaj kolację.

– Oczywiście, ale chciałbym, żeby przy moim stole usiedli również Gabriela Roselló i Giulio Bovenzi, ten młody Włoch, o którym

ci mówiłem, pasażer bez biletu. Niech ktoś mu pożyczy frak, żeby się nie wyróżniał.

Zastanawia się, czy to będzie pierwszy raz, kiedy pasażer trzeciej klasy, co więcej, pasażer bez biletu, usiądzie przy kapitańskim stoliku podczas kolacji w pierwszy wieczór rejsu.

Osobiście wita się z najbliższymi członkami załogi i telegrafistami, studiuje pierwsze, niezbyt wiarygodne, prognozy pogody na czas rejsu, sprawdza, czy wszystko jest zapięte na ostatni guzik, i zatwierdza jadłospis przygotowany przez kucharzy na pierwszą uroczystą kolację.

Spoczywa na nim dużo obowiązków, lecz niewiele z nich dotyczy żeglugi, a przecież to żegluga była powodem, dla którego wybrał tę pracę. Może nadeszła pora, by więcej czasu spędzać w domu, z rodziną, i pozwolić, żeby tacy ludzie jak Rondel przejęli większą odpowiedzialność. Jego zastępca jest już do tego przygotowany. Może zrobi to po następnym rejsie, pierwszym do Hawany, żeby nie zostawiać Felixa samego podczas inauguracyjnej podróży. Potem wycofa się na zimowe leże.

– Widzę, że jest pan zamyślony, kapitanie. Jakiś problem?

– Przyzwyczajamy się i zapominamy o tym, że przeprowadzenie statku z jednego skraju świata na drugi jest skomplikowane, Felixie. Zawsze pojawiają się problemy.

– Niektórzy marynarze już protestowali z powodu posągów.

– Nie mamy innego wyjścia, musimy je zabrać. Uspokój ich, tylko to możemy zrobić.

– W maszynowni robią zakłady. Niemal wszyscy wierzą, że za sprawą tych rzeźb jeden z kotłów nie wytrzyma do końca rejsu.

– Zechciej, proszę, postawić w moim imieniu sto peset, potem ci je dam. Postaw na to, że ten rejs będzie najspokojniejszy w historii *Príncipe de Asturias*.

Kiedy przygotowania do rejsu jeszcze trwają, odwiedza z Rondelem klasę emigrantów. To najbardziej go martwi. Od tej chwili na nim spoczywa odpowiedzialność za bezpieczne przewiezienie tych mężczyzn i kobiet do kraju przeznaczenia.

Ci ludzie sami się podzielili zgodnie ze swoim pochodzeniem: po jednej stronie Żydzi, po drugiej dezerterzy, w innym miejscu wieśniacy i robotnicy. Uwagę kapitana przykuwa grupa młodych i ładnych kobiet.

– To Żydówki, prawda?

– Tak, kapitanie, wie pan, po co je zabierają. Nic nie możemy z tym zrobić. Mają opłacone bilety.

– Kto ich pilnuje?

– Bardzo wysoki mężczyzna, który podróżuje pierwszą klasą.

– Niech mu się uważnie przyglądają. Jeśli tknie palcem choćby jedną z nich, wrzucimy go do karceru. Urządzimy mu piękną podróż.

Pozdrawia Giulia i pozostałych Włochów. Przedstawiają mu werbownika brazylijskiego rządu, odpowiedzialnego za dwudziestoosobową grupę mężczyzn, którzy wsiedli na statek w Barcelonie, a do których dołączy jeszcze pięćdziesięciu w Almerii. Grupie zakonnic podróżujących drugą klasą wyjaśnia, jak będzie przebiegać podróż.

– Podczas tego rejsu prawie nie ma dzieci.

– Bardzo niewiele, tylko żydowskie. Więcej wsiądzie w Almerii i Las Palmas, wie pan przecież, że stamtąd emigruje najwięcej rodzin.

Całe rodziny, które pragną zacząć nowe życie w Nowym Świecie. Lotina chciałby, żeby im wszystkim wiodło się lepiej niż w tym, który opuszczają.

Chociaż ogromne salony i luksusowe kajuty robią wrażenie, niemal wszyscy pasażerowie wychodzą na pokład, żeby się przyglądać, jak statek opuszcza barceloński port. Nabrzeże nadal jest pełne ludzi: dokerów, osób odprowadzających swoich bliskich, gapiów, złodziei próbujących okraść spieszących się pasażerów.

Miasto stopniowo się oddala: jego góry, jego ulice, jego zabytki... W głębi można już dostrzec szkielet jednej z wież przyszłej katedry Sagrada Familia. Wielu pasażerów macha chusteczkami do czasu, aż tracą z oczu swoich krewnych.

Pierwsza klasa już się wypełniła, w drugiej niektóre kajuty pozostały nadal wolne, a trzecia i klasa emigrantów są teoretycznie puste, aczkolwiek w rzeczywistości na dolnym pokładzie płynie co najmniej trzysta osób.

Najważniejszym podróżnym ze wszystkich pasażerów jest don Eduardo Sagarmín, markiz de Aroca, specjalny wysłannik Jego Królewskiej Mości króla Alfonsa XIII. Lotina powitał go, gdy wchodził na pokład. Nie sprawił na nim wrażenia bardzo trudnego pasażera, aczkolwiek z arystokratami nigdy nic nie wiadomo: jeden może okazać się miły, inny nie do zniesienia. Ostatnio wiele pisano o markizie w gazetach z powodu pojedynku, trzeba się będzie upewnić, że nie jest człowiekiem skorym do bronienia swojego honoru z powodu byle głupstwa. Nie jest on jednak jedynym ważnym pasażerem. Na pokładzie jest kilku hiszpańskich milionerów rezydujących w Ameryce Południowej, nowy amerykański konsul w Santosie, młoda kobieta o zjawiskowej urodzie, podobno artystka z Madrytu... Jak zwykle podczas rejsów *Príncipe de Asturias*.

Niektórzy z pasażerów zajmujący kajuty pierwszej klasy rozsiadają się w wielkich salonach wyściełanych perskimi dywanami, wyposażonych w meble najwyższej jakości, korzystają z krytego przejścia prowadzącego do biblioteki, palarni czy sali muzycznej. Tam już gra pianista – będzie im umilał długie, monotonne godziny trzyipółtygodniowego rejsu – a kelnerzy roznoszą szampana. Pasażerowie odwiedzili już swoje luksusowe kajuty z własnymi salonami i łazienkami, które sprawią, że ich pobyt na statku będzie równie komfortowy jak w luksusowym hotelu. Stewardesy rozpakowały bagaże i rozlokowały najważniejszych pasażerów, którzy są uważani za gości. Kucharze już zaczęli przygotowywać wykwintne dania na pierwszą kolację; przez cały rejs nie ustaną w wysiłkach, aby wszyscy, którzy wykupili drogie bilety na podróż najbardziej luksusowym statkiem Kompanii Żeglugowej Pinillos, opuścili pokład zadowoleni.

* * *

– Co tutaj robisz tak ubrany?

Gabriela ogromnie się ucieszyła, przez całe popołudnie nie mogła bowiem spotkać się z Giuliem. Teraz natyka się na niego, ubranego w elegancki frak, w jadalni pierwszej klasy: jest jedną z osób zaproszonych do kapitańskiego stolika.

– Kapitan Lotina kazał mi go pożyczyć. Widocznie mają na statku galowe stroje dla pasażerów, którzy okazali się nieprzewidujący. Elegancko wyglądam?

– Lepiej, niż gdyby uszyto ci go na miarę.

– Nigdy nie miałem na sobie czegoś podobnego.

– Powiedzieć ci prawdę? Ja również nie miałam na sobie takiej sukni. Nawet ślub wzięłam w czarnej, którą miałam zamiar później jeszcze nosić, bo wtedy nie myślałam o tym, że jestem bogata.

Oboje widzą karteczki ze swoimi nazwiskami, Gabriela Roselló – nie napisano, że jest panią Esteve – oraz Giulio Bovenzi, na stole głównej jadalni pierwszej klasy, która już zapełnia się elegancko ubranymi pasażerami. Podczas gdy kolacja trwa w najlepsze, *Príncipe de Asturias* płynie do Walencji, gdzie ma zawitać o świcie.

– Czy można nawigować nocą, kapitanie?

– Zawsze tak robiono, określano położenie statku względem gwiazd. A teraz mamy instrumenty nawigacyjne, które nam to ułatwiają. Niech się państwo nie martwią, dysponujemy najnowocześniejszymi osiągnięciami techniki, tak że raczej nic nie powinno nas spotkać.

– Nie powinno? Zbytnio mnie to nie uspokaja.

– Nigdy nie można mieć stuprocentowej pewności. Dopóki nie usłyszy pani, jak mówię, że płyniemy, stosując nawigację zliczeniową, może się pani nie martwić. A nawet w takim przypadku jest mało prawdopodobne, żeby coś nam się przydarzyło.

Pasażerowie, którzy zasiądą przy stole kapitańskim, zostali wybrani przez samego Lotinę. Są to: Giulio i Gabriela; wysłannik króla Hiszpanii, Eduardo Sagarmín, markiz de Aroca; pasażerka, o której zaproszenie ten wyraźnie poprosił, Raquel Chinchilla, kobieta tak piękna, że wszyscy mężczyźni odwracają głowy, widząc, jak wchodzi; małżeństwo Basków mieszkających w Urugwaju, pań-

stwo Aguirre; Alicia Ramos, młoda Argentynka, córka Galisyjczyków z Lugo; Alicia zastępuje nowego amerykańskiego konsula
w Brazylii, pana Deichmanna, który przeprasza za nieobecność,
usprawiedliwiając ją bólem głowy.

Sala jest prawie pełna. W Barcelonie wsiadło siedemdziesiąt lub
osiemdziesiąt osób. Piętnastu kelnerów, około piętnastu, jak nali-
czyła Gabriela, krząta się, podając bulion, przystawki już znajdują
się na stołach. Dalej w menu przewidziano szparagi, łososia, po-
lędwicę wołową z ziemniakami i groszkiem, tort San Marcos oraz
inne desery.

Podczas gdy biesiadnicy zajmują miejsca, Gabriela może spokojnie zamienić z Giuliem kilka słów.

– Mało brakowało, a nie wsiadłabym na statek. Zmarł pan
Quimet, ojciec Nicolau. Powiedziano mi, że być może mój mąż
postanowi przenieść się do Hiszpanii, poradzono mi więc, żebym poczekała, by się co do tego upewnić.

– I co zrobisz?

– Przekupiłam recepcjonistę w hotelu, żeby twierdził, iż list dotarł już po moim wyjeździe.

– Jeśli twój mąż przypłynie, miniecie się na pełnym morzu.

– Daj Boże. I oby nigdy nie wrócił do Argentyny. Może nigdy
go nie poznam. Znajdę cię i poprosimy, żeby przydzielono nam
ziemię w głębi kraju. Zostaniemy gauczami, jak mówi ten twój
towarzysz.

– Byłabyś w stanie żyć z dala od morza? Nie sądzę.

Kiedy wszyscy już usiedli i podano bulion, Gabriela i Giulio
muszą porzucić swoje zwierzenia i snucie planów. Eduardo Sagarmín, najważniejsza osobistość przy stole po kapitanie, pyta o to,
o co każdy chciałby zapytać:

– Czy będziemy mieć dobrą pogodę podczas rejsu, kapitanie
Lotina?

– Miejmy nadzieję, że tak. Niebawem na półkuli północnej
nastanie wiosna, a na południowej kończy się lato. Na wysokości
Brazylii marzec zwykle bywa deszczowy, toteż nie należy się dziwić, jeśli napotkamy silny sztorm. Wszyscy wiemy, że morze jest
nieprzewidywalne. Nie ma jednak powodu do zmartwienia, nie-

wiele statków na świecie może rywalizować w kwestii bezpieczeństwa z tym, na którym się znajdujemy.

– Mimo przeklętych posągów? Czytałem w gazecie, że są na pokładzie.

Pan Aguirre, baskijski milioner mieszkający w Montevideo, zapoznał się z legendą posągów. Do tej pory Gabriela nie wiedziała o ich istnieniu. Bawi ją, że tak potężni mężczyźni mogą się bać skutków rzekomej klątwy.

– No cóż, panie Aguirre, o to powinien pan zapytać pana Sagarmina, który sprawuje pieczę nad owymi rzeźbami. Ja zupełnie tym się nie martwię.

– Zapewniam pana, że nic nam z ich strony nie grozi. Jego Królewska Mość król Alfons Trzynasty jest moim przyjacielem i nie wysłałby mnie z nimi do Buenos Aires, gdyby wiązało się z tym jakieś niebezpieczeństwo. Nie podarowałby ich również bratniemu krajowi, jakim jest Argentyna. A nawet gdyby, to z pewnością straciły już zdolność wywoływania nieszczęść: zostały zneutralizowane.

Przy stole toczą się rozmowy. Gabriela utwierdza się w przekonaniu, że Raquel, kobieta, która, jak jej się wydaje, towarzyszy markizowi de Aroca, jest artystką, chociaż nie ma całkowitej jasności, czy jest śpiewaczką czy aktorką. Okazuje się, że druga kobieta, Alicia, mieszka w Buenos Aires. Gabriela także się przedstawia i opowiada o swoim mężu. Ze zdziwieniem stwierdza, że Café Palmesano musi być ważnym miejscem, jako że owa dziewczyna ją zna.

– Oczywiście, że znam tę kawiarnię, znajduje się w dzielnicy Recoleta. To wielki i elegancki lokal. Nie bywam tam często, gdyż mieszkam w innym rejonie miasta, lecz wszyscy w Buenos Aires znają Palmesano.

Po posiłku kelnerzy podają likiery. Zanim biesiadnicy wstaną od stołu i przejdą do palarni, sali balowej, gdzie za kilka minut zacznie grać orkiestra, biblioteki, sali gier lub innych miejsc, gdzie można się rozerwać, kapitan musi wygłosić mowę powitalną. Zwykle wita jedynie pasażerów pierwszej klasy, tym razem zamierza powitać wszystkich pasażerów, także tych drugiej i trzeciej klasy. Jego zdaniem wszyscy podróżują razem. Jeśli Bóg ma ulitować się nad duszami pasażerów, nie będzie zwracał uwagi na ich pochodzenie.

Wszyscy mają prawo poznać swojego kapitana, człowieka, który będzie czuwał nad ich życiem w ciągu następnych tygodni.

– Szanowni państwo, jestem kapitan Lotina. To ja odpowiadam za to, byśmy w możliwie najprzyjemniejszy sposób dotarli do celu. Pragnę powitać państwa na pokładzie *Príncipe de Asturias*, statku należącego do Kompanii Żeglugowej Pinillos. Nie chcę państwa zanudzać technicznymi szczegółami, lecz jeśli chcą się państwo czegoś dowiedzieć, proszę pytać mnie lub któregokolwiek z członków załogi. Powiem państwu jedynie, że nasz statek ma wszelkie systemy zabezpieczeń, jakie umożliwia dzisiejsza technika: kadłub jest podzielony kilkoma wodoszczelnymi grodziami, na całej długości ma podwójne poszycie, podzielone na zbiorniki balastu wodnego, które mogą się niezależnie wypełniać lub opróżniać, tym samym zapewniając stabilność statku w każdych warunkach. Oznacza to, że chociażby do jednego z sektorów wdarła się woda, reszta pozostanie zamknięta i nie zajdzie niebezpieczeństwo zatonięcia.

Rozlegają się oklaski i kapitan czuje się zmuszony do przerwania swojego krótkiego wykładu. Daje się zauważyć, że jest człowiekiem nienawykłym do tego rodzaju gromkich przejawów podziwu, osobą, która lepiej czuje się, patrząc rozmówcy w oczy. Po chwili może podjąć:

– Mamy również łodzie ratunkowe dla wszystkich pasażerów. Będziemy przeprowadzać ćwiczenia, by nauczyć wszystkich, jak z nich skorzystać podczas hipotetycznej konieczności. Jeszcze jedna kwestia, niezwiązana z bezpieczeństwem: będą państwo musieli przesuwać zegarki, w miarę jak będziemy się zbliżać do celu. Będziemy państwa o tym informować w stosownym czasie. I jedna ciekawostka: rok tysiąc dziewięćset szesnasty jest rokiem przestępnym, dwudziesty dziewiąty lutego spędzimy na morzu. Proszę się nie martwić, tego dnia nigdy nie zaobserwowano zmiany w zachowaniu statków, fal ani sztormów. To wszystko: pozostaje mi tylko życzyć państwu, by nie cierpieli na chorobę morską, a gdyby tak się stało, proszę się oddać w ręce służb medycznych. Ich pracownicy będą umieli udzielić państwu pomocy i dobrych rad. Życzę państwu miłej podróży.

Ponownie rozlegają się oklaski i pasażerowie zaczynają wstawać z miejsc, wielu mężczyzn pragnie bowiem pójść zapalić swoje wielkie cygara, a kobiety chętnie przechodzą do sali muzycznej, gdzie gra orkiestra. Giulio i Gabriela idą do mniej uczęszczanego miejsca, do biblioteki.

– Moja kajuta jest wspaniała, ma nawet salonik. Wyobrażałam sobie, że będzie mniejsza.

– Płyniesz pierwszą klasą, a bilet kosztował fortunę, to normalne, że dobrze cię traktują.

– Jak się podróżuje trzecią klasą? Bardzo niewygodnie?

– Nie, poza tym kapitan obiecał, że jeśli będzie wolne miejsce, kiedy opuścimy Las Palmas, przeniesie mnie i moich kolegów do sześcioosobowej kajuty w drugiej klasie. Ale w trzeciej klasie jest sporo miejsca i mamy wszystko, czego nam potrzeba. Chociaż nie sądzę, by dzisiaj podano tam taką wystawną kolację jak tu. Moi koledzy będą mi zazdrościć.

Gabriela bardzo lubi przebywać z Giuliem. Poza tym przy nim nie musi udawać, wie o niej wszystko, nawet to, z czego nigdy nikomu innemu się nie zwierzy. Cieszy się, że jest jej towarzyszem podróży, i coraz częściej wyobraża go sobie jako towarzysza życia.

– Zaprowadź mnie na dolny pokład. Chcę zobaczyć trzecią klasę. Nią właśnie będę wracać do Hiszpanii.

– Nie mów tak.

– Dlaczego nie? A jeśli mój mąż dowie się o wszystkim?

– Nie dowie się, nie martw się. Jeśli chcesz, pokażę ci, jak się podróżuje trzecią klasą. Żałuję jedynie, że nie ma tam tylu książek co tutaj.

– Wybierz sobie, którą chcesz, powiem, że ja ją pożyczyłam. A zwrócisz po przeczytaniu.

Giulio szuka i wybiera książkę o Buenos Aires.

– W ten sposób poznamy miasto, nim tam dotrzemy.

– Będziemy mogli się tam widywać?

– Jestem pewien, że tak.

Gabriela także jest tego pewna. Odkąd poznała Giulia, przestała myśleć o Enriqu.

* * *

– Drogi Gasparze, rozgościł się pan już?

Gaspar i Eduardo, w towarzystwie Mercedes i Raquel, spotykają się przypadkiem w sali balowej. Kobiety natychmiast przypadają sobie do gustu i oddalają się, żeby poplotkować, toteż oni mogą porozmawiać o pojedynku, który zbliżył ich do siebie.

– Przyznaję, że w tamtej chwili wydało mi się to głupotą, później jednak to przemyślałem, przyznałem panu rację i uznałem pańską logikę. Rozważałem to nawet jako wyjście z pewnej trudnej sytuacji.

– Proszę mi o tym opowiedzieć, Gasparze, nie wyobrażam sobie pana ze szpadą w ręku.

– Och, nie ze szpadą, co za pomysł! Jestem plebejuszem, aż nadto wystarczyłby pistolet. Proszę pana tylko o grzeczność, niech to zostanie między nami. Proszę nie mówić tego mojej żonie.

Gaspar opowiada mu o groźbach wojskowych, o pobiciu w sylwestrową noc – chociaż nie przyznaje się, że tuż przed tym zdarzeniem widział jego towarzyszkę nagą w teatrzyku na ulicy Alcalá – i o ponownym spotkaniu z majorem Pacheco, byłym narzeczonym swojej żony…

– Pomyślałem, że kilka minut z pistoletem w ręku, na dobre czy na złe, będzie mniej uciążliwe niż ciągłe życie w strachu.

– To prawda. Chociaż major jako wojskowy na pewno świetnie posługuje się bronią palną. Nie pomyślał pan o tym?

– Uważam, że pragnienie jest równie ważne jak celność. Nie bałem się o wynik, a tylko o to, że tchórzostwo nie pozwoli mi zareagować.

– Cały czas powtarza pan, że jest tchórzem, a nie sądzę, by był nim ktoś, kto potrafi pisywać takie felietony.

– Wyznam panu coś, czego nigdy nikomu nie mówiłem: sądzę, że to nie ja je piszę. Kiedy siadam przed maszyną, chcę napisać coś, co oszczędzi mi kłopotów, co nikogo nie zdenerwuje. Wtedy jednak opanowuje mnie jakaś nieznana siła i każe mi przelać na papier to, co naprawdę myślę.

– A zatem ja także panu coś wyznam, Gasparze: ta siła nazywa się odwaga. Nie różni się od tej, którą mają inni. Faktem jest jednak, że pan jest bardziej świadomy chwili, kiedy się pojawia. Tylko to. Niech pan przestanie powtarzać, że jest tchórzem, gdyż wcale pana za niego nie uważam.

Sala balowa wypełniła się, są tam też Max i Sara, ta jakże dziwna para, która jadła kolację przy tym samym stoliku co Gaspar i Mercedes. Ona nie zna tanecznych kroków, lecz ma poczucie rytmu i daje się zauważyć, że dobrze bawi się z mężem, że jest szczęśliwa, tańcząc z nim w tym doborowym towarzystwie, chociaż, co również da się zauważyć, żadne z nich do niego nie należy. Gaspar zwraca na nich uwagę Eduarda.

– Niech pan spojrzy na tę parę. Czy słyszał pan o „Warszawie"?

– Stolicy Polski?

– Nie, argentyńskiej organizacji.

Będąc w Sankt Petersburgu, Sagarmín spotkał się z wieloma sytuacjami, o jakich przeciętny Hiszpan nie ma pojęcia. Widział między innymi, jak trudne jest życie Żydów na wschodzie Europy. Miał okazję odwiedzić kilka sztetli w pobliżu miasta, nauczył się paru słów w jidysz, podziwiał kulturę, chęć zdobywania wiedzy i upór w podtrzymywaniu tradycji tego narodu, który doznał tylu prześladowań. Dowiedział się również o nieskończonych represjach i próbach, jakim jest poddawany. Nie zna „Warszawy", lecz owszem, zna kryjący się za nią problem.

Gaspar Medina dość dobrze zaznajomił się z problemami, z jakimi może się zetknąć w Buenos Aires. Jednym z faktów, który najbardziej przykuł jego uwagę, jest wielka liczba domów publicznych kontrolowanych przez Warszawskie Towarzystwo Wzajemnej Pomocy „Warszawa" działające w Avellanedzie i Buenos Aires. Gdy dowiedział się o jego istnieniu, natychmiast pomyślał, że powinien trzymać się od niego z daleka, jeśli chce spokojnie żyć, niemniej jednak już czuje siłę, która skłoni go do napisania o nim, tę, którą Sagarmín nazywa odwagą.

– Ta rudowłosa dziewczyna? Nie sprawia wrażenia, jakby była z nim z przymusu, to znaczy, wygląda na szczęśliwą i zakochaną.

– Nie sprawia wrażenia, to prawda, lecz coś mi mówi, że jest więźniarką, która nie chce sprzeciwić się swojemu strażnikowi.

Siedzieli z nami podczas kolacji. On doskonale mówi po hiszpańsku, z argentyńskim akcentem, a ona nie zna ani słowa. Nie za-
przeczy pan, że on wygląda na stręczyciela...

– Owszem, ale ona wygląda na zwykłą wieśniaczkę.

– Zapewniam pana, że gdyby zdjęła to odzienie, byłaby najpiękniejszą kobietą na statku, oczywiście z wyjątkiem pana towarzyszki, panny Chinchilli.

Eduardo obserwuje ją, ocenia i dochodzi do wniosku, że może
to prawda, może powinien przyznać, że Gaspar Medina ma dobre
oko do wykrywania kobiecej urody.

– Mówię trochę po rosyjsku, może podczas rejsu będziemy
mieć okazję pogawędzić z tą dziewczyną, kiedy mąż nie będzie jej
pilnował. Może powie nam, czy faktycznie płynie do Argentyny
z przymusu.

Mercedes i Raquel domagają się ich uwagi, toteż muszą zakończyć rozmowę. Obie pary dołączają do balu. Mercedes dokłada starań, żeby Gaspar poruszał się w rytm muzyki, natomiast Eduardo
i Raquel są doskonałymi tancerzami.

– Wszyscy myślą, że jesteś moją żoną.

– Wstydzisz się, że wiążą cię z jakąś kuplecistką?

– Nigdy nie czułem większej dumy.

Sagarmín, z szacunkiem – może większym, niż się spodziewała – żegna się z Raquel przy drzwiach jej kajuty.

– Co ty na to, byśmy jutro razem zjedli śniadanie?

Raquel nie widziała jeszcze apartamentu Eduarda, chociaż jest
pewna, że pozna go, nim dotrą do celu podróży. Wygląda przez
bulaj – bo, jak jej powiedziano, tak właśnie nazywa się okno na
statku – lecz niczego nie widzi. Mimo że noc jest ciemna, Raquel
myśli, że jej przyszłość zaczyna się rozjaśniać. Ma tylko nadzieję,
że się nie myli.

* * *

– Pojedziemy tym samochodem.

Nicolau od trzydziestu lat mieszka w Buenos Aires i szczyci się,
że zna wszystkie bez wyjątku jego dzielnice. Samochód, który pro-

wadzi inny mężczyzna, ubrany tak samo jak ten, który zaczepił go w tramwaju, kieruje się ku Avellanedzie, poza dzielnicą Boca. Zatrzymują się na ulicy generała Bartolomé Mitre przed cuchnącym, obdrapanym budynkiem. Nicolau dziwi się, że miałoby to być miejsce, gdzie pracuje Trauman, nieraz słyszał o pałacyku, który zajmują Żydzi z „Warszawy". A może wcale nie wiozą go na spotkanie z szefem stręczycieli? Wchodzi do budynku przekonany, że nie wyjdzie z niego żywy.

– Dzień dobry, Nicolau, muszę ci podziękować, że byłeś tak miły i przyszedłeś ze mną porozmawiać.

– Posłaniec, którego pan wysłał do mnie z zaproszeniem, potrafił być przekonujący.

– Mam nadzieję, że nie był niemiły. Wie pan przecież, jacy jesteśmy, my, Żydzi, nie umiemy zachować się jak ludzie dobrze wychowani: albo jesteśmy bardzo ulegli, albo zbyt gwałtowni, nigdy pośrodku. Proszę spocząć. I niech pan wybaczy takie tymczasowe wyposażenie. W rzeczywistości posiadamy luksusowy budynek na ulicy Córdoba, lecz tam byłbym zbyt narażony w tych trudnych czasach, jakie nadchodzą.

Gabinet, jeśli można tak to nazwać, jest wewnętrznym pomieszczeniem na parterze, z oknem wychodzącym na zaniedbane patio, na którym Nicolau widzi wypatroszony fotel i komodę, z której ktoś wyjął wszystkie szuflady. W pokoju znajduje się tylko stół zasłany niezbyt porządnie poukładanymi papierami i dwa krzesła.

– W czym mogę panu pomóc, panie Trauman?

– W wielu sprawach, jakie zaraz panu przedstawię. Powiedziano mi, że Miriam, dziewczyna, którą panu podarowałem, nie jest już dziwką, że jest teraz, ni mniej, ni więcej, szefową pańskiej kawiarni...

– To bardzo inteligentna kobieta. Tak mi ją pan wychwalał, że kiedy potrzebowałem kobiety, której mógłbym zaufać, pomyślałem o niej.

– Mądra decyzja, drogi Nicolau. Jakie znaczenie ma przeszłość, jeśli ludzie posiadają zalety, dzięki którym są przydatni? Ja często tak postępuję z moimi pracownicami: te, które się starzeją i przestają się podobać mężczyznom, zostają szefowymi burdeli, oczywiście jeśli mają po temu warunki. Niech pan nie sądzi, że zawahają się przed użyciem siły w stosunku do dawnych koleżanek, często są surowsze niż niejeden mężczyzna z organizacji.

– Prawie nic nie wiem na temat organizacji.

Nicolau pożałował tych słów, gdy tylko je wypowiedział, miał to być tylko zdawkowy zwrot, a teraz Trauman wbił w niego swoje zimne niebieskie oczy. Nie jest to człowiek, przy którym można popełniać błędy. Musi sprostować to, co powiedział:

– To znaczy… doskonale wiem, czym jest Warszawskie Towarzystwo Wzajemnej Pomocy, nie znam jednak jego wewnętrznej struktury.

– Da pan wiarę, że Polacy nalegają, byśmy zmienili nazwę? Mówią, że to, iż nazywamy się „Warszawa", jest dla nich obrazą. Nie chcą nas u siebie, a teraz martwią się swoim wizerunkiem… Gdyby nie dopuszczali się pogromów w naszych dzielnicach i wioskach, nie musielibyśmy stamtąd wyjeżdżać, a oni nie musieliby się martwić swoim wizerunkiem. Nie sądzi pan?

Nicolau nie wie, jak reagować na liczne retoryczne pytania swojego rozmówcy, które sprawiają jedynie, że czuje coraz większe zdenerwowanie. Woli milczeć.

– Mówi mi pan, że nie zna naszej wewnętrznej struktury. Trudno mi w to uwierzyć, ale nie mam powodu sądzić, że chce mnie pan okłamać, drogi Nicolau. Mimo to wyjaśnię ją panu, a przynajmniej część, która pana interesuje, żeby mógł pan podążać za resztą mojej prośby. Tutaj, w „Warszawie", bo na razie organizacja nadal się tak nazywa, rozkazuję ja. Nie ma w niej żadnej demokracji, nie ma wyborów, nie ma głosowań, oto co jest: zapewniamy naszym członkom wielkie korzyści, a oni powinni uszanować fakt, że ja stoję ponad wszystkimi. Wiedział pan to, prawda?

– Tak, wie o tym każdy, kto mieszka w tym mieście.

– Czasami niektórzy o tym zapominają, drogi Nicolau. Czasami zapominają i trzeba im o tym przypominać. Dobrze, idźmy dalej. Rozkazuję ja, a podlega mi wielu ludzi na niższym szczeblu. To właściciele domów publicznych, w których pracują nasze dziewczyny. Zarabiają duże pieniądze i mają dużą władzę. Robią interesy przy wsparciu naszego towarzystwa. Nie tylko burdele, działają we wszystkich możliwych branżach: budownictwo, import, gastronomia. Jeden ma nawet sklep z szynkami. Wyobraża pan sobie polskiego Żyda, który jest właścicielem sklepu z szynkami? Otóż mam takiego, ale przysiągł mi, że nigdy nie próbował świńskiego mięsa. À propos nie zaproponowałem panu nic do picia. Kawy, piwa, może szklankę wody?

– Nie, bardzo dziękuję, panie Trauman.

– Proszę mi mówić po imieniu. Bez ceremonii. Powiedziałem panu, że na tym niższym szczeblu jest wiele osób. Od czasu do czasu ktoś chce wejść wyżej. Lecz, oczywiście, na najwyższym szczeblu jestem ja. Więc musi mnie zepchnąć. A ja się nie daję. Pan by się dał, Nicolau?

– Oczywiście, że nie.

– Otóż to, widzę, że mnie pan rozumie: ja się nie daję. To bolesne. Wie pan, dlaczego? Ci ludzie docierają tak wysoko dzięki mnie. To moi przyjaciele, niemal bracia lub synowie. Kiedy chcą mnie wysadzić z siodła, muszę ich wyeliminować. Nie lubię tego: tracę współpracownika i kogoś, do kogo czuję wielki szacunek. No i jestem osobiście rozczarowany, to oczywiste. I coś panu powiem, Nicolau: zawsze jestem gotów wybaczyć. Jeśli ktoś opuścił swoje miejsce i spojrzał pożądliwie na moje, wybaczam. Jeśli pomyślał, że ja zajmuję miejsce, które jemu się należy, lecz w porę się pokaja, dziękuję mu i nie biorę odwetu. Wybaczam mu i ściskam go, kiedy przychodzi złożyć mi uszanowanie. Wielu powiada, że to oznaka słabości, lecz taki już jestem. Rozumie mnie pan?

– Doskonale.

– I zrozumiał pan, co powinien zrobić, kiedy stąd wyjdzie?

– Tak, panie Trauman.

– Noé, niech pan mówi do mnie Noé. Chociaż nie jest pan Żydem, uważam pana za jednego z nas, za wielkiego przyjaciela.

– Tak, Noé.

– Niech więc pan idzie i to zrobi, ja będę panu za to dozgonnie wdzięczny. I niech się pan cieszy tą dziewczyną, Miriam. To wyjątkowa kobieta.

Ci sami mężczyźni, którzy przywieźli go do tego budynku w dzielnicy Avellaneda, odwieźli go do Café Palmesano. Nicolau był pewny, że nie umiałby tam wrócić.

– W jakiejś norze na ulicy generała Mitre?

– Tak, niedaleko Barracas.

– Znam to miejsce. To znaczy, że się boi. Ukrywa się tam.

– Odniosłem wrażenie, że można o nim powiedzieć wszystko, tylko nie to, że się boi, Mosze. Wydał mi się bardziej przerażający i spokojniejszy niż kiedykolwiek. Proponuje ci pokój.

Nicolau nie ma wątpliwości, że Traumanowi chodziło o to, by przekazał Benjaminowi, że ma zaniechać wojny, która spowoduje konsekwencje dla nich obu. Choć nie byli umówieni, Nicolau wyszedł z Palmesano i poszedł go szukać. Znalazł go w jednym z jego domów publicznych w Once.

– Boi się, ukrywa się i chce uniknąć wojny. To dziwne, że okazuje taką słabość. Dlaczego?

– Może dlatego, że nie jest słaby, Mosze. Może nie musi okazywać siły, ponieważ ją ma.

– Znam go, gdyby był silny, tylko jedno chodziłoby mu po głowie: zmasakrować mnie.

– Dlaczego z tego nie zrezygnujesz?

– Ponieważ to moja chwila, a człowiek nie może przymykać oczu, kiedy nadchodzi jego chwila. Wszystko jest przygotowane, Nicolau. Zostaniemy panami tego miasta.

Jest już ciemno, kiedy Nicolau dociera do domu, nie wysławszy Miriam łóżka, które jej obiecał. Znacznie bardziej smuci go to, że ją rozczarował, niż wszystkie nadchodzące problemy. Czuje, że ma dług w stosunku do tej kobiety, która według Moszego i Traumana należy do niego.

* * *

– Naprawdę nauczyłeś się hiszpańskiego, choć nie wiedziałeś, że pojedziesz do Argentyny? Dlaczego?

Giulio i Gabriela spędzają noce na pokładzie, patrząc w gwiazdy. To dla nich najlepsze chwile. Rozmawiają o wszystkim, o swojej przeszłości i swojej przyszłości, o Enriqu i Francesce, o Nicolau, o Sóller, o wojnie, o powieści o gladiatorach, którą pisze stryj Giulia, o zegarku, który wszyscy uważali za bardzo cenny, a teraz znajduje się w jego bagażu.

– Kiedy dotrzemy do Argentyny, podaruję ci naprawdę dobry zegarek. Jeden z tych nowoczesnych, które nosi się na nadgarstku. Widziałeś, że markiz taki nosi?

– Za pieniądze twojego męża? Nie chcę.

Kiedy kapitan Lotina ich sobie przedstawił, ona była już mężatką. On nic nie może zrobić w tym względzie, lecz zdał sobie sprawę, że ją kocha, znacznie bardziej, niż kiedykolwiek kochał Francescę, mimo że ona była przyczyną wszystkiego, co spotkało go od pamiętnej wigilii Bożego Narodzenia. Gabriela także uświadomiła sobie, że Enriq nic już dla niej nie znaczy, nie dlatego, że jest mężatką, lecz dlatego, że poznała Giulia: teraz naprawdę wie, czym jest miłość. Wczoraj, z braku lepszej przyjaciółki, z braku Àngels, wyznała to Pauli.

– No to będzie pani miała problem, kiedy dotrze do Buenos Aires. Mąż będzie na panią czekał w porcie, ciekawe, jak na to zareaguje.

Przez te cztery dni spędzone na statku Gabriela zbliżyła się do stewardesy – wie, iż chce ona zostać modystką, opowiedziała jej także swoim ślubie, o Enriqu, o Nicolau… O wszystkim, tylko nie o tym, co wydarzyło się w obskurnym gabinecie na ulicy Riereta, o tym nie dowie się nikt oprócz Giulia. Paula z kolei opowiedziała jej o swoim zerwaniu z Luisem.

– Lepiej nie marzyć, bo kiedy człowiek marzy, marzenia się nie spełniają. Ani pani nie poślubiła Enriqa, ani ja Luisa. Na pewno dostaną ich inne, które nawet o nich nie myślały.

– Myślisz, że będą szczęśliwi?

– Jeśli o mnie chodzi, mogą być szczęśliwi, nie spędzi mi to snu z powiek. Pragnę tylko, żebyśmy i my znalazły jakichś mężczyzn.

– Ja już znalazłam.

– Pani mąż.

– Nie, Giulio. To z nim chcę spędzić resztę życia.

Tego wieczoru przybijają do portu w Almerii. Spędzą tutaj jedynie kilka godzin, a rano wypłyną w kierunku Kadyksu. Niebawem opuszczą Europę i będą mogli zacząć marzyć o dniu, kiedy ujrzą w oddali amerykański ląd. W nocy, tuż po wpłynięciu do portu, liczna grupa ludzi ukradkiem wchodzi na statek.

– To pasażerowie na gapę. Ja także tak wsiadłem.

– To na pewno nie są dezerterzy. Almeria jest daleko od wojny.

– To zapewne emigranci bez dokumentów. Statek jest ich pełen.

Uwagę Giulia i Gabrieli przykuwa grupa sześciorga dzieci, które idą, trzymając się za ręce. Najstarsze nie ma więcej niż czternaście lat, najmłodsze trzy. Są rodzeństwem i chyba podróżują bez rodziców.

– Możesz się dowiedzieć, kim są te dzieci?

– Spróbuję.

– Bardzo chciałabym im jakoś pomóc. Jeśli to będzie możliwe, pójdę z tobą na dolny pokład. Chcę zobaczyć, jak ludzie podróżują trzecią klasą.

Asunción – Asun, jak mówią do niej bracia – boi się, że któryś z chłopców się zgubi, toteż dziesiątki razy im powtarzała, że dopóki nie dotrą do Montevideo, muszą się trzymać za ręce, a jeśli któryś z nich ją puści, zostanie ukarany. Ma zaledwie trzynaście lat, za tydzień skończy czternaście. Opiekuje się braćmi już od dwóch lat, od chwili, gdy matka wsiadła na podobny statek, żeby dołączyć do ojca, zostawiając ich pod opieką babki. Jednak miesiąc później babka umarła i od tej chwili tylko Asun ich karmi, pilnuje, by chodzili czysto ubrani, i modli się, żeby żaden nie zachorował, gdyż nie wie, co by zrobiła, gdyby tak się stało.

W końcu rodzice zdobyli wystarczająco dużo pieniędzy, by opłacić dzieciom podróż do Urugwaju. Jeszcze trzy tygodnie, tyle bowiem trwa podróż, a będzie mogła zrzucić z siebie odpowiedzialność i cieszyć się tymi niewieloma dniami dzieciństwa, jakie jeszcze jej zostały.

Wszystkiego się boi: tego, że ktoś ich oszuka i ukradnie te kilka peset, jakie im zostały po zapłaceniu za pozwolenie wejścia na statek, że bliźniacy, Manolo i Toño, zrobią jakieś głupstwo i wypadną za burtę, że rodzice nie będą na nich czekać w porcie, a oni zgubią się w nieznanym miejscu. Zbyt długo już zależą od dobroci innych i szczęśliwego trafu: Asun wie – a przynajmniej zaczyna podejrzewać – że nie można bez końca pokładać w tym wiary.

* * *

– Nie, moja żona nie mówi po hiszpańsku. Ale szybko się nauczy.

Sara czuje dumę, widząc, że mąż z taką swobodą rozmawia po hiszpańsku. Stopniowo zaczyna rozumieć niektóre pojedyncze słowa i potrafi powiedzieć „dzień dobry", „dobry wieczór", „dobranoc", „dziękuję". Nalega na Maxa, żeby nauczył ją mówić kilka słów, on jednak nie chce.

– Nauczysz się, tam z początku nie będzie ci to potrzebne. Nikt, kto nie zna jidysz, nie będzie chciał z tobą mówić.

Rejs trwa już od kilku dni. Byli w Walencji, a teraz przybyli do Almerii. Posiłki są tak obfite, że Sara zaczyna wierzyć w to, co Max opowiada jej o Argentynie: że jest tam tyle mięsa, iż można jeść je codziennie. Na samo śniadanie ma do dyspozycji więcej jedzenia, niż jej rodzina miała na cały dzień.

– Nie jedz tak dużo, fajgełe. Jeśli zbytnio przytyjesz, nie będziesz się podobać mężczyznom. Mężczyźni nie lubią ani takich kobiet, które wyglądają jak kij od miotły, ani za grubych. Teraz jesteś w sam raz.

– Jeśli tego nie zjemy, zmarnuje się. Wyrzucą to do morza. To karygodne marnować jedzenie, kiedy na świecie tylu ludzi cierpi głód.

– Nie martw się głodem na świecie, martw się moim interesem. A w moim interesem leży, żeby pragnęli cię wszyscy mężczyźni w Buenos Aires.

Każdej nocy Sara doprowadza Maxa do rozkoszy. Czuje radość, sprawiając mu w ten sposób przyjemność. Nie wstydzi się; robi to wszystko, ponieważ chce, żeby ją wziął, żeby zapomniał o jej ustach i dłoniach, a położył się na niej, żeby w nią wszedł, jak robił to Eliasz. Nie pragnęła tego z pierwszym mężem, a teraz o niczym innym nie myśli. Nic nie sprawiłoby jej większej przyjemności niż zajście w ciążę i danie mu syna, rudowłosego syna silnego jak jego ojciec. Musi się z nią kochać, nim znajdą się w Buenos Aires. Jest optymistką, wierzy, że z każdym dniem zbliżają się do siebie, że to osiągnie: on po kolacji idzie do palarni – Sara sądzi, że gra tam w karty z innymi mężczyznami – lecz budzi ją po powrocie na swoje chwile miłości, podczas których okazuje jej czułość. Wcale nie jest podobny do tego mężczyzny, który wyrzucał ją z łóżka w Odessie.

Nie widziała już więcej kobiet, które wyruszyły z nimi z Odessy. Teraz, po śmierci Estery, są tylko cztery: trzy podróżujące trzecią klasą i ona. Często wspomina Esterę i dziwi się, że jej śmierć nie budzi w niej smutku ani żalu, wprost przeciwnie, czuje ulgę. Pozostałe dziewczyny powinny pogodzić się z tym, co ona od dawna widzi jasno, a czego Estera nigdy nie mogła zrozumieć: że ich przyszłość jest już ustalona, że zostaną prostytutkami w Buenos Aires. Powinny również pojąć, że nie ma dla nich lepszego losu, że z każdym dniem oddalają się coraz bardziej od swoich wiosek, że już nigdy do nich nie wrócą, a poza tym, że nikt tam za nimi nie tęskni. Ci, którzy je zabrali, nie tylko nie wyrządzili im krzywdy, lecz stwarzają im perspektywę na lepsze życie, jakiej nie miały w swoich sztetlach.

– Nie dasz mi tego białego proszku?

Max wydziela Sarze kokainę, żeby wystarczyło jej na całą podróż do Argentyny, mówi, że na statku nie można jej kupić. Ona jednak coraz bardziej jej pragnie. Są takie chwile, kiedy ma chęć zacząć pracować – sypiać z dwustoma mężczyznami na tydzień, jeśli to właśnie musi robić – żeby wydać wszystkie zarobione pieniądze na ten proszek.

– Przepraszam, jest pani Rosjanką?

Sara może się swobodnie poruszać po salonach pierwszej klasy. Na ogół nie robi tego, jeśli nie towarzyszy jej Max, z jednym wyjątkiem: po zapadnięciu zmroku, przed kolacją, lubi wychodzić na pokład, siadać za ogromnymi łodziami ratunkowymi i patrzeć w gwiazdy.

Podchodzi tam do niej jakiś mężczyzna – jeden z najwytworniejszych na statku, który cały czas spędza z przepiękną kobietą, która, jak jej powiedział Max, jest artystką – i przemawia do niej po rosyjsku.

– Nie, Ukrainką. Mówię jednak po rosyjsku.

Mężczyzna przedstawia się jako Eduardo Sagarmín, markiz de Aroca. Dosyć poprawnie mówi po rosyjsku. Najwyżej postawionym mężczyzną, jakiego Sara poznała w życiu, był rabin z synagogi w Nikolewie, toteż nigdy nawet nie śniła, że taka wielka osobistość zwróci się do niej.

– Emigruje pani do Argentyny?

– Tak, z mężem. On stamtąd pochodzi, urodził się w Buenos Aires.

– To ciekawe. Proszę mi wybaczyć pytanie, mam nadzieję, że nie wyda się to pani niedelikatnością i impertynencją, lecz jak poznali się Argentyńczyk i Ukrainka?

– Przedstawiła nas sobie szadchan. To ona zaaranżowała nasze małżeństwo przed prawie dwoma miesiącami.

Szadchan, żydowska swatka, to właśnie chciał wiedzieć Sagarmín. Od kilku dni, kiedy Gaspar pokazał mu tych dwoje w sali balowej, szuka sposobności, by porozmawiać z tą dziewczyną.

– Wyobrażam sobie, że cieszy się pani z wyjazdu do nowego kraju.

– Bardzo. Mój mąż opowiadał mi o Buenos Aires tyle wspaniałych rzeczy, że nie mogę się doczekać dnia, kiedy się tam znajdę.

Sagarmín nie zna nazwiska jej męża, lecz sądząc po jego wyglądzie, jest to mężczyzna, który prowadzi nocne życie i czerpie zyski z kobiet: ubranie, spojrzenie, sposób, w jaki tańczy z nią w sali balowej, nawet wąsik zdobiący jego górną wargę, wszystko to przywodzi na myśl alfonsa. Ona – piękna mimo tych manier i tanich sukien – także zwraca jego uwagę. Sprawia wrażenie uległej, lecz równocześnie ma czyste i inteligentne spojrzenie. Teraz, kiedy rozmawia z nią po rosyjsku, zdaje sobie sprawę, że nie jest ciemną kobietą, używa wyrażeń świadczących o tym, że jest inteligentniejsza, niż można by się spodziewać po chłopce.

Do tej pory nie miał okazji spotkać się z nią na osobności. Musi zdobyć jej zaufanie, nie wzbudzając podejrzeń co do swoich intencji, nie chce, żeby mężczyzna, który, jak ona utrzymuje, jest jej mężem, uniemożliwił mu dalszy kontakt z nią.

– Nie powiedziała mi pani, jak ma na imię.

– Sara, mój mąż to Max Szlomo. Pochodzę ze sztetla o nazwie Nikolew. To mała wieś, w pobliżu Odessy, o której nikt nie słyszał.

Z taką dumą wymawia nazwisko męża, że Sagarmín zaczyna wątpić. Może naprawdę jest to małżeństwo zaaranżowane przez żydowską swatkę i nie ma nic wspólnego z handlem kobietami? Ma czas, żeby się o tym przekonać.

– Nigdy nie byłem w Buenos Aires, może któregoś dnia zechcielibyście państwo zjeść ze mną lunch albo kolację. Pani mąż pomógłby mi wyrobić sobie pogląd na temat tego miasta.

– Max zna je doskonale. Zna wiele krajów na świecie: Polskę, Rosję, Turcję, Włochy… Poproszę go, żeby opowiedział panu o Buenos Aires.

– Oddałby mi wielką przysługę. Kiedy następnym razem spotkamy się w jadalni, przedstawię się pani mężowi.

Ta dziewczyna, Sara, mówi o swoim mężu z prawdziwymi podziwem i oddaniem. Nie zgadza się to Eduardowi z postawą uprowadzonej kobiety. Może Gaspar się pomylił, chociaż tak jest pewny swego.

– Mężczyzna mówiący po rosyjsku? Kim był?

– Powiedział mi, że jest wysłannikiem króla Hiszpanii i że któregoś dnia chciałby zjeść z nami lunch albo kolację, żebyś opowiedział mu o Buenos Aires.

Max jest nieufny: człowiek z wyższych sfer nie zadaje się z kimś takim jak on. Sara nie dostrzega takich różnic, on jednak tak. Jest tylko synem żydowskiego krawca z dzielnicy Once, który zajmuje się oszukiwaniem kobiet, żeby zostały prostytutkami w burdelach jego przyjaciela Moszego Benjamina. Jedyne osoby z tak wysokich sfer, jakie poznał, to sędziowie i politycy towarzyszący Traumanowi podczas licytacjach w Café Parisien.

– Po co miałbym z nim rozmawiać?

– Sprawia wrażenie miłego człowieka.

– Nie podoba mi się, że rozmawiasz z jakimiś mężczyznami pod moją nieobecność.

Czy to zazdrość? Jeśli jest zazdrosny o mężczyznę, który zagaduje ją na statku, to na pewno nie sprzeda jej po przybyciu do Buenos Aires. Sarze źle się teraz wiedzie, znosi wiele upokorzeń, ale w końcu zatriumfuje.

Max się nudzi, podobnie jak wszyscy pasażerowie *Príncipe de Asturias*. W pierwszych dniach wszystko jest nowością, nawet widok delfinów baraszkujących wokół statku. Kiedy człowiek już się tym zmęczy, pozostaje mu niewiele zajęć: codzienny seks z Sarą – dziewczyna potrafi zrobić użytek ze swoich ust, zarobi na niej sporo pieniędzy, może będzie mógł żądać za to pięć peso, jak sobie liczą Francuzki, a nie dwa, jak Żydówki; musi omówić to z Moszem po przybyciu do Buenos Aires – partie kart rozgrywane z trzema Argentyńczykami, z których jeden jest katolickim księdzem, obiady i kolacje. Na pokładzie nie ma nic innego do roboty.

Pozostałe trzy kobiety zachowują się bardzo spokojnie. Kiedy zginęła Estera, uspokoiły się i pogodziły z losem. Niech będzie przeklęty dzień, gdy swatka z Jekatierinosławia poleciła mu Esterę. Dziewczyna upierała się, że okłamali jej rodziców, żeby ją zabrać, lecz tak nie było, jej własny ojciec, który miał karciane długi, sam zaproponował ją jako rekompensatę. Jeśli Max znowu pojedzie na Ukrainę, wróci do jego wioski, żeby domagać się zwrotu pieniędzy. Martwi się tylko Jacobem. Olbrzym jest bardzo przydatny, kiedy pojawiają się kłopoty, lecz jego pijackie ekscesy sprawiają, że staje się większym zagrożeniem niż pomocą. Nie zabierze go następnym razem i poradzi Moszemu, żeby nie przyjmować Jacoba do organizacji. Mówi się, że są żydowscy gauczowie, że niektórzy Żydzi przyjęli ofertę argentyńskiego rządu, który rozdaje ziemię ludziom gotowym wyjechać w głąb kraju i tam pracować. Podobno jeżdżą konno i używają lassa do powalania bydła, tak samo jak każdy inny gauczo, a jedyną różnicą jest to, że spod ich skórzanych kamizelek wystają frędzle cicit. To byłoby doskonałe zajęcie dla Jacoba: żyłby na wolności, nie musiałby rozmawiać z ludźmi i mógłby spać pod gwiazdami, co lubi robić, kiedy zbytnio nie dokucza mu chłód.

* * *

– Oto jest, to *Príncipe de Asturias*.

Raz jeszcze don Antonio Martínez de Pinillos wszedł na wieżę swego domu przy placu Mina, żeby dojrzeć jeden ze swoich statków, ulubiony, ten, który przyczynił mu najwięcej zmartwień w ciągu ubiegłych tygodni.

– Powita go pan w porcie, czy chciałby pan, żeby kapitan przyszedł się z panem zobaczyć?

– Nie, pójdę do portu.

Statek Kompanii Żeglugowej Pinillos spędzi w Kadyksie tylko kilka godzin, tyle ile potrzeba, by wnieść na pokład pozostały ładunek i uzupełnić zapasy węgla niezbędne do przepłynięcia Atlantyku. Chociaż się im to odradza, pasażerowie pierwszej i drugiej klasy mogą opuścić statek i zwiedzić miasto. Niemal wszyscy pozostaną na pokładzie, jedynie nieliczni wsiądą do jednej z zaprzężonych w konie kolasek, które powiozą ich przez najbardziej malownicze zakątki miasta. Na ogół to Anglicy i Amerykanie są najbardziej zainteresowani zwiedzaniem. Reszta pasażerów zostanie na statku. Będzie tylko jeszcze jeden przystanek, w Las Palmas, potem statek definitywnie obierze kurs na Amerykę. Wszyscy tego pragną i wyczekują z niecierpliwością, gdyż monotonia życia na pokładzie zaczęła im się dawać we znaki.

Przed tygodniem don Antonio widział, jak statek wypływa w kierunku Barcelony. Od tej chwili nie ustawał w staraniach i do ubiegłego wieczoru nie był pewny, czy *Príncipe de Asturias* będzie mógł bezpiecznie wyruszyć w rejs. Niemcy sądzą, że dotrzyma umowy, i przygotowują w Buenos Aires ładunek broni, który miałby dotrzeć do Europy podczas powrotnego rejsu. Anglicy podjęli wszelkie środki, żeby uniemożliwić dostawy uzbrojenia z Ameryki

Południowej i chronić hiszpański statek zarówno podczas rejsu do Buenos Aires, jak i powrotnego.

– Paula, nie wiem, o co chodzi, ale jesteś proszona do kajuty kapitana. Oprócz niego jest tam także pan Pinillos.

Stewardesa jest zdenerwowana, nie wie, czy wzywają ją, żeby jej powiedzieć, że wszystko zostało załatwione, czy przeciwnie, że statek nie wyruszy. Stawką jest jej przyszłość, praca w sklepie z modną odzieżą na ulicy Florida w Buenos Aires. Wyobraża sobie, jak bardzo zaskoczony był kapitan Lotina, kiedy poinformowano go, że ona, zwykła stewardesa, ma być obecna na spotkaniu.

Są tylko w trójkę. Sam Lotina otworzył jej drzwi.

– Wejdź, Paulo. Czekaliśmy na ciebie.

Pan Martínez de Pinillos zwięźle przedstawia sytuację: szantaż Niemców, prośba do Anglików o udzielenie wsparcia, pomoc Pauli w zdemaskowaniu braci Ferreirów.

– Paula bardzo nam pomogła w ich zidentyfikowaniu. Nie zostali zatrzymani, żeby nie narazić na szwank bezpieczeństwa statku, lecz Anglicy cały czas mają ich pod ścisłym nadzorem.

– A zatem będziemy płynąć w eskorcie angielskich pancerników?

– W drodze powrotnej tak. W odległości kilku mil od *Príncipe de Asturias* przez cały czas będzie płynął któryś z angielskich okrętów, lecz poza zasięgiem wzroku. Podczas rejsu do Buenos Aires nie zachodzi żadne niebezpieczeństwo, zarówno Niemcy, jak Brytyjczycy są zainteresowani tym, byśmy bez przeszkód dotarli do celu.

Co zrozumiałe, kapitan ma wątpliwości.

– Panie Pinillos, czy nie lepiej byłoby wstrzymać rejs?

– Obawiam się, że nie możemy tego zrobić. Narazilibyśmy na niebezpieczeństwo wszystkie nasze pozostałe statki, które znajdują się na morzu. Niech pan pamięta, że w tej chwili *Infanta Isabel* już przemierza ocean, spotka się z wami za kilka dni. Także *Valbanera*. Anglicy obiecali nam ochronę i musimy ufać, że dotrzymają słowa.

Przez ponad pół godziny omawiają dalsze szczegóły, którymi Paula nie jest już zainteresowana, prosi zatem o pozwolenie na opuszczenie gabinetu.

– Nie chcę wydać się nieuprzejma, lecz mam obowiązki względem pasażerów.

Dwaj mężczyźni patrzą na siebie ze zdziwieniem.

– Paulo, wyświadczywszy kompanii takie przysługi, nie może pani nadal być stewardesą. Jest pani moim osobistym gościem, odbędzie pani podróż do Buenos Aires w kajucie pierwszej klasy. Kapitanie, być może pan jeszcze tego nie wie, lecz Paula Amaral nie wróci na pokładzie *Príncipe de Asturias*, gdyż postanowiła rozpocząć nowe życie na półkuli południowej.

– Bardzo dziękuję, panie Pinillos, ale nie mogę się na to zgodzić. Już podczas poprzedniego rejsu z mojego powodu inna osoba była obarczona dodatkową pracą. Tym razem zamierzam wypełniać swoje obowiązki.

Nie zgadza się ani na negocjacje, ani na ustępstwa. Jest na tym statku stewardesą w pierwszej klasie i pozostanie nią, dopóki nie opuści pokładu. A teraz musi pomóc Mercedes, żonie tego dziennikarza, przygotować suknię na dzisiejszą kolację.

– Czy zostanie pan, dopóki nie wypłyniemy, panie Pinillos?

– Nie, będę obserwował wypłynięcie statku z domu. Szczęśliwej podróży, kapitanie.

Don Antonio z zadowoleniem patrzy przez swoją starą lornetkę, jak statek opuszcza port. Udało mu się go uratować, choć nie było to łatwe. Ma nadzieję, że za niespełna siedem tygodni zobaczy, jak wraca. Dopiero wówczas będzie spokojny.

Za kilka miesięcy jego syn przejmie zarządzanie firmą. Może wówczas don Antonio zdecyduje się wsiąść na jeden ze swoich statków, żeby poznać Amerykę.

* * *

– Obudź się, Nicolau! To ja, Mosze!

Fakt, że w deszczową noc o godzinie trzeciej nad ranem Mosze przeskoczył przez ogrodzenie i stoi na środku wewnętrznego dziedzińca, na który wychodzą wszystkie pokoje jego typowego argentyńskiego domu, może zwiastować jedynie złe wieści. Bardzo złe.

– Co się stało? Poczekaj, zaraz ci otworzę.

Mosze nie jest ubrany jak zawsze w garnitur, lecz ma na sobie strój typowy dla portowych robotników: drelichowe spodnie i wełniany sweter. Sweter jest czarny i dlatego Nicolau nie zauważył, że rękaw jest splamiony krwią, dopóki nie dojrzał jej w świetle.

– Jesteś ranny?

– Nic wielkiego, ale musisz mi dać jakieś ubranie. I przynieś mi zimne piwo, proszę. Muszę się napić.

Nicolau przygotowuje miednicę z wodą, żeby przyjaciel mógł przemyć ranę, podczas gdy Mosze łapczywie przełyka piwo, jakby od kilku dni nic nie pił. Jeszcze nie wie, co się wydarzyło, lecz zaczyna się domyślać.

– Być może to moje ostatnie piwo. Masz w domu jakieś pieniądze?

Da przyjacielowi wszystko, co ma, nie jest to fortuna, lecz pozwoli mu przeżyć kilka tygodni.

– Miałeś rację, Nicolau. Trauman nie był słaby, chciał tylko, żebym tak myślał.

– Gdybyś mnie posłuchał…

– Niczego by to nie zmieniło. Naprawdę wierzysz, że by mi wybaczył? Nie bądź naiwny, Nicolau. Muszę uciekać z Buenos Aires. Nie wiem, dokąd się udam, do Chile, do Urugwaju, Brazylii… Prawdopodobnie do Brazylii, to wielki kraj, najłatwiej będzie się tam ukryć.

– Nie powiesz mi, co się stało?

– Zdradzili mnie ci, którzy rzekomo stali po mojej stronie. Ostatecznie tylko ty byłeś mi wierny. Przykro mi, może Noé będzie próbował cię dopaść. Umówili się ze mną w jednym z portowych magazynów, żeby dać mi pieniądze na broń, lecz zasadzili się na mnie. Cudem uniknąłem śmierci, pewnie dlatego, że wcześniej załatwiłem dwóch ludzi Traumana.

– Tego ci nie wybaczy.

– Ani tego, ani zdrady. Pomyliłem się, przyjacielu Nicolau. Zbyt często wygrywałem, teraz przyszła kolej, żeby przegrać.

Nie jest załamany, tylko zdecydowany porzucić wszystko i ruszyć w pożyczonym ubraniu i z pieniędzmi, jakie może mu dać Nicolau. Opuści Buenos Aires tak, jak do niego przybył, z pustymi rękami.

– Prześpij się dzisiaj tutaj. Jutro pójdę do banku i przyniosę ci więcej pieniędzy.

– Nie, nie ma czasu. Mam nadzieję, że nie przyjdą po ciebie. Myślę, że Trauman zadowoli się mną.

Teraz Mosze zachowuje się jak naiwniak. Nicolau wie, że Trauman przyjdzie i po niego, że od tej pory, idąc ulicą, musi oglądać się za siebie. Ma również świadomość, że nie sposób uciec przed mackami „Warszawy", są wszędzie.

– Gdybym mógł, poszedłbym z tobą. Ale moja żona niedługo przybędzie do Argentyny. Będzie tutaj za kilka tygodni.

– Przykro mi, przyjacielu. Max płynie tym samym statkiem co twoja żona. Pisał, że wiezie jakąś wyjątkową rudowłosą piękność, poradź mu, żeby podarował ją Traumanowi. Może dzięki temu uratuje życie.

– Czy to wystarczy?

– Musieliśmy zaryzykować, Nicolau. Nie po to przybyliśmy do Argentyny, żeby schylać przed kimś głowę.

– Powinniśmy byli się tym cieszyć, Mosze. Uwielbiam to miasto, nie zamierzałem z niego wyjeżdżać, nawet po to, żeby wrócić w rodzinne strony. Zostanę tutaj, a jeśli któregoś dnia uda ci się wrócić, a ja będę nadal żył, mój dom będzie twoim domem.

– Żegnaj na zawsze. Było zabawnie.

Przed świtem, w pożyczonym ubraniu, które leży na nim, jakby było szyte na miarę, Mosze opuszcza domu Nicolau i znika na ulicach Buenos Aires. Skończył się dla niego czas spokoju. Przed odejściem daje przyjacielowi ostatnią radę:

– Jeśli masz jakieś miejsce, gdzie mógłbyś się ukryć, takie, o którym nikt nie wie, idź tam.

– Miriam, to ja.

Kobieta otwiera drzwi, przestraszona i rozczarowana jednocześnie. Przestraszona obecnością Nicolau o tej nocnej porze, lecz przede wszystkim rozczarowana: to nieprawda, że on niczego od niej nie chce i tylko daje jej szansę na nowe życie na wolności. Nicolau jest jak wszyscy, przychodzi odebrać należność.

– Potrzebuję pomocy. Ludzie Traumana zastawili na Moszego pułapkę. O mały włos nie stracił życia, próbuje uciec z Buenos Aires. Poradził mi, żebym się ukrył tej nocy, a to jedyne miejsce, o którym nikt nie wie.

– Nikt nie zdoła uciec przed Traumanem.

– To tylko na tę noc, jutro sam go poszukam i wszystko mu wyjaśnię.

– Cóż, krótko się cieszyłam wolnością i pracą… Wejdź, nie mam łóżka, ale mam koc, a to już coś.

Do świtu pozostało tylko kilka godzin i żadne z nich nie ma ochoty spać.

– Przypuszczam, że Noé ponownie mnie wyśle do swoich burdeli. Jeszcze dwa tygodnie temu zakładałam, że tak będzie wyglądać moje życie, i nie przeszkadzało mi to. Teraz ta myśl jest dla mnie nie do zniesienia.

– Nikt nie mówi, że Trauman mnie ściga, nie jestem zaangażowany w interesy „Warszawy".

Miriam pozostało jeszcze tyle animuszu, żeby śmiać się z nadziei Nicolau, on nie wie, jacy są „nieczyści". Niewielu może się im sprzeciwić.

– Wszystko stracisz, Nicolau, prawdopodobnie nawet życie. Przykro mi z powodu twojej żony. Przyjedzie tu i zostanie sama. Na pewno nie tego się spodziewała.

– Masz rację. Słyszałaś kiedyś o Izaaku Kleinmannie?

– Słyszałam o nim, lecz nie wiem, czy istnieje naprawdę, czy też wymyśliły go dziewczyny „Warszawy", żeby wierzyć w istnienie kogoś, kto może nam pomóc.

– Istnieje i wie, kim jesteś. Rozmawiał ze mną o tobie. Jeśli ja zniknę, poszukaj go i powiedz mu, że jesteś tą dziewczyną, którą mi podarowano. Pomoże ci przetrwać. Życzę ci szczęścia.

* * *

– Która prycza jest twoja?

Strefa emigrantów znajduje się na międzypokładzie, pomiędzy pokładem drugiej klasy a maszynownią. Może tam podróżować nawet tysiąc pięćset osób. Wojna w Europie sprawiła, że wiele rodzin porzuciło zamiar popłynięcia do Ameryki, toteż podczas tego rejsu jest tylko około ośmiuset pasażerów, z tego nie więcej niż połowa oficjalnie. W kompanii Pinillos wiedzą, że kiedy minie wojna, statek znów wypełni się robotnikami uciekającymi przed biedą i przemocą na europejskim kontynencie.

Wielkie pomieszczenie, podzielone na część dla mężczyzn i część dla kobiet, wypełnione jest żelaznymi łóżkami i przez dwadzieścia cztery godziny na dobę oświetlone światłem elektrycznym. Znajduje się poniżej poziomu wody, toteż odczuwa się brak okna, z którego rozciągałby się widok po horyzont, jakim cieszy się Gabriela w swojej kajucie. Emigranci mają również do dyspozycji wielką jadalnię ze stołami i wspólnymi ławami, mieszczącą się na głównym pokładzie, oraz salę zabaw na pokładzie ochronnym. W obu jest naturalne światło i są dobrze wentylowane. Mogą również korzystać z dwóch sektorów na pokładzie, na dziobie i rufie, w których zainstalowano wielkie plandeki chroniące przed słońcem i deszczem, by mogli wychodzić na świeże powietrze. Często się zdarza, że w upalne tropikalne noce wiele osób sypia w tych sektorach.

– Moja jest tamta, na górze. Niedługo jednak kapitan przeniesie mnie i moich włoskich kolegów do kajuty drugiej klasy.

Gabriela przygląda się kobietom i zauważa, że chociaż ubrała się tak elegancko, nie różni się od nich: to wieśniaczki, robotnice, matki usiłujące w ciągu długich godzin żeglugi zabawić znudzone dzieci. Jeden z Włochów, Carlo, nauczyciel szkoły podstawowej, zorganizował swoistą szkołę, w której każdego ranka stara się uczyć czytać podróżujące z nimi dzieci, a także niektórych dorosłych.

– Słyszałaś śpiewaków flamenco? Wsiedli w Almerii. Zbierają się każdego wieczoru na pokładzie dziobowym, grają na gitarach i śpiewają. Przypuszczam, że nieźle grają, ale to smutna muzyka. Sądziłem, że Hiszpanie są weselsi.

– Ale ci ludzie opuszczają swój kraj, nie ma się więc co dziwić, że są smutni.

Wielu andaluzyjskich wieśniaków płynie do Santosu. Stamtąd wyruszą na plantacje kawy w głębi stanu São Paulo, w regionie Ribeirão Preto. Zostali zatrudnieni przez werbowników wysłanych przez brazylijski rząd w celu pozyskania pracowników w takich krajach, jak Włochy, Portugalia, Francja i Hiszpania. Mają zastąpić dawnych czarnoskórych niewolników i sprawić, że Brazylijczycy będą w przyszłości ludźmi o jaśniejszej karnacji. Poprzez swoich agentów rząd proponuje zainteresowanym dokumenty i opłacony bilet na statek w zamian za dwuletni kontrakt na plantacjach, do których zostaną przydzieleni. Nie wyobrażają sobie, w jak trudnych warunkach żyje się i pracuje na tym obszarze i jak drogo przyjdzie im zapłacić za uzyskane możliwości. Nie wszyscy przeżyją owe dwa lata.

Wielu innych płynie do krewnych, którzy wcześniej wyemigrowali: braci, kuzynów, a nawet rodziców, jak tych sześcioro dzieci udających się do Montevideo.

– Wczoraj rozmawiałem z najstarszą, ma na imię Asun, potem ci ją przedstawię.

Są tam żydowskie rodziny, Francuzi, którzy uciekają przed wojną, wielu samotnych mężczyzn, a także kilka samotnych kobiet. Są również żołnierze, którzy podobnie jak Giulio zbiegli z frontu.

– Widzisz te kobiety?

Giulio wskazuje trzy dziewczyny siedzące samotnie w kącie.

– To Żydówki, lecz nawet inne żydowskie kobiety nie chcą się z nimi zadawać. Najwyraźniej wiozą je do Argentyny, żeby zostały tam prostytutkami.

Gabriela przygląda im się z ciekawością, wie, kim są prostytutki, słyszała o nich, a nawet widziała je wieczorami na ulicach Barcelony, nigdy jednak żadnej nie znała – nie było ich w Sóller – a tym bardziej z żadną nie rozmawiała.

– A dlaczego je odtrącają? Nie powinny im pomóc?

– Nie wiem, chyba zostały sprzedane przez własne rodziny albo okłamano je, mówiąc, że płyną do Argentyny, żeby tam wyjść za mąż. Podróżuje z nimi potężnie zbudowany mężczyzna, nazywa się Jacob. Upija się każdego wieczoru. Sądzę, że pozostali się go boją.

Chociaż są zorganizowani, chociaż matki wspólnie opiekują się dziećmi, a wszyscy próbują pomóc sobie nawzajem, Gabrielę zasmuca ten widok.

– Chyba niewielu z nich płynie do Argentyny, bo tego pragną.

– Nie sądź tak. Wszyscy marzą, że znajdą tam lepsze życie. Oby udało im się to marzenie ziścić.

Asun zmusza braci, żeby chodzili na lekcje, które zorganizował Carlo. Ona chciałaby chodzić do szkoły, lecz od trzech lat nie miała szansy tego robić. Przynajmniej nie jest analfabetką, potrafi dość dobrze czytać, choć pisanie przychodzi jej z trudnością. Kiedy jej ojciec wyjechał do Urugwaju, matka poszła do pracy, a ona, mając wówczas dziewięć lat, musiała się zająć młodszym rodzeństwem. Gdy matka również wyjechała, a babka umarła, wszystkie obowiązki spadły na nią; jedzenie zdobywała w jednej z parafii, żebrała o nie także w domach zamożnych rodzin, które dawały jej to, co miało trafić do śmietnika. Wiele kobiet lituje się nad nią, tak małą, a tak odpowiedzialną za braci. Nie zdają sobie sprawy, że rejs jest dla niej niczym wakacje, których nigdy nie miała: dostaje jedzenie, jest lekarz, mnóstwo ludzi, którzy pomagają jej w opiece nad rodzeństwem... Wszyscy uskarżają się, że rejs trwa aż trzy tygodnie; Asun chciałaby, żeby były to trzy miesiące.

– Obiecujesz, że powiesz mi, jeśli będziesz czegoś potrzebować?

– Tak, proszę pani.

– Nie mów do mnie proszę pani, mam na imię Gabriela.

Asun chciałaby być kiedyś taka jak Gabriela: ładna, elegancka, mieć takiego narzeczonego jak Giulio. Wie, że Gabriela podróżuje w kajucie pierwszej klasy. Nie wyobraża sobie, jak tam może być, wszyscy mówią, że lepiej niż tu, lecz Asun nie potrafi sobie tego wyobrazić: co może być lepszego od tego, że codziennie ma się tyle jedzenia, że można zaspokoić głód, kąpiel w ciepłej wodzie i łóżko z materacem? Nie ma takich strojów jak Gabriela, lecz to nie jest dla niej ważne. Pociesza się, że życie w Montevideo będzie takie, jakie wiedzie na statku.

* * *

– Tam, tam jest!

Rankiem 28 lutego, tuż przed porą lunchu, zawiadomieni przez załogę pasażerowie widzą w oddali sylwetkę *Infanty Isabel*. To zupełnie tak, jakby ujrzeli odbicie w lustrze, gdyż są to bliźniacze statki, a podróż przebiega na nim zapewne bardzo podobnie.

Eduardo i Gaspar przyglądają się drugiemu parowcowi kompanii Pinillos. Spędzają razem wiele godzin, grając w szachy, gawędząc z kapitanem, czytając w bibliotece. Raquel i Mercedes także często dotrzymują sobie towarzystwa: obie odkryły, że pasjonuje je gra w brydża, ulubiona gra amerykańskiego konsula, mister Deichmanna, której nauczył kilkoro pasażerów. W ciągu niewielu dni udało mu się nawet zorganizować coś w rodzaju turnieju, w którym obie panie biorą udział jako para. Zarówno Gaspar, jak Eduardo zrezygnowali z udziału w rozgrywkach.

– Powiedziałem już panu, że rozmawiałem z dziewczyną, jest Ukrainką, nie Rosjanką. Wcale nie sprawiała wrażenia, że płynie do Argentyny z przymusu. Wprost przeciwnie, sądzę, że jest bardzo zakochana w mężu. Obawiam się, że zawiódł pana dziennikarski instynkt.

– Rozmawiałem o tym ze starszym oficerem. Potwierdził, że podczas każdego rejsu przewożone są młode dziewczyny na potrzeby burdeli prowadzonych przez zorganizowaną przestępczość. Tym razem płyną trzecią klasą.

– Zatem ta Ukrainka nie może być jedną z nich. Po co mieliby płacić za pierwszą klasę?

– Żeby od samego początku była niewolnicą seksualną?

– Co za okropność, mam nadzieję, że nie chodzi o to.

– Zamierzam wprost go o to zapytać.

– A potem twierdzi pan, że jest tchórzem…

Podeszła do nich Raquel, żeby lepiej widzieć drugi statek, godziny płyną wolno i każda wymówka jest dobra, żeby się rozerwać.

Poruszają ją jedynie chwile spędzane z Eduardem. Słyszała rozmowę obu mężczyzn. Nie interesuje jej Ukrainka, którą wiozą do domów publicznych w Buenos Aires. To problemy mężczyzn zajmujących się wielkimi sprawami, którzy nawet nie pomyślą o mieszkankach Galicii, Kantabrii czy Estremadury – by wspomnieć tylko kilka regionów, choć właściwie mogłaby wyliczyć wszystkie zakątki Hiszpanii – wykonujących ten sam zawód na ulicach Madrytu lub Barcelony. Są takimi samymi niewolnicami jak Żydówki z Polski, czy skąd tam pochodzą. Jasne, wznioślej jest przecież ratować jakieś dziewczyny przed żydowskimi potworami niż przed ich hiszpańskimi narzeczonymi, chociaż i jedne, i drugie kończą tak samo: sprzedając swoje ciała w jakieś ciemnej uliczce.

Pewnego dnia załoga statku, za pośrednictwem Pauli, do której Raquel nabiera coraz większego zaufania, zwraca się z prośbą, żeby zgodziła się wystąpić któregoś wieczoru.

– Proszę się nie obrażać, lecz bardzo byśmy chcieli posłuchać śpiewu takiej słynnej artystki.

Nie wykona *Kociaczka*, to oczywiste, lecz mogłaby zaśpiewać jakąś inną piosenkę ze swojego repertuaru, może *Relikwiarz* albo arię *Kobiety Babilonu* z *Dworu faraona*.

– Eduardzie, czy miałbyś coś przeciwko temu, żebym wystąpiła tutaj, na statku?

– Nago?

– Nie. Zaśpiewałabym jakąś piosenkę.

– Dlaczego miałbym mieć coś przeciwko? Wprost przeciwnie, byłbym zachwycony, mogąc cię usłyszeć.

Raquel i Eduardo nie dzielą kajuty i sypiają oddzielnie, ale całe dnie przebywają razem: razem jedzą posiłki, przechadzają się po pokładzie, grają w karty, słuchają muzyki i tańczą. Ona często ma wątpliwości odnośnie do swojego postanowienia, żeby nie iść z nim do łóżka, dopóki nie obieca jej, że się z nią ożeni. W rzeczywistości bardzo go pragnie. Powstrzymuje się dlatego, że Eduardo nie okazuje niecierpliwości: może jej nie pożąda.

– Mogłabym poćwiczyć z pianistą, kiedy ty trenujesz.

– Nie pozwolisz mi popatrzeć?

– Chciałabym, żeby była to niespodzianka również dla ciebie.

Musi powiedzieć o tym kapitanowi. W ostatnią sobotę karnawału mogłaby dać występ dla pasażerów pierwszej klasy i członków załogi. Tej nocy, tuż przed przybyciem do Santosu, odbędzie się wielka zabawa: jej występ byłby wisienką na torcie. Raquel poprosi Paulę, żeby pomogła jej przygotować suknię: nie może wyjść na scenę ubrana jak do kolacji, nie może również być naga, jak w Salón Japonés. Stewardesa niejeden raz wykazała, że ma dryg do strojów, wystarczy, że dołoży prostą ozdobę, żeby dać sukni nowe życie.

– Nie myślałaś o tym, żeby poświęcić się modzie?

– Tak, proszę pani, w Buenos Aires podejmę pracę w domu mody.

– Musisz mi dać swój adres. Jeśli zamieszkam w Argentynie, zostaniesz moją modystką.

Dwa statki mijają się w tak niewielkiej odległości, że pasażerowie mogą sobie pomachać w geście pozdrowienia. Na pokładzie *Infanty Isabel* dogodne miejsce zajął Manuel Balda, podróżny zamiłowany w fotografii. Kiedy statki znajdują się niespełna dwieście metrów od siebie, kapitanowie wydają rozkaz włączenia syren, a pasażerowie obu statków kompanii Pinillos zaczynają klaskać. Manuel Balda korzysta z tej chwili, żeby zrobić migawkowe zdjęcie, które przejdzie do historii.

Potem oddalają się od siebie, płynąc z prędkością osiemnastu węzłów: *Infanta Isabel* na północ, do Europy, a *Príncipe de Asturias* na południe, w kierunku Buenos Aires…

Jedynymi zaniepokojonymi osobami są kapitan Lotina i starszy oficer, Félix Rondel. Właśnie otrzymali telegram, który kapitan Pimentel wysłał tuż przed minięciem się obu statków: z *Infanty Isabel* dostrzeżono dwa niemieckie okręty podwodne. Jeden z nich podążał za nią przez kilka godzin, jakby bawił się w kotka i myszkę. Nie wysłał żadnego sygnału ani nie próbował jej zatrzymać. Pimentel odniósł wrażenie, że krąży w tym rejonie, czekając na przybycie jakiejś innej jednostki. Czyżby chodziło o *Príncipe de Asturias*?

11

FOTEL ROZMYŚLAŃ
Autorstwa Gaspara Mediny dla „El Noticiero de Madrid"

RÓWNIK

Mniej więcej w chwili, gdy będą Państwo czytać te wersy, ja będę przekraczać linię równika, opuszczając półkulę północną, jeśli ocean będzie na tyle łaskawy, żeby pozwolić nam płynąć z przewidzianą prędkością. Począwszy od teraz, Państwo, którzy jesteście mili i mnie czytacie, będziecie tacy sami, lecz ja się zmienię. Będę jednym z tych Hiszpanów, którzy porzucili ojczyznę ciałem i umysłem, lecz nie sercem.

Wsiadłem na statek zaledwie przed kilkoma dniami, w Barcelonie, i mogę Państwu powiedzieć, że wyjazd boli tak, jak może boleć kolka: bądźcie pełni podziwu dla tych, którzy wkładają do kartonowej walizki kilka rzeczy i zostawiają swój dom, żeby spróbować szczęścia w Ameryce. Strawiłem wiele godzin na napisaniu tego felietonu, by móc go oddać w Kadyksie, a tym samym mieć ostatni kontakt z moimi czytelnikami. Wiele mnie to kosztowało, po raz pierwszy w życiu miałem większą ochotę żyć, niż pisać. Poznać najdalsze zakątki statku i historie wszystkich, którzy towarzyszą mi w tym rejsie: są to ludzie wszelkiego autoramentu, szczęśliwi i nieszczęśliwi, smutni i weseli. Jest również wiele marzeń, podróż do Argentyny wymaga wielu przemyśleń, wydania sporej sumy pieniędzy, zwykle pożyczonych, rozstania z ukochanymi. A robi się to tylko wówczas, jeśli istnieje marzenie, za którym się podąża: sukces, wolność, dobrobyt, miłość... Mam nadzieję, że nikt nie szuka nienawiści czy zemsty.

Niewiele mogę powiedzieć o statku, czego byście, Państwo, nie przeczytali już w gazetach i czasopismach: jest luksusowy, kuchnia serwuje wyśmienite posiłki, załoga działa precyzyjnie jak zegarek. Notuję swoje wrażenia, by móc potwierdzić wszystko, co Państwo do tej pory czytali, a mianowicie, że podróżują nim arystokraci, artyści, wieśniacy, a nawet kobiety lekkich obyczajów. Może wszyscy wierzą, że tam, na obczyźnie, się zmienią. Postaram się śledzić losy niektórych z nich, byście, Państwo, mogli się dowiedzieć, jak wygląda życie Hiszpanów opuszczających ojczyznę. Może pomogę podjąć decyzję tym, którzy zamierzają to uczynić lub zostać, jeśli pojawi się taka szansa.

Powiada się, że po to, by ujrzeć coś z perspektywy, należy się oddalić. To właśnie robię. Począwszy od teraz, będę Państwu pisał o wszystkim, co napotkam podczas tej podróży, lecz także będę komentował wiadomości docierające do mnie z kraju. Może z Buenos Aires wszystko widzi się inaczej, może to, co tutaj jawi się nam jako nierozwiązywalne problemy, stamtąd postrzega się jako drobne przeciwności, a może odwrotnie? Nowe obyczaje, nowe jedzenie, nowe zajęcia. O tym wszystkim będę Państwa informował na bieżąco w moich felietonach. Mam nadzieję, że sprostam Państwa wymaganiom.

Bardzo chciałbym przybyć już na miejsce, by móc wysłać Państwu pierwszy felieton: powiedzmy za jakieś dziesięć tysięcy kilometrów stąd...

Raquel stoi na niewielkiej scenie, zaimprowizowanej w wielkim holu *Príncipe de Asturias*. Przed sobą ma wspaniałe schody podziwiane przez wszystkich, którzy znajdą się na statku Kompanii Żeglugowej Pinillos. Hol w całości wypełniono krzesłami – wszystkie są zajęte przez pasażerów pierwszej i drugiej klasy, członków załogi, a nawet tych podróżnych z trzeciej klasy, którym ochrona pozwoliła wejść i zająć puste miejsca. W pierwszym rzędzie Eduardo Sagarmín oklaskuje ją z entuzjazmem.

Paula przygotowała jej strój, którego, chociaż jest bardzo skromny jak na to, do czego przywykła, pozazdrościłyby jej wszystkie śpiewaczki, które wykonywały tę sopranową arię z zarzueli *Dwór faraona*. Sama Kleopatra byłaby zachwycona, mogąc się pokazać w takiej sukni. Raquel nadal pamięta premierę tej hiszpańskiej operetki, przed pięcioma czy sześcioma laty, w Teatro Eslava na ulicy Arenal, kilka metrów od mieszkania, w którym ulokował ją don Amando. Wtedy zazdrościła Julii Fons, sopranistce z Sewilli, która grała rolę Kleopatry; dzisiaj sama Fons zazdrościłaby jej tak oddanej publiczności.

Śpiewając – wie, że nigdy nie przestanie tego robić, bo to właśnie trzyma ją przy życiu – Raquel przygląda się wszystkim, których stopniowo poznawała w ciągu tych tygodni rejsu. Puszcza oko do Gabrieli, tej młodej kobiety z Majorki, która płynie na spotkanie z mężem, lecz jest zakochana w Giuliu, włoskim dezerterze; do Gaspara i Mercedes, nieśmiałego dziennikarza i jego miłej żony, stanowiących przykład, jak powinna zachowywać się para świeżo poślubionych młodych ludzi; do tego Żyda z rudowłosą dziewczyną, która wzbudziła takie zainteresowanie Eduarda…

I przede wszystkim do Eduarda. Nigdy wcześniej nie czuła tego, co czuje do niego: zakochała się w tym mężczyźnie. I postanowiła, że dzisiejszej nocy, po występie, odda mu się. Nie dba o to, czy rozstanie się ze swoją cudzołożną żoną czy nie. Po raz pierwszy – nie licząc Roberta – odda swoje ciało komuś, nie oczekując niczego w zamian.

Jest noc z 4 na 5 marca 1916 roku, ostatnia sobota karnawału. Znajdują się bardzo blisko brazylijskich wybrzeży, nieopodal miasta Santos w stanie São Paulo. Do portu wpłyną jutro rano. Wiele osób opuści statek i tutaj zakończy podróż. Wszyscy, większość po raz pierwszy, w końcu ujrzą amerykańskie wybrzeże. Po nieco ponad dwóch tygodniach docierają na kontynent, który dla wielu jest ziemią obiecaną. Rejs, z wyjątkiem dzisiejszego dnia, przebiegał spokojnie. Może dlatego, że jest to ostatni dzień przed zawinięciem do pierwszego amerykańskiego portu, ocean chciał im przypomnieć, że w każdej chwili może przemienić to doświadczenie w koszmar. Pojawiły się wielkie fale, a do gniewu wód dołączyło niebo: od wielu godzin pada ulewny deszcz.

Przed kilkoma sekundami do kapitana podszedł jeden z członków załogi, a ten wstał i opuścił swoje miejsce. Raquel doskonale widziała to ze sceny, zauważyła również przejętą minę kapitana. Nikt jednak nie odbierze jej tych minut chwały ani oklasków po zakończeniu występu. Nawet sztorm.

– Zauważyliście tego U-Boota?

– Od dwóch godzin płynie za nami, kapitanie. Nie ukrywa się, chce, żebyśmy go widzieli. Jakby dawał nam do zrozumienia, że może nas zatopić, kiedy tylko zechce.

Teoretycznie chronią ich Brytyjczycy, lecz podczas całego rejsu widzieli jedynie Niemców. Nie próbowali się kontaktować ani atakować. Tylko ich śledzą, ścigają, jak robili to w przypadku *Infanty Isabel*. Trwa wojna, a niemieckie okręty podwodne mają ważniejsze cele niż transatlantyk neutralnego kraju. To ma być jedynie ostrzeżenie o tym, co się stanie, jeśli nie dotrzymają umowy i nie zabiorą w Argentynie ładunku broni: nawet wszystkie angielskie pancerniki razem wzięte nie zdołają ich ochronić. Może trzeba będzie pomyśleć o wstrzymaniu się z powrotnym rejsem i zostać w Buenos Aires.

Zważywszy na warunki meteorologiczne i sztorm, kapitan jest szczególnie przejęty.

– Widoczność jest bardzo słaba.

– Nie możemy określić dokładnej pozycji przy użyciu sekstansu, a od południowego wschodu nadchodzi nawałnica. Mamy zatrzymać silniki?

– Nie, płyniemy dalej. Z każdą godziną jesteśmy coraz bliżej wybrzeża. Musimy wejść do portu w planowanym terminie. Poza tym nie powinniśmy się zatrzymywać, kiedy wokół krąży ten okręt podwodny.

– Gdyby chciał nas zatopić, już by to zrobił. To, czy płyniemy, czy stoimy, nie sprawia mu żadnej różnicy.

Obsesja kapitana Lotiny na punkcie punktualności i dotrzymywania terminów wydaje się Felixowi nierozważna, ale milczy; jest przecież takie powiedzenie, że gdzie jest kapitan, tam nie rządzi majtek.

– Trwa zabawa, więc pasażerowie nie wiedzą tego, co się dzieje na morzu i nie czują niepokoju. Tak jest lepiej. Przeklęte posągi, wiedziałem, że coś pójdzie nie tak.

– Założył się pan, że rejs będzie spokojny.

– Chciałem uciec od złych przeczuć, Felixie, tylko dlatego.

Publiczność oklaskiwała ją tak gorąco, że Raquel wraz z pianistą rozpoczęli drugą z trzech piosenek, jakie przygotowali, kuplet spopularyzowany przez La Goyę przed kilkoma laty. Nieźle śpiewający pianista wspiera ją drugim głosem. Nie mogła się przebrać, toteż śpiewa w stroju Kleopatry, lecz to nieważne, jest karnawałowa noc, a ona nie jest jedyną przebraną osobą na pokładzie *Príncipe de Asturias*.

W pewnym momencie zauważyła, jak Gabriela ujęła dłoń Giulia. Teraz oboje spoglądają na siebie, szczęśliwi, wierząc, że nikt nie zdał sobie z tego sprawy…

* * *

– Panie Nicolau, niech pan wsiada.

Nie miał czasu na szukanie Traumana, zastąpili mu drogę na ulicy kilka minut po tym, jak opuścił mieszkanie Miriam. Polecenie wydaje mu ten sam potężnie zbudowany Żyd, który poprzednio wiózł go na spotkanie.

– Niech mnie pan nie zmusza, żebym użył siły. Noé Trauman chce z panem rozmawiać i nie ma ochoty czekać.

Za kierownicą siedzi ten sam mężczyzna, który zawiózł go do Avellanedy, tym razem jednak nie kierują się tam, lecz przecinają całe miasto i docierają do Caballito. Samochód nie zatrzymując się, opuszcza Buenos Aires. Blisko dwie godziny jadą szosą, która rychło przemienia się w bity trakt.

– Dokąd mnie wieziecie?

– Milcz.

Dojeżdżają do wielkiej posiadłości. Tutaj zaczyna się pampa, rozciągająca się znacznie bliżej miasta, niż się sądzi. Jakiś mężczyzna otwiera im bramę.

To piękna posiadłość; są tu konie, krowy i psy. Wszędzie dokoła pracują gauczowie. Nicolau zauważa, że mają u pasa owe frędzle, których nazwy nigdy nie potrafił zapamiętać. To słynni żydowscy gauczowie, o których opowiadał Mosze. Żydom, którzy wyrośli, uprawiając nędzne poletka lub mieszkając w niesławnych żydowskich dzielnicach na Wschodzie, błyszczą oczy, kiedy myślą o swoich pobratymcach jeżdżących konno po nieskończonych pastwiskach pampy.

Przejechawszy co najmniej trzy kilometry wewnętrzną drogą, docierają do luksusowego domu. Samochód się zatrzymuje i jeden z mężczyzn otwiera drzwi, żeby Nicolau mógł wysiąść. Noé Trauman wychodzi mu na spotkanie.

– Drogi Nicolau, dziękuję, że zgodził się pan przyjechać. To moja posiadłość, nazywa się Pola Synaju. Umie pan jeździć konno? Później, jeśli pan zechce, pokażę panu majątek. W Europie nie ma takich gospodarstw…

Trauman nie jest ubrany jak gaucho, nie ma też na sobie jednego z tych eleganckich garniturów, jakie zwykle nosi w Buenos Aires. Wygląda jak angielski szlachcic w swojej wiejskiej posiadłości, którą to modę przejęli najzamożniejsi Argentyńczycy.

– Miał pan dobrą podróż? Proszę wejść i się odświeżyć, zaraz podadzą nam zmrożoną lemoniadę.

Wewnątrz dom jest tak luksusowy, na jaki wygląda z zewnątrz: wielkie przestrzenie, białe ściany, meble ze szlachetnego drewna. Wszystko w stylu angielskim. Kobiety ubierają się jak Francuzki, mężczyźni urządzają swoje rezydencje jak Anglicy. Nicolau zauważa jedynie brak trofeów myśliwskich, jakie widział w podobnych miejscach.

Noé rozpływa się w grzecznościach, dopóki nie podają im napojów i obaj nie siedzą na ganku, z którego rozciąga się rozległy widok na całą posiadłość.

– Jakiż to wielki kraj… Jest tutaj miejsce dla wszystkich. Można by założyć tysiące takich posiadłości jak ta, a jeszcze pozostałoby mnóstwo hektarów dla przybyszów z Europy. Pan pochodzi z niewielkiej wyspy, prawda?

– Z Majorki. W porównaniu z nią wszystko jest wielkie.

– Oczywiście. Widzę, że mnie pan rozumie. Skoro jest miejsce dla wszystkich, to dlaczego jedni chcą zająć miejsce innych? Prosiłem pana, żeby przestrzegł pan Moszego.

– Mosze jest wolnym i dumnym człowiekiem. Wie pan, że są tacy Żydzi, którzy ponad wszystko cenią sobie wolność i nie chcą przed nikim zginać karku.

– Wiem i podoba mi się to. Nasz naród od wielu stuleci znosi niesprawiedliwość, a wielu z nas uważa, że powinno się to skończyć. Niemniej jednak to nie przyszłość moich ziomków mnie martwiła, kiedy pana wezwałem. Nie obchodzi mnie, czy Mosze jest dumny, obchodzi mnie tylko, żeby nie wtrącał się w moje sprawy. Poprosił go pan o to?

– Poprosiłem, panie Trauman.

– Znowu tak się pan do mnie zwraca. Proszę mówić mi po imieniu.

– Poprosiłem go o to, Noé.

– Ma pan zatem na niego mniejszy wpływ, niż sądziłem. Szkoda, mógł mu pan uratować życie. Proszę pójść ze mną.

Noé prowadzi go do stajni. Są w niej piękne konie, wyścigowe, pewnie czystej krwi, aczkolwiek tym razem nie chodzi o konie, lecz o coś, co znajduje się za drzwiami w głębi.

– Mosze!

Leży tam na słomie, zakrwawiony, lecz jeszcze żywy. Nadal ma na sobie spodnie od garnituru, który dostał od Nicolau.

– Mógł pan tego uniknąć... Pański przyjaciel chciał uciec do Brazylii, a nie uszedł nawet dwóch ulic od pańskiego domu. Wiemy, że pan mu pomógł. Zamiast stanąć po mojej stronie, wybrał pan jego. To błąd, Nicolau. Wszyscy za to zapłacicie: pan, pańska żona, ta młoda Żydówka, którą panu podarowałem...

– Przekazałem Moszemu pańskie polecenie i choćby z tego tylko względu powinien mi pan wyświadczyć przysługę. Niech pan zostawi w spokoju Miriam. Dość już się wycierpiała.

Trauman się uśmiecha.

– Podoba mi się, że jest pan na tyle bezczelny, żeby o to prosić. Wie pan co? Zostawimy ją w spokoju, ma pan moje słowo honoru.

– Dziękuję, Noé. Możecie wezwać lekarza?

– Nic już dla niego nie można zrobić, jedynie oszczędzić mu cierpień.

Daje znak jednemu ze swoich ochroniarzy, który wyciąga pistolet, podchodzi do Moszego i strzela do niego raz, dwa, trzy razy.

– Już nie cierpi. Lepsze to niż lekarz, prawda?

Nicolau pada na kolana obok ciała przyjaciela. Nie wie, czy ma go objąć i rozpłakać się, czy po prostu odejść.

– Poprosiłem pana o przysługę. Mam w zwyczaju prosić tylko raz. Ach, nim zapomnę, niech się pan nie martwi o żonę. Ma na imię Gabriela, tak? Wiemy, którym statkiem przypłynie, więc przywitamy ją i stworzymy jej możliwości zarobienia na życie w Argentynie. Nie jest Żydówką, ale to jej nie przeszkodzi pracować dla nas. Kto wie, może zaczniemy sprowadzać kobiety stamtąd, z pańskiej wyspy? Pańska żona pozwoli nam zarobić więcej pieniędzy, niż przez pana straciliśmy. Dwa peso za dwa peso. Zgodziłem się, by Miriam odeszła wolno. Jeśli pan chce, zamienię ją na Gabrielę. – Nicolau nie ma nawet czasu odpowiedzieć, bo Noé wybucha głośnym śmiechem. – Nie, już byłem dzisiaj litościwy i nie podoba mi się to. Obie, Miriam i pańska żona, będą dla mnie pracować. Mam nadzieję, że wybrał pan sobie dziewicę na żonę, więcej na niej zarobię. A może jej nie sprzedam, może tym razem sam się będę nią cieszył.

Znowu daje znak. Ten sam mężczyzna, który zabił Moszego, podchodzi do Nicolau i celuje mu w głowę. Nicolau nawet nie prosi o litość. Po co?

* * *

– Proszę, paniczu, kup ode mnie ten bukiecik. Włóż do butonierki…

Ostatnim wersem ze *Sprzedawczyni fiołków* kończy się występ Raquel Chinchilli – artystki występującej w Salón Japonés pod pseudonimem Raquel Castro – w karnawałową noc 1916 roku na pokładzie parowca *Príncipe de Asturias* płynącego ku wybrzeżom Brazylii w ulewnym deszczu, o którym nie wiedzą pasażerowie, przynajmniej ci zebrani w wielkim holu.

Aplauz nie ustaje, widzowie domagają się bisu. Ale jeżeli Raquel czegoś się nauczyła przez te wszystkie lata, to tego, że nie należy zaspokajać widzów i kochanków, tylko sprawić, żeby mieli ochotę na więcej.

– Brawo, Raquel, byłaś wspaniała!

– Naprawdę ci się podobało? Zawierzę ci sekret, ale nikomu go nie zdradź. Wiesz, jak mnie nazywali za kulisami w Japonés?

– Jak?

– Owieczka.

– Chcesz, żebym tak cię nazywał?

– Tylko wtedy, kiedy będę schodzić ze sceny, Eduardo.

– Byłaś zjawiskowa, owieczko.

– Śpiewałam tylko dla ciebie. Jeśli później przyjdziesz do mojej kajuty, uczcimy to szampanem.

Podchodzą inni pasażerowie z gratulacjami i rozdzielają ich, lecz Raquel dała mu znak i tę noc spędzą razem. A jeśli los będzie dla niej pomyślny, wszystkie noce do końca jej życia.

Statek gwałtownie unosi się i opada na falach, tak że wielu pasażerów musi się czegoś chwycić, żeby nie upaść. Ze stołów spadają kieliszki: dzieje się tak nie pierwszy raz tej nocy. Niektórzy patrzą po sobie z niepokojem, lecz orkiestra zaczyna grać kreolskie tango *La Morocha*, najbardziej znane, pierwsze, jakie dotarło do Europy. Wszyscy zapominają o kołysaniu statku i korzystają z tego, że stewardzi usuwają krzesła, żeby na zaimprowizowanym parkiecie ruszyć w tany.

Raquel, nadal w stroju Kleopatry, przechodzi z jednych ramion w drugie. Wszyscy jej gratulują. Tego właśnie oczekiwała, kiedy przybyła do Madrytu, i mimo szczęśliwej chwili myśli, że się pospieszyła, że nie musiała się rozbierać tamtego popołudnia w gabinecie Losady i śpiewać sprośnego kupletu. Powinna była wykazać się cierpliwością i poczekać, aż trafi się jej praca chórzystki w jakiejś rewii, po czym krok po kroku wspinać się, bez kocurków, bez kochanków, bez sprzedawania ciała za kilka peset. Dopóki nie pozna Eduarda i nie zakocha się w nim.

Okrążając salę, natyka się na Gabrielę.

– Na co czekasz, dziewczyno? Jeśli tego nie zrobisz, całe życie będziesz żałować. Idź z Włochem, mamy tylko jedno życie.

Nic więcej, lecz wie, że dziewczyna ją zrozumiała i się z nią zgadza.

Giulio z zachwytem przygląda się zabawie. Jego towarzysze też tu są: przechadzają się po holu i tańczą. Po raz pierwszy podczas tego rejsu mają dostęp do udogodnień pierwszej klasy i wszystko ich olśniewa – jest znacznie wspanialsze od tego, co opowiadał im Giulio, gdy wieczorami wracał do kajuty.

– Co ci powiedziała ta śpiewaczka?

– Kobiece sprawy. Chodźmy do mojej kajuty.

– Jesteś pewna?

– Nigdy w życiu nie byłam niczego tak pewna jak tego.

Korzystając z zamieszania, prowadzi Giulia korytarzem pierwszej klasy. Wchodzą do kajuty i zamykają drzwi.

– Wiesz, Giulio, kiedy teraz o tym myślę, żałuję, że to nie ty byłeś moim pierwszym mężczyzną.

* * *

– Kapitanie, uważam, iż moim obowiązkiem jest prosić pana o zatrzymanie silników.

Pogoda ciągle się pogarsza. Deszcz sprawia, że widoczność jest niemal zerowa, a wielkie fale, które od czasu do czasu przelewają się przez pokład, wstrząsają statkiem, mimo wszelkich środków powziętych w celu zapewnienia mu stabilności. Zniknął nawet ścigający ich niemiecki U-Boot, prawdopodobnie odpłynął, by schronić się na spokojniejszych wodach.

Zgodnie z morskimi mapami nie mają się czego obawiać: nadal znajdują się w odległości wielu mil od wybrzeża, od wyspy São Sebastião, zwanej również Ilhabela, Piękna Wyspa. Dopiero za kilka godzin ujrzą latarnię morską na Ponta do Boi – Przylądku Wołu – więc nie ma sensu zatrzymywać silników i zdawać się na łaskę morza.

– Połowa naprzód.

Polecenie kapitana przekazuje się z mostka kapitańskiego do maszynowni i pozostałym oficerom. Prędkość *Príncipe de Asturias* zmniejsza się z dziewiętnastu węzłów, z jaką płynął do tej pory, do dziesięciu.

Przed Lotiną długa, bezsenna noc, toteż ustala wachty oficerskie. Niektórzy odchodzą do swoich kajut, mimo że zabawa trwa. O wyznaczonych porach muszą się stawić na swoich stanowiskach. Inni pozostają na posterunku – odpoczną dopiero wtedy, gdy zostaną zmienieni. Kapitan musi pozostać na mostku, on jest odpowiedzialny za wszystko, jest jedyną osobą, która nie może pozostawić odpowiedzialności w niczyich rękach.

– Wyjdę na pokład na sterburcie.

– Niech pan będzie ostrożny, kapitanie, morze jest bardzo wzburzone. Lepiej pójdę z panem.

Lotina wychodzi na lewy pokład nawigacyjny z jednym z asystentów pokładowych. Woda zalewa ich z taką siłą, że muszą się trzymać, żeby nie upaść.

– Co za psia pogoda, kapitanie.

– Przeżyliśmy już gorszą.

Obaj wytężają wzrok, wypatrując światła latarni na Ponta do Boi. Chociaż dzieli ich od niej jeszcze zbyt duża odległość, by mogli ją zobaczyć, chcą się upewnić, że nie zboczyli z kursu.

– Ja nic nie widzę, a ty?

– Ja także nie, kapitanie.

Spokojniejsi wracają na mostek, gdzie po chwili pojawia się Paula z kilkoma termosami kawy.

– Pomyślałam, że dobrze panom zrobi odrobina gorącej kawy.

– Dziękuję, Paulo. Jak mają się pasażerowie?

– Bawią się, bardzo się im podobał występ pani Chinchilli. Gwałtowne wstrząsy wzbudzają pewien niepokój, ale chyba niezbyt wielki.

– Poproś orkiestrę, żeby nie przestawała grać. Nie chcemy, żeby wybuchła panika. To tylko nieco silniejszy sztorm.

Kapitan z wdzięcznością wypija kawę, wycierając się równocześnie ręcznikiem: jest kompletnie przemoczony.

– Lepiej niech pan pójdzie się przebrać, kapitanie, tylko tego brakuje, żeby się pan przeziębił i zamiast na mostku, przybył do Buenos Aires w łóżku.

Paula ma rację, toteż Lotina idzie zmienić ubranie. Nie zajmie mu to nawet pięciu minut. Obiecuje sobie, że nie wyjdzie na zewnątrz bez sztormiaka.

Na korytarzu natyka się na Felixa.

– Nie odpoczniesz chwilę?

– Nie mógłbym, kapitanie. Sprawdzałem ładownie.

– I?

– Wszystko w porządku. Muszę panu wyznać, że tak naprawdę poszedłem tam, żeby zobaczyć, czy posągi nie ożyły. Nadal są w swoich skrzyniach i przynajmniej tym nie musimy się martwić.

Lotina jest wdzięczny, że oficer nie traci poczucia humoru. Sztorm to dla nich nie pierwszyzna.

– Informuj mnie na bieżąco. I odpocznij chwilę, przynajmniej spróbuj.

Dostrzega u załogi pewien fatalizm. Wie, że to z powodu tych przeklętych posągów. Chciałby się już ich pozbyć. Nawet przewożenie broni dla Niemców nie może być od tego gorsze.

* * *

– Wejdź.

Giulio po raz pierwszy wchodzi do kajuty pierwszej klasy na *Príncipe de Asturias*. Zdawał sobie sprawę, że są luksusowe, lecz do głowy mu nie przyszło, że aż tak. Piękny salon, eleganckie meble i wielkie łóżko w części sypialnej przywodzą mu na myśl jeden z tych pałaców, w których jako dziecko bywał w Viareggio, towarzysząc ojcu, który dawał korepetycje synowi zamożnej rodziny. Kiedy ojciec udzielał lekcji, on czekał na niego w kuchni albo w jednym z pokoi. Zawsze jednak starał się zakraść dalej, żeby zobaczyć, jak wyglądają wielkopańskie salony. To właśnie portrety przodków bardziej niż ogrom budowli świadczyły o potędze rodziny. Wyobrażał sobie siebie na jednym z takich portretów i marzył, że każe go dla siebie namalować, kiedy zarobi pieniądze. Ojciec śmiał się z niego:

– A jak zamierzasz na niego zarobić? Uczciwie? Uczciwy człowiek nie będzie bogaty. Wszystkie te rodziny mają tak wielkie domy, żeby zmieściły się w nich duchy tych, którzy musieli umrzeć, żeby oni mogli się wzbogacić.

Teraz już nie musi przyglądać się ukradkiem całemu temu luksusowi. Zresztą to nie jest teraz ważne. Ma przed sobą kobietę i to na nią musi patrzeć oczami mężczyzny, a nie niewinnego dziecka.

– Idziemy do sypialni?

Gabriela przejmuje inicjatywę, podobnie jak robiła to Francesca – od ilu to już dni nie myślał o niej ani przez chwilę? – to ona popycha go delikatnie w stronę łóżka i zmusza, by usiadł na brzegu, podczas gdy ona, nadal stojąc, ujmuje jego twarz w dłonie i całuje. Giulio czuje jej język w swoich ustach; ich języki spotykają się i łączą jak para w miłosnym tańcu.

– Tak bardzo chciałam cię pocałować, Giulio. Odkąd się poznaliśmy w Barcelonie. Od owego dnia, kiedy kapitan nas sobie przedstawił.

– Tamtego dnia nawet nie śniłem, że to może się wydarzyć.

Gabriela znowu go popycha, przewraca na łóżko, powoli rozpina mu guziki koszuli, rozchyla ją i głaska jego pierś. Giulio nie śmie zrobić tego samego, w końcu ona go prosi:

– Rozbierz mnie.

Widział ją nagą tamtego wieczoru w mieszkaniu na ulicy Riereta, lecz kobieta, którą ma teraz przed sobą, w niczym nie przypomina tamtej przerażonej dziewczyny. Jedną po drugiej zdejmuje z niej wszystkie części garderoby, do których noszenia zmusza ją moda i obyczajność. Przychodzi mu na myśl, że pewnego dnia będą się kąpać w morzu całkiem nadzy. Ta myśl go podnieca i sprawia, że zaczyna się spieszyć.

– Spokojnie. Mamy przed sobą całe życie.

W końcu odsłania jej piersi. Wydają mu się cudowne. Jak mogą tak mu się podobać? Dlaczego musi porównywać je z piersiami Franceski? Dotyka ich i widzi, jak sutki twardnieją. Spogląda na Gabrielę, a ona uśmiecha się do niego szczęśliwa.

Dziewczyna ponownie popycha go na łóżko i kładzie się na nim. Ich nagie piersi stykają się, a on czuje jej miękką skórę na swoim ciele. Znowu szuka jej ust, ich języki raz jeszcze rozpoczynają swój taniec, a po kilku sekundach stają się jednością.

Gabriela nadal wykazuje inicjatywę, osuwa się w dół i rozpina mu spodnie, guzik po guziku, a potem je ściąga. Patrzy na niego, uśmiechając się łobuzersko.

– Och, co my tutaj mamy? Wygląda na to, że twój przyjaciel ucieszył się na mój widok.

On również się uśmiecha, ten żart rozładował napięcie – teraz już wiedzą, że są tutaj razem, ponieważ się kochają i cieszą każdą wspólnie spędzoną chwilą.

– Mój przyjaciel miał wielką ochotę cię poznać.

– Bardzo mi miło, przyjacielu Giulia.

Po tej prezentacji całuje przyjaciela, nie chce go wypuścić. Francesca nigdy tego nie robiła, a Giuliowi wydaje się to cudowne.

Gabriela rozbiera go do naga, a potem on robi to samo z nią. Miałby ochotę wstać i przyjrzeć jej się, lecz nie chce przerwać tej chwili. Mamy przed sobą całe życie, myśli. Ponownie czuje na sobie jej ciało. Ona siada na nim okrakiem.

– Jakie to szczęście, że cię spotkałam.

Gabriela uświadamia sobie, że zrobi to pierwszy raz, gdyż w niczym nie przypomina to tego, co przeżyła z Enriqiem. Sadowi się na nim i prowadzi go, aż Giulio w nią wchodzi. Początkowo porusza się powoli, a później coraz szybciej i szybciej. Gabriela nie może powstrzymać jęków, jej oddech jest urywany. Raz za razem wymawia jego imię:

– Giulio, Giulio, Giulio.

On jest szczęśliwy, całuje jej szyję i patrzy jej w oczy, wydaje mu się, że wybuchnie z rozkoszy. Nie zwraca uwagi na wstrząsy statku – według niego świat może się dzisiaj skończyć, byle tylko nie musieli się rozstawać. Z drugiej strony nic lepszego nie spotka go już w życiu niż to, czego właśnie zaznaje.

Szczytują niemal równocześnie, Gabriela pada na jego pierś. Obejmuje go i nieruchomieje.

– Dobrze się czujesz?

– Lepiej niż kiedykolwiek w życiu.

* * *

– Już panu powiedziałem, że nie chcę z panem rozmawiać, panie Medina. Niech mnie pan nie zmusza, żebym wyraził to dosadniej.

Gaspar nalega, ponieważ na tym polega jego praca. Max odmawia, może dlatego, że na tym upływa jego życie.

– Tylko jeden kieliszek szampana. Z nikim nie będę o panu rozmawiał, udaję się do Argentyny i chcę przeprowadzić wywiad z Noem Traumanem. Muszę dowiedzieć się o nim możliwie jak najwięcej.

Wzmianka o Traumanie uspokaja Maxa. Gaspar uświadamia sobie, że to nazwisko, które otwiera drzwi. Natknął się na nie wielokrotnie, kiedy zbierał informacje na temat Buenos Aires.

Sara, chociaż nie rozumie ich rozmowy prowadzonej po hiszpańsku, zdaje sobie sprawę, że Max jest zdenerwowany w obecności tego wysokiego, szczupłego mężczyzny. Nigdy nie widziała, by jej mąż okazał komuś tyle cierpliwości: jeszcze kilka tygodni temu już dawno wyciągnąłby nóż.

– Saro, idź do kajuty. Zostanę jeszcze chwilkę i porozmawiam z tym panem.

– Nie zabaw zbyt długo, fajgełe.

To ta noc: Sara podjęła decyzję, nie może dłużej zwlekać. Jutro przybiją do portu w Brazylii, pierwszego w Ameryce, zbliża się koniec rejsu i wkrótce je kłamstwo wyjdzie na jaw. Lepiej, żeby Max wiedział, iż nie jest dziewicą, nim dowie się o tym ów szef, którego tak się boi, Mosze Benjamin. Próbowała zrobić to niemal na wszystkie sposoby, lecz nie udało jej się, teraz nie może jednak dłużej czekać, tej nocy mąż musi ją wziąć, choćby miała go do tego zmusić.

– Należy pan do „Warszawy"?

– Mówi pan to tak, jakby było to równoznaczne z przynależnością do mafii. „Warszawa" jest legalna, to tylko organizacja pomagająca imigrantom z Polski, którzy przybywają do Buenos Aires. To samo robią Hiszpanie czy Włosi. Pan sam pójdzie do Koła Hiszpańskiego, czy jak to się tam nazywa. Będzie pan tam w niedziele jadał paellę i grał w domino, czy w co tam Hiszpanie grają. Otóż my robimy to samo.

– Pozostali Żydzi są innego zdania.

– Kto mówi o Żydach? Powiedziałem panu, jesteśmy Polakami. Początkowo byli także Rosjanie i Rumuni, lecz teraz są tylko Polacy.

– Pan nie jest Żydem?

– Ja tak. I także Polakiem, cóż, argentyńskim Polakiem, gdyż urodziłem się w Buenos Aires. Mój ojciec przybył tu z Polski, jest krawcem.

– A pan nie kontynuuje tej tradycji?

– Czy pański ojciec jest dziennikarzem? Nie, na pewno nie. Jesteście państwo niesamowici, pragniecie wolności wyboru, a jednocześnie chcecie, żeby Żydzi na wieki pozostali krawcami, kramarzami i szewcami łatającymi buty.

Niełatwo przychodzi Gasparowi skłonić Maxa do mówienia. Jego wygląd sugeruje, że jest osobą znacznie mniej powściągliwą, okazuje się jednak podejrzliwy i ostrożny.

– Czy pojechał pan na Ukrainę, żeby przywieźć do Argentyny kobiety?

– Wiozę żonę. Mam nadzieję, że da mi dzieci, że przekaże im moją religię i nauczy je jidysz, prawdziwego języka moich przodków.

– A inne kobiety? Te, które podróżują trzecią klasą?

– Nie podróżuję trzecią klasą, nie wiem, co się tam dzieje.

– Trzy ukraińskie Żydówki płyną w towarzystwie mężczyzny o imieniu Jacob.

– Nie mogę odpowiadać za to, co robią inni.

Nawet od tej strony Gaspar nie może z niego niczego wydobyć, niemniej jednak jego obowiązkiem jest nadal próbować, raz po raz, choćby napotykał na mur nie do przejścia.

– Zna pan Noego Traumana?

– To szef „Warszawy".

– Szef?

– Prezes, nie wiem, jak to nazywacie. Wielki człowiek. Któregoś dnia we wszystkich miastach Argentyny będą ulice jego imienia. Dzięki niemu dwa miliony mężczyzn, którzy samotnie przybyli do tego kraju, nie musi gwałcić przyzwoitych kobiet.

– To barbarzyństwo, wykorzystuje kobiety, które są od niego zależne.

Max wstaje. Gaspar żałuje, że wyraził swoje stanowisko, ma przecież być tylko uszami, które rejestrują słowa rozmówcy, nie potrafił się jednak powstrzymać. Nie zamierza się godzić na takie traktowanie kobiet.

– Pan nie chce rozmawiać ze mną o Noem. Pan chce mnie obrazić.

– Proszę o wybaczenie, porozmawiajmy jeszcze.

– Nie mam panu nic więcej do powiedzenia.

Sara czeka w kajucie na męża. Zwykle robi to naga, lecz dzisiaj ubrana jest w sposób, który wydaje jej się śmieszny, ale który, zgodnie z tym, co widziała w czasopismach, na które natknęła się na statku, podnieca mężczyzn. Nie rozumie, co piszą, lecz na humorystycznych rysunkach i w niektórych ogłoszeniach widnieją młode dziewczyny, oczywiście piękne, w takim właśnie stroju. Sara ma na sobie to, co nazywają bielizną, sama ją uszyła ze sztuki jedwabiu, którą Max kupił jej na bazarze w Stambule. Pewnego popołudnia jedna ze stewardes, Paula, zobaczyła, jak szyje, i na migi udzielała jej rad; bardzo jej pomogła. Szkoda, że nie potrafiła lepiej się z nią porozumieć, zapytałaby ją o tyle rzeczy... Ze dwadzieścia razy przejrzała się w wielkim lustrze. Nie uważa się za atrakcyjną, ma jednak nadzieję, że mąż myśli inaczej. Zażyła również kokainę, ten cudowny proszek, który dał jej Max.

– Z tymi ciuszkami poczekaj, aż znajdziesz się w bajzlu.

Zna już wiele tych słów: bajzel to burdel, miejsce, gdzie będzie pracować, kurwa to prostytutka, nią właśnie będzie, burdelmama będzie tam szefową, „Warszawa" to firma, dla której będzie pracować, dwa peso – tyle wynosi zapłata...

– Nie podoba ci się?

– Zdejmij to i chodź.

On również się rozbiera. Przyszedł w złym humorze, chyba rozmowa z tym Hiszpanem wyprowadziła go z równowagi.

– Chodź, pospiesz się.

Chce tego samego co zawsze: żeby wzięła jego członek do ust i pieściła go, dopóki nie wytryśnie.

– Max, ja także chcę poczuć przyjemność.

– Jesteś kobietą, nic ci po niej.

Tylko raz zaznała jej z Eliaszem – i wiele razy sama – dlatego wie, że może ją odczuwać, że kłamstwem jest to, co mówią mężczyźni, że kobiecie nie jest ona potrzebna.

Kiedy Max jest bardzo podniecony, Sara kładzie się na nim.

– Powiedziałem ci już, że nie. Musisz dotrzeć do Buenos Aires jako dziewica. Inaczej Mosze mnie zabije.

Sara opuszcza głowę i zaczyna płakać.

– Co się dzieje?

– Nie jestem dziewicą, Max. Jestem wdową. Szadchan cię oszukała.

Sara czeka na cios i ten rychło pada. Impet uderzenia zrzuca ją na podłogę.

– Wdową?

– Byłam z mężem tylko kilka tygodni, potem wysłano go na wojnę.

– Zabiję cię, zabiję twoich rodziców, zabiję tę cholerną swatkę! Nawet rabina, który udzielił nam ślubu! Zabiję was wszystkich!

– Kocham cię, Max, nie rób mi krzywdy. Zarobię dla ciebie dużo pieniędzy. Kocham cię…

Max ją bierze, lecz nie tak, jak tego pragnęła: gwałci ją, bije i kopie. Potem wychodzi z kajuty, trzaskając drzwiami.

* * *

Eduardo podśpiewuje radośnie, towarzysząc Raquel w drodze do kajuty. W ręce ma jeszcze kieliszek szampana. Nie przestali się śmiać, odkąd razem opuścili hol, gdzie pasażerowie nadal tańczą i piją.

– Co o nas powiedzą w Brazylii, cały statek na kacu…

Żadne z nich nie przejęło się tym, że inni zobaczą, jak wychodzą razem, nie rozstawali się przecież od chwili, gdy wsiedli na statek, toteż nikt się nie zdziwi, że coś ich łączy. Po raz pierwszy pocałowali się tam, przed orkiestrą, nie dbając o to, że ludzie na nich patrzą. Raquel była ostrożniejsza, nie tyle w trosce o swoją reputację, ile o reputację Eduarda, wysłannika Jego Królewskiej Mości, króla Hiszpanii.

– Chodźmy do kajuty, nie mogą tak cię zobaczyć z kuplecistką.

– Z najpiękniejszą kobietą na statku. Poza tym chcę, żeby mnie widziano. Mężczyźni zyskują sobie szacunek innych mężczyzn, kiedy pojawiają się w towarzystwie pięknych kobiet.

Postanowili, że udadzą się do kajuty Eduarda, najbardziej luksusowej na *Príncipe de Asturias*, kajuty godnej króla.

– Na lądzie ludzie mieszkają w znacznie mniejszych domach. Jak tu ładnie.

– Nim rozpoczęłaś występ, miałem nadzieję, że tę noc zakończymy tutaj razem. Poprosiłem kamerdynera, żeby zostawił butelkę schłodzonego szampana.

– Ostrożnie, nie chcę za dużo wypić.

Eduardo otwiera butelkę, napełnia kieliszki i wznosi toast.

– Za tę podróż, za ten statek, za dzień, kiedy się poznaliśmy, za ciebie i za mnie.

Stukają się kieliszkami i zwilżają usta, ale nic więcej. Żadne z nich nie chce, by alkohol zepsuł im to, co nieuchronnie ma się stać.

Następuje kolejny wstrząs. Jest tak silny, że Raquel wylewa szampana na strój Kleopatry, który nadal ma na sobie.

– Ale ze mnie niezdara.

– To kapitan jest niezdarny.

– Czy takie wstrząsy są normalne?

– Morze jest dziś bardzo wzburzone. Nie sądzę, by był jakiś powód do zmartwienia.

Po chwili statkiem miota po raz kolejny. Tym razem tak mocno, że Raquel się potyka i chwyta Eduarda, który również traci równowagę i pada na fotel, pociągając ją na siebie. Śmieją się jak dzieci.

– Może to jednak nie jest normalne.

Zupełnie się tym nie przejmują, lecz rozbawieni nie przestają się śmiać.

– Przy takim kołysaniu jest więcej niż pewne, że jeszcze nieraz upadniemy. Nie sądzisz, że lepiej zrobimy, od razu się kładąc?

– Masz rację. Tak będzie najlepiej, i to nie z powodu kołysania. Myślałabym tak, nawet gdyby morze było gładkie jak stół.

Siedząc na fotelu, ponownie się całują, tym razem wolniej, bardziej namiętnie.

Potem idą do sypialni i zaczynają się rozbierać.

– Sądzę, że w ciągu ostatnich lat w Japonés widziało mnie nagą ponad dziesięć tysięcy mężczyzn. I nigdy nie czułam takiego wstydu jak teraz.

– Jeśli chcesz, nie będę patrzył.

– Wprost przeciwnie, chcę, żebyś patrzył, żebyś patrzył uważniej, niż kiedykolwiek na mnie patrzono.

– Poczekaj zatem. – Eduardo siada w fotelu. – Możesz rozpocząć swój występ.

Raquel wchodzi na wielkie łóżko i zaczyna zmysłowo tańczyć, równocześnie pozbywając się ubrania.

– Potrzebuję muzyki.

On znowu zaczyna śpiewać.

– Przy takim rytmie nie da się tańczyć zmysłowo. Chodź tu.

Kończy się występ, a rozpoczynają pocałunki – jego dłonie zapuszczają się w każdy zakątek jej ciała, ubranie spada bez rytmu, lecz z namiętnością.

Raquel także zaczyna rozpinać guziki jego koszuli, lecz niecierpliwi się przy drugim i odrywa je jednym szybkim pociągnięciem.

– Mam nadzieję, że to nie była twoja ulubiona koszula.

– Nie znosiłem jej.

Kiedy oboje są już nadzy, Eduardo staje za Raquel, a ona klęka. Ich ciała się łączą, a dłonie Eduarda pieszczą jej piersi.

– Tak, och tak!

Ona odwraca głowę, żeby go pocałować, lecz on jej na to nie pozwala, przytrzymuje ją, nie chce, żeby się poruszyła. Ona rozsuwa nogi, by było mu łatwiej wejść. Eduardo nie czeka na dalsze zaproszenie. Raquel musi złapać się wezgłowia łóżka, żeby utrzymać równowagę, tak silne są jego pchnięcia. Rozkosz narasta i Raquel zaczyna dyszeć. Nigdy tego nie czuła, z żadnym ze swoich kochanków ani z Robertem, ani z Susan. Fale rozkoszy zalewają ją jedna po drugiej, aż osiąga orgazm – najsilniejszy i najintensywniejszy ze wszystkich, jakie kiedykolwiek przeżyła.

Eduardo się nie porusza, lecz jeszcze nie osiągnął zaspokojenia, nadal jest w niej. Kiedy Raquel odzyskuje kontrolę nad swoim ciałem, zaczyna poruszać się tak, jak przed kilkoma minutami. Dla niego. Po chwili oboje równocześnie szczytują.

Eduardo pada na łóżko obok niej. Raquel go całuje i wtedy on zdaje sobie sprawę, że ona płacze. Wtedy robi coś, czego się nie spodziewała i co utwierdza ją w przekonaniu, że właśnie on jest mężczyzną jej życia: zlizuje łzę spływającą po jej policzku. Chociaż może się to wydawać śmieszne, przypomina sobie Roberta i jego uczucie do Gerarda. Różnica polega na tym, że Eduardo na taką miłość zasługuje.

– Kocham cię, Eduardo, zrozumiałam to i nauczyłam się tak wielu rzeczy… Mam nadzieję, że nie uważasz mnie za idiotkę.

– Ja także cię kocham i wcale nie uważam cię za idiotkę, chcę, żebyś pokazała mi wszystko, czego się nauczyłaś.

* * *

– A więc to ty jesteś Miriam. Wyobrażałem sobie, że jesteś piękniejsza.

Miriam posłuchała Nicolau i nie czekała, żeby zobaczyć, co się stanie. Niedługo po jego wyjściu opuściła mieszkanie – jakże krótko mogła się nim cieszyć – i wyszła na ulicę. Udała się do synagogi – od lat w żadnej nie była – i stanęła przed rabinem. On z kolei zaprowadził ją do Izaaka Kleinmanna.

– Dlaczego?

– Są mężczyźni, którzy stracą dla ciebie duszę.

Kleinmann pracuje w niewielkim domu w dzielnicy Once, kilka przecznic od siedziby jego wrogów z „Warszawy". Oni mają luksusowe domy i pałace, Kleinmann tylko maleńką klitkę i pomoc przyzwoitych mężczyzn i kobiet, Żydów, którzy chcą położyć kres nadużyciom „nieczystych".

– Dowiedziałem się, że Nicolau Esteve dał ci porządną pracę.

– Sądzę, że ludzie z „Warszawy" prowadzą wojnę, Mosze zniknął, a Nicolau grozi wielkie niebezpieczeństwo.

– Sam Trauman wykonuje za nas pracę i wykańcza swoich.

– Nicolau to przyzwoity człowiek. Boję się, potrzebuję pomocy.

Kleinmann i ludzie, którzy go wspierają, nie mogą liczyć na policję czy władze, gdyż Warszawskie Towarzystwo Wzajemnej Pomocy wydaje tyle pieniędzy na łapówki, że ilekroć starali się podążać oficjalną drogą, trafiali na nieprzebyty mur. Zamiast tego pomaga im wielu ziomków. Zabierają Miriam do domu Salomona Steinmana, potężnego człowieka, jednego z najsłynniejszych architektów miejskich w Buenos Aires, związanego z najwyższymi kręgami władzy. Nawet sam Trauman nie śmie wystąpić przeciwko niemu.

– Tutaj będziesz bezpieczna. Kiedy już nic ci nie będzie grozić, przyjdziemy po ciebie.

Steinmanowie traktują Miriam jak członka rodziny, ani słowem nie wspominają, że była jedną z prostytutek przynoszących wstyd ich społeczności.

– Trauman uważa, że jest bezkarny, lecz się myli. Powinniśmy byli donieść na niego, kiedy przybyliśmy do Argentyny, lecz tego nie zrobiliśmy, sądziliśmy, że tutaj wszystko będzie inaczej.

Miriam dowiaduje się, że Kleinmann, Steinman i Trauman, trzej tak całkowicie różni ludzie, pod koniec ubiegłego stulecia przypłynęli do Buenos Aires z Hamburga tym samym statkiem. Wszyscy trzej pochodzili z Polski i wyjechali do Hamburga, narażając się na wszelkiego rodzaju niebezpieczeństwa, żeby tam wsiąść na statek do Argentyny.

– Było nas trzech, Trauman, Kleinmann i ja. Tylko Trauman zajął się działalnością przestępczą, pozostali pracowali uczciwie. Wiedzieliśmy, że w Polsce był przestępcą, że miał kryminalną przeszłość, że oskarżono go o zabicie dwóch kobiet... Powinniśmy byli go wydać, żeby nie mógł opuścić Europy. Albo później, żeby nie pozwolono mu tu wjechać. Nie zrobiliśmy jednak tego. Z naszej winy istnieje „Warszawa". Kleinmann nie przestał walczyć z Traumanem, lecz coraz jaśniej widzimy, że zło zwycięży.

Kleinmann codziennie odwiedza Miriam i mówi, że Trauman cały czas jej szuka.

– Jest zdecydowany dać ci lekcję, nie spocznie, dopóki cię nie znajdzie.

– Czy jestem tutaj bezpieczna?

– Bardziej niż gdzie indziej. Chyba że chcesz wyjechać z Argentyny.

– Dokąd? Wrócić do Polski?

– Nie. Chciałabyś pojechać do Brazylii?

W Brazylii również są burdele „Warszawy", lecz tam organizacja nie ma takiej władzy jak w innych krajach tego rejonu.

– Tam moglibyśmy cię chronić. Mogłabyś wyjechać jeszcze dzisiaj.

– Nic mnie nie trzyma w Argentynie.

Jeszcze tej samej nocy, z pomocą żydowskiego kierowcy ciężarówki, który współpracuje z Kleinmannem, Miriam rusza na południe Brazylii. Nauczy się portugalskiego, tak jak nauczyła się hiszpańskiego. Ma nadzieję, że nigdy więcej nie usłyszy już o Traumanie i jego ludziach. Nie zapomina, że zawdzięcza wolność Nicolau. Jeśli będzie mogła, któregoś dnia podziękuje za to jego żonie, która teraz jest wdową, chociaż jeszcze o tym nie wie.

* * *

– Musimy się znajdować w pobliżu Ponta da Pirabura, kapitanie.

Lotina kilkanaście razy przepływał obok tego przylądka. Pamięta strach, jaki czuł za pierwszym razem: jak wszyscy kapitanowie przebywający tę trasę czytał o licznych katastrofach morskich, do których tam doszło, tylko w tym stuleciu było ich ponad pół tuzina. Tamte jednostki były jednak wyposażone w mocno niedoskonałe urządzenia nawigacyjne, nie tak jak jego statek. Wielu kapitanów relacjonowało, że instrumenty szalały. Lotina wielokrotnie śmiał się z tych wymówek: instrumenty nie szaleją, problem polega na tym, że nie umieli ich używać.

– Uwaga, niedługo powinniśmy zobaczyć światło latarni na Ponta do Boi.

Nadpływając ze wschodu, niełatwo jest dojrzeć promień światła. Wszyscy wiedzą, że na Ponta da Pirabura powinna być inna latarnia, niemniej jednak brazylijskie władze opierają się przed jej zainstalowaniem. Niedawno kapitan Lotina podpisał oficjalną petycję w tej sprawie wystosowaną przez marynarzy z całego świata. Brazylijczycy pozostali na to głusi. Dzisiaj kapitan żałuje, że nie domagał się tego bardziej zdecydowanie.

– Jest trzecia rano, kapitanie. Przyszedłem pana zmienić. Powinien pan odpocząć kilka godzin.

Prawdopodobnie Félix Rondel, tak jak on sam, przez całą noc nie zmrużył oka. Wiercił się na koi, wyglądając przez bulaj, czy nie dojrzy upragnionego światła latarni. Jej widok będzie oznaczał, że bez problemów dotarli do Ameryki. Zdarzało się w poprzednich rejsach, że świt ich zaskakiwał, a wówczas mogli zobaczyć piękno wyspy São Sebastião, niebezpodstawnie nazwanej Piękną Wyspą. Przy takich okazjach wznosili toast szampanem. Dzisiaj jednak nie pora na toasty. Kiedy przypływają nocą, jak podczas tego rejsu, nawet jeśli warunki pogodowe są korzystne, widok światła latarni sprawia radość. Widok lądu po tylu dniach na morzu.

– Zostanę tutaj. Przypłyniemy do Santosu około dziewiątej i wówczas pójdę spać. Rzućmy okiem na mapę.

Jest świt 5 marca 1916 roku; od ponad dwudziestu czterech godzin płyną według obliczeń. Nie są w stanie potwierdzić, że ich położenie jest takie, jakie od wielu godzin zakładają. Na tym obszarze panują silne prądy morskie. Gdyby płynęli mniejszą i mniej odporną jednostką, baliby się, że pływy ściągnęły ich ku niebezpiecznym rafom otaczającym wyspę São Sebastião, zatem woleliby oddalić się od wybrzeża. Ale to jest *Príncipe de Asturias*, a nie ma bezpieczniejszego statku.

Lotina i Rondel studiują rozłożoną na stole nawigacyjnym mapę morską. Na zewnątrz deszcz nasila się z każdą chwilą, a widoczność jest tak słaba, że z mostku kapitańskiego ledwie można dojrzeć dziób statku. Coraz bardziej zaniepokojony Lotina obawia się, że trudno będzie zauważyć wątłe światło latarni na Ponta do Boi.

– Według pozycji obliczeniowej powinniśmy się znajdować dziesięć mil od latarni, kapitanie. I powinniśmy już ją widzieć.

– Przeklęty deszcz. Zbaczamy z trasy.

Ponownie wychodzą na zewnętrzny pomost, usiłując przy świetle błyskawic raz po raz przecinających niebo zobaczyć to, czego nie wskazują instrumenty i czego nie mogą dojrzeć z mostku.

– Powinna się znajdować pod kątem czterdziestu pięciu stopni od sterburty.

– Nic nie widać. Nie zobaczylibyśmy nawet innego statku płynącego w naszą stronę, kapitanie.

– Na szczęście nas widzą. Jeśli za piętnaście minut sytuacja się nie zmieni, włączymy syrenę przeciwmgielną. Proszę wydać rozkazy maszynowni, niech będą w pogotowiu.

– O czwartej w maszynowni jest zmiana. Mam postawić całą załogę w stan pogotowia?

– Nie, lepiej nie ogłaszać nieuzasadnionego alarmu. Lada chwila zobaczymy światło latarni i niepewność się skończy. Zmienimy kurs o pięć stopni na bakburtę, na wypadek gdyby obliczenia były błędne, a tym samym oddalimy się od lądu.

Kapitanowi nie pozostaje nic innego, jak czekać, podczas gdy cała załoga stara się sumiennie wykonywać jego rozkazy. On sam myśli, wykonuje w głowie obliczenia, stara się przypomnieć sobie podobne chwile, powołuje się na całe swoje doświadczenie.

Punktualnie o czwartej rano każe uruchomić syrenę przeciw-mgielną. Żal mu pasażerów, zakłóci im to sen, a ponadto wzbudzi niepokój, niepokój, jak sądzi, nieuzasadniony.

– Zmieniamy kierunek o dalsze pięć stopni na bakburtę.

Pojawia się Paula z następną kawą. Wszyscy są jej za to wdzięczni.

– Kapitanie, niektórzy pasażerowie opuszczają kajuty. Denerwują się.

– Starajcie się ich uspokoić, nie chcę, żeby wybuchła panika.

Teraz już wszyscy mają jasność, że nie wiedzą, gdzie się znajdują i że obliczenia były błędne. Światło latarni powinno być widoczne od wielu minut.

Rondel i Lotina ponownie wychodzą na pomost. Ciemność rozjaśnia błyskawica, a wówczas obaj zamierają.

– Czy to ląd?

– Chyba tak, kapitanie.

– Cała wstecz! Ster na bakburtę!

W tej chwili pojawia się upragnione światło, ale nie tam, gdzie się spodziewali, od strony sterburty, lecz na dziobie.

Na statku panuje gorączkowa bieganina, sytuacja jest krytyczna. Z niepokojącą prędkością płyną w kierunku podwodnych skał, nie wiedzą, czy zdołają uniknąć zderzenia.

Po powrocie na mostek Rondel pospiesznie zamyka wodoszczelne grodzie, żeby w razie zderzenia szkody były jak najmniejsze.

O 4.15 następuje gwałtowny wstrząs. *Príncipe de Asturias* wyskakuje ponad powierzchnię wody, a kiedy ponownie opada, skała niczym nóż rozcina całe jego dno, od dziobu po rufę. Dziób zanurza się po kilku sekundach. Rufa unosi się, śruby okrętowe kręcą się nad powierzchnią wody.

* * *

– Co to było?

Gabriela zasnęła w ramionach Giulia. Gdy tylko usłyszeli huk towarzyszący gwałtownemu wstrząsowi, w wyniku którego kajuta się przechyliła, oboje wyskakują z łóżka i pospiesznie szukają ubrań. Ona nie chce włożyć ciężkiej sukni, nagle myśli, że nie będzie mogła w niej pływać, wkłada więc tylko lekką koszulę.

– Wyjdźmy na zewnątrz, szybko.

Z trudem docierają na pokład jako pierwsi. Wielu pasażerów dopiero się ubiera. Oni także nie chcą wyjść na wpół nadzy.

– Muszę wrócić po mój zegarek. To pamiątka po dziadku…

– Zapomnij o nim!

Na pokładzie panuje potworny harmider, część członków załogi odwiązuje łodzie ratunkowe.

– Wsiądź do pierwszej łodzi, ja muszę pomóc. W trzeciej klasie są dzieci i kobiety, które nie zdołają wyjść.

Gabriela nie zamierza zostać sama, toteż biegnie za nim. Rozlega się wycie syren. Nim docierają na dolny pokład, porywa ich ogromna fala.

Gabriela wpada do wody, walczy, by wypłynąć na powierzchnię, coś ją uderza, nie wie co: belka, czyjś bagaż, a może inny pasażer. Nie przyszło jej do głowy zapytać Giulia, czy umie pływać.

Kiedy udaje się jej wypłynąć na powierzchnię i zaczerpnąć powietrza, stara się uspokoić. Doskonale pływa, wiele razy kąpała się w morzu. Wie, że ląd znajduje się niedaleko, musi tylko do niego dotrzeć. Oddycha równomiernie, by zbytnio się nie zmęczyć i w razie potrzeby móc przepłynąć dużą odległość. Nie może jednak zostawić wszystkich tych, którzy bezładnie wymachując rękami, próbują się ratować. Pomaga jakiejś kobiecie uchwycić się dużego przedmiotu unoszącego się na powierzchni, potem dziecku, mężczyźnie, następnej kobiecie… Wszystkim mówi, dokąd mają się kierować, teraz, kiedy widoczny jest promień światła latarni morskiej. Gabriela jest coraz bardziej zmęczona, lecz musi nadal płynąć, choć panicznie boi się o Giulia.

Giulio też świetnie pływa. Od dziecka rywalizował z kolegami, ścigając się w morzu nieopodal Viareggio. To jedyny sport, jaki uprawiał, i lubi go. Nie był ani najlepszy, ani najszybszy, lecz najbardziej wytrzymały. Nie chce oddalić się od statku, nie wiedząc, gdzie jest Gabriela, być może potrzebuje jego pomocy. Szuka jej i zdaje sobie sprawę z rozmiaru katastrofy: kadłub *Príncipe de Asturias* jest rozcięty wzdłuż i wypluwa jakieś pakunki i zwłoki. Pakunki – nie wie, co zawierają – dobrze unoszą się na wodzie i pomagają rozbitkom utrzymać się na powierzchni. Nie dostrzega Gabrieli, a słabe światło nie pozwala mu widzieć dalej niż na pięć czy sześć metrów. Postanawia płynąć w stronę plaży. Może jej także udało się czegoś chwycić.

Płynie ku brzegowi: w końcu jest już tak blisko, że ma pewność, iż się uratuje. Wtedy ją słyszy:

– Giulio, tutaj, pomóż mi!

Gabriela płynie i ciągnie za sobą małe dziecko, jednego z braci Asun, Toña. We dwoje wyciągają go z wody i zostawiają na piasku. Giulio chce ją objąć, ucałować, ona go jednak powstrzymuje.

– Później, Giulio, teraz musimy wyciągnąć z wody, kogo tylko zdołamy.

– Spuścić szalupy! Nadać sygnał SOS!

Kapitan Lotina, całkowicie zdruzgotany, nie musiał wydawać rozkazu. Wszyscy marynarze wiedzą, co robić w takiej sytuacji. Ćwiczyli to dziesiątki razy.

Zaczynają napływać dane o stanie statku, nie mogą być gorsze: woda wdziera się w ogromnych ilościach do ładowni dziobowej, a jeden z dolnych pokładów, na którym spali emigranci, został zalany. Wielu zginęło, inni zapewne starają się wydostać, nie mając na to wielkich szans. Woda wdziera się strumieniami i niebawem statek zatonie. Mechanicy próbują się wydostać, lecz ogromne kotły są uszkodzone, a wrząca woda wylewa się z nich roztrzaskanymi rurami. Lada chwila może dojść do wybuchu.

– Wszystko stracone. Wszystko…

– Trzeba opuścić statek, kapitanie.

Ogromna fala zalewa pokład i zmywa wszystkich pasażerów, zatapiając mostek.

Sara ma podbite oko, na które ledwo widzi. Straciła także dwa zęby. Max już nie wrócił. Nie wini go, miał prawo tak zareagować.

Mimo wszystko ma jeszcze nadzieję, że kiedy znowu go zobaczy, poprosi o wybaczenie, on również ją przeprosi, a potem już zawsze będą szczęśliwi.

Kiedy słyszy huk, wybiega z kajuty. Przerażona nie wie, czy ma czekać na Maxa, lecz w końcu strach zwycięża i ucieka.

Czy Max czeka na nią na zewnątrz? Poszedł grać w karty? Ledwie wychodzi na pokład, ten zaczął się ostro przechylać. Sara łapie się relingu. Czuje, że ktoś ją chwyta: to Jacob. Nie widziała go od chwili wejścia na pokład *Príncipe de Asturias*.

– Tam, do tej łodzi.

Pomaga jej dotrzeć do szalupy i wsiąść, kiedy opuszczają ją na wodę. Sara widzi, jak Jacob pomaga jeszcze dwóm lub trzem osobom.

– Jacobie! Wchodź, ratuj się!

Ale on jej nie słucha, tylko nadal pomaga tym, którym jeszcze może pomóc… Jest ostatnią osobą, po której Sara by się spodziewała takiego bohaterskiego zachowania… Myśli, że człowieka nie da się poznać do końca.

Nie rozumie, co mówią ludzie siedzący w szalupie, wszyscy – ponad dwadzieścia osób – mówią po hiszpańsku. Kiedy łódź podpływa do plaży, zabierają jeszcze dwie lub trzy płynące osoby: żadna z nich nie jest jej mężem.

Plaża jest blisko, Sara się uratuje, chociaż tej nocy wiele osób straciło życie.

– Nie oddalaj się ode mnie, daj mi rękę.

Eduardo ciągnie za sobą Raquel. Nie zdążyła nawet narzucić koszuli, i ta, która tyle razy nago wychodziła na scenę, teraz biegnie tak po pokładzie. Sagarmín chwyta dwa koła ratunkowe z nazwą statku i zmusza Raquel, by założyła jedno z nich. Robi to w samą porę, ponieważ gigantyczna fala pociąga ich za sobą. On nie zdążył włożyć koła i woda go zalewa. Stara się utrzymać na powierzchni, lecz nie udaje mu się złapać Raquel…

Wokół niego więcej osób rozpaczliwie walczy o życie. Ktoś chwyta go za ramię i uniemożliwia płynięcie: zatopi go, oboje utoną.

– Puść mnie, nie mogę ci pomóc.

Ta osoba – sądzi, że to kobieta – zdesperowana, nadal trzyma się go kurczowo. Eduardo nie ma wyjścia i uderza ją mocno, żeby go puściła. Kobieta niknie pod wodą i już nie wypływa.

Sagarmín nie wie, dokąd ma płynąć, aż w świetle błyskawicy widzi ląd. Dzieli go od niego nie więcej niż dwa kilometry, może mniej. Wiele razy pokonywał już takie odległości, musi się tylko uspokoić.

– Tutaj, Eduardo!

Nie wykonał więcej niż pięćdziesiąt zamachów ramionami, kiedy ją słyszy.

– Płyńmy tam, w stronę plaży.

Wtedy dobiega ich uszu huk eksplozji.

– Zabierz mnie stąd, Eduardo. Zabierz mnie stąd.

To właśnie zrobi i już nigdy więcej się z nią nie rozstanie.

– Raz w życiu bądź odważny, Gasparze. Skacz!

Mercedes zmusza męża, by opuścił łóżko i pobiegł korytarzem. Ciągnie go i popycha, żeby tylko wydostać się na pokład. Kiedy się tam znajdują, statkiem wstrząsa wybuch i dziób staje w płomieniach. Obok nich przebiega jakiś marynarz.

– Skaczcie do wody, statek tonie! – woła do nich i skacze.

Mercedes chce podążyć za nim, lecz Gaspar trzyma się relingu i płacze jak dziecko.

– Nie umiem pływać…

– Lepiej utonąć, niż spłonąć żywcem. Skacz!

Mercedes nie wie, skąd czerpie siły, ale zmusza go, żeby puścił reling, podsadza go i wpycha do wody. Potem sama skacze.

Z trudem utrzymuje się na powierzchni, lecz obok płynie jakiś wielki pakunek i chwyta się go. To korek. Mąż mówił jej, że statek go przewozi. Mercedes szuka wzrokiem Gaspara, lecz go nie widzi.

Musi jak najszybciej oddalić się od tonącego statku, żeby nie wciągnął jej za sobą na dno oceanu. Ile sił odpycha się nogami, nie przestając wypatrywać męża.

*

– Tutaj są koła ratunkowe. Łapcie je i skaczcie do wody, nie oglądajcie się za siebie. Płyńcie jak najdalej od statku.

Fala, która zabrała ze sobą mostek, cisnęła kapitanem Lotiną o coś twardego, ścianę, stół, nie wie. Traci przytomność, lecz trwa to tylko chwilę. Gdy ją odzyskuje, podnosi się i próbuje ocenić sytuację. Rozumie, że wszystko stracone. Nie wie, czy radiooficer zdążył wysłać prośbę o pomoc. Silniki przestały pracować, więc nie ma prądu. Poruszają się po ciemku, bez możliwości porozumienia się z kimkolwiek. Lotina musi zrobić wszystko, by jak najwięcej ludzi uratowało życie. Zamierza przekonywać tych, których napotka, żeby skakali za burtę. Widzi Rondela spuszczającego szalupę ratunkową.

– Nie ma na to czasu, Felixie, statek tonie. Skacz!

– Niech pan skacze ze mną, kapitanie.

– Nie, moje miejsce jest tutaj.

Po chwili natyka się na Paulę. Dziewczyna dzielnie pomaga zakładać koła ratunkowe wszystkim, którzy podchodzą.

– Paulo, ratuj się.

– Ktoś musi pomóc tym wszystkim ludziom, kapitanie.

– Ja zostaję.

– Więc oboje im pomożemy.

Ale Lotina nie godzi się na to. Nic więcej nie mówi, tylko bierze ją na ręce i wrzuca do wody.

Lotina dokłada starań, żeby wszyscy opuścili statek, lecz zgodnie z jego przewidywaniami, minutę później rozlega się ogłuszający huk. Idą na dno. Kapitan ma tylko tyle czasu, żeby poświęcić ostatnią myśl swojej żonie i córce. Potem nie ma już nic. Niech Bóg mu wybaczy, że tylu ludzi straciło życie, a tyle miłosnych listów nigdy nie dotrze do adresata.

* * *

– Trzeba płynąć jeszcze raz. W wodzie na pewno są jeszcze ludzie.

Słońce już wzeszło i marynarze, którzy zdołali dotrzeć do Praia de Castelhanos na Pięknej Wyspie, nie pozwolili sobie nawet na minutę odpoczynku. Pomagają im pasażerowie, między innymi Giulio i Eduardo. Raz po raz wypływają w morze w łodzi ratunkowej i wyławiają rozbitków, którzy przeżyli. Odbyli trzy tury i zdołali uratować co najmniej siedemdziesiąt albo osiemdziesiąt osób, które utrzymywały się na wodzie, uczepione korka uwolnionego z ładowni w wyniku katastrofy. Widzieli również trupy, niektóre okaleczone, być może przez rekiny. Sagarmín rozpoznał wśród nich owego Żyda, Maxa Szlomo, nie widział jednak rudowłosej dziewczyny, która z nim podróżowała.

To Paula Amaral wszystko organizuje, ona wydaje polecenia, skłoniła kobiety, które dotarły na plażę w dobrym stanie, by szukały wody pitnej, zachęca marynarzy do ponownej próby ratowania choćby jeszcze jednego życia, wchodzi do wody, żeby wyciągać zwłoki, które fale przyniosły na brzeg, opatruje rannych... Na szczęście jednym z mężczyzn, którzy dotarli na plażę podczas ostatniej tury łodzi, jest doktor Zapata, ten sam, który kilka miesięcy wcześniej operował jej wyrostek robaczkowy. Chociaż jest ranny, robi wszystko, by nieść ulgę towarzyszom nieszczęścia.

Pomaga jej również ta dziewczyna z Majorki, Gabriela. Jest świetną pływaczką, uratowała co najmniej trzy osoby, wśród nich dziecko, które straciło rodzinę, a teraz płacze, siedząc na piasku.

– A Asun? Moja siostra?

– Musisz się za nią modlić, może przypłynie łodzią.

Gabriela wie jednak, że tak się nie stanie, że właściwie nikt z tych, którzy przypływają, nie podróżował trzecią klasą. Prawie wszyscy, którzy tam spali, nie żyją.

– Tutaj! Płynie następne ciało.

– Ja po nie pójdę.

Choć minęło niewiele godzin, pogoda się zmieniła: deszcz ustał, świeci słońce, a morze jest prawie spokojne. Jakby po zagarnięciu swojej puli ofiar postanowiło dać rozbitkom odpocząć.

Nie wiedzą, ile dokładnie osób było na pokładzie. Doliczyli się niewielu ponad setki żywych. Może jacyś rozbitkowie dotarli do pobliskiej plaży, lecz wątpią, by było ich wielu. Mają świadomość, że ponad pięciuset pasażerów straciło życie, a oni są jednymi z wybranych.

Gabriela rozgląda się po plaży – widzi fale, martwych ludzi, pozostałości statku, które zwróciło morze, i stwierdza, że już kiedyś tu była: to plaża z jej snu, tego, który tyle razy śniła w dzieciństwie i który przyśnił się jej także w noc przed ślubem. Ojciec jej nie okłamał, mówiąc, że pewnego dnia będzie się cieszyć, iż nauczyła się pływać. Morze dało jej nową szansę.

* * *

– Kapitanie, niech pan zobaczy.

Na powierzchni morza unoszą się jakieś pakunki, meble, drewno… Jest jasne, że doszło do katastrofy morskiej, a sądząc po ilości unoszących się na wodzie szczątków, musiała to być bardzo duża jednostka.

– Co to jest?

Jest prawie południe, kiedy kapitan Augusto Poli, dowodzący francuskim statkiem *Vega*, rozmawia z jednym z marynarzy.

Przykłada dłoń do czoła, żeby osłonić oczy przed słońcem. Nie widzi wyraźnie, lecz…

– Czy to rozbitkowie?

Wydaje rozkaz podpłynięcia do nich. Stopniowo widzą ich coraz lepiej: to dwie osoby przytrzymujące się koła ratunkowego i wzywające pomocy. Teraz widzą już nie tylko szczątki, lecz także unoszące się na wodzie zwłoki.

– Zapomnijmy o trupach, trzeba szukać ocalałych.

Kapitan wydaje rozkazy. Trzeba spróbować ocalić możliwie jak najwięcej ludzi.

Jedna z łodzi dociera do dwojga rozbitków, którzy zwrócili ich uwagę.

– Wody, dajcie mi wody…

Wciągają ich na statek. Mężczyzna jest przerażony, z trudem mówi kapitanowi, że nazywa się Gaspar Medina. Rudowłosa kobieta nie mówi ani po hiszpańsku, ani po francusku. Próbują porozumieć się z nią na migi i w końcu domyślają się, że kobiecie udało się dostać do łodzi ratunkowej, lecz później wpadła do morza.

Mężczyzna martwi się o swoją żonę. Nie widział jej więcej po tym, jak wyskoczyła za burtę...

Marynarzom z *Vegi* udaje się jeszcze wyłowić pięć żywych osób. Zwłok jest o wiele więcej. Zawiadomili przez radio władze. Niebawem na miejsce katastrofy przypłyną inne statki, żeby wyciągnąć z wody ciała ofiar katastrofy i być może znaleźć jeszcze jakichś rozbitków, którym udało się ujść z życiem.

– Najpierw trzeba zabrać rannych.

– Niech się pan nie martwi, doktorze. Wszystko zostało zaplanowane, możecie wsiąść na statek.

Popołudniem 5 marca rozbitkowie zostaną przetransportowani do Santosu. Tam znajdą opiekę, pociechę i gościnę, dopóki nie będą mogli wrócić do Hiszpanii. Tam spotkają się ci, których wyłowiono z morza, oraz ci, którzy dotarli na plażę. Gaspar i Mercedes, oboje żywi, Raquel i Eduardo, Giulio i Gabriela padają sobie w objęcia... Sara dowiaduje się o śmierci Maxa, Jacoba i pozostałych kobiet płynących na dolnym pokładzie.

Niektórzy wrócą, inni będą kontynuować podróż do Argentyny. Kilkoro zwiąże swoją przyszłość z Brazylią.

– Giulio, możemy zostać tutaj.

– Tutaj, w Brazylii?

– Tak, nie mamy dokumentów, możemy wymyślić sobie życiorysy. Powiemy, że jesteśmy małżeństwem, i uwierzą nam. Zostaniemy tutaj razem, na zawsze.

* * *

Brazylijskie okręty wojenne patrolujące obszar oraz *Satrústegui*, statek należący do Transatlantiki – rywala Kompanii Żeglugowej Pinillos, ten sam, który później zabierze ocalałych z powrotem do Hiszpanii – otrzymawszy wezwanie od *Vegi*, wyłowiły z morza jedynie zwłoki. Tylko rybakom z wioski na Pięknej Wyspie udało się zabrać troje dorosłych i jedno dziecko, którzy przeżyli.

W ciągu następnych dni cały akwen przeczesywano w poszukiwaniu ocalałych; natrafiono na grupę pasażerów, która dotarła do innej, trudniej dostępnej plaży, wyciągano z wody dziesiątki zwłok, w większości niemożliwych do zidentyfikowania.

Stu czterdziestu trzech uratowanych, nieprzebrana liczba zmarłych... Na dnie morza spoczywają niemal wszystkie marzenia, jakie *Príncipe de Asturias* wiózł do Nowego Świata.

FOTEL ROZMYŚLAŃ
Autorstwa Gaspara Mediny dla „El Noticiero de Madrid"

URODZIĆ SIĘ NA NOWO

Mija dziesięć lat od chwili mojego przybycia do Argentyny, wystarczający czas, żeby pogrzebać dawne upiory. Przez dziesięć lat, odkąd zamieszkałem w tym kraju, pilnie informowałem Państwa o wszystkim, czego się dowiadywałem, pisywałem zarówno kronikę towarzyską, jak artykuły polityczne, a nawet relacje z meczów piłki nożnej, który to sport z dnia na dzień zyskuje sobie coraz więcej miłośników. Nie opisałem nigdy tylko jednego wydarzenia, zatonięcia parowca *Príncipe de Asturias*.

Tak, razem z żoną płynęliśmy na pokładzie tego statku podczas naszej podróży poślubnej; nasze małżeństwo, choć miało tak burzliwy początek, trwa już dziesięć szczęśliwych lat. Zginęło wiele osób. Czterysta, pięćset, sześćset. Co znaczy liczba? Kryją się za nią ludzie, którzy pragnęli dotrzeć do tego kraju i nigdy im się to nie udało.

Dzisiaj piszę o nich, ponieważ minęło dziesięć lat, a kilkoro pasażerów, którzy przeżyli tę tragedię, wpadło na wspaniały pomysł, byśmy się spotkali w miejscu, do którego dotarliśmy, na Plaży Kastylijczyków, ażeby wspomnieć owe wydarzenia i podziękować Bogu za szczęśliwe ocalenie. Sądzę, że wielu z nas nie zechce udać się do Brazylii, wspomnienia są zbyt bolesne, ja jednak tam będę.

I w tych dniach, wracając myślą do tamtych wydarzeń, zdałem sobie sprawę, iż moja niechęć do mówienia o katastrofie uniemożliwiła mi oddanie czci tym, których już nie ma.

Czynię to dzisiaj, z dziesięcioletnim opóźnieniem. Wszyscy, począwszy od kapitana Lotiny, którego tak bardzo krytykowano, po ostatniego majtka, wypełnili swój obowiązek. Wdzięczny jestem zwłaszcza owej Żydówce, Sarze. To ona zmusiła mnie do złapania koła ratunkowego, które utrzymywało ją na powierzchni. Istniało ryzyko, że oboje utoniemy, mimo to zachęcała mnie, bym walczył o życie.

Zdrowia ocalałym, cześć i wieczny odpoczynek zmarłym.

C zy dzieci są gotowe?
Dzisiaj jest wyjątkowy dzień w domu rodziny Rosini Pons. Jedno nazwisko włoskie, drugie majorkańskie, które po przybyciu do Brazylii przyjęli Giulio Bovenzi i Gabriela Roselló, ukrywając swoją tożsamość. Teraz już nie mają się czego bać, lecz nazwiska przypominają im, że wybrali nowe życie, takie, jakiego pragnęli. Jest 4 marca 1926 roku. Mija dziesięć lat od chwili, gdy Giulio i Gabriela przybyli do tego kraju, dziesięć lat od katastrofy *Príncipe de Asturias*, który zatonął w odległości stu pięćdziesięciu kilometrów od ich obecnego domu. Od ponad sześciu miesięcy starają się, by choć część ze stu czterdziestu trzech osób ocalałych z tej tragedii mogła zgromadzić się na Plaży Kastylijczyków na wyspie São Sebastião, Ilhabela, jak wolą ją nazywać, aby podziękować Bogu i modlić się za dusze tych, którzy zginęli. W ciągu tych dziesięciu lat ich życie bardzo się zmieniło: mieszkają w São Paulo, rozmawiają ze sobą po portugalsku, urodziła im się córka, a po niej na świat przyszedł chłopiec. Dziewczynka ma teraz siedem lat, a chłopczyk cztery. Dzieci nadal są bardzo małe, lecz pewnego dnia dowiedzą się, że ojciec uciekł przed wojną, że matka pochodzi z miasteczka o nazwie Sóller na wyspie Majorka, że przybyli do Brazylii, która teraz jest ich ojczyzną, statkiem i mieli szczęście uratować życie w katastrofie, choć wiele osób zostało pod wodą, że muszą być szczęśliwi, tak jak szczęśliwi chcieli być ci, którzy nie zdołali się uratować.

Jadą samochodem – Giulio jest fanatykiem motoryzacji od chwili, gdy odkrył jej uroki w Brazylii, ma nawet koncesję na sprzedaż pojazdów mechanicznych od São Paulo po Santos. Pojadą zatem drogą wiodącą wzdłuż wybrzeża aż do miejscowości São Sebastião, leżącej jeszcze na kontynencie. Stamtąd popłyną statkiem na wyspę. Nie pierwszy raz pokonują tę trasę, zajmuje ona około pięciu lub sześciu godzin, dlatego też wyruszają tak wcześnie, jeszcze przed wschodem słońca. Dzieci będą spać na tylnym siedzeniu samochodu. Kiedy się obudzą, uznają to, jak zawsze, za przygodę.

– Czy ktoś jeszcze potwierdził przybycie?

– Nie, sądzę, że będzie nas tylko trzydzieścioro. Dla wielu Brazylia to kraniec świata.

Raz widzieli się z innymi ocalonymi, którzy mieszkają w Brazylii, przede wszystkim z tą rudowłosą Żydówką. Dopiero kilka lat później poznali jej historię i przyszłość, jaka ją czekała w Buenos Aires z Maxem, który był jej mężem. Teraz mieszka w Rio de Janeiro i wyszła za mężczyznę swojego wyznania. Podobnie jak oni ma dwoje dzieci. Przedstawiła ich innej mieszkającej tam Żydówce, która walczy z tymi, którzy sprowadzają dziewczyny do burdeli w Ameryce Południowej. Ma na imię Miriam i zapewnia, że znała Nicolau Estevego, pierwszego męża Gabrieli.

– Czy wiesz, że są ludzie, którzy mimo wszystko mają wiele powodów, żeby dziękować za katastrofę? Sara, ty i ja… Gdyby statek nie zatonął, musielibyśmy się rozstać, a ona pracowałaby w domu publicznym w Buenos Aires…

– Czasami o tym myślę i ogarnia mnie wstyd, że jestem tak szczęśliwy.

To prawda, są szczęśliwi. Brazylia dobrze ich potraktowała, życie obdarzyło ich dwójką cudownych dzieci. Nawiązali kontakt z rodzinami. Nie odrzucają myśli o ponownym udaniu się w podróż, by się z nimi spotkać, pojechać do Sóller i do Viareggio, na razie jednak nie mogą się na to zdecydować.

– Pamiętasz, jak się tutaj spotkaliśmy?

Gaspar i Mercedes spędzili noc w Hotel de España w Santosie. Przed wyruszeniem na Ilhabela chcieli odwiedzić szpital Santa Casa de la Misericordia, miejsce, gdzie spotkali się przed dziesięcioma laty, kiedy byli już pewni, że utracili się na zawsze.

– Gdyby nie ty, nie uratowałbym się. To ty mnie pchnęłaś do wody.

– A ty trzymałeś się tego koła ratunkowego, dopóki cię nie wyciągnięto.

– Chciałbym, żeby przyjechała ta Żydówka, która uratowała się razem ze mną. Zaczęła zasypiać, a ja próbowałem ją budzić. Musiałem jej nawet śpiewać. A jedyna piosenka, która przyszła mi do głowy, to ta, którą śpiewała Raquel, ta o Babilonie. Szkoda, że nie słyszałaś, jak śpiewam *Babilonie, co o zawrót głowy przyprawiasz*... Sądzę, że gdyby ta dziewczyna wiedziała, że będę jej to śpiewać, nie pozwoliłaby mi się złapać koła.

Opowiadali to sobie sto razy. Po raz drugi wracają w miejsce, gdzie to wszystko się stało. Przed pięciu laty tylko oni dwoje chcieli wrócić i zobaczyć z lądu miejsce, gdzie o mało nie zakończyło się ich życie.

Gaspar i jego żona nie wrócili do Hiszpanii, kontynuowali podróż do Buenos Aires i tam od tej pory mieszkają. Co tydzień w „El Noticiero de Madrid" pojawiają się felietony Gaspara, teraz przesyłane z Argentyny.

Udało mu się w końcu przeprowadzić wywiady z Traumanem i Kleinmannem i opublikować książkę na temat „Warszawy". Organizacja nadal istnieje i nadal wykorzystuje dziewczęta przywożone z Europy. Koniec wojny, nędza, jaką sprowadziła na kontynent, tylko ułatwiły zbrodniczy handel żywym towarem. Gaspar nie otrzymuje już gróźb od hiszpańskich wojskowych, teraz dostaje je od argentyńskich stręczycieli. Nie boi się ich już jednak, wyrzuca je do kosza na śmieci i nadal żyje spokojnie.

– Chodźmy już, owieczko. Nie możemy się spóźnić

Eduardo Sagarmín jest fanatykiem punktualności. Nawet te dziesięć lat spędzone z żoną – nie mogli się legalnie pobrać, lecz uważają się za małżeństwo – nie zdołało zmienić jego zwyczajów. To niemożliwe, żeby Raquel Chinchilla przyszła punktualnie na jakieś spotkanie, taka artystyczna maniera...

Oboje uszli z życiem, oboje wrócili do Hiszpanii po katastrofie morskiej i oboje postanowili popłynąć do Argentyny. On nie

mógł się rozwieść z Beatriz, lecz jest mu to obojętne, nie potrzebuje papierów, żeby być szczęśliwym u boku Raquel i pomagać jej
spełnić marzenie zostania wziętą śpiewaczką. Teraz jest dość sławna w swojej przybranej ojczyźnie. Od czasu do czasu jakieś cza-
sopismo publikuje coś na temat jej pracy w kabarecie, lecz oboje
przyjmują to ze śmiechem. Tylko jednego nie udało się osiągnąć,
mimo że próbowali: nie mają dzieci. Pogodzili się już jednak z tym
i są szczęśliwi.

Honorowe miejsce w salonie ich domu zajmuje ich fotografia
z królem Alfonsem XIII, opatrzona jego autografem. Ta fotografia,
a także kolacja, po której została zrobiona, to dwa najlepsze wspomnienia, jakie Raquel zachowuje o Hiszpanii.

Spotkała ją jeszcze jedna radość: Roberto, jej przyjaciel, tancerz,
który przed pięciu laty postanowił zapomnieć w końcu o Gerardzie i także wyruszył do Buenos Aires. Jest malarzem – nie jest
zbyt sławny, lecz wiedzie szczęśliwe życie. O Susan, Manuelu Colmenilli, Rosicie, don Amandzie i swoich pozostałych kochankach
nigdy więcej nie miała wiadomości.

Kiedy nadszedł list od Gabrieli, która zorganizowała obchody
dziesiątej rocznicy tragedii, natychmiast postanowili wziąć w nich
udział i zadzwonili do Gaspara i Mercedes, swoich najlepszych
przyjaciół w Buenos Aires, by wspólnie udać się w podróż. Także
do Pauli Amaral, która przez ostatnie dziesięć lat szyła wszystkie
stroje Raquel na występy w licznych teatrach – nawet w Colón.

– Chodźmy, przed nami jeszcze kilka godzin drogi.

– Tak, chodźmy. Musieliśmy zajrzeć do szpitala, żeby powspo-
minać… A Paula?

– Czeka w samochodzie.

– Ruszamy czy nie?

Paula Amaral dotarła do Buenos Aires i tylko raz odwiedziła
Hiszpanię, by odebrać odznaczenie za swoją bohaterską postawę
podczas katastrofy *Príncipe de Asturias*. Takie wyróżnienia otrzyma-
ło sześć osób, chociaż powinno być ich osiem, lecz nikt nie potrafił
odnaleźć miejsca pobytu dziewczyny z Sóller i włoskiego dezerte-

ra, po których ślad zaginął w Brazylii. A właściwie znaleziono ich, lecz oni odrzucili zaproszenie, odmawiając przyjęcia medali. Don Antonio Martínez de Pinillos, już na emeryturze, opuścił rodzinny Kadyks pociągiem, nie statkiem, ażeby wziąć udział w ceremonii i osobiście podziękować Pauli za wszystko, co uczyniła w owych dniach początku 1916 roku.

Przez lata Paula pracowała u francuskiej modystki, która wprowadziła ją do świata mody, a od dwóch lat jest właścicielką firmy również mieszczącej się na ulicy Florida. Nie jest to największy dom mody w Buenos Aires, lecz dla niej jest spełnieniem marzeń.

– Ruszamy. Co za piękny dzień, szkoda, że wtedy słońce nie świeciło tak jak dziś.

* * *

– Jeśli kapitan Lotina był winny, pokutuje za swój błąd na dnie morza.

Wysnuwano wiele hipotez w celu wyjaśnienia przyczyn tragedii *Príncipe de Asturias*, a każda z nich obarczała winą kapitana Lotinę, chociaż kładziono nacisk na odwagę, jaką się wykazał, ginąc wraz ze swoim statkiem.

Niektórzy twierdzili, że załoga znajdowała się pod wpływem alkoholu z powodu zabawy karnawałowej, jaka odbywała się owej nocy, inni przypisywali winę chorobliwej punktualności kapitana, która skłoniła go do narażenia statku i pasażerów na niebezpieczeństwo. Inne teorie mówiły o spisku, o zbytnim zbliżeniu się do brzegu w celu wysadzenia na ląd niemieckich żołnierzy lub wyładowania broni, jeszcze inne przypisywały podwodnym rafom na Ilhabeli wyjątkowy magnetyzm, sprawiający, że instrumenty na statku szalały... Nigdy nie poznano dokładnej przyczyny.

Tak w Santosie, jak w Argentynie i w Barcelonie oddano cześć tym, którzy przeżyli. Król Hiszpanii i prezydenci wielu krajów wysłali telegramy z kondolencjami, niektórzy z uczestników katastrofy zostali odznaczeni, a posągi na Pomnik Hiszpanów – być może przeklęte – pozostały na głębokości około pięćdziesięciu metrów, nieco ponad milę od Ponta do Boi.

Dziesięć lat później niewiele osób pamięta cudowny parowiec *Príncipe de Asturias*. Może tylko ta grupa Hiszpanów, Włochów, Argentyńczyków i Brazylijczyków, która spotyka się w ten cudowny, słoneczny dzień na Plaży Kastylijczyków.

Niektórzy poznali się na statku, inni rozmawiali ze sobą pierwszy raz, gdy przypadkiem spotkali się podczas różnych upamiętniających tragedię uroczystości. Wszystkich ich jednak łączy coś silniejszego niż więzy krwi: fakt, że są tymi nielicznymi, którzy przeżyli horror owej nocy.

Wzięli udział w mszy, nawet Sara. Jej mąż, ortodoksyjny Żyd, który mimo upału ma na sobie czarny strój i kapelusz, także w niej uczestniczył.

Dzielą się jedzeniem i napojami, które wszyscy przywieźli, obejmują się, śmieją, płaczą, rozmawiają o życiu i rodzinach. Wspominają niektórych z pochłoniętych przez morze, w tym kapitana Lotinę... Jest tam nawet jego córka, Amaya, młoda, niespełna dwudziestoletnia dziewczyna. Trzyma się taktownie na drugim planie, nie wie bowiem, czy jej ojciec spowodował to nieszczęście.

– Amayo, chodź ze mną i nie zapomnij o jednym: twój ojciec był wielkim człowiekiem, a jeśli popełnił jakiś błąd, uczynił to, co każdy kapitan powinien uczynić: zginął ze swoim statkiem – mówi Paula.

– To jest Giulio, prawda?

– Tak. Znasz go?

– Możesz przekazać mu później tę książkę? – Podaje jej *Serce*, książkę, którą Włoch zostawił w jej domu przed wielu laty. – Nie chcę się z nim witać, lecz powiedz mu, że ją przeczytałam. I że podobała mi się.

Gabriela oddala się od pozostałych i patrzy na morze. Pozwoliwszy jej na kilka chwil samotności, Giulio podchodzi do niej.

– Przed dziesięcioma laty w Sóller powiedziałam przyjaciółce, że chciałabym wskoczyć do wody i płynąć, aż znajdę inne życie. Tak zrobiłam, a moje życie czekało na mnie tutaj, przy tobie.

PODZIĘKOWANIA

Dziękuję Claudii, za jej pomoc i towarzystwo. Także za jej starania. Ta powieść jest dla niej.

Dziękuję moim redaktorom, Virginii i Davidowi, zawsze dokładającym tylu starań, by efekt był możliwie najlepszy.

Nie mogę zapomnieć o moim związku z Almerią, który rozpoczął się od Mireii, Inmy, Cata i Carmen i stale się rozwija: Marga, Inés, Natalia... Tylu ich jest – a raczej tyle – że niemożliwością jest wymienić wszystkich, nie pomijając nikogo.

Dziękuję tym przyjaciołom co zawsze: z komisariatu, z wydziału, z kręgu przyjaciół, z sekty, z Lizbony...

Wszystkim tym, którzy mnie czytają i ofiarują mi swoje rady i uczucia, Estefanii Salyers, która, niezadowolona z jednej wersji, przeczytała dwie bądź trzy, Cristinie Delgado, Javierowi Lorenzowi, Santiemu Diazowi, Recarderowi Veredasowi, Antoniowi Gomezowi Rufo i Reginie Román.

I jak zawsze mówię, jeśli kogoś pominąłem, niech się nie gniewa, tylko mi przypomni, a wspomnę go w następnej powieści.

SPIS TREŚCI

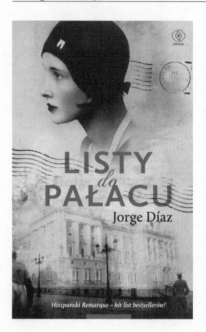

Jorge Díaz

LISTY DO PAŁACU

Wzruszająca historia miłości w czasach wojny
Wojna bezlitośnie pustoszy Europę. Do Pałacu Królewskiego w Madrycie przychodzi list, w którym mała Francuzka
prosi hiszpańskiego monarchę o pomoc w odnalezieniu za-
ginionego na froncie brata. Bożonarodzeniowy gest króla
względem Sylvie wywołuje lawinę zdarzeń…
Zainspirowane historycznymi faktami *Listy do Pałacu* to
poruszająca powieść o miłości w czasach zarazy wojennej.